LE QUATRIÈME [illegible]

Frederick Forsyth est né en 1938. Plus jeune pilote de la R.A.F. (il avait dix-neuf ans), il choisit très vite le journalisme, le seul métier qui lui permette « d'écrire, de voyager et de travailler à son propre rythme ». Il est correspondant d'abord de l'agence Reuter, dans plusieurs pays d'Europe dont la France, puis de la B.B.C., pour laquelle il « couvre » notamment la guerre du Biafra. Son premier grand roman, Chacal, *est aussitôt un extraordinaire best-seller mondial et donne à Frederick Forsyth une célébrité immédiate.*
Le Dossier Odessa, Les Chiens de guerre, L'Alternative du diable, *le remarquable recueil de nouvelles publié sous le titre* Sans bavures, *Grand Prix de littérature policière 1983, et* Le Quatrième Protocole *connaissent le même succès.*
Avec près de trente millions de livres vendus dans deux douzaines de langues, Frederick Forsyth se place parmi les écrivains les plus appréciés du public. Il vit aujourd'hui avec sa femme et ses enfants en Angleterre.
Un film va être tiré du Quatrième Protocole.

Un cambriolage peu banal dans un appartement de Londres, une poignée de diamants passe de mains en mains, et aussitôt, des cadavres... Mais est-ce bien pour les diamants que ces hommes sont morts ?
Une liasse de documents secrets volés, renvoyés au ministère de la Guerre par un correspondant anonyme, un marin russe tabassé par une bande de punks dans un faubourg de Glasgow, un message codé indéchiffrable envoyé par un émetteur clandestin des Midlands, l'arrivée en Angleterre d'un curieux citoyen autrichien avec un passeport douteux, autant d'incidents sans relations apparentes, mais qui convergent vers... Vers qui ? Vers quoi ?
A la veille des élections législatives anglaises de 1987, qui vont se jouer sur le problème du désarmement nucléaire unilatéral, une poignée de militants d'extrême gauche complote pour s'emparer du pouvoir. Mais seul un retournement soudain d'opinion peut leur assurer la majorité nécessaire. Tandis que les hordes de pacifistes naïfs manifestent dans le vide, un homme venu de Moscou prépare sans bruit le feu d'artifice qui va aboutir à la mainmise du communisme sur le Royaume-Uni de Grande-Bretagne.

Paru dans Le Livre de Poche :

L'ALTERNATIVE DU DIABLE.
SANS BAVURES.

FREDERICK FORSYTH

Le Quatrième Protocole

ROMAN

TRADUIT DE L'ANGLAIS
PAR FRANÇOISE ET GUY CASARIL

ALBIN MICHEL

Édition originale anglaise :

THE FOURTH PROTOCOL
Hutchinson Publishing Group Lt., Londres

A Shane Richard, cinq ans,
en souvenir de ses tendres attentions
sans lesquelles ce livre aurait été
écrit deux fois plus vite.

PREMIÈRE PARTIE

1

L'HOMME en gris décida qu'il s'emparerait de la parure Glen à minuit. A condition que les diamants se trouvent encore dans le coffre de l'appartement et que les occupants soient partis. Il devait en avoir le cœur net. Il prit son poste d'observation et attendit. A sept heures et demie, il fut récompensé.

La masse sombre de la limousine remonta sans bruit la rampe du garage souterrain, avec la puissance et l'élégance propres à la marque. Elle s'immobilisa un instant, le temps que le conducteur vérifie qu'il avait la voie libre, puis elle tourna dans Belgravia Street en direction de Hyde Park Corner.

En face de l'immeuble de luxe, au volant d'une Volvo de location et vêtu d'un uniforme de chauffeur, Jim Rawlings poussa un soupir de soulagement. Il avait discrètement constaté ce qu'il espérait voir : le mari au volant, la femme à côté de lui. Il avait laissé tourner le moteur et mis le chauffage pour chasser le froid. Il poussa en « marche avant » le levier de la boîte de vitesses automatique, se dégagea de la file de stationnement et suivit la Jaguar.

C'était une belle matinée, quoique un peu fraîche; une lueur pâle s'élevait au-dessus de Green Park, à l'est, et les réverbères étaient encore allumés. Rawlings s'était mis à l'affût dès cinq heures du matin; il avait vu passer pas mal de monde dans la rue mais personne ne semblait le remarquer. A Belgravia, le quartier le plus bourgeois du West End de Londres, un chauffeur dans une voiture n'attire l'attention de personne, surtout avec quatre valises et une panière à l'arrière, le matin du 31 décembre. La plupart des gens riches se préparaient sans doute à quitter la capitale pour passer les fêtes dans leurs maisons de campagne.

A Hyde Park Corner, il se trouvait à une cinquantaine de mètres derrière la Jaguar et il laissa un camion se glisser entre eux. En remontant Park Lane, Rawlings eut un instant d'inquiétude : il craignit que le couple de la Jaguar ne s'arrête devant la succursale de la banque Coutts pour glisser les diamants dans le coffre de nuit.

A Marble Arch, il poussa un deuxième soupir de soulagement. La limousine devant lui ne tourna pas autour de l'Arc pour redescendre Park Lane vers le sud – et la banque. Elle continua tout droit vers Cumberland Place, puis Gloucester Place et le nord. Donc les occupants de l'appartement du huitième étage de Fontenoy House ne déposeraient pas la marchandise chez Coutts; ou bien ils l'emporteraient à la campagne, dans la voiture, ou bien ils l'avaient laissée dans l'appartement durant les fêtes du Nouvel An. Rawlings espérait bien qu'ils avaient choisi la deuxième option.

Il fila la Jaguar jusqu'à Hendon, la regarda prendre de la vitesse sur le dernier kilomètre précédant l'autoroute, puis retourna vers le centre de Londres. De toute évidence, comme il s'y attendait, le couple se rendait chez le frère de la femme, le duc de Sheffield, dans ses terres du nord du Yorkshire, à six bonnes heures de route de Londres. Rawlings disposait donc au minimum de vingt-quatre heures – plus qu'il ne lui en fallait. Il était certain de pouvoir cambrioler l'appartement de Fontenoy House; n'était-il pas, après tout, l'un des meilleurs cambrioleurs de Londres?

A dix heures, il avait rendu la Volvo à la compagnie

de location, l'uniforme au loueur de costumes et remisé les bagages dans leur placard habituel. Il se trouvait dans son appartement confortable et luxueusement meublé, au dernier étage d'un ancien entrepôt de thé aménagé, dans son quartier natal de Wandsworth. Malgré sa réussite certaine, il demeurait un homme du sud de Londres, où il était né et où il avait grandi. Wandsworth n'était peut-être pas aussi chic que Belgravia ou Mayfair, mais c'était son « territoire ». Comme tous les gens de son espèce, il n'aimait pas en franchir les frontières. Il s'y sentait raisonnablement en sécurité, quoique bien connu de la pègre et de la police du secteur.

Comme tous les truands qui réussissent, Rawlings se montrait très discret sur son « territoire ». Il avait toujours une voiture n'attirant pas l'attention; sa seule folie c'était son élégant appartement. A l'intention des gagne-petit du milieu, il avait créé un certain flou autour de ses activités réelles; sans doute la police soupçonnait-elle assez précisément sa spécialité mais son casier était vierge, hormis une brève période de « mise à l'ombre » pendant son adolescence. Sa réussite manifeste et le mystère qui l'entourait suscitaient un certain respect parmi les jeunes désireux d'« entrer dans le jeu », et ils étaient toujours ravis de lui « faire des petites courses ». Même les grosses bandes qui « braquaient » des bureaux en plein jour avec des fusils de chasse et des manches de pioche le laissaient tranquille.

Il avait évidemment une « façade » pour blanchir l'argent; c'était nécessaire. Tous les truands qui réussissent ont une entreprise légale pour se couvrir. De longue date, ils montrent une certaine préférence pour les radiotaxis (chauffeur ou propriétaire), les primeurs et la ferraille. Ces façades présentent plus d'un avantage : gros bénéfices occultes, affaires traitées en liquide, horaires irréguliers, possibilité d'organiser des « planques » et d'employer un ou deux « gros bras » ou « méchants » – des durs sans cervelle mais dotés d'une force physique impressionnante, qui ont besoin eux aussi d'un emploi apparemment légal pour dissimuler leur profession habituelle : muscles à louer.

Rawlings avait une affaire de ferraille et un cimetière de voitures. Il disposait donc d'un atelier mécanique bien équipé, de métaux de toutes sortes, de fils électriques, d'acide pour accumulateurs, et de deux costauds qu'il employait à la fois au chantier de ferraille et comme gardes du corps en cas de « pépin », si des « méchants » décidaient de lui « chercher des crosses ».

Douché et rasé, Rawlings fit dissoudre ses granulés dans son deuxième espresso du matin et étudia de nouveau les croquis que lui avait remis Billy Rice.

Billy était son apprenti, un malin qui deviendrait sûrement très bon un jour, et même excellent. A vingt-trois ans, il faisait encore ses débuts en marge du milieu, et il était enchanté de rendre service à un homme de prestige comme Rawlings, sans parler de l'expérience précieuse qu'il acquérait au passage. Vingt-quatre heures auparavant, Billy avait frappé à la porte de l'appartement du huitième étage de Fontenoy House. Il avait enfilé la livrée d'un fleuriste du quartier et tenait dans ses bras un énorme bouquet de fleurs. Ces « accessoires » lui avaient permis de franchir sans problème le rez-de-chaussée, où il avait noté le plan exact du vestibule d'entrée, l'emplacement de la loge du concierge et l'accès de l'escalier.

C'était Madame qui avait répondu elle-même à la porte, et à la vue des fleurs son visage s'était épanoui de surprise et de plaisir. Elles étaient censées venir du comité de la Fondation en faveur des anciens combattants nécessiteux, dont Lady Fiona était membre honoraire. Le bal de gala de la Fondation avait lieu le soir même, 30 décembre 1986, et Lady Fiona y assisterait, mais Rawlings s'était dit que même si elle parlait du bouquet à l'un des membres du comité pendant le bal, celui-ci supposerait simplement qu'un autre membre avait envoyé la gerbe en leur nom à tous.

A la porte, elle avait examiné la carte jointe, s'était écriée « Oh! comme c'est gentil! » avec les intonations de cristal précieux caractéristiques de son milieu, puis elle avait pris le bouquet. Aussitôt, Billy lui avait tendu son bloc de reçus et un stylo à bille. Ne pouvant saisir les trois objets à la fois, Lady Fiona, embarrassée, avait reculé dans le salon pour poser la gerbe, laissant Billy tout seul dans le petit vestibule pendant plusieurs secondes.

Avec son allure de gamin, ses cheveux blonds ébouriffés, ses yeux bleus et son sourire timide, Billy était vraiment parfait dans son rôle. Il se faisait fort d'embobiner n'importe quelle bonne femme entre deux âges. Mais son regard d'enfant ne laissait rien passer.

Avant même d'appuyer sur la sonnette, il avait examiné pendant une bonne minute l'extérieur de la porte, l'huisserie et le mur du couloir tout autour. Il cherchait un signal d'alarme, de la taille d'une noisette, ou bien un bouton noir, un interrupteur coupant le signal. Il n'avait sonné qu'après avoir constaté l'absence de tout dispositif.

Seul dans le vestibule, il vérifia de même le chambranle de la porte et les murs. De nouveau, rien. Quand Lady Fiona revint signer le reçu, Billy savait que la porte était équipée d'une serrure encastrée – par bonheur une Chubb et non une Brahmah, réputée inviolable.

Lady Fiona prit le carnet de reçus et le stylo à bille et essaya de signer. Impossible. Le stylo n'avait plus de cartouche depuis longtemps et toute l'encre qui restait avait été étalée auparavant sur une feuille blanche. Billy se confondit en excuses. Avec un large sourire, Lady Fiona lui répondit que peu importait, elle devait avoir un stylo dans son sac à main. Elle disparut de nouveau dans le salon. Billy avait déjà remarqué ce qu'il cherchait. La porte était bel et bien reliée à un système d'alarme.

Dépassant du chant de la porte ouverte, du côté des paumelles et assez haut, se trouvait un goujon métallique. En face, dans le chambranle de la porte, un trou de même diamètre, avec au fond – Billy l'aurait juré – un interrupteur miniature. Quand la porte se refermait, le goujon entrait dans son logement et assurait un contact.

Une fois le système d'alarme branché, l'interrupteur miniature déclenchait l'alarme si le contact était rompu, c'est-à-dire si la porte s'ouvrait. Il fallut à Billy moins de trois secondes pour sortir son tube de colle extra-forte, en presser une grosse noisette dans l'orifice contenant l'interrupteur, et enfoncer le tout avec une petite boule de pâte à modeler mêlée à de la colle. Quatre secondes plus tard, tout était sec et dur comme du roc. L'interrupteur miniature n'était plus sensible aux mouvements du goujon placé sur le chant de la porte.

Quand Lady Fiona revint avec le reçu signé, elle trouva le charmant jeune homme appuyé au chambranle. Il se redressa aussitôt avec un sourire confus, tout en se frottant le pouce pour en détacher l'excès de colle. Plus tard, Billy avait fourni à Jim Rawlings une description complète de l'entrée, de la loge du concierge, de l'emplacement des escaliers et des ascenseurs, du couloir conduisant à la porte de l'appartement, du petit vestibule derrière la porte, et des parties du salon qu'il avait pu entrevoir.

Rawlings se servit une autre tasse de café. Il était certain que quatre heures auparavant, le propriétaire de l'appartement avait transporté ses valises dans le couloir, puis était retourné dans le vestibule pour brancher le signal d'alarme. Comme d'habitude, il ne s'était produit aucun bruit. Il avait dû tourner la clef à fond dans la serrure encastrée, persuadé que son système d'alarme était bien activé. Normalement, le goujon aurait dû se trouver en contact avec l'interrupteur miniature. La mise en place du pêne de la serrure établissait le circuit complet et l'ensemble du système fonctionnait. Mais comme le goujon était isolé de l'interrupteur, l'alarme de la porte (à tout le moins) serait neutralisée. Rawlings s'estimait capable de forcer la serrure en moins de trente minutes. Dans l'appartement, il y aurait sans doute d'autres pièges. Il s'en occuperait à mesure qu'ils se présenteraient.

Il termina son café et tendit la main vers son dossier de coupures de presse. Comme tous les voleurs de bijoux, Rawlings suivait de près la rubrique mondaine des journaux et les potins. Ce dossier particulier était entièrement consacré aux apparitions dans le monde de Lady Fiona, et à la parure de diamants qu'elle avait portée à la soirée de gala, la veille au soir – pour la dernière fois si Jim Rawlings parvenait à ses fins.

A deux mille kilomètres de là, à l'est, le vieil homme, debout à la fenêtre du salon dans son appartement du troisième étage, 111 avenue Mira, songeait lui aussi à minuit. Le 1er janvier 1987, il allait fêter son soixante-quinzième anniversaire.

Il était plus de midi mais il était encore en robe de chambre; aucune raison à présent de se lever tôt ou de se mettre sur son trente et un pour aller au bureau. Il n'avait plus aucun bureau où aller. Sa femme russe, Erita, de trente ans sa cadette, avait emmené leurs deux garçons patiner sur les allées inondées puis glacées du Gorki Park. Il était seul.

Il aperçut son reflet dans un miroir, et ce qu'il vit ne lui procura pas davantage de plaisir que le spectacle de sa vie, ou ce qu'il en restait. Son visage ridé avant l'âge se creusait maintenant de sillons profonds. Les cheveux, jadis épais et bruns, étaient devenus blancs comme neige, rares et ternes. Sa peau, après toute une existence de beuveries titanesques et de cigarettes fumées à la chaîne, était marbrée et tavelée. Ses yeux lui renvoyèrent un regard malheureux. Il revint près de la fenêtre et se pencha vers la rue envahie par la neige. Plusieurs « babouchkas » emmitouflées, tassées sur elles-mêmes, balayaient les trottoirs, qui se recouvriraient de blanc à la tombée de la nuit.

Cela faisait si longtemps! se dit-il. Vingt-quatre ans, presque jour pour jour, depuis qu'il avait quitté son exil oisif et inutile à Beyrouth pour venir ici. Aucune raison de rester. Nick Elliot et les autres, à la « Firme » avaient réuni toutes les pièces du puzzle – il l'avait enfin compris. Il était donc venu ici, abandonnant sa femme et ses enfants, qui pourraient le rejoindre plus tard s'ils le désiraient.

Au début, il avait eu l'impression de rentrer chez lui, dans son foyer spirituel et moral. Il s'était lancé à corps perdu dans sa nouvelle vie, il avait cru en toute sincérité à la philosophie du communisme et à son triomphe prochain. Pourquoi pas? Il avait servi cet idéal vingt-sept ans... Oui, il avait été heureux; il s'était épanoui pendant les premiers temps, au milieu des années 60. Bien sûr, il y avait eu des interrogatoires interminables, mais on le respectait au sein du Comité de sécurité de l'Etat. Il était, après tout, l'une des Cinq Etoiles (avec Burgess, Maclean, Blunt et Blake) et le meilleur de tous. Comme eux il s'était lentement faufilé jusqu'au cœur de la société britannique – et il l'avait trahie.

Burgess, à qui l'alcool et les mignons avaient creusé une tombe prématurée, se trouvait déjà là à son arrivée. Maclean avait été le premier à perdre ses illusions, mais il vivait à Moscou depuis 1951! En 1963 il était amer et aigri, et il faisait passer ses colères sur Melinda, qui avait fini par quitter l'Angleterre pour s'installer ici, dans cet appartement même. Et Maclean avait continué, tant bien que mal, sans illusions et plein de colère, jusqu'à ce que le cancer l'emporte – à ce moment-là, il détestait ses hôtes, qui le lui rendaient bien. Blunt avait été « grillé » et renvoyé en Angleterre de façon ignominieuse. Restaient donc Blake et lui, songea le vieil homme. En un sens, il enviait Blake, complètement assimilé, parfaitement satisfait, et qui l'avait invité avec Erita pour la veillée de la Saint-Sylvestre. Evidemment, Blake avait pour lui ses antécédents cosmopolites : une mère hollandaise, un père juif...

Mais pour le vieil homme aucune assimilation n'était possible; il l'avait compris au bout de cinq ans. A ce moment-là, il parlait et écrivait le russe couramment – tout en conservant un accent anglais prononcé. Pour tout le reste, il avait fini par détester cette société. Elle lui demeurait totalement étrangère; c'était irréversible et sans appel.

Il y avait plus grave. En sept ans, depuis son arrivée, il avait perdu ses dernières illusions politiques. Tout n'était que mensonge et il avait eu l'intelligence de le percer à jour. Il avait passé sa jeunesse et ses années de maturité à servir un mensonge. A mentir, à trahir pour un mensonge. Il avait abandonné le « bon pays vert » pour un mensonge.

Pendant des années, recevant de droit tous les journaux et toutes les revues anglaises, il avait suivi les résultats de cricket tout en conseillant les autorités sur les grèves à inspirer; il avait regardé dans les magazines les vieux décors familiers tout en préparant l'« intoxe » destinée à les détruire. Perché discrètement sur un tabouret de bar, au National, il avait écouté les Anglais rire et plaisanter dans sa langue maternelle, tout en conseillant les responsables du K.G.B. – y compris le directeur en personne – sur la meilleure façon de semer la subversion dans les îles Britanniques. Et tout le temps, pendant ces quinze dernières années, il avait ressenti au fond du cœur l'immense vide d'un désespoir que ni l'alcool ni les femmes n'avaient pu chasser. C'était trop tard; jamais il ne pourrait revenir en arrière, se disait-il. Et pourtant...

On sonna à la porte. Cela le surprit. Le numéro 111 de l'avenue Mira est un vaste immeuble entièrement réservé au K.G.B., dans une paisible petite rue du centre de Moscou, occupé essentiellement par des hauts fonctionnaires du K.G.B. et quelques hommes du ministère des Affaires étrangères. Les visiteurs doivent se présenter au concierge. Et ce ne pouvait pas être Erita : elle avait sa clef.

Il ouvrit. Un homme se tenait sur le seuil. Tout seul. Jeune et athlétique, enveloppé dans une capote de bonne coupe avec sur la tête une *chapska*, sans insignes. Son visage était impassible, glacé mais pas par le vent froid qui soufflait dehors car l'on voyait à ses chaussures qu'il était passé directement d'une voiture chauffée à un immeuble résidentiel chauffé, sans patauger dans la neige glacée. Des yeux bleus, vides, fixèrent le vieil homme. Sans aménité ni hostilité.

« Camarade colonel Philby? » demanda-t-il.

Philby s'étonna. Ses proches amis, les Blake et une demi-douzaine de relations, l'appelaient Kim. Pour tous les autres, il vivait sous un pseudonyme depuis de très longues années. Il n'était Philby, colonel du K.G.B. à la retraite, que pour une poignée d'anciens, tout au sommet.

« Oui, dit-il.

– Major Pavlov, de la Neuvième Direction, détaché au bureau personnel du secrétaire général du Parti communiste d'Union soviétique.

Philby connaissait bien la Neuvième Direction du K.G.B. Elle fournissait des gardes du corps à toute la hiérarchie supérieure du Parti et des gardiens pour les bâtiments où ces hommes travaillaient et habitaient. Quand ils portaient l'uniforme (uniquement dans les immeubles du Parti et pour certaines cérémonies officielles), le ruban de leur casquette, leurs épaulettes et les pointes de leurs revers étaient d'un bleu électrique particulier. On les appelait souvent les Gardes du Kremlin. Ils avaient toujours des vêtements bien coupés; on remarquait aussi leur forme physique parfaite. Ils recevaient une formation spécialisée, ils étaient d'une loyauté glaciale – et toujours armés.

« Ah! bon? dit Philby.

– Voici pour vous, camarade colonel. »

Le major lui tendit une enveloppe rectangulaire, de papier d'excellente qualité.

« Il y a également ceci, dit le major Pavlov en lui remettant un bristol avec un numéro de téléphone.

– Merci. »

Sans ajouter un mot, le major inclina sèchement la tête, tourna les talons et s'éloigna dans le couloir. Quelques secondes plus tard, de sa fenêtre, Philby regarda démarrer la limousine noire Chaïka, avec sa plaque minéralogique particulière du Comité central, qui commençait par les lettres M.O.C.

Jim Rawlings étudia à la loupe la photographie du magazine de mode. Le cliché représentait la femme qu'il avait vue quitter Londres par la route du Nord le matin même avec son mari. La photo avait été prise un an plus tôt. Lady Fiona, debout, attendait d'être présentée, et la femme à ses côtés venait de s'incliner devant la princesse Alexandra. Lady Fiona portait les pierres. Rawlings, qui étudiait ses coups pendant des mois avant de passer à l'action, connaissait leur origine mieux que sa propre date de naissance.

En 1905, le jeune comte de Margate avait rapporté d'Afrique du Sud quatre diamants magnifiques, non taillés. Lors de son mariage en 1912, il avait demandé à Cartier, de Londres, de tailler les pierres et de les monter pour les offrir à sa jeune épouse. Cartier les avait confiées aux Aascher, d'Amsterdam, les meilleurs diamantaires du monde depuis qu'ils avaient taillé la fameuse Cullinan. Les quatre diamants originaux donnèrent deux paires assorties de pierres en forme de poire, à cinquante-huit facettes. Les diamants de l'une pesaient chacun dix carats; l'autre se composait de deux pierres de vingt carats chacune.

A Londres, Cartier avait monté ces diamants sur or blanc, en les sertissant de quarante pierres beaucoup plus petites, pour créer une parure, composée d'une tiare portant en son centre l'un des gros diamants en forme de poire, d'un pendentif s'ornant de la deuxième grosse pierre, et d'une paire de boucles d'oreilles avec les deux diamants de dix carats. Avant que la parure ne soit terminée, le père du comte, septième duc de Sheffield, mourut subitement et le comte lui succéda. Les pierres devinrent alors pour tout le monde les « diamants Glen », d'après le patronyme de la Maison de Sheffield.

A sa mort en 1936, le huitième duc les avait légués à son fils, qui avait eu par la suite deux enfants, une fille, née en 1944 et un fils, né en 1949. C'était la photo de cette fille, actuellement âgée de quarante-deux ans, que Jim Rawlings étudiait à la loupe.

« Tu ne les porteras plus jamais, ma belle... », dit-il à part lui, puis il entreprit de vérifier une dernière fois son équipement pour la soirée.

Harold Philby ouvrit l'enveloppe avec un couteau de cuisine, en sortit la lettre et l'étala sur la table du salon. Il se figea : elle venait du secrétaire général du Parti, manuscrite, de l'écriture nette et bureaucratique du chef suprême de l'Union soviétique. En russe, bien entendu.

Le papier était d'excellente qualité, comme l'enveloppe assortie, et sans en-tête. Il devait avoir écrit la lettre dans son appartement personnel, au 26, avenue Koutouzov, l'énorme immeuble résidentiel qui, depuis l'époque de Staline, héberge dans ses logements somptueux la fine fleur des hiérarques du Parti.

En haut à droite, Philby lut : « Mercredi matin,

31 décembre 1986. » Le texte se trouvait au-dessous :

Mon cher Philby,

On a attiré mon attention sur une remarque que vous avez faite au cours d'un récent dîner, à Moscou. A savoir que « le Kremlin a constamment surestimé la stabilité politique de la Grande-Bretagne, et jamais davantage qu'en ce moment ».

J'aimerais recevoir de vous un développement de cette remarque ainsi que des éclaircissements. Mettez cette explication sous forme écrite et adressez-la-moi personnellement, sans conserver de double et sans faire appel à des secrétaires.

Quand votre texte sera prêt, appelez le numéro que le major Pavlov vous a remis, demandez à lui parler personnellement, il se rendra à votre résidence pour prendre votre mémorandum.

Mes félicitations pour votre anniversaire demain.

Sincèrement...

Suivait la signature.

Philby vida lentement ses poumons. Donc, le dîner du 26, chez les Kryoutchkov, réservé à des officiers supérieurs du K.G.B., avait été « écouté » malgré tout. Il s'en était un peu douté. Vladimir Alexandrovitch Kryoutchkov, premier directeur adjoint du K.G.B. et chef de la Première Direction générale, était un homme du secrétaire général, dévoué corps et âme. Malgré son rang de « colonel général », Kryoutchkov n'était pas un militaire, même pas un officier de renseignement professionnel, mais un *apparatchik* « grand teint » du Parti, un des hommes mis en place par le chef actuel du Kremlin du temps où il était à la tête du K.G.B.

Philby relut la lettre, puis l'écarta. Le style du vieux bonhomme n'a pas changé, se dit-il. Bref, à la limite du dépouillé, clair et concis, dénué de toute formule de politesse compliquée, impliquant une soumission absolue. Même la référence à l'anniversaire de Philby était laconique : juste ce qu'il fallait pour montrer qu'il avait consulté le dossier – et un peu plus.

Mais cela fit tout de même son effet sur Philby. Recevoir une lettre personnelle de ce personnage – glacial et distant s'il en fut jamais – était inhabituel, et cet honneur aurait fait trembler plus d'un homme. Des années plus tôt, il n'en était pas de même. Quand l'actuel secrétaire général avait été nommé directeur du K.G.B., Philby s'y trouvait déjà depuis plusieurs années et on le considérait comme une sorte de vedette. Il faisait des conférences sur les services de renseignements occidentaux en général et sur le S.I.S. britannique en particulier.

Comme tous les hommes du Parti destinés à commander des professionnels d'un autre secteur, le nouveau directeur avait systématiquement placé ses hommes liges à des postes clefs. Philby, quoique respecté et admiré comme l'une des Cinq Etoiles, comprit qu'un protecteur dans les très hautes sphères lui serait fort utile dans cette société où la conspiration est de règle. Le directeur, infiniment plus intelligent et cultivé que son prédécesseur, avait témoigné à l'égard de la Grande-Bretagne d'une curiosité dépassant le simple intérêt, sans aller toutefois jusqu'à la passion.

A maintes reprises au cours de ces années, il avait demandé à Philby une interprétation personnelle ou une analyse sur les événements de Grande-Bretagne, sur les personnalités au pouvoir et leurs réactions probables. Philby s'était exécuté avec joie. Il avait eu l'impression que le directeur du K.G.B. désirait vérifier ce qu'avaient déposé sur son bureau les experts Grande-Bretagne de la « Boîte », ou bien ceux de son ancien poste, le Service international du Comité central, dirigé par Boris Ponomarev. A plusieurs reprises, il avait adopté les conseils discrets de Philby sur des problèmes relatifs à l'Angleterre.

Depuis plusieurs années, Philby n'avait pas vu en personne le nouveau tsar de toutes les Russies. La dernière fois, c'était lors d'une réception donnée à l'occasion du départ du directeur, qui quittait le K.G.B. pour retourner au Comité central, apparemment comme secrétaire, en fait pour être en place au moment de la mort imminente de Brejnev et intriguer lors des marchandages pour la succession.

Or voici que de nouveau, il demandait à Philby de lui fournir une interprétation...

Le retour d'Erita et des garçons, tout rouges après le patinage et plus bruyants que jamais, interrompit sa rêverie. En 1975, longtemps après le départ de Melinda Maclean, quand les huiles du K.G.B. avaient décidé que les beuveries et coucheries de Philby avaient perdu tout leur charme (en tout cas pour l'appareil du Parti), Erita avait reçu l'ordre de s'installer chez lui. Elle travaillait pour le K.G.B. à l'époque et, fait exceptionnel, elle était juive. Trente-quatre ans, brune et robuste. Ils s'étaient mariés la même année.

Après le mariage, le charme personnel de Philby avait produit son effet. Elle était sincèrement tombée amoureuse de lui et elle avait carrément refusé de continuer de moucharder son mari auprès du K.G.B. L'officier de liaison avait haussé les épaules et rendu compte à ses supérieurs. On lui avait répondu de « laisser tomber ». Les garçons étaient venus au monde deux et trois ans après.

« Quelque chose d'important, Kim? » demanda-t-elle.

En se levant, il enfonça la lettre dans sa poche. Il secoua la tête. Elle ôta les grosses vestes molletonnées des enfants, puis elle les suspendit dans la penderie de l'entrée.

« Rien, ma chérie », répondit-il.

Elle se rendait bien compte qu'il était absorbé. Mieux valait ne pas insister, elle le savait. Elle s'avança et l'embrassa sur la joue.

« J'espère que tu ne boiras pas trop ce soir, chez les Blake.

– J'essaierai », répondit-il avec un sourire.

En réalité, il allait s'offrir une dernière cuite. Ivrogne depuis toujours, dès qu'il commençait à boire dans une soirée, il continuait en général jusqu'à l'effondrement. Cent fois, les médecins lui avaient conseillé de cesser, mais il n'en avait tenu aucun compte. Ils lui avaient interdit de fumer, et il en avait assez souffert. Mais pas la gnôle; il pouvait encore s'en passer quand il le décidait, et il savait qu'après cette soirée, il serait obligé d'arrêter pendant un certain temps.

Il se rappela la remarque qu'il avait faite à table chez les Kryoutchkov, ainsi que les réflexions qui l'avaient provoquée. Il savait ce qui se passait, et ce qui se préparait, au cœur même du Parti travailliste de Grande-Bretagne. D'autres que lui avaient reçu la masse de renseignements bruts qu'il avait étudiés au fil des années – et qu'on lui communiquait encore, comme une marque de faveur. Mais personne en dehors de lui n'avait pu réunir et agencer tous les fils de la psychologie de masse des Anglais, pour parvenir à un tableau d'ensemble authentique et conforme à la réalité. Les idées se bousculaient dans sa tête et il allait donc les coucher sur le papier... Oui, il préparerait pour le Guide l'une des meilleures analyses qu'il ait jamais rédigées. Pendant le week-end, il enverrait Erita et les garçons à la datcha. Oui, il commencerait pendant le week-end, seul dans l'appartement... Mais auparavant, une dernière cuite.

Jim Rawlings passa encore une heure ce soir-là, entre neuf et dix, en face de Fontenoy House, dans une autre voiture louée, plus petite. Il portait une tenue de soirée de bonne coupe et n'attira donc l'attention de personne. Il étudia la disposition des lumières dans les étages supérieurs de l'immeuble résidentiel. L'appartement du huitième était évidemment dans le noir, mais il fut ravi de constater que les lumières étaient allumées au-dessus et au-dessous. Dans les deux appartements, à en juger par le passage d'invités devant les fenêtres, la Saint-Sylvestre battait son plein.

A dix heures, sa voiture garée discrètement dans une rue latérale à une centaine de mètres, il se présenta à l'entrée principale de Fontenoy House. Il y avait tellement d'allées et venues que les portes n'étaient pas fermées à clef. A l'intérieur du vestibule, du côté gauche, exactement comme Billy Rice le lui avait indiqué, se trouvait la loge du gardien. A l'intérieur, le veilleur de nuit regardait son téléviseur portatif japonais. Il se leva et s'avança sur le pas de la porte comme pour parler au nouveau venu.

Rawlings tenait à la main une bouteille de champagne décorée d'une énorme faveur rose. Il leva le bras et salua comme s'il était un peu éméché.

« B'soir, lança-t-il, ajoutant aussitôt : Oh! et puis bonne année... »

Si le vieux gardien avait eu l'intention de lui demander son nom, il se ravisa. Il y avait au moins six soirées dans l'immeuble. La moitié d'entre elles devait être ce genre de nouba à la mode où n'importe qui peut venir. De quel droit se serait-il permis de vérifier les listes des invités?

« Oh? euh... Merci, monsieur. Bonne année, monsieur », répondit-il.

Mais le dos d'alpaga noir disparaissait déjà dans le corridor. Le gardien retourna à son film.

Rawlings prit l'escalier jusqu'au premier, puis l'ascenseur jusqu'au huitième. A dix heures cinq, il se trouvait devant la porte de l'appartement. Comme Billy le lui avait indiqué, il n'y avait aucun signal sonore extérieur et la serrure était une Chubb. Il examina la serrure secondaire à cinquante centimètres au-dessus de la Chubb : une Yale automatique qui devait servir dans la journée.

La serrure Chubb permet au total dix-sept mille combinaisons. C'est une serrure à cinq cliquets mais pour un bon « serrurier » elle ne présente pas de problèmes insurmontables, car il suffit de découvrir la première moitié de la combinaison : l'autre moitié est exactement semblable mais inversée, pour que la clef du propriétaire fonctionne de la même façon quand on l'introduit dans la serrure depuis l'autre côté de la porte.

Après avoir quitté l'école, à seize ans, Rawlings avait passé dix années à travailler avec son oncle Albert et sous sa houlette, dans la quincaillerie du vieux monsieur. C'était une bonne façade pour un monte-en-l'air émérite. Et le jeune Rawlings, avide d'apprendre, avait eu entre les mains toutes les serrures existant sur le marché et la plupart des coffres-forts de petite taille. Au bout de dix ans de pratique quotidienne sous la direction compétente de l'oncle Albert, Rawlings était capable de crocheter n'importe quelle serrure de la création.

De sa poche de pantalon, il sortit un anneau de douze clefs vierges, fabriquées dans son atelier. Il en choisit trois, qu'il essaya tour à tour, puis se décida pour la sixième de l'anneau. Il la glissa dans la Chubb et commença à « tâter » les points de résistance à l'intérieur de la serrure. Ensuite, prenant dans sa poche intérieure un jeu spécial de minces limes d'acier, il se mit au travail sur le métal plus mou de la clef vierge. En dix minutes, il avait déterminé la première moitié du « profil » dont il avait besoin. Quinze minutes plus tard, il avait reproduit cette première moitié en sens inverse. Il glissa le « module » terminé dans la serrure Chubb, et tourna lentement avec précaution.

Le pêne entra entièrement dans la serrure. Rawlings attendit soixante secondes, au cas où le tampon de pâte à modeler et de colle forte posé par Billy n'aurait pas tenu à l'intérieur du chambranle. Pas de sonnerie.

Il poussa un soupir et se mit au travail sur la Yale avec un fin crochet d'acier. Cela lui prit soixante secondes, et la porte s'ouvrit sans bruit. L'intérieur était sombre, mais la lumière du corridor lui permit d'étudier le vestibule vide. Une surface d'environ sept mètres carrés entièrement recouverte de moquette.

Il devait y avoir quelque part un contacteur à pression, mais pas trop près de la porte, pour éviter que le propriétaire le déclenche en entrant. Rawlings se glissa dans le vestibule, tout près du mur, referma doucement la porte derrière lui et alluma le plafonnier. A sa gauche se trouvait une porte, restée entrebâillée – les toilettes. A sa droite, une autre porte, presque certainement la penderie contenant le système d'alarme, qu'il n'avait pas l'intention de toucher. Il prit dans une poche intérieure une paire de pinces coupantes, s'accroupit et souleva la moquette fixée le long de la plinthe. Dès qu'il eut soulevé le carré de moquette, Rawlings repéra le contacteur, en plein milieu du vestibule. Un seul. Il remit la moquette en place, contourna le contacteur et ouvrit la double porte en face. Comme Billy le lui avait dit, elle donnait sur le salon.

Il resta plusieurs minutes sur le seuil avant de repérer l'interrupteur et d'allumer les lumières. C'était prendre un risque, mais il se trouvait au huitième étage, les propriétaires étaient partis dans le Yorkshire et il n'avait pas le temps de travailler au crayon-torche dans une pièce piégée.

Le salon était rectangulaire, environ huit mètres sur six. Moquette et meubles luxueux. Devant lui, des baies à double vitrage exposées au sud et donnant sur la rue. A sa droite, un mur s'ornant d'une cheminée de pierre avec un feu de bûches artificielles, fonctionnant au gaz. Dans l'angle, une porte conduisant sans doute à la chambre principale et à ses annexes. En face, sur le mur de gauche, deux portes; l'une, ouverte, révélait un couloir desservant probablement les autres chambres; l'autre, fermée, devait donner sur la salle à manger et la cuisine.

Il passa encore dix minutes immobile sur le seuil, à examiner attentivement les murs et le plafond. La raison en était simple : il pouvait très bien y avoir un système d'alarme que Billy Rice n'avait pas vu, un détecteur sensible à la chaleur du corps humain ou au déplacement de l'air à l'entrée d'une personne dans la pièce. Si une sonnerie quelconque se déclenchait, Rawlings pouvait sortir de l'appartement en trois secondes. Mais il n'y eut pas de sonnerie : le système de protection se composait d'une porte piégée, probablement de fenêtres équipées de la même manière – il n'avait aucune intention d'y toucher – et d'un réseau de contacteurs à pression.

Le coffre-fort devait être dans cette pièce ou dans la chambre principale, encastré dans un mur, car l'épaisseur des cloisons était insuffisante. Il le repéra juste avant onze heures. Droit devant lui, sur un espace de deux mètres cinquante entre les deux baies vitrées, se trouvait un miroir à cadre doré qui n'était pas légèrement incliné comme les tableaux (ce qui aurait projeté une ombre étroite, en biseau, sur le côté) mais trop à plat contre le mur, comme s'il était fixé sur le côté par des paumelles.

Avec ses pinces coupantes Rawlings souleva le bord de la moquette et se dégagea un passage le long du mur, révélant le réseau des fils reliant les contacteurs à pression du milieu de la pièce à la ligne électrique encastrée sous la plinthe.

Lorsqu'il parvint à la hauteur du miroir, il vit qu'il y avait un contacteur à pression juste au-dessous. Il songea à l'enlever, mais il préféra placer au-dessus une grande table basse dont les quatre pieds encadrèrent l'endroit dangereux. Il savait maintenant qu'en restant le long des murs ou en montant sur les meubles (on ne peut placer aucun meuble sur un contacteur à pression) il ne déclencherait rien.

Le miroir était collé au mur par un verrou magnétique, piégé lui aussi. Cela ne posait aucun problème. Rawlings glissa une mince plaque d'acier magnétisé entre les deux aimants du système, placés l'un dans le cadre du miroir et l'autre dans le mur. En maintenant la plaque contre l'aimant encastré dans le mur, il dégagea le miroir. L'aimant du mur ne protesta pas : comme il restait collé à un autre aimant, il ne signala aucune rupture de contact.

Rawlings sourit. Le coffre mural était un gentil petit Hamber, modèle D. Il savait que la porte était une plaque de plus d'un centimètre d'épaisseur en acier durci à haute limite élastique, montée sur une tige verticale qui s'enfonçait dans l'encadrement vers le haut et vers le bas. Le mécanisme de fermeture se composait de trois pênes du même métal sortant de la porte pour pénétrer dans l'encadrement à une profondeur de quatre centimètres. Derrière la plaque d'acier de la porte il y avait une boîte en fer-blanc de cinq centimètres d'épaisseur, contenant les trois pênes de fermeture, le mécanisme commandant leurs mouvements et la serrure à triple combinaison dont le cadran extérieur se trouvait à présent sous ses yeux.

Rawlings n'avait pas l'intention de se battre contre tout cela. Il existait une méthode plus facile : découper la porte du haut en bas, au ras du cadran de la combinaison, du côté du gondage. Soixante pour cent de la porte, contenant la serrure de la combinaison et les trois pênes resteraient bloqués dans l'encadrement du coffre. Mais le reste s'ouvrirait sans difficulté, laissant un espace suffisant pour que Rawlings glisse la main à l'intérieur et s'empare des diamants.

Il revint dans le vestibule chercher la bouteille de champagne qu'il avait posée par terre. Accroupi sur la table basse, il dévissa le fond de la fausse bouteille et vida son contenu. Outre un détonateur électrique, dans une boîte garnie de coton hydrophile, une série de petits aimants et un rouleau de fil électrique souple ordinaire de cinq ampères, il avait apporté une longueur de C.L.C.

Rawlings savait que le meilleur moyen de découper une plaque d'acier de plus d'un centimètre était d'appliquer la théorie de Monroe – l'inventeur du principe de la « charge en forme ». L'objet que Rawlings avait à la main portait dans le métier le nom de C.L.C., *Charge-Linear Cutting* (charge de découpage linéaire). C'était un bout de métal en forme de V, raide mais pliable, noyé dans un explosif plastique. En Grande-Bretagne, trois entreprises en fabriquent : une usine nationalisée et deux sociétés privées. On ne peut évidemment obtenir du C.L.C. qu'avec des autorisations sévèrement contrôlées, mais comme tous les cambrioleurs professionnels, Rawlings avait des « contacts » – dans ce cas, un employé dans l'une des usines privées.

Très vite, d'une main experte, Rawlings prépara la longueur dont il avait besoin et l'appliqua contre la porte du Hamber, de haut en bas, juste à côté du cadran de la combinaison. Il fixa au bout du C.L.C. le détonateur dont sortaient deux fils de cuivre entortillés. Il les sépara au maximum, pour éviter tout court-circuit par la suite. A chaque fil, il fixa un conducteur de son fil souple, qui se terminait par une prise normale.

Il déroula le fil avec précaution en reculant le long des murs jusque dans le corridor conduisant aux chambres. A l'abri de la cloison, il serait protégé de la déflagration. Il se rendit, toujours avec les mêmes précautions, dans la cuisine où il emplit d'eau un grand sac de plastique renforcé qu'il avait apporté. Il suspendit ce coussin d'eau contre la tige explosive collée à la porte du coffre avec des punaises d'acier qu'il enfonça dans le mur. Les coussins de plumes, lui avait enseigné l'oncle Albert, sont bons pour les oiseaux et la télévision. Rien n'absorbe mieux les chocs que l'eau.

Il était minuit moins vingt. Au-dessus de sa tête, la réception devenait de plus en plus bruyante. Même dans cet immeuble de luxe où l'on avait tout fait pour protéger l'intimité des résidents, les cris et les échos de la danse traversaient les plafonds. Avant de se replier dans le corridor, il alluma le poste de télévision. Dans le couloir, il repéra une prise murale et s'assura que l'interrupteur intégré était bien coupé. Il brancha son fil souple puis il attendit.

Une minute avant minuit, le bruit au-dessus devint effrayant. Soudain quelqu'un rugit pour imposer le silence et tout se tut. Aussitôt, Rawlings entendit le téléviseur qu'il avait allumé dans le salon. Le traditionnel programme écossais, ballades et danses des Highlands, fit place à une image de Big Ben, en haut du beffroi du Parlement de Londres. Derrière la façade de l'horloge se trouve la cloche géante, Great Tom, que l'on appelle souvent à tort Big Ben. Le commentateur de la télévision combla avec son bavardage les secondes précédant minuit tandis que d'un bout à l'autre du royaume, les sujets de Sa Majesté emplissaient leurs verres. Ensuite, les quatre quarts commencèrent à sonner. Il y eut un silence. Puis Great Tom intervint... BONG, comme un coup de tonnerre, le premier coup de minuit retentit dans vingt millions de foyers d'Angleterre; et dans l'appartement du neuvième étage de Fontenoy House où il fut aussitôt noyé par les rugissements et les accents d'Auld Lang Syne, chanté à tue-tête. Au moment où le premier bong avait résonné dans tout l'appartement du huitième, Jim Rawlings avait baissé l'interrupteur de la prise.

Personne, sauf lui, ne remarqua le coup sec de la déflagration. Il attendit soixante secondes, puis débrancha sa prise et retourna vers le coffre tout en récupérant sa rallonge. La fumée se dissipait déjà. Du sac de plastique et de ses quatre litres d'eau il ne restait que quelques taches humides sur la moquette. La porte du coffre semblait tranchée, du haut en bas, par la hache émoussée d'un géant. Rawlings souffla pour chasser quelques volutes de fumée puis, de sa main gantée, fit tourner sur son gondage la petite partie de la porte. La boîte contenant la serrure à combinaison avait été déchirée par l'explosion mais tous les pênes, dans l'autre partie de la porte, demeuraient dans leurs gâches. Le côté ouvert était juste assez grand pour que Rawlings jette un coup d'œil à l'intérieur. Une petite caisse métallique et un sac de velours. Il prit le sac, dénoua le cordon et vida le contenu sur la table basse.

Ils scintillaient dans la lumière comme s'ils contenaient une flamme intérieure. Les diamants Glen... Rawlings rangea le reste de son matériel dans la fausse bouteille de champagne – le fil souple, la boîte vide du détonateur, les grosses punaises et le reste du C.L.C. – avant de se rendre compte qu'il avait un problème imprévu. Le pendentif et les boucles d'oreilles tiendraient facilement dans la poche de son pantalon, mais la tiare était plus large et plus haute qu'il ne s'y attendait. Il chercha des yeux un objet qui lui permettrait de l'emporter sans attirer l'attention. Il le trouva sur le bureau, à deux mètres de lui.

Il vida le contenu de l'attaché-case sur le siège d'un fauteuil – plusieurs portefeuilles, des cartes de crédit, des stylos, des carnets d'adresses et deux ou trois chemises de classement.

Exactement ce qu'il lui fallait. Il posa dans l'attaché-case la parure Glen et la bouteille de champagne, qui aurait paru étrange au moment où il était censé *quitter* une soirée. Il parcourut le salon du regard une dernière fois, coupa la lumière, recula dans le vestibule et tira la porte. Dans le couloir de l'immeuble, il referma la serrure Chubb de l'entrée. Soixante secondes plus tard, il passa devant la loge du gardien et sortit dans la nuit. Le vieil homme ne leva même pas les yeux.

Il était presque minuit, le 1er janvier 1987, lorsque Harold Philby s'assit à la table du salon de son appartement de Moscou. Il avait pris sa cuite la veille au soir chez les Blake, mais sans le moindre plaisir. Le texte qu'il devait rédiger accaparait trop ses pensées. Pendant la matinée, il avait chassé peu à peu l'inévitable gueule de bois et maintenant, tandis qu'Erita et les enfants dormaient, il avait toute la paix dont il avait besoin pour mettre de l'ordre dans ses idées.

A l'autre bout de la pièce, un pigeon roucoula. Philby se leva, s'avança vers la grande cage placée dans l'angle et regarda à travers les barreaux l'oiseau dont une patte portait des attelles. Il avait toujours adoré les animaux familiers. A Beyrouth, il avait un fennec, et toute une série de canaris et de perruches s'étaient succédé dans ce même appartement. Le pigeon boitillait sur le plancher de sa cage, les attelles de sa patte le gênaient.

Il revint près de la table. Il faut que ce rapport soit bon, se dit-il pour la centième fois. Le secrétaire général était un homme dangereux à contrer et difficile à tromper. Sur sa recommandation personnelle, les responsables de l'armée de l'air qui s'étaient amusés à filer et à abattre un long-courrier sud-coréen en 1983 avaient fini dans des tombes glacées, sous la terre gelée du Kamtchatka. Malgré les problèmes de santé qui l'accablaient, malgré le fauteuil d'infirme qu'il quittait rarement, il demeurait le maître incontesté de l'Union soviétique, sa parole faisait loi, son cerveau était encore aussi pénétrant que le fil d'un rasoir et ses yeux très pâles ne laissaient rien passer. Philby prit du papier et un crayon et se mit à rédiger en style télégraphique le premier brouillon de sa réponse.

Quatre heures plus tard, mais également juste avant minuit, heure de Londres, le propriétaire de l'appartement de Fontenoy House revint, seul, dans la capitale. Il était de grande taille, grisonnant, distingué. Cinquante-cinq ans environ. Il entra directement dans le garage du sous-sol en utilisant sa carte magnétique, prit sa valise dans le coffre et monta au huitième avec l'ascenseur. Il était d'une humeur massacrante.

Il venait de faire six heures de route, et il avait quitté le manoir de son beau-frère trois jours plus tôt que prévu à la suite d'une violente querelle avec son épouse. Lady Fiona, anguleuse et chevaline, adorait la campagne autant que son époux la détestait. Ravie d'arpenter les landes sinistres du Yorkshire en plein hiver, elle l'avait laissé en carafe au manoir avec son frère, le dixième duc. Ce qui était pis en un sens, car le propriétaire de l'appartement, qui se flattait d'apprécier les qualités viriles, était convaincu que ce maudit aristocrate était une tapette.

Le dîner de la Saint-Sylvestre avait été pour lui une épreuve atroce : il se trouvait coincé entre les vieux copains de son épouse, qui ne parlaient que chasse, pêche et tir au pigeon, et les cascades de rire haut perché du duc et de ses petits amis trop mignons. Le matin même, il avait lancé une remarque un peu acide à sa femme, et elle était montée sur ses grands chevaux. Résultat, ils étaient convenus qu'il rentrerait seul en voiture après le thé; elle resterait chez son frère le temps qu'elle voudrait – probablement un mois.

Il pénétra dans le vestibule de son appartement et se figea; le système d'alarme aurait dû émettre un hip-hip assez fort, qui se prolongeait pendant trente secondes avant que l'alarme elle-même ne se déclenche – cela lui laissait le temps d'atteindre le coffret et de couper le contact. Ces bidules tombent toujours en panne, se dit-il. Il ouvrit la penderie et débrancha l'ensemble du système avec sa clef personnelle. Puis il passa dans le salon et alluma la lumière.

Il s'arrêta, sa valise derrière lui dans le vestibule, et il regarda le tableau, bouche bée. Les taches d'humidité s'étaient évaporées avec la chaleur et la télévision ne marchait plus. Ce qui avait attiré son œil aussitôt était le mur noirci et la porte du coffre fendue, en face de lui. Il traversa le salon en trois enjambées et regarda dans le coffre. Pas de doute : les diamants avaient disparu. Il parcourut la pièce du regard, vit ses objets personnels éparpillés sur le fauteuil près de la cheminée et la moquette arrachée du parquet le long des murs. Il se laissa tomber dans l'autre fauteuil, devant les fausses bûches. Il était blanc comme un linge.

« Mon Dieu... », balbutia-t-il.

Il avait l'air accablé par la catastrophe. Il resta dans le fauteuil pendant dix minutes, essayant de retrouver son souffle normal, parcourant sans cesse des yeux le désordre.

Enfin, il se leva et se dirigea vers le téléphone. D'un index qui tremblait, il composa un numéro. A l'autre bout, l'appareil sonna, très longtemps, mais personne ne répondit.

Le lendemain matin, peu avant onze heures, John Preston descendit Curzon Street vers le quartier général des services pour lesquels il travaillait, juste après le restaurant Mirabelle, où quelques rares fonctionnaires comme lui avaient les moyens de dîner.

Ce vendredi matin, la plupart du personnel avait obtenu la permission de faire le pont – depuis le jeudi, 1er janvier et jour férié, jusqu'à la fin du week-end. Mais Brian Harcourt-Smith lui avait demandé de passer à titre exceptionnel et il était donc venu. Il se doutait de ce dont le directeur général adjoint du MI-5 voulait discuter avec lui.

Depuis trois ans (la moitié de sa carrière au MI-5 où il était entré l'été 1981) John Preston appartenait à la division « F » du service, qui s'occupe de la surveillance des organisations politiques extrémistes, de gauche et de droite. Il avait effectué des recherches sur ces groupes et réuni les renseignements fournis par des agents infiltrés en leur sein. Pendant les deux dernières années, il avait travaillé au département F-1, à la tête de la section D, qui s'intéressait au « noyautage » du Parti travailliste de Grande-Bretagne par des éléments d'extrême gauche. Juste avant Noël, il avait déposé son rapport, résultant de ses recherches. Le fait qu'il ait été lu et digéré aussi vite l'étonnait beaucoup.

Il se présenta au comptoir de réception et montra sa carte. Après le contrôle de sécurité, le gardien vérifia auprès du bureau que le D.G.A. attendait bien le visiteur, puis fit signe à Preston de se diriger vers les ascenseurs.

Preston regrettait beaucoup de ne pas rencontrer le directeur général en personne. Sir Bernard Hemmings lui plaisait. Mais tout le monde, au « Cinq », savait que le vieux bonhomme, malade, passait de moins en moins de temps au bureau. En son absence, l'administration générale des Services était de plus en plus souvent abandonnée aux décisions de son ambitieux adjoint – ce qui déplaisait fort aux anciens de la « boîte ».

Sir Bernard était un homme du « Cinq » depuis le début de sa carrière, et il avait fait jadis sa part de travail sur le terrain. Il parlait le même langage que les hommes postés dans les rues, à l'affût de suspects, ceux qui filaient des « courriers » ennemis, ou bien s'infiltraient dans des groupes subversifs. Harcourt-Smith était au contraire un pur produit de l'université, bourré de diplômes prestigieux mais il restait un homme de bureau. Il avait gravi les échelons en se glissant habilement d'un service à l'autre.

Comme toujours, il était vêtu de façon impeccable. Il reçut Preston dans son bureau avec chaleur. Mais cette « chaleur » inquiéta Preston. D'autres avaient bénéficié de la même sympathie, disait-on, pour se retrouver sur le sable huit jours plus tard. Harcourt-Smith fit asseoir Preston devant son bureau et s'installa dans son fauteuil. Le rapport de Preston se trouvait sur le sous-main.

« Voyons ce rapport, John... Vous comprenez, bien entendu, que je le prends extrêmement au sérieux, comme tout ce qui vient de vous.

– Merci, répondit Preston.

– A tel point, poursuivit le directeur général adjoint, que j'ai passé une partie des congés des fêtes ici, dans ce bureau, à le relire et à le méditer. »

Preston crut plus sage de garder le silence.

« Il est... Comment dirais-je?... Assez radical. Tous les coups sont permis, hein? Une question demeure, et je suis obligé de me la poser avant que le service propose une politique inspirée par les conclusions de votre texte : est-ce que tout ceci est absolument vrai? Est-il possible de vérifier? C'est ce que l'on me demandera. Inévitablement.

– Ecoutez, Brian, j'ai passé deux ans sur cette enquête. Mes gens ont creusé très profond. Les faits, tels que je les ai présentés, sont exacts.

– Oh! John, je ne songe pas à contester des faits s'ils sont présentés par vous. Mais les conclusions que vous en tirez...

– Se fondent sur la logique, je pense, répondit Preston.

– Une science magnifique. Je l'ai étudiée autrefois avec profit, enchaîna Harcourt-Smith. Mais pas toujours solidement étayée, vous en conviendrez, n'est-ce pas? Prenons par exemple ceci... »

Il trouva le paragraphe dans le rapport et son doigt suivit une ligne.

« Le M.B.R... Assez extrême, non?

– Oh! oui, Brian. Extrême. C'est l'œuvre d'extrémistes.

– Je n'en doute pas. Mais ne serait-il pas utile de joindre à votre rapport un programme de ce M.B.R.?

– Autant que j'ai pu le découvrir, rien n'a été rédigé. C'est une série d'intentions, mais d'intentions très fermes, dans les cerveaux de certaines personnes. »

Harcourt-Smith prit un air navré.

« Des intentions, dit-il comme si ce mot l'intriguait. Oui, des intentions. Mais voyez-vous, John, il existe beaucoup d'intentions à l'égard de ce pays dans la tête de beaucoup de gens, et elles ne sont pas toutes amicales. Seulement, nous ne pouvons pas proposer une politique, des mesures ou des contre-mesures, sur la base de ces intentions... »

Preston voulut répondre, mais Harcourt-Smith enchaîna en se levant pour signifier que l'entretien était terminé.

« Ecoutez, John, laissez-moi ce rapport un peu plus longtemps. Il faut que j'y réfléchisse, que je prenne peut-être quelques avis avant de décider où je pourrai le placer le plus efficacement. A propos, vous vous plaisez au F-1(D)?

– Beaucoup, répondit Preston en se levant à son tour.

– J'ai peut-être pour vous quelque chose que vous aimerez davantage », dit Harcourt-Smith.

Après le départ de Preston, Harcourt-Smith regarda pendant plusieurs minutes la porte par laquelle son subordonné avait disparu. Il semblait perdu dans ses pensées.

Impossible de passer simplement au broyeur ce dossier qu'il jugeait à part lui gênant et peut-être dangereux un jour. Il avait été présenté dans les règles par un chef de section. Il avait un numéro d'archives. Il réfléchit longuement. Puis il prit son stylo à encre rouge et écrivit quelques mots appliqués sur la couverture du Rapport Preston. Il appela sa secrétaire par l'interphone.

« Mabel, lui dit-il quand elle entra, déposez ceci aux Archives vous-même. Tout de suite. »

La jeune femme baissa les yeux vers la couverture du dossier. En lettres rouges, la mention « A classer » et les initiales de Brian Harcourt-Smith. Aux oubliettes... Le rapport allait être enterré.

2

Ce fut seulement le 4 janvier, le dimanche suivant, que le propriétaire de l'appartement de Fontenoy House obtint une réponse au numéro qu'il avait appelé toutes les heures pendant trois jours. La conversation fut très brève, mais permit de fixer rendez-vous juste avant l'heure du déjeuner, dans une stalle d'angle d'un bar, au rez-de-chaussée d'un hôtel très discret du West End.

L'homme en question avait la soixantaine, des cheveux gris acier. Son costume sobre lui donnait un air de fonctionnaire, ce qu'il était en réalité. Il arriva après le propriétaire de l'appartement, s'assit et présenta aussitôt des excuses.

« Je suis sincèrement désolé, mais j'étais absent ces trois derniers jours. Comme je suis seul, des amis m'avaient aimablement invité à passer les fêtes du Nouvel An avec eux à la campagne. Eh bien, quel est le problème? »

Le propriétaire de l'appartement le lui expliqua, en phrases brèves et claires. Il avait eu le temps de réfléchir à la meilleure manière de faire ressortir la gravité de la situation, et il choisit très bien ses mots. L'autre homme parut de plus en plus soucieux.

« Vous avez tout à fait raison, bien sûr, dit-il enfin. Ce pourrait être très grave. A votre retour, jeudi soir, avez-vous appelé la police? Ou bien depuis?

– Non. J'ai jugé préférable de vous en parler d'abord.

– Ah!... En un sens c'est dommage. Mais de toute façon il est trop tard maintenant. Leurs spécialistes découvriraient que l'explosion du coffre date de trois ou quatre jours. Difficile à expliquer. A moins que...

– Oui? demanda-t-il, prêt à se raccrocher à n'importe quoi.

– A moins que vous puissiez affirmer que le miroir était à sa place et tout dans un ordre parfait. Vous auriez vécu dans l'appartement trois jours sans vous apercevoir que vous aviez été cambriolé.

– Difficile, répondit le propriétaire de l'appartement. La moquette est arrachée du parquet tout autour de la pièce. Le salopard s'est déplacé en longeant les murs pour éviter les contacteurs à pression.

– Oui, remarqua l'autre. On ne pourra jamais faire avaler qu'un monte-en-l'air a eu la délicatesse de remettre la moquette en place et de suspendre le miroir. Donc, ça ne peut pas marcher. Et vous ne pouvez pas non plus prétendre que vous avez passé ces trois jours ailleurs...

– Où? On m'aurait vu. Et personne ne m'a vu. A mon club? Dans un hôtel? Je me serais fait inscrire.

– Justement. Non. Ça ne passerait pas. Pour le meilleur ou pour le pire, les dés sont jetés. Il est trop tard pour appeler maintenant la police.

– Mais que dois-je faire? demanda-t-il.

– Combien de temps votre femme restera en province?

– Qui sait? Elle se plaît beaucoup dans le Yorkshire. Plusieurs semaines, je l'espère.

– Dans ce cas, nous ferons remplacer le coffre fracturé par un autre du même modèle. Et nous réaliserons une réplique de la parure Glen. Cela prendra du temps.

– Mais ce qui a été volé? demanda le propriétaire de

l'appartement, désespéré. On ne peut pas laisser ça traîner n'importe où dans la nature. Il faut que je les récupère.

– Exact, acquiesça l'autre. Ecoutez, comme vous vous en doutez, mes services possèdent certains contacts dans le monde du diamant. Je vais demander qu'on enquête. Les pierres vont sans doute passer par l'un des principaux centres de retaille. Personne ne peut les vendre telles quelles. Trop facilement identifiables. Je vais voir si nous pourrons remonter jusqu'au cambrioleur et récupérer ce qu'il a pris. »

L'homme se leva pour prendre congé. Son ami resta assis, manifestement très inquiet. L'homme au complet sobre était tout aussi atterré mais il le dissimulait mieux.

« Ne dites rien et ne faites rien à partir de maintenant, conseilla-t-il. Arrangez-vous pour que votre femme reste à la campagne le plus longtemps possible. Il faut que votre comportement demeure parfaitement naturel. N'ayez aucune crainte. Je garderai le contact. »

Le lendemain matin, John Preston se trouvait dans la cohue qui rentrait dans le centre de Londres après le pont de cinq jours, trop long, du Nouvel An. Comme il habitait South Kensington, venir travailler en métro lui convenait parfaitement. Il descendit à la station de Goodge Street et fit à pied les cinq cents mètres qu'il lui restait à parcourir. Un homme comme les autres, de taille et de carrure moyennes, âgé de quarante-six ans, passant inaperçu dans son imperméable gris, sans chapeau malgré le froid.

Presque en haut de Gordon Street, il tourna dans l'entrée d'un édifice aussi banal que lui, qui aurait pu être un immeuble de bureaux comme n'importe quel autre, solide mais vétuste, et supposé abriter une compagnie d'assurances. Mais dès que l'on entrait dans le vestibule, la différence avec les autres immeubles de bureaux du quartier devenait manifeste.

Tout d'abord, il y avait trois hommes dans le hall d'entrée : un près de la porte, un derrière le comptoir de réception, et un devant les ascenseurs. Leur taille et leur musculature n'étaient pas de celles que l'on associe en général avec les employés de polices d'assurance. Tout citoyen égaré cherchant à signer un contrat avec cette compagnie-là et refusant de s'adresser ailleurs aurait appris à ses dépens que seules les personnes détentrices d'une carte spéciale, identifiable par le petit terminal d'ordinateur placé sous le comptoir de réception, avaient la possibilité d'entrer dans les ascenseurs.

Le Service de Sécurité de Grande-Bretagne, mieux connu sous le sigle MI-5, n'est pas installé dans un seul bâtiment. Il se répartit entre quatre immeubles de bureaux, ce qui est sans doute plus discret mais beaucoup moins commode. Le quartier général se trouve Charles Street et non, comme autrefois, dans le vieux bâtiment de Leconfield House, si souvent cité par les journalistes.

Gordon Street est, ensuite, le centre le plus important. On l'appelle simplement « Gordon », de même que le quartier général est connu simplement sous le nom de « Charles ». Les deux autres locaux se trouvent l'un dans Cork Street (« Cork ») et le dernier, une annexe modeste, dans Marlborough Street (on le désigne lui aussi par le simple nom de la rue).

Le Service comporte six divisions réparties entre les quatre immeubles. Pour ajouter à la confusion, certaines divisions ont des sections dans des locaux différents. Pour éviter d'user abusivement les semelles de chaussures, les bureaux sont reliés par des lignes téléphoniques extrêmement sûres, avec un système impeccable pour l'identification des références du correspondant qui appelle.

La division « A » s'occupe dans ses diverses

sections de Politique, Soutien Technique, Locaux/Entretien et Archives/Analyse de données; elle comprend le bureau du conseiller juridique et le Service de Surveillance où l'on trouve un groupe très particulier d'hommes et de femmes (peu nombreuses) de tout âge et de tout type, connaissant bien la rue et ses ruses, capables de constituer les meilleures équipes de surveillance personnelle existant dans le monde. Même l'« opposition » a dû avouer que sur leur propre terrain les « Guetteurs » du MI-5 sont pour ainsi dire imbattables.

A la différence du Service de Renseignements (MI-6) qui traite les problèmes d'espionnage à l'étranger et a absorbé dans son jargon de métier un certain nombre d'américanismes, le Service de Sécurité (MI-5) responsable des opérations de contre-espionnage à l'intérieur du pays conserve dans son argot d'anciennes expressions de la police. On y évite des termes comme « agent de surveillance » et on continue d'appeler les équipes de filature les « guetteurs ».

La division « B » s'occupe de recrutement, personnel, examens/vérifications, promotions, retraites et finances (ce qui signifie salaires et frais opérationnels).

La division « C » est chargée de la sécurité de la Fonction publique (personnel et bâtiments), de la sécurité des entreprises sous contrat avec l'Etat (en particulier les sociétés civiles travaillant dans les secteurs de la défense et des communications), de la Sécurité militaire (en liaison étroite avec le personnel de sécurité des Forces armées) et des opérations de Sabotage (réelles ou en gestation).

Il existait autrefois une division « D » mais avec une logique secrète, connue seulement de ceux qui la pratiquent au sein du monde clos de l'espionnage et du contre-espionnage, elle a été depuis longtemps rebaptisée division « K ». C'est l'une des plus importantes, et plus particulièrement la section intitulée « Soviet », elle se subdivise en Opérations, Enquêtes de Terrain et Ordre de Bataille. La deuxième section de « K » se nomme « Pays satellites » et comporte trois sous-sections identiques à celles de la première section. Les deux autres sections sont Recherche et Agents.

Il existe également au sein de la division « K » un bureau modeste occupé par l'officier chargé d'assurer la liaison entre MI-5 et l'organisation sœur MI-6. Cet agent est en réalité un homme du « Six » détaché de Charles Street pour effectuer sa mission de liaison. Cette section particulière porte simplement le nom de « K-7 ».

La division « E » (l'ordre alphabétique reprend à partir de E) s'intéresse à l'Internationale communiste et à ses adhérents qui désirent séjourner en Angleterre avec des intentions hostiles, ainsi qu'à leurs pareils d'origine britannique qui veulent passer à l'étranger pour des raisons similaires. Dans le cadre de « E », la section « Extrême-Orient » envoie des officiers de liaison à Hong Kong, New Delhi, Canberra et Wellington, tandis que « Reste du Monde » fait de même à Washington, Ottawa, dans les Antilles et les autres capitales amies.

Enfin la division « F » (à laquelle John Preston appartenait – en tout cas jusqu'à ce matin-là) s'occupe essentiellement des partis politiques d'extrême gauche et d'extrême droite), recherche et agents.

La division « F » est installée à Gordon, au quatrième étage, et c'était vers ces bureaux que John Preston se dirigeait en ce matin de janvier. Il n'avait jamais songé que son rapport, remis trois semaines plus tôt, ferait de lui « l'homme du mois » dans le cœur de Brian Harcourt-Smith, mais il espérait encore que sa prose irait jusqu'au bureau du directeur général lui-même, Sir Bernard Hemmings.

Hemmings serait certainement en mesure de transmettre les renseignements du rapport et ses conclusions (en partie conjecturales, Preston en convenait volontiers) au président du Comité interministériel des Services secrets ou au chef de cabinet du ministère de l'Intérieur – le ministère dont dépend MI-5. Un bon chef de cabinet estimerait sans doute que son ministre devrait y jeter un coup d'œil, et le ministre de l'Intérieur attirerait peut-être l'attention du Premier Ministre.

La note de service que Preston trouva sur son bureau en arrivant lui indiqua que cela ne se produirait pas. Après avoir lu la feuille il s'adossa à son fauteuil, perdu dans ses pensées. Il s'était préparé à défendre ce rapport, car s'il était monté plus haut on lui aurait posé des questions. Il aurait pu y répondre et il l'aurait fait avec plaisir, car il était convaincu d'avoir raison. Il aurait pu y répondre – à condition d'être encore chef de la sous-section F-1 (D), mais non après avoir été muté à un autre service...

Après sa mutation, il appartiendrait au nouveau chef de F-1 (D) de soulever la question du Rapport Preston, et Preston aurait juré que son successeur, sans doute un des protégés les plus loyaux d'Harcourt-Smith, ne ferait jamais une démarche pareille.

Il passa un coup de fil aux Archives. Oui, le rapport avait été enregistré. Il nota le numéro, pour référence éventuelle à l'avenir.

« Classé »? Qu'est-ce que vous racontez « classé »? demanda-t-il, incrédule. D'accord. Désolé... Oui, je sais que cela ne vient pas de vous, Charlie. Je posais la question. Je suis un peu surpris, c'est tout. »

Il raccrocha et se mit à réfléchir à Harcourt-Smith. Ses pensées n'étaient pas de celles que l'on réserve en général à un de ses supérieurs, même si l'on n'éprouve pour lui aucune sympathie personnelle. Mais elles refusaient de disparaître. Si son rapport était monté plus haut, il aurait sans doute extrêmement gêné Neil Kinnock, le leader de l'opposition travailliste au Parlement – qui en aurait pris ombrage.

Par ailleurs, il était fort possible qu'aux prochaines

élections législatives – dans dix-sept mois si le Premier Ministre ne demandait pas une dissolution anticipée – le Parti travailliste obtienne la majorité : Brian Harcourt-Smith espérait sans doute que l'un des premiers actes du nouveau gouvernement serait de le confirmer dans son poste de directeur général du MI-5. Eviter d'offenser des hommes politiques puissants, en place ou sur le point de le devenir, n'était pas une tactique nouvelle. Pour un homme faible et hésitant, ou bien dévoré d'ambition, refuser de transmettre la mauvaise nouvelle est souvent une motivation puissante de l'inertie.

Personne dans le service n'avait oublié l'affaire d'un ancien directeur général, Sir Roger Hollis. Même à ce jour, le mystère n'avait jamais été totalement éclairci, bien que les partisans du pour et du contre aient des opinions inébranlables.

En 1962 et 1963, Roger Hollis était au courant dès le début de tous les détails de l'« affaire Christine Keeler » – comme on l'appela par la suite. Il avait reçu sur son bureau, des semaines sinon des mois avant que n'éclate le scandale, des rapports sur les « partouzes » de Cliveden, sur Stephen Ward qui fournissait les filles, sur l'attaché soviétique Ivanov qui partageait les faveurs de la même cover-girl que le ministre de la Guerre de Grande-Bretagne. Mais il avait reculé à mesure que les preuves s'accumulaient et il n'avait jamais sollicité, comme il en avait le devoir, une entrevue personnelle avec son Premier Ministre, Harold Macmillan.

Faute d'avoir été prévenu, Macmillan avait plongé dans le scandale la tête la première. L'affaire s'était infectée et avait suppuré pendant tout l'été 1963, et l'Angleterre en avait souffert, à l'intérieur et à l'étranger. Aux yeux du monde entier, le scénario semblait écrit à Moscou.

Des années plus tard, on en discutait encore avec

passion : Roger Hollis était-il un incompétent de première grandeur, ou bien... ou bien...

« Merde! » se dit Preston, et il chassa toutes ces pensées. Il relut la note de service pour la troisième fois.

Elle émanait du chef de B-4 (Promotions) en personne et lui annonçait qu'il était, de ce jour, muté et promu chef de C-1 (A). Le ton particulièrement aimable était censé adoucir le choc.

« Le directeur général adjoint tient à ce que la Nouvelle Année commence avec tous les nouveaux promus en place dans leurs fonctions... », « très reconnaissant si vous pouviez régler toute affaire pendante et passer vos consignes au jeune Maxwell sans trop de retard, si possible en quelques jours... », « en espérant de tout cœur que votre nouveau poste vous satisfera pleinement... »

« Bla-bla-bla », se dit Preston.

C-1 était, il le savait, Personnel et Bâtiments de la Fonction publique. La section A couvrait Londres. Il allait être responsable de la sécurité dans tous les ministères de Sa Majesté dans la capitale.

« Un boulot de flicard! » ricana-t-il.

Et il commença à convoquer ses hommes pour leur faire ses adieux.

A deux kilomètres de là, dans Londres, Jim Rawlings venait d'ouvrir la porte d'une petite bijouterie de luxe, dans une rue latérale à moins de deux cents pas des embouteillages de Bond Street. La boutique était sombre mais un éclairage discret tombait sur des vitrines contenant de l'argenterie ancienne. Dans les présentoirs éclairés du comptoir scintillaient des bijoux d'une époque révolue. De toute évidence, le magasin se spécialisait dans les pièces d'antiquité et non dans les bijoux modernes.

Rawlings portait un costume sombre impeccable,

une chemise de soie et une cravate discrète. Il avait fait reluire l'attaché-case de cuir. La jeune fille derrière le comptoir l'examina de la tête aux pieds et lui lança un regard appréciateur. A trente-six ans, il demeurait svelte, athlétique, avec une sorte d'aura : moitié gentleman, moitié dur – combinaison toujours efficace. La vendeuse gonfla la poitrine et arbora un sourire étincelant.

« Que puis-je pour vous?

– J'aimerais voir M. Zablonsky. C'est personnel. »

Son accent cockney révéla qu'il ne s'agissait pas d'un client en perspective. Le visage de la jeune fille se rembrunit.

« Représentant? demanda-t-elle.

– Dites-lui simplement que M. James désire lui parler », répondit Rawlings.

Mais au même instant la porte à miroir de l'arrière-boutique s'ouvrit et Louis Zablonsky en sortit. C'était un petit homme tout sec. A cinquante-six ans, il en paraissait davantage.

« Monsieur James, s'écria-t-il, rayonnant. Vraiment ravi de vous voir. Venez dans mon bureau, je vous prie. Comment allez-vous? »

Il fit passer Rawlings derrière le comptoir, puis dans son sanctuaire privé.

« C'est parfait, Sandra, ma chère amie », dit-il à la vendeuse.

Il entra dans le petit bureau encombré et referma à clef la porte dont le miroir semi-réfléchissant lui offrait une excellente vue sur la boutique. Il fit signe à Rawlings de s'asseoir devant son bureau d'époque, et s'installa sur son fauteuil pivotant. Aucune lumière en dehors du faisceau qui tombait sur le sous-main. Le bijoutier regarda Rawlings d'un œil intéressé.

« Eh bien, Jim, quoi de neuf?

– Quelque chose pour vous, Louis. Et vous allez aimer. Alors ne me racontez pas que c'est de la camelote. »

Rawlings ouvrit l'attaché-case. Zablonsky écarta les mains.

« Voyons, Jim, jamais je ne me permettrais... »

Sa gorge se noua quand il vit ce que Rawlings posait sur le buvard. Il regarda les bijoux sans y croire.

« La parure Glen, murmura-t-il. Vous avez barboté les diamants Glen. Et la presse n'a rien publié.

– Le propriétaire est sans doute encore à la campagne, répondit Rawlings. Aucune alarme déclenchée. Je connais mon métier, vous le savez.

– Vous êtes le meilleur, Jim, le meilleur. Mais la parure Glen!... Pourquoi ne m'avez-vous pas prévenu à l'avance? »

Rawlings savait que les choses auraient été plus faciles pour tous si l'on avait pu trouver où écouler la parure avant le cambriolage. Mais il travaillait à sa manière, avec une prudence extrême. Il ne faisait confiance à personne, et sûrement pas à un fourgue, même un fourgue aussi honnête et réputé que Louis Zablonsky. Un fourgue, coincé par une rafle de police et exposé à de longues années de pain dur offert par la Reine, était tout à fait capable d'échanger des renseignements sur un coup en préparation contre une réduction de peine. La Brigade des Délits majeurs, à Scotland Yard, connaissait l'existence de Zablonsky, même si celui-ci n'avait jamais vu de l'intérieur les murs des prisons de Sa Majesté. Pour cette raison, jamais Rawlings n'annonçait un de ses coups à l'avance, et ne prévenait jamais de son passage.

Il ne répondit pas.

De toute façon, Zablonsky était perdu dans la contemplation des bijoux qui scintillaient sur son sous-main. Il n'avait pas besoin qu'on lui en indique la provenance.

Avant sa mort, en 1980, le duc de Sheffield n'avait pas légué les diamants à son fils, héritier du titre, mais à sa fille.

En effet, quelques années plus tôt, en 1974, quand

son fils avait eu vingt-cinq ans, il avait enfin compris, fort navré, que le jeune homme extravagant était ce que les faiseurs de potins se plaisent à appeler dans la presse un « célibataire par nature ». Il n'y aurait plus de jolies jeunes comtesses de Margate ou duchesses de Sheffield pour porter les célèbres diamants Glen. Il les avait donc donnés à sa fille.

Zablonsky savait qu'après la mort du neuvième duc, Lady Fiona avait pris plaisir à les porter parfois avec la permission de l'assureur (accordée à regret), en général pour des galas de charité, où l'on remarquait souvent sa présence. La parure passait le reste du temps à l'endroit où elle était restée de nombreuses années : dans les ténèbres des coffres-forts de la banque Coutts, sur Park Lane. Il sourit.

« Le gala de charité à Grosvenor House, juste avant le Nouvel An? » demanda-t-il.

Rawlings haussa les épaules.

« Vous êtes un vilain garnement, Jim. Mais vous avez tellement de talent... »

Louis Zablonsky parlait couramment le polonais, le yiddish et l'hébreu, mais après quarante années en Grande-Bretagne, il n'avait jamais maîtrisé l'anglais parfaitement, et il conservait un accent polonais à couper au couteau. Et comme il avait appris l'anglais dans de vieux livres, il employait sans s'en rendre compte des expressions jugées aujourd'hui « chichiteuses ». Rawlings savait que Louis Zablonsky n'avait rien de chichiteux ou d'efféminé. En fait, il savait même, car Béryl Zablonsky le lui avait raconté, que le vieil homme avait été émasculé pendant son adolescence dans un camp de concentration.

Zablonsky admirait toujours les diamants, en vrai connaisseur capable d'apprécier un chef-d'œuvre. Il se souvenait vaguement d'avoir lu quelque part qu'au milieu des années 60, Lady Fiona Glen avait épousé un jeune haut fonctionnaire plein d'avenir, qui était devenu, au milieu des années 80, mandarin influent dans un ministère clef. Le couple habitait dans le West End, sur un pied d'élégance et de luxe qu'entretenait en grande partie la fortune personnelle de Lady Fiona.

« Eh bien, Louis? Qu'en pensez-vous?

– Beaucoup de bien, mon cher Jim. Enormément de bien. Mais je demeure perplexe. Ce ne sont pas des pierres ordinaires. Elles sont identifiables partout dans le milieu du diamant. Que vais-je en faire?

– A vous de me le dire », répliqua Rawlings.

Louis écarta les bras.

« Je ne veux pas vous mentir, Jim. Je vous parlerai carrément. Les diamants Glen ont probablement une valeur assurée de sept cent cinquante mille livres sterling, valeur qu'ils atteindraient sans doute s'ils étaient vendus légalement, sur le marché, par Cartier. Mais on ne peut évidemment pas les placer de cette manière...

« Ce qui nous laisse deux options, reprit-il. Trouver un acheteur fortuné qui paierait les célèbres diamants Glen, sachant qu'il ne pourrait jamais les montrer ou en admettre la possession – un riche grigou capable de se contenter de les dévorer des yeux en cachette. Ces gens-là existent, mais ils sont très rares. De ce genre de personne, nous pourrions peut-être obtenir la moitié du prix que j'ai mentionné.

– Quand pourriez-vous trouver un de ces acheteurs? »

Zablonsky haussa les épaules.

« Cette année, l'an prochain, qui sait? Jamais... On ne peut pas passer de petites annonces.

– Trop long, dit Rawlings. L'autre solution?

– Arracher les pierres de leur monture – ce qui ramènera aussitôt la valeur à six cent mille livres. Les retailler et les vendre séparément comme quatre pierres isolées, non assorties. On en obtiendra sans doute trois cent mille livres. Mais le tailleur voudra sa part du gâteau. Si je m'occupe personnellement de tous les frais, je crois que je pourrrai vous remettre cent mille livres – mais à la fin de l'opération. Quand les ventes seront réalisées.

– Que pouvez-vous me donner d'avance? Je ne vis pas de l'air du temps, Louis.

– Tout le monde en est là, répondit le vieux fourgue. Ecoutez, pour les montures en or blanc j'obtiendrai sans doute deux mille livres, au poids du métal. Pour les quarante petites pierres, écoulées sur le marché normal, disons douze mille livres. Donc quatorze mille livres que je peux récupérer assez vite. Je vous en avancerai volontiers la moitié tout de suite, en espèces. Qu'en dites-vous, Jim? »

Ils discutèrent encore pendant une demi-heure puis conclurent leur marché. Louis Zablonsky sortit de son coffre sept mille livres en espèces. Rawlings ouvrit l'attaché-case et y rangea les liasses de billets usagés.

« Joli, dit Zablonsky en posant la main sur le cuir. Vous vous êtes fait un cadeau?

Rawlings secoua la tête.

« Il fait partie du butin », répondit-il.

Zablonsky fit claquer sa langue et agita l'index sous le nez de Rawlings.

« Il faut vous en débarrasser, Jim. Ne jamais rien garder après une opération. Le jeu n'en vaut pas la chandelle. »

Rawlings en convint volontiers, prit congé et s'en fut.

John Preston avait passé la journée entière à dénicher les membres de son équipe d'enquêteurs pour leur faire ses adieux. Ils avaient l'air sincèrement désolés de le voir partir, ce qui lui réchauffa le cœur. Restaient les paperasses. Bobby Maxwell monta lui dire bonjour.

Preston le connaissait vaguement. Jeune, assez aimable, il désirait faire carrière au « Cinq » et estimait que sa meilleure chance de promotion consistait à accrocher son wagon à la locomotive Brian Harcourt-Smith. Preston ne pouvait guère le lui reprocher.

Il était lui-même entré au « Cinq » en milieu de carrière, après avoir quitté les services de renseignements de l'armée en 1981, à l'âge de quarante et un ans. Il savait qu'il ne parviendrait jamais au sommet. Les tard venus au « Cinq » plafonnaient au niveau de chef de section.

Parfois, le poste de directeur général était confié à une personnalité extérieure au service, mais seulement s'il n'y avait manifestement aucun candidat valable dans la « boîte ». Inévitablement, le personnel du « Cinq » en était ulcéré. Mais le directeur général adjoint, les directeurs des six divisions et de la plupart des services étaient traditionnellement des hommes ayant effectué toute leur carrière dans la maison.

Preston promit à Maxwell de terminer le classement des paperasses le lundi et de consacrer la journée du mardi à lui passer les consignes sur les dossiers et les enquêtes en cours. Ils s'étaient quittés en se souhaitant des tas de choses jusqu'au lendemain matin.

Preston regarda sa montre. La soirée serait longue. Il devait sortir de son coffre personnel tous les dossiers en cours et vérifier ceux qu'il pouvait renvoyer simplement aux Archives. Il passerait la moitié de la nuit à étudier les affaires en suspens page par page pour pouvoir les exposer à Maxwell le lendemain.

Mais d'abord il avait besoin d'un bon petit verre. Il prit l'ascenseur jusqu'au sous-sol, où Gordon avait un bar accueillant et bien approvisionné.

Louis Zablonsky travailla toute la journée du mardi enfermé dans son arrière-boutique. Il n'en sortit que deux fois pour voir un client en personne. Une journée calme. Pour une fois, il s'en félicita.

Il était en bras de chemise, manches roulées sur ses avant-bras presque sans poils. L'un après l'autre il enleva les diamants Glen de leurs montures d'or blanc. Les quatre pierres principales, les deux diamants de dix carats des boucles d'oreilles et la paire assortie de la tiare et du pendentif, vinrent aisément et prirent peu de temps.

Quand ils eurent quitté leurs logements, il put les examiner beaucoup mieux. Ils étaient vraiment beaux, brillants, étincelants sous la lumière. C'étaient des blancs-bleus, que l'on appelait autrefois *Top River*, mais que la nouvelle échelle standardisée de l'Association Internationale de Gemmologie désigne : « D- sans défaut ». Quand il eut fini de les examiner, il glissa les quatre pierres dans un petit sac de velours. Cela fait, il entreprit la tâche fort longue de dégager les quarante petits brillants des montures d'or. Tandis qu'il travaillait, la lumière tombait de temps en temps sur une marque pâlie : un numéro de cinq chiffres à l'intérieur de son avant-bras gauche. Pour une personne connaissant l'origine de ce genre de tatouage, le numéro ne signifiait qu'une chose : c'était la marque d'Auschwitz.

Zablonsky, né en 1930 et troisième fils d'un bijoutier juif polonais de Varsovie, avait neuf ans au moment de l'invasion allemande. En 1940 les nazis avaient fermé le ghetto de Varsovie, isolant quatre cent mille juifs condamnés à la famine.

Le 19 avril 1943, les quatre-vingt-dix mille survivants du ghetto, sous la direction de la dernière poignée d'hommes valides, se révoltèrent contre leurs bourreaux.

Louis Zablonsky venait d'avoir treize ans, mais il était si mince et émacié qu'on l'aurait cru plus jeune de cinq ans.

Quand le ghetto tomba enfin aux mains des Waffen-S.S. du général Jürgen Stroop, le 16 mai, il fut l'un des rares enfants à survivre aux exécutions collectives. La majorité des habitants, environ soixante mille, étaient déjà tombés sous les balles et les obus, avaient péri sous les immeubles détruits, ou avaient été exécutés. Les trente mille qui restaient étaient presque uniquement des vieux, des femmes et des jeunes enfants. Zablonsky se trouvait parmi eux. La plupart furent déportés à Treblinka où ils moururent.

Mais par l'un de ces étranges concours de circonstances qui décident parfois entre la vie et la mort, la locomotive du train qui tirait le wagon à bestiaux de Zablonsky tomba en panne. Le wagon, attaché à un autre convoi, finit à Auschwitz.

Zablonsky était destiné à la mort mais on l'épargna quand on apprit sa formation : bijoutier. On l'employa à trier et à classer les quelques bijoux que l'on trouvait encore sur les juifs, à chaque nouvel arrivage. Puis, un jour, on le convoqua à l'infirmerie du camp et on le confia à un jeune docteur blond, souriant, que l'on appelait « l'Ange », et qui continuait encore ses expériences démentes sur les parties génitales de jeunes juifs d'âge pubère. Ce fut sur la table d'opération de Josef Mengele que, sans anesthésie, Louis Zablonsky fut châtré...

Il arracha la dernière des quarante petites pierres à sa monture d'or et vérifia qu'il n'en avait pas oublié. Il compta les diamants et se mit à les peser. Quarante au total; un demi-carat en moyenne, la plupart plus petits. De la marchandise de bagues de fiançailles, mais pour douze mille livres. Il pourrait les écouler par Hatton Garden, on n'y verrait que du feu. Paiement en espèces; il connaissait ses intermédiaires... Ensuite, il entreprit de broyer les montures d'or blanc en une masse informe.

A la fin de 1944, les survivants d'Auschwitz avaient pris la route de l'ouest, à marches forcées, et Zablonsky avait échoué à Bergen-Belsen où l'armée britannique l'avait enfin libéré, plus mort que vif.

Après une longue hospitalisation, Zablonsky avait

gagné la Grande-Bretagne, sous le parrainage d'un rabbin de North London. A la fin de sa convalescence, il avait trouvé du travail. Au début des années 60, il avait quitté son employeur pour ouvrir sa propre boutique, d'abord dans l'East End et dix ans plus tard son magasin actuel, plus prospère, dans le West End.

C'était dans l'East End, du côté des quais de la Tamise, qu'il avait commencé à écouler des pierres précieuses importées en contrebande par des marins – émeraudes de Ceylan, diamants d'Afrique, rubis d'Inde et opales d'Australie. Au milieu des années 80, ses deux entreprises, la légale et l'illicite, avaient fait de lui un homme riche : l'un des grands receleurs de Londres, un spécialiste du diamant, propriétaire d'une belle demeure à Golders Green et membre éminent de la communauté locale.

Quand les montures d'or blanc ne furent plus qu'une masse torturée de métal, il plaça le tout dans son « sac de limaille » avec d'autres fragments. Il donna congé à Sandra, ferma la boutique, rangea son bureau et partit en emportant sur lui les quatre grosses pierres. Avant de rentrer chez lui, il s'arrêta devant une cabine publique pour appeler un numéro des environs d'Anvers, en Belgique, dans un petit village du nom de Nijlen. A son arrivée à Golders Green, il téléphona à British Airways pour retenir une place dans l'avion du matin à destination de Bruxelles.

Sur les bords de la Tamise, rive sud, à l'endroit où se trouvaient jadis les appontements à moitié pourris d'un chantier naval à l'agonie, un immense programme de reconstruction se poursuit depuis le début des années 80. Entre les immeubles neufs subsistent encore d'énormes tas de gravats laissés par les démolisseurs, paysages lunaires où l'herbe folle se mêle aux briques et à la poussière. Un jour, tout cela sera recouvert par de nouveaux grands ensembles, des centres commerciaux et des garages à plusieurs niveaux. Quand? Dieu seul le sait...

Par beau temps, les clochards campent sur ces terrains vagues, et quand un truand de South London a envie de faire disparaître une pièce à conviction gênante, il lui suffit d'apporter l'objet au milieu de ces décombres et d'y mettre le feu.

Ce même mardi 6 janvier, tard dans la soirée, Jim Rawlings traversa l'une de ces zones de plusieurs centaines de mètres carrés, trébuchant dans le noir sur d'invisibles débris de murs. Si quelqu'un l'avait observé – mais ce n'était pas le cas – il aurait remarqué qu'il portait d'une main un bidon d'essence de dix litres, et de l'autre un bel attaché-case de box, cousu main.

Le mercredi matin, Louis Zablonsky franchit les contrôles de l'aéroport de Londres-Heathrow sans encombre. Avec son gros manteau et son chapeau mou de tweed, son bagage à main et sa grosse pipe de bruyère à la bouche, il se joignit au flot quotidien d'hommes d'affaires londoniens se rendant à Bruxelles.

Dans l'avion, l'une des hôtesses se pencha vers lui pour murmurer :

« Je crains que nous ne puissions vous permettre d'allumer votre pipe dans la cabine, monsieur. »

Zablonsky se confondit en excuses et enfonça sa pipe dans sa poche. Peu lui importait. Il ne fumait pas. Et même s'il l'avait allumée, la pipe n'aurait pas très bien tiré – avec quatre diamants de cinquante huit facettes en forme de poire coincés au fond du fourneau sous le tabac soigneusement tassé.

A l'aéroport de Bruxelles National, il loua une voiture et prit l'autoroute à la sortie de Zaventem, en direction du nord, vers Malines, où il tourna à droite pour gagner Lier, au nord-est, puis Nijlen.

En Belgique, la majeure partie de l'industrie du diamant s'est concentrée à Anvers, plus précisément Pelikaanstraat et dans les rues avoisinantes, où les grosses entreprises possèdent leurs salles d'exposition et leurs ateliers. Mais comme la plupart des industries, celle du diamant dépend, pour une bonne part de son fonctionnement, d'une masse de petits fournisseurs et travailleurs à domicile, entreprises se réduisant souvent à un seul homme dans son atelier personnel. Ces « petits » sous-traitent notamment la fabrication de montures, la taille et le polissage des pierres.

Certains de ces ateliers se trouvent également à Anvers, et les juifs, très souvent originaires d'Europe orientale, constituent la majorité de ces diamantaires indépendants. Mais à l'est d'Anvers, dans une région qui porte le nom de Kempen, constituée par une poignée de petits villages propres et coquets, il existe aussi plusieurs dizaines de ces petits ateliers de sous-traitance travaillant pour les industriels d'Anvers. Au milieu du Kempen, à cheval sur la route nationale et la voie ferrée de Lier à Herentals, s'étend le village de Nijlen.

Vers le milieu de la Molenstraat vivait un certain Raoul Lévy, juif polonais qui s'était installé en Belgique après la guerre et qui se trouvait être un cousin éloigné de Louis Zablonsky de Londres. Lévy était tailleur de diamants et depuis son veuvage il vivait seul dans une des modestes villas de brique rouge qui s'élèvent le long de la Molenstraat, du côté ouest. Son atelier occupait l'arrière de la maison. Ce fut là que Zablonsky rencontra son cousin, en tout début d'après-midi.

Ils discutèrent pendant une heure et conclurent leur marché. Lévy retaillerait les pierres, en perdant aussi peu de poids que possible, mais suffisamment pour qu'elles soient méconnaissables. Ils convinrent d'un salaire de cinquante mille livres sterling, dont la moitié versée d'avance et le reste à la vente de la quatrième pierre. Zablonsky reprit la route aussitôt et rentra à Londres.

L'ennui avec Raoul Lévy, ce n'était pas son manque de compétence mais sa solitude. Chaque semaine, il attendait avec impatience le jour de son unique « virée » : il adorait prendre le train pour Anvers, s'installer dans son café favori, fréquenté par tous ses vieux copains, et « parler boutique ». Trois jours plus tard, il s'y rendit et parla boutique une fois de trop.

Tandis que Louis Zablonsky roulait sur les routes de Belgique, John Preston s'installait dans son nouveau bureau, au deuxième étage. Par bonheur, il n'avait pas besoin de quitter Gordon pour un autre immeuble.

Son prédécesseur avait pris sa retraite à la fin de l'année, et l'adjoint du C-1 (A) avait assuré la direction des services pendant quelques jours, espérant sans doute qu'on le confirmerait dans le fauteuil du chef. Il ravala très bien sa déception et exposa longuement à Preston tout ce qu'impliquait son nouveau poste – à première vue des travaux de routine assommants.

Resté seul après le déjeuner, Preston jeta un coup d'œil à la liste des bâtiments ministériels dont sa section A devait assurer la sécurité. Elle était plus longue qu'il ne s'y attendait, mais la plupart des édifices ne représentaient aucun risque réel – en dehors de fuites susceptibles d'être embarrassantes sur le plan politique. Par exemple, la fuite de mémorandums concernant des propositions de réduction des allocations de la sécurité sociale était toujours dangereuse depuis que les syndicats de fonctionnaires avaient recruté en masse du personnel ayant des opinions politiques d'extrême gauche; mais en général, les services de sécurité interne de chaque ministère réglaient ces problèmes.

Les points délicats pour Preston étaient les Affaires étrangères, les services du Conseil des ministres, et la Défense, qui recevaient des documents classés « top secret » et « cosmic ». Mais les mesures de sécurité appliquées dans ces trois organismes par les équipes de surveillance intérieure étaient draconiennes. Preston soupira. Il passa une série de coups de fil pour organiser des « rencontres de présentation » avec les responsables de la sécurité dans tous les principaux ministères.

Entre deux coups de téléphone, il posa les yeux sur la masse de dossiers personnels qu'il avait descendus de son ancien bureau, deux étages plus haut. En attendant que son correspondant, occupé sur une autre ligne, prenne la peine de le rappeler, il se leva, ouvrit son nouveau coffre et y glissa des dossiers un par un. Le dernier du tas était son rapport du mois précédent – son exemplaire personnel. En dehors de celui qui se trouvait « classé » aux Archives, c'était la seule copie existante. Il haussa les épaules et glissa la chemise tout au fond du coffre. Jamais personne ne l'ouvrirait de nouveau, c'était probable, mais il préférait tout de même le conserver – en souvenir du bon vieux temps. Après tout, il avait pas mal transpiré pour réunir tous ces éléments.

3

Moscou
Mercredi 7 janvier 1987

De : H.A.R. Philby
A : Secrétaire Général du PC d'URSS

Permettez-moi de commencer, Camarade Secrétaire Général, par une brève esquisse des antécédents du Parti Travailliste britannique et de l'infiltration constante de ce parti par la « Gauche Dure » au cours des quatorze dernières années.

A l'origine, le Parti a été fondé par le mouvement syndicaliste pour représenter sur le plan politique la classe ouvrière britannique en train de s'organiser. Dès le départ, les Travaillistes ont épousé la cause du socialisme bourgeois modéré : réforme plutôt que révolution. Les véritables défenseurs du marxisme-léninisme se trouvaient alors au sein du Parti Communiste.

Les communistes convaincus étaient systématiquement exclus du Parti Travailliste lui-même, mais, à partir des années Trente, une poignée de nos amis prosoviétiques – la Gauche Dure – réussirent à s'infiltrer dans le Parti sans attirer l'attention. D'autres amis de Moscou, percés à jour lorsqu'ils cherchaient à adhérer au Parti, furent écartés. Ceux que l'on repéra au sein du Parti furent exclus.

La raison pour laquelle nos vrais amis en Angleterre furent maintenus à l'écart du Parti Travailliste pendant tant d'années est fort simple et s'explique en deux mots : la Liste Noire.

Tout contact fraternel était banni entre le Parti Travailliste, soutenu par la masse des électeurs, et les organisations énumérées par cette liste – en général des petits groupes constitués par de vrais socialistes révolutionnaires. Aucun membre d'un groupe appartenant à la Gauche Dure ne pouvait donc devenir membre du Parti Travailliste, et pendant cinquante ans les leaders successifs du Parti Travailliste maintinrent de façon très stricte les conditions imposées par la Liste Noire.

Comme le Parti Travailliste constituait le seul mouvement de gauche soutenu par les masses et possédant une chance d'accéder au gouvernement de la Grande-Bretagne, les tentatives d'infiltration et de domination de ce parti par nos amis (selon la doctrine de Lénine) demeurèrent donc un rêve sans espoir. Néanmoins, nos amis au sein du Parti, malgré leur petit nombre, travaillèrent sans relâche et dans le secret. En 1973, leurs efforts furent enfin couronnés de succès.

Cette année-là, profitant de la faiblesse et des hésitations du leader de l'époque, Harold Wilson, nos amis obtinrent une majorité de quelques voix au sein du Comité Exécutif National, instance clef du Parti, et l'exploitèrent pour faire voter une résolution abolissant la Liste Noire. Le résultat dépassa toutes leurs espérances.

Dès que la brèche s'ouvrit, des cohortes de jeunes activistes de la Gauche Dure, appartenant à la génération d'après-guerre, envahirent le Parti et se présentèrent aux postes de responsabilités à tous les niveaux de l'organisation. La voie était ouverte, il devenait possible d'influencer le Parti, puis d'en prendre la direction. Cette dernière étape est aujourd'hui un fait accompli.

Depuis 1973, le Comité exécutif national est presque toujours resté aux mains d'une majorité Gauche Dure. Et c'est grâce à l'utilisation habile de cette instance que nos amis ont pu modifier de façon radicale la constitution du Parti et sa composition aux plus hauts niveaux.

Permettez-moi une brève digression, camarade Secrétaire Général, pour expliquer précisément ce que j'entends par « nos amis » au sein du Parti Travailliste et du Mouvement Syndical britannique. Ils se divisent en deux catégories, les conscients et les inconscients. De la première catégorie, j'exclus évidemment les hommes et les femmes de la « Gauche Molle » et de l'hérésie trotskiste, qui détestent Moscou de la même façon quoique pour des raison différentes, pour ne conserver que la « Gauche Dure » avec en son noyau la « Gauche Ultra-Dure ». Ce sont des marxistes-léninistes grand teint, passionnés, mais qui n'aimeraient pas être traités de communistes car cela implique l'appartenance au Parti communiste britannique, organisme inefficace et sans utilité. Ce n'en sont pas moins des amis résolus de Moscou même s'ils déclarent à cor et à cri agir « pour des raisons de conscience » ou « dans l'intérêt de la Grande-Bretagne ».

Le second groupe d'amis que nous possédons au sein du Parti Travailliste est devenu dominant depuis quelques années. Il se compose de personnes prêtes à défendre une forme de socialisme assez extrême pour être qualifiée de marxiste-léniniste. Ces gens n'ont besoin d'aucune explication, d'aucune instruction, et ils s'offenseraient sans doute si nous leur en proposions; mais ils se conduiront d'eux-mêmes d'une manière qui convient parfaitement aux intérêts soviétiques, consciemment ou à leur insu, poussés soit par leurs convictions profondes, soit par une perversion de leur patriotisme, soit par l'envie de se trouver avec les forts. Tous constituent des agents d'influence à notre profit.

Bien entendu, ils se proclament défenseurs de la démocratie. Heureusement, la majorité écrasante des Anglais comprend encore aujourd'hui la « démocratie » comme un système pluraliste (plusieurs partis), dont l'instance gouvernante est élue au suffrage universel. De toute évidence nos amis de la Gauche Dure anglaise envisagent une autre forme de démocratie : la « démocratie du parti unique » dont les rôles clefs seraient tenus par eux-mêmes et leurs pareils. La presse britannique, heureusement pour nous, fait peu de chose pour corriger cette méprise.

Ainsi donc, à partir de 1973 nos amis marxistes-léninistes au sein du Parti Travailliste ont été en mesure de se consacrer sans arrière-pensée à la lutte pour la conquête clandestine de l'appareil du Parti, programme réalisable après l'abolition de la Liste Noire. Voici comment ils y sont parvenus :

Le Parti Travailliste s'est toujours appuyé, comme un trépied, sur trois éléments : les syndicats, les sections locales (une dans chaque circonscription du découpage électoral de la Grande-Bretagne) et les parlementaires élus sous l'étiquette du Parti lors des élections générales précédentes. Le Leader du Parti est toujours choisi parmi ces derniers.

Les syndicats sont le plus puissant des trois éléments du Parti et ils exercent leur pouvoir de deux manières. D'abord ils sont les financiers du Parti, car ils alimentent les coffres par les prélèvements politiques déduits des millions de cotisations syndicales retenues sur les salaires des travailleurs. Ensuite, ils disposent à la Conférence du Parti d'énormes quantités de « votes par procuration » détenus par les Exécutifs nationaux des syndicats au nom de millions de membres absents. Ces votes par procuration permettent d'assurer le passage de n'importe quelle résolution et d'élire jusqu'à un tiers de l'instance la plus importante du Parti : le Comité exécutif national.

Les membres des Exécutifs syndicaux qui détiennent ces millions de votes exercent donc un pouvoir crucial; ils comprennent les activistes syndicaux à plein temps et les officiels qui décident de la politique du syndicat. La mise en place efficace d'activistes de la Gauche Dure dans les rangs des responsables syndicaux semblait donc essentielle, et elle a été réalisée de façon magistrale.

Le grand allié de nos amis dans cette tâche a été, comme toujours, l'apathie des syndicalistes modérés de la base – la majorité – qui ne se donnent pas la peine d'assister aux réunions de leur section locale. Donc les activistes qui répondent à toutes les convocations ont pu prendre le contrôle de milliers de sections, de centaines de régions, et de la fine fleur des Comités Exécutifs Nationaux. A l'heure actuelle, les dix syndicats les plus importants parmi les quatre-vingts affiliés au Parti représentent la majorité des votes du mouvement syndical; neuf de ces dix syndicats ont à leur tête des hommes de la Gauche Dure, contre deux au début des années 70. Tout ceci a été réalisé, dans le dos de millions de travailleurs anglais, par environ dix mille personnes actives, pas davantage.

L'importance de ce vote syndical dominé par la Gauche Dure deviendra manifeste quand j'évoquerai le rôle du Collège électoral qui choisit le nouveau Leader du Parti; les syndicats détiennent quarante pour cent des votes dans ce prétendu « Collège ».

Ensuite les sections locales du Parti. Elles sont animées par des Conseils d'Administration Générale qui, outre la gestion au jour le jour des affaires du Parti dans la circonscription électorale, ont une autre fonction vitale : ils choisissent le candidat travailliste aux élections parlementaires. Au cours de la décennie 1973-1983, les jeunes activistes d'extrême gauche ont commencé à intervenir au niveau des circonscriptions, et par leur présence assidue aux réunions de Conseils d'Administration, toujours assommantes et peu suivies, ils sont parvenus à éliminer les vieux responsables et à prendre le contrôle d'un Comité après l'autre.

Chaque fois qu'une circonscription tombait aux mains des nouveaux activistes de la Gauche Dure, la position du parlementaire (en général centriste) représentant cette circonscription devenait plus délicate. Mais ces hommes n'étaient pas faciles à chasser. Pour que la Gauche Dure triomphe vraiment, il fallait qu'elle transforme les parlementaires en simples légats de leurs Conseils d'Administration.

Ce fut brillamment réalisé par la Gauche Dure à Brighton en 1979 avec le vote d'une nouvelle règle imposant la re-sélection (ou la dé-sélection) annuelle des Membres du Parlement par le Conseil d'Administration de leur circonscription. Ce principe provoqua un important glissement de pouvoir. Tout un groupe de centristes quittèrent le Parti pour former le Parti Social-Démocrate. Mais le Groupe Parlementaire du Parti, quoique émasculé et ravalé, conservait encore une fonction vitale : ses membres et personne d'autre élisaient le Leader du Parti Travailliste. Il était crucial, pour achever la triple capture, de leur arracher ce pouvoir. Ce fut fait en 1981, comme toujours à l'initiative de la Gauche Dure, grâce à la création du « Collège Electoral » dans lequel trente pour cent des voix sont détenues par le Groupe Parlementaire, trente pour cent par les sections des circonscriptions et quarante pour cent par les Syndicats. Le Collège élit un nouveau Leader quand la nécessité s'en présente *et le reconfirme annuellement.* Cette dernière fonction est cruciale pour l'aboutissement du plan en cours de réalisation – et que je vais vous décrire.

La lutte pour le contrôle du Parti que je viens d'exposer nous a conduits jusqu'aux élections générales de 1983. La prise de pouvoir était presque totale mais nos amis avaient commis deux erreurs, en s'écartant de la doctrine léniniste de précaution et de dissimulation. Ils avaient agi trop ouvertement, ils étaient devenus trop visibles pour triompher dans ces combats de Titans; et en provoquant des élections anticipées, le gouvernement conservateur les prit en porte à faux. La Gauche Dure avait besoin d'une année supplémentaire pour consolider, arrondir les angles, unifier. Elle ne l'obtint pas. Le Parti, qui se présenta avec la déclaration de principe la plus extrémiste de son histoire, fut battu à plate couture. Pis encore, le peuple anglais avait pu voir le vrai visage de la Gauche Dure.

Vous vous en souvenez sans doute, l'élection de 1983 fut apparemment un désastre pour le Parti Travailliste dominé dès lors par la Gauche Dure. Mais à mon sens ce devrait être un mal d'où peut sortir un bien, car il aboutit au réalisme plein d'acharnement et d'abnégation auquel nos vrais amis au sein du Parti ont accepté de se soumettre pendant les quarante derniers mois.

En bref, sur les 650 circonscriptions de Grande-Bretagne en 1983, le Parti Travailliste n'en obtint que 209. Mais ce n'était pas aussi désastreux qu'il y paraissait. Tout d'abord, sur les 209 travaillistes du Parlement, une centaine étaient nettement à gauche, et une quarantaine appartenaient à la Gauche Dure. C'est peut-être peu, mais le Groupe Parlementaire Travailliste actuel est tout de même le plus « à gauche » qui ait jamais siégé à la Chambre des Communes.

Deuxième point, la défaite aux urnes secoua utilement les sots qui croyaient la lutte pour le pouvoir total déjà terminée. Ils comprirent vite qu'après les luttes amères mais nécessaires pour mettre la main sur les leviers du Parti – entre 1979 et 1983 – le moment était venu de reconstituer l'unité et de réparer la base de pouvoir qui s'était dégradée dans le pays – avec un œil tourné vers les élections suivantes. Ce programme fut lancé, sous l'impulsion de la Gauche Dure, à la Conférence du Parti d'octobre 1983, et n'a pas varié depuis.

Troisièmement, tout le monde a compris la nécessité de revenir à cette clandestinité, si efficace au début des années 70, et à la modération apparente. Il a fallu pour cela une autodiscipline extrême, mais les camarades, une fois de plus, ont prouvé qu'ils en avaient à revendre.

Depuis octobre 1983, la Gauche Dure s'est parée efficacement des oripeaux de la courtoisie, de la tolérance et de la modération. On insiste à tout bout de champ sur l'importance primordiale de l'unité du Parti, et pour la réaliser la Gauche Dure a accepté de nombreuses concessions de dogme, impossibles à envisager auparavant. Les centristes, ravis et complaisants, de même que les médias, semblent complètement séduits par le nouveau visage « acceptable » de nos amis marxistes-léninistes.

De façon plus clandestine, la mainmise sur le Parti a été finalisée. Tous les comités ayant du poids sont maintenant contrôlés par la Gauche Dure ou pourraient l'être au cours d'une seule réunion d'urgence. Mais – et c'est un « mais » très important – nos amis se sont en général contentés de laisser la présidence de ces comités influents à une personne de la Gauche Molle et même parfois, quand ils possédaient en réalité une supériorité numérique écrasante, à un homme du centre.

En résumé, l'ensemble du Parti Travailliste de Grande-Bretagne appartient maintenant à la Gauche Dure, soit directement, soit par l'entremise de représentants de la Gauche Molle ou de centristes intimidés, soit à la discrétion d'une convocation d'urgence du comité approprié; et cependant personne ne semble en avoir pris conscience.

Pour le reste, la Gauche Dure a depuis quarante mois préparé les prochaines élections générales comme une campagne militaire. Pour obtenir une majorité simple au Parlement, elle a besoin de 325 sièges, disons 330. Elle possède actuellement 210 circonscriptions et les considère « dans la poche ». Les 120 autres, perdues en 1979 ou 1983, sont estimées récupérables et ont été désignées comme objectif principal.

Trait constant dans la vie politique anglaise, le peuple, après deux législatures complètes, pense qu'il est temps de changer, même si le gouvernement en place n'est pas vraiment impopulaire. Mais les Anglais changeront uniquement s'ils font confiance à la nouvelle équipe. Au cours des quarante derniers mois, l'objectif du Parti Travailliste a été de regagner cette confiance – grâce aux subterfuges de nos amis.

A en juger par les sondages récents, cette campagne a remarquablement réussi, car les Travaillistes se sont rapprochés des Conservateurs au pouvoir et n'en sont plus séparés que de quelques points. Si l'on garde à l'esprit que dans le système britannique du scrutin majoritaire à un tour l'issue d'une élection dépend en fait de quatre-vingts sièges « marginaux » et que ces sièges marginaux peuvent passer d'un parti à l'autre grâce à seulement quinze pour cent des « votes flottants », le Parti Travailliste a une chance de reprendre le pouvoir à la prochaine élection générale.

Mais la victoire du Parti Travailliste aux élections générales ne suffirait pas, à elle seule, à déstabiliser l'Angleterre au-delà du seuil révolutionnaire. Il faudrait en outre renverser le Leader triomphant du Parti Travailliste avant que la Reine le convoque au Palais, avant qu'il prête serment comme Premier Ministre. Il serait alors remplacé par le représentant de la Gauche Dure, choisi d'avance, qui deviendrait de ce fait le premier chef de gouvernement marxiste-léniniste de la Grande-Bretagne. Ce plan est actuellement en très bonne voie.

Permettez-moi de faire une deuxième digression pour exposer la manière dont le Leader du Parti Travailliste est élu. Depuis l'institution du « Collège Electoral », la procédure était la suivante : à la suite d'une élection les candidatures au poste de Leader du Parti pouvaient être reçues pendant trente jours après la prestation de serment des membres du Parlement. Ensuite les candidats rivaux disposaient de trois mois pour défendre leur position avant la réunion du Collège Electoral. Dans le cas d'une défaite travailliste, il pouvait se produire un changement de Leader; dans le cas d'une victoire, il était impensable de renverser le Premier Ministre car ces trois mois lui permettaient d'obtenir l'appui des masses d'un bout à l'autre du pays.

Mais l'an dernier, à la conférence d'octobre, nos amis, qui dominaient le Comité Exécutif National, parvinrent à faire passer une « réforme insignifiante ». Dans le cas d'une *victoire* travailliste aux élections, le Leader pourrait être confirmé dans ses fonctions, vite et efficacement, de la manière suivante : toutes les candidatures devraient être posées dans les trois jours de la déclaration officielle des résultats électoraux; puis le Collège Electoral du Parti se réunirait dans les quatre jours. Après cette session extraordinaire qui désignerait le Leader du Parti, aucune autre candidature ne serait retenue pendant deux ans, pour laisser au nouveau Leader les mains libres.

A ceux qui hésitaient à soutenir la « réforme » on fit observer que cette procédure de « confirmation » ne serait qu'une formalité. Personne n'oserait manifestement se présenter contre un Leader triomphant, attendant d'être convoqué au Palais. Il serait simplement réélu sans opposition, n'est-ce pas?

En réalité c'est bel et bien l'inverse que l'on se propose de faire. Dans un délai aussi bref, l'ancien Leader ne pourra pas mobiliser les masses. Les comités exécutifs nationaux des syndicats – qui votent avec les procurations de leurs millions de membres et représentent quarante pour cent des voix – sont entre les mains de nos amis. De même pour les comités locaux du Parti, ainsi que la moitié des membres du Parlement. Cette alliance « Gauche Dure » au sein du Collège Electoral réunit plus de la majorité des voix. Elle désignera un nouveau Leader marxiste-léniniste, et ce sera lui que la Reine convoquera au Palais.

Venons-en aux détails. Au cœur de la Gauche Dure du Parti Travailliste britannique et du mouvement syndical, il existe un groupe d'une vingtaine d'hommes qui représentent, ensemble, ce que l'on peut appeler l'aile Ultra. Il ne s'agit pas à proprement parler d'un comité, car tout en restant en contact il est fort rare qu'ils se réunissent. Chacun a passé sa vie entière à se hisser lentement dans l'appareil intérieur du Parti; chacun a au bout des doigts une influence qui dépasse de très loin son rôle officiel ou sa position apparente. Chacun est un « vrai croyant » marxiste-léniniste, engagé sans réserve. Ils sont vingt en tout. Dix-neuf hommes et une femme. Neuf sont des dirigeants syndicaux, six (dont la femme) des membres du Parlement élus sous l'étiquette travailliste, et les autres : deux professeurs, un pair, un avocat et un éditeur, ce sont eux qui déclencheront et orchestreront la prise de pouvoir.

Une fois à la tête du Parti et installé 10, Downing Street, le nouveau Leader aura carte blanche, avec le soutien d'un Comité Exécutif National du Parti dominé par la Gauche Dure, pour remodeler le Conseil des ministres à sa propre image et se lancer dans un programme législatif prévu de longue date. Bref, le peuple aura voté pour un gouvernement traditionaliste ou réformiste de la Gauche Molle, mais se retrouvera avec un régime de Gauche Dure sans la moindre nécessité de recourir à une consultation électorale.

Quant au programme législatif auquel j'ai fait allusion, il comporte à ce stade un plan de vingt mesures souhaitables, qui n'ont pas été encore mises noir sur blanc pour des raisons évidentes. Toutes ces mesures appartiennent depuis longtemps au programme de la Gauche Dure, bien que très peu aient été introduites dans le manifeste officiel du Parti, d'ailleurs sous une forme diluée.

Ce programme en vingt points est connu sous le nom de Manifeste pour la Révolution Anglaise, ou M.B.R., d'après les initiales en anglais. Les quinze premiers points traitent des problèmes intérieurs de la Grande-Bretagne : nationalisation systématique des entreprises, des biens, de la fortune; abolition de la propriété terrienne; suppression de la médecine et de l'éducation libres; subordination des enseignants, de la police, des moyens d'information et de l'appareil judiciaire au contrôle de l'Etat; abolition de la Chambre des lords qui possède le droit d'annuler toute loi par laquelle un gouvernement élu chercherait à se maintenir au pouvoir en suspendant les élections. (On ne peut évidemment pas permettre qu'un caprice de l'électorat arrête la révolution anglaise ou inverse l'évolution.)

Mais les cinq derniers points du M.B.R. concernent directement l'Union soviétique. Ce sont :

A – Retrait immédiat, sans égard aux obligations des traités passés, de la Communauté Economique Européenne.

B – Réduction sans délai de toutes les forces armées conventionnelles de Grande-Bretagne à un cinquième de leur volume actuel.

C – Abolition immédiate et destruction de tous les armements nucléaires britanniques ainsi que des systèmes balistiques.

D – Expulsion du territoire, sans délai, de toutes les forces des Etats-Unis, nucléaires et conventionnelles – personnel et matériel.

E – Retrait immédiat et désaveu de l'Organisation du Traité de l'Atlantique Nord.

Je n'ai pas à souligner, camarade Secrétaire Général, que ces cinq dernières propositions handicaperaient les défenses de l'Alliance atlantique sans espoir de reconstitution de notre vivant ou peut-être même définitivement. Après le retrait de la Grande-Bretagne, les petits pays de l'O.T.A.N. suivraient probablement la même voie, l'Alliance Atlantique dépérirait et les Etats-Unis demeureraient isolés de l'autre côté de l'océan.

Manifestement, l'exécution du plan que je viens d'esquisser dans ce mémorandum dépend d'une victoire électorale du Parti Travailliste. Et les prochaines élections générales, qui auront sans doute lieu au printemps 1988, risquent d'être la dernière occasion.

Tout ce qui précède était ce que j'entendais en réalité par ma remarque, au cours du dîner chez le général Kryoutchkov, laissant supposer que Moscou surestime toujours la stabilité politique de la Grande-Bretagne « et jamais davantage qu'en ce moment ».

Sincèrement vôtre,
Harold Adrian Russel Philby

La réponse du secrétaire général au mémorandum fut étonnamment rapide et Philby en fut ravi. Vingt-quatre heures à peine après que Philby eut remis son texte au major Pavlov, l'insondable jeune officier au regard glacé dépendant de la Neuvième Direction revint lui rendre visite. Il apportait une enveloppe brune, qu'il remit à Philby sans prononcer un mot avant de faire demi-tour.

C'était une autre lettre manuscrite du secrétaire général, brève et précise comme d'habitude.

Le chef de l'Union soviétique remerciait son ami Philby de ses efforts. Il avait été lui-même en mesure de confirmer la véracité des arguments du mémorandum. En conséquence, il estimait que la victoire du Parti Travailliste lors des prochaines élections générales de Grande-Bretagne était devenue, pour l'U.R.S.S., une question prioritaire entre toutes. Il allait réunir un petit comité restreint, responsable uniquement devant lui-même, pour le conseiller sur d'éventuelles mesures à prendre. Il demandait instamment à Harold Philby de siéger dans le comité à titre de conseiller spécial.

4

Les hommes qui rendirent visite à Raoul Lévy étaient au nombre de quatre. Grands et lourds. Dans deux voitures. La première s'arrêta devant la villa de Lévy, Molenstraat, et la seconde une centaine de mètres plus loin.

La première voiture dégorgea deux hommes qui remontèrent d'un pas vif mais sans bruit la petite allée conduisant à la porte d'entrée. Les deux chauffeurs attendirent, tous phares éteints, moteurs au ralenti. La nuit était glacée, d'un noir de poix. Il était un peu plus de dix-neuf heures en ce 15 janvier 1987; personne ne se promenait dans Molenstraat.

Les hommes qui frappèrent à la porte avaient des gestes précis de professionnels. Visiblement, ils n'avaient pas de temps à perdre : un travail à faire et plus tôt il serait terminé mieux ce serait pour eux. Quand Lévy ouvrit la porte, ils ne se présentèrent pas. Ils entrèrent sans un mot et refermèrent derrière eux. A peine Lévy eut-il le temps d'ouvrir la bouche que ses protestations furent coupées par quatre doigts raides qui s'enfoncèrent d'un coup sec dans son plexus solaire.

Les deux colosses lui posèrent son manteau sur les épaules, enfoncèrent son chapeau sur sa tête, sortirent sans refermer la porte à clef, et escortèrent le tailleur de diamants d'une main ferme le long de l'allée, jusqu'à la voiture dont la portière arrière s'ouvrit aussitôt. Quand ils démarrèrent, avec Lévy pris en sandwich entre eux sur la banquette, pas plus de vingt secondes s'étaient écoulées en tout.

Ils le conduisirent à la Kesselse Heide, vaste parc naturel public au nord-ouest de Nijlen, dont les vingt hectares de landes, prairies, chênaies et bosquets de conifères divers étaient complètement déserts. Loin de la route, au cœur de la lande, les deux voitures s'arrêtèrent. Le conducteur du deuxième véhicule, qui poserait les questions, se glissa sur le siège avant.

Il se retourna et fit un signe de tête à ses deux collègues. Celui qui se trouvait à la droite de Lévy passa les deux bras autour du petit tailleur de diamants pour le maintenir immobile, et sa main gantée s'écrasa sur la bouche du malheureux. L'autre homme s'arma d'une paire de grosses pinces coupantes, prit la main gauche de Lévy et, d'un geste précis, broya la première phalange de trois doigts, l'une après l'autre.

Ce qui effraya Lévy, davantage encore que la douleur déchirante, ce fut qu'ils ne lui avaient même pas posé une seule question. Ils ne semblaient pas intéressés. Quand le quatrième doigt fut réduit en bouillie par les pinces, Lévy hurlait pour qu'on l'interroge.

L'homme sur le siège de devant fit un signe de tête et dit :

« Envie de parler? »

Derrière le gant, Lévy hocha nerveusement la tête. Le gant s'écarta. Lévy poussa un long cri haletant. Quand ce fut fini, l'interrogateur lui demanda :

« Les diamants. De Londres. Où sont-ils? »

Il parlait flamand, mais avec un accent étranger prononcé. Lévy le lui dit sans hésiter. Aucune somme d'argent ne pourrait compenser la perte de ses mains et de sa vie. L'homme réfléchit à l'information sans réagir.

« Les clefs », dit-il.

Elles se trouvaient dans la poche de pantalon de

Lévy. L'homme qui l'avait interrogé les prit et descendit de voiture. Quelques secondes plus tard, la deuxième voiture s'éloigna vers la route en faisant crisser l'herbe gelée. Elle revint cinquante minutes plus tard.

Pendant ce temps, Lévy ne cessa de gémir en serrant sa main meurtrie. Les hommes à ses côtés semblaient n'éprouver aucun intérêt pour lui. Le chauffeur, mains gantées sur le volant, regardait droit devant lui. Quand le quatrième homme revint, il ne fit aucune allusion aux quatre pierres qui se trouvaient à présent dans sa poche. Il demanda simplement :

« Une dernière question. Qui les a apportées? »

Lévy secoua la tête. Le quatrième homme soupira à la perspective de perdre encore du temps et fit signe à l'homme qui se trouvait à la droite de Lévy. Les deux colosses inversèrent les rôles. L'homme de droite prit les pinces coupantes et la main droite de Lévy. Après avoir perdu deux doigts, Lévy leur dit ce qu'ils voulaient savoir. L'interrogateur posa deux ou trois brèves questions complémentaires puis parut satisfait. Il descendit de la voiture et se dirigea vers son véhicule. En convoi, les deux conduites intérieures regagnèrent la route et retournèrent à Nijlen.

Lorsqu'ils passèrent devant sa maison, Lévy s'aperçut qu'elle était fermée et qu'aucune fenêtre n'était éclairée. Il espérait qu'ils l'abandonneraient là, mais ils n'en firent rien. Ils traversèrent toute la ville par le centre et s'éloignèrent vers l'est. Les lumières des cafés, chauds, accueillants, protégés de l'air glacé de l'hiver, défilèrent derrière les portières, mais personne n'en sortit pour se porter au secours du tailleur de diamants. Lévy aperçut même l'enseigne bleue avec le mot POLITIE éclairé au néon, au-dessus du commissariat, en face de l'église, mais personne n'apparut.

A trois kilomètres à l'est de Nijlen, la Looy Straat croise les voies ferrées à un endroit où la ligne de Lier à Herentals file droit comme une flèche. Les grosses locomotives diesels-électriques foncent à plus de cent quinze kilomètres-heure. De chaque côté du passage à niveau il y a des bâtiments de ferme. Les deux voitures s'arrêtèrent près des voies, phares et moteurs coupés.

Sans un mot, le chauffeur ouvrit la boîte à gants et en sortit une bouteille, qu'il tendit à ses deux collègues de la banquette arrière. L'un serra entre deux doigts le nez de Lévy et l'autre versa l'eau-de-vie blanche, d'une marque locale, dans la gorge qui s'étouffait. Quand les trois quarts de la bouteille furent engloutis, ils s'arrêtèrent et lâchèrent le tailleur de diamants. Raoul Lévy commença à sombrer dans une sorte de brouillard d'ivrogne. Même la douleur diminua un peu. Les trois hommes dans la voiture et celui du second véhicule attendirent.

A onze heures et quart, l'interrogateur descendit de sa voiture, s'avança vers les autres et dit quelque chose à travers le pare-brise. A ce moment-là, Lévy avait perdu connaissance, mais son corps s'agitait nerveusement. Les deux hommes de l'arrière le firent descendre et le portèrent vers les voies. A onze heures vingt, l'un d'eux le frappa sur la tête avec une barre à mine, et il mourut. Ils le déposèrent sur les voies, avec ses mains écrasées sur les rails et sa tête enfoncée à côté.

Hans Grobbelaar quitta la gare de Lier avec le dernier express de la nuit à 23 h 09 exactement, comme tous les soirs. La routine habituelle. Il serait chez lui, à Herentals, dans son lit chaud, à une heure du matin au plus tard. C'était un convoi de marchandises sans arrêt intermédiaire, et il traversa Nijlen à l'heure prévue : 23 h 19. Après les aiguillages, il prit de la vitesse et se lança sur la ligne droite précédant le passage à niveau de la Looy Straat à presque cent quinze kilomètres-heure, les phares de la grosse 6268 éclairaient la voie à une centaine de mètres à l'avant.

Juste en arrivant à la hauteur de la Looy Straat, il vit la silhouette pelotonnée sur la voie et il bloqua ses freins. Des milliers d'étincelles jaillirent des roues. Le train de marchandises commença à ralentir, mais cela ne suffirait pas. Bouche ouverte, Hans Grobbelaar regarda à travers le pare-brise la lumière des phares se rapprocher de la silhouette recroquevillée. C'était déjà arrivé à deux hommes de son dépôt : des suicides ou des ivrognes, personne ne l'avait jamais su. Avec un gros convoi comme ça, avaient-ils raconté, on ne sent même pas le choc. Effectivement, il ne sentit rien. La locomotive, toutes roues bloquées, passa dans un grincement d'enfer. Elle avançait encore à plus de cinquante à l'heure.

Lorsqu'elle s'arrêta enfin, Hans Grobbelaar ne pouvait plus rien voir. Il courut vers une des fermes et lança l'alarme. Quand la police arriva avec des lanternes, la bouillie sous les roues ressemblait à de la confiture de fraises. Hans Grobbelaar ne rentra pas chez lui avant l'aube.

Le même matin, mais quatre heures plus tard, John Preston entra dans le hall du ministère de la Défense, à Whitehall, s'avança vers le comptoir et présenta sa « carte universelle ». Après l'inévitable appel téléphonique de confirmation à l'homme qu'il était venu voir, un huissier l'accompagna vers les ascenseurs, puis le long de plusieurs couloirs jusqu'au bureau du chef de la Sécurité interne du ministère, situé dans les étages supérieurs, à l'arrière du bâtiment, avec vue sur la Tamise.

Le général de brigade Bertie Capstick n'avait guère changé depuis leur précédente rencontre, en Ulster, quelques années auparavant. Gros, épanoui et affable, avec des joues de pomme mûre qui lui donnaient un air de paysan et non de soldat, il s'avança en rugissant.

« Johnny, mon petit! Entrez donc! Venez! C'est bien vous. Je n'en crois pas mes yeux. »

Bertie Capstick devait avoir à peine dix ans de plus que Preston, mais il avait pris l'habitude d'appeler presque tous ses cadets « mon petit », ce qui lui donnait un air de brave oncle, qui correspondait bien à son physique. Autrefois, c'était un sacré soldat, qui s'était enfoncé au cœur du territoire des terroristes pendant la campagne de Malaisie, et qui avait commandé un groupe de spécialistes de l'infiltration dans les jungles de Bornéo au cours de ce que l'on appelle à présent « l'alerte indonésienne ».

Capstick le fit asseoir et sortit d'un tiroir une bouteille de gnôle.

« Une petite goutte?

– Un peu tôt, non? » protesta Preston.

Il était juste onze heures.

« Quelle blague! En souvenir du bon vieux temps... De toute façon, le café qu'on nous apporte ici est ignoble. »

Capstick s'assit à son tour et poussa le verre vers Preston, de l'autre côté du bureau.

« Eh bien, que vous ont-ils donc fait, mon petit? »

Preston fit la grimace.

« Je vous l'ai dit au téléphone. Ils m'ont donné un poste de flic! Sans vouloir vous offenser, Bertie.

– Bah! c'est comme pour moi, Johnny. Sur la touche. Bien sûr, je touche ma retraite d'officier, maintenant, alors je me défends assez bien. Oui, j'ai pris ma retraite à cinquante-cinq ans, et j'ai réussi à décrocher cette planque. Pas à se plaindre. Je prends paisiblement mon train de banlieue, je vérifie toutes les consignes de sécurité – la routine –, je m'assure que personne ne joue au con, et je rentre peinard retrouver bobonne. Ça pourrait être pire. De toute façon, allez!... Au bon vieux temps.

– A la vôtre », dit Preston.

Et ils burent.

Le bon vieux temps n'était pas si fantastique que ça,

songea Preston. La dernière fois qu'il avait vu Bertie Capstick (alors colonel à part entière) six ans plus tôt, cet officier apparemment extroverti, ce qui trompait son monde, était directeur adjoint de l'espionnage militaire en Irlande du Nord, avec pour base d'opération l'ensemble de bâtiment situé à Lisburn dont les banques de données peuvent indiquer aux personnes autorisées quel membre de l'I.R.A. s'est gratté le dos deux heures auparavant.

Preston était l'un de ses « petits »; en civil, sous fausse identité, il se glissait dans les ghettos tenus par l'aile dure de l'I.R.A. provisoire pour bavarder avec des indicateurs ou ramasser des paquets dans des « boîtes aux lettres ». Et Bertie Capstick l'avait loyalement défendu jusqu'au bout contre les fonctionnaires lâches d'Holyrood House, quand il avait été « grillé » et presque tué, au cours d'une mission.

C'était le 28 mai 1981 et les journaux avaient publié quelques détails le lendemain. Preston était entré avec une voiture banalisée dans le quartier Bogside de Londonderry pour rencontrer un indicateur. S'était-il produit une fuite à un échelon plus élevé, la voiture qu'il conduisait avait-elle servi une fois de trop, les agents de renseignements de l'I.R.A. avaient-ils repéré son visage? On ne le sut jamais. En tout cas, ce fut un « coup fourré ». Au moment où il entrait dans la place forte républicaine, une voiture contenant quatre « Provisoires » armés était sortie d'une rue latérale et l'avait filé.

Il les avait vite repérés dans son rétroviseur et avait annulé aussitôt le rendez-vous. Mais les Provisoires avaient d'autres intentions. Au cœur du ghetto, ils le doublèrent, bloquèrent le passage et jaillirent de leur voiture : deux hommes avec des Armalites et le troisième armé d'un pistolet.

N'ayant nulle part où aller, sauf au ciel ou en enfer, Preston prit l'initiative. Seul contre trois et à la consternation de ses agresseurs, il sortit par sa portière, et roula sur lui-même juste au moment où les Armalites criblaient la voiture de balles. Il avait à la main son browning neuf millimètres à treize coups, en position « automatique ». Du ras des pavés il tira sa rafale. Les autres s'attendaient à ce qu'il se laisse tuer gentiment; ils étaient trop près les uns des autres.

Deux d'entre eux tombèrent sur place, et une balle arracha la moitié du cou du troisième. Le chauffeur de l'I.R.A. embraya et disparut en laissant une couche de caoutchouc sur le macadam. Preston s'était réfugié aussitôt dans une planque occupée par quatre hommes du S.A.S. qui avaient veillé sur lui jusqu'à l'arrivée de Capstick.

Bien entendu, la note à payer avait été salée : enquêtes, interrogatoires, questions pointilleuses de la hiérarchie. Il n'était pas question qu'il continue. Il était bel et bien « grillé », comme on dit dans le métier, c'est-à-dire identifié. Il n'avait plus aucune utilité. Le « Provisoire » survivant reconnaîtrait son visage dans n'importe quelle circonstance. On ne le laissa même pas retourner à son ancien régiment, les paras, à Aldershot. Qui savait combien de Provisoires traînaient autour d'Aldershot?

Ils lui avaient offert Hong Kong ou la porte. Puis Bertie Capstick s'était abouché avec un ami. Il existait une troisième option. Quitter l'armée avec le grade de commandant à l'âge de quarante et un ans, et entrer en milieu de carrière au MI-5. C'était ce qu'il avait choisi.

« Rien de particulier? » demanda Capstick.

Preston secoua la tête.

« Le tour des directions pour faire connaissance.

– Pas de problème, Johnny. Maintenant que je vous sais à la barre, je vous appellerai s'il survient quelque chose de plus grave qu'un chapardage dans la caisse de collecte pour Noël. Comment va Julia, à propos?

– Elle m'a quitté. Il y a trois ans.

– Désolé. Je ne savais pas. »

Le visage de Bertie Capstick se rembrunit. Sa sympathie était sincère.

« Un autre type?

– Non. Pas à l'époque. Je crois qu'il y a quelqu'un à présent. C'est le métier qui nous a séparés... Vous savez ce que c'est. »

Capstick hocha la tête.

« Ma Betty a eu du mal à s'y faire, elle aussi, rumina-t-il. J'ai passé la moitié de ma vie hors de la maison. Oh! elle s'est accrochée. Elle a continué de faire bouillir la marmite. Mais ce n'est tout de même pas une vie pour une femme. Vous n'êtes pas le premier à qui ça arrive. Il s'en faut. Manque de chance... Vous voyez votre gamin?

– De temps en temps », murmura Preston.

Capstick n'aurait pas pu toucher un nerf plus sensible. Dans son petit appartement solitaire de South Kensington, Preston conservait deux photographies. L'une représentait Julia et lui le jour de leurs noces – lui, vingt-six ans, mince et élégant dans son uniforme du régiment de parachutistes; elle, vingt ans, splendide dans sa robe blanche. L'autre cliché était celui de son fils, Tommy, qui comptait davantage pour lui que la vie même.

Ils avaient vécu une vie militaire classique, caserne après caserne, et Tommy était venu au monde huit ans plus tard... Sa naissance avait comblé John Preston mais non son épouse. Peu de temps après, Julia avait commencé à se lasser des corvées de la maternité, auxquelles venait s'ajouter la solitude pendant les absences de son mari. Elle se plaignit bientôt du manque d'argent et harcela Preston pour qu'il quitte l'armée et gagne davantage dans la vie civile, refusant de comprendre qu'il aimait son métier et que la monotonie d'un travail de bureau, dans une entreprise commerciale ou industrielle, l'aurait rendu fou.

Il se fit muter dans les unités de renseignements mais ce fut pis. On l'envoya en Ulster où aucune épouse ne pouvait suivre. Puis il devint agent clandestin et interrompit tout contact. Après l'incident de Bogside, elle ne lui dissimula pas ses sentiments. Ils firent une dernière tentative, installés en banlieue tandis qu'il travaillait au « Cinq ». Il rentrait presque tous les soirs à Sydenham et cela avait résolu la question de la séparation, mais leur union s'était dégradée. Julia convoitait davantage que ce que pouvait offrir le salaire d'un employé du MI-5 engagé en milieu de carrière.

Elle était devenue hôtesse chez un grand couturier du West End, quand, à huit ans, Tommy était entré dans une école privée proche de leur maison – ce qui avait encore éprouvé leurs finances. Un an plus tard, elle était partie pour de bon, en emmenant Tommy. Maintenant, il le savait, elle vivait avec son patron. Il avait l'âge d'être son père mais il était en mesure de l'entretenir largement et d'envoyer Tommy dans une bonne pension, à Tonbridge. Il voyait rarement l'enfant, qui venait d'avoir douze ans.

Il lui avait proposé de divorcer mais elle avait refusé. Après trois ans de séparation, il aurait pu de toute façon obtenir le divorce, mais elle l'avait menacé d'exiger la garde de Tommy, puisqu'il n'avait pas les moyens d'élever l'enfant et de verser une pension alimentaire. Il était bel et bien coincé et il le savait. Elle lui permettait de prendre Tommy pendant une semaine aux vacances et un dimanche tous les trimestres.

« Bon... Il faut que je file, Bertie. Vous savez où me trouver s'il se produit une grosse tuile.

– Bien sûr, bien sûr... »

Bertie Capstick se précipita vers la porte pour le raccompagner.

« Veillez bien sur vous, Johnny. Il ne reste plus beaucoup de braves types comme nous dans les parages. »

Ils prirent congé en riant et Preston retourna Gordon Street.

Louis Zablonsky les connaissait... Ils arrivèrent dans une fourgonnette et frappèrent à sa porte d'entrée tard dans la soirée du samedi. Il était seul dans la maison comme toujours le samedi; Béryl était sortie et ne rentrerait pas avant le petit matin. Il supposa que les hommes le savaient.

Il regardait le dernier film à la télévision quand il entendit les coups à la porte. Il n'en pensa rien de particulier. Il ouvrit et les hommes le bousculèrent dans le couloir et refermèrent derrière eux. Ils étaient trois. A la différence des quatre qui avaient rendu visite à Raoul Lévy deux jours plus tôt (incident dont Zablonsky n'était pas au courant car il ne lisait pas la presse belge) c'étaient des gros bras de l'East End de Londres, des « slags » dans l'argot du milieu.

Deux étaient des brutes, des colosses à la peau épaisse n'ayant pas inventé la poudre, prêts à faire n'importe quoi si le troisième leur en donnait l'ordre; ce dernier était mince, presque chétif, avec un visage piqueté de petite vérole et des cheveux blonds sales. Zablonsky ne les connaissait pas personnellement, mais il « savait ». Il avait déjà vu leurs pareils dans les camps, en uniforme. Et cette prise de conscience sapa sa volonté de résister. Il était certain que ce serait sans effet. Les hommes de ce genre font toujours ce qu'ils veulent des personnes comme lui. Inutile de résister ou de supplier.

Ils le repoussèrent dans le salon et le bousculèrent dans son fauteuil. L'un des colosses se mit derrière le dossier, se pencha en avant et immobilisa Zablonsky sur le siège. L'autre resta à côté et commença à caresser son poing droit dans la paume de sa main gauche. Le blond traîna un tabouret en face du fauteuil, s'installa et fixa le visage du joaillier.

« Cogne! » dit-il.

Le truand à la droite de Zablonsky lui écrasa la bouche d'un crochet – il avait un « coup-de-poing américain » de cuivre jaune. Tout le devant de la bouche du joaillier ne fut plus qu'une bouillie de dents, de lèvres, de gencives et de sang. Le blond sourit.

« Pas là! ronchonna-t-il. Il est censé parler, non? Plus bas. »

Le truand lança deux autres crochets dans la poitrine de Zablonsky. Plusieurs côtes cédèrent. Une plainte aiguë s'éleva de la bouche du joaillier. Le blond sourit. Il aimait bien entendre ce genre de musique.

Zablonsky se débattit faiblement mais il aurait mieux fait de s'en dispenser. Les bras musclés, derrière le fauteuil, l'immobilisèrent aussitôt, tout comme d'autres bras l'avaient maintenu sur la table de marbre, des années plus tôt, dans le sud de la Pologne, pendant que l'autre blond lui souriait...

« T'as été vilain, Louis, roucoula le blond. Et un de mes amis s'est fâché. Il sait que tu as quelque chose qui lui appartient et il veut le récupérer. »

Il dit au joaillier de quoi il s'agissait. Zablonsky cracha un caillot de sang qui lui emplissait la bouche.

« Pas ici », murmura-t-il d'une voix rauque.

Le blond réfléchit.

« Fouillez la maison, dit-il à ses compagnons. Il ne nous fera pas d'ennuis. Laissez-le où il est. »

Les deux « slags » fouillèrent la maison et le blond resta avec le joaillier dans le salon. Ils firent un travail « soigné », qui leur prit une heure. Quand ils eurent terminé, chaque placard, penderie ou tiroir, chaque niche et chaque recoin avaient été vidés. Le blond s'était contenté d'enfoncer le poing de temps en temps dans les côtes cassées du vieil homme. Vers minuit, les deux truands redescendirent du grenier.

« Que dalle, dit l'un.
– Alors, qui est-ce qui l'a, Louis? » demanda le blond.

Zablonsky essaya de ne pas le leur dire, mais ils le tabassèrent sans répit et il parla. Quand l'homme derrière le fauteuil le lâcha, il tomba sur le tapis la tête en avant et roula sur le côté. Il devint bleu autour de ce qui restait de ses lèvres, ses yeux se révulsèrent, son souffle sortait par saccades brèves et douloureuses. Les trois hommes le fixèrent.

« Il a une crise cardiaque, dit l'un d'eux d'un ton de curiosité. Il est en train de clamser.

– Tu l'as cogné trop fort, c'est ça? dit le blond d'un ton sarcastique. On file. Il nous a donné le nom.

– Tu crois qu'il disait la vérité? demanda l'un des truands.

– Ouais. Il ne nous a pas menti il y a une heure. »

Ils sortirent de la maison ensemble, montèrent dans leur fourgonnette et s'en furent. En quittant Golders Green vers le sud, l'un des « slags » demanda :

« Qu'est-ce qu'on va faire, maintenant?

– Ta gueule... Je pense », répondit le blond.

Le petit sadique aimait jouer au chef de gang. En fait il était d'intelligence limitée et ne savait plus à quel saint se vouer. D'un côté, le contrat prévoyait de rendre visite à un seul homme pour récupérer un objet volé. De l'autre, ils n'avaient pas récupéré l'objet. Près de Regent's Park, il vit une cabine téléphonique.

« Arrête, dit-il. Il faut que je passe un coup de grelot. »

L'homme qui l'avait engagé lui avait donné un numéro de téléphone – celui d'une cabine publique – et trois heures précises auxquelles il pouvait appeler. Le premier de ces rendez-vous téléphoniques tombait justement dans quelques minutes.

Béryl Zablonsky revint de sa soirée galante du samedi juste avant deux heures du matin. Elle gara sa Metro de l'autre côté de la rue et entra, surprise de voir les lumières encore allumées.

L'épouse de Louis Zablonsky était une brave petite juive d'origine ouvrière, qui avait appris très tôt qu'attendre quoi que ce soit de la vie était stupide et égoïste. Dix ans plus tôt, Zablonsky l'avait choisie parmi les girls du deuxième rang d'une comédie musicale sans espoir de succès et l'avait demandée en mariage. Elle avait vingt-cinq ans. Il lui avait avoué qu'il était impuissant, mais elle avait accepté malgré tout.

Curieusement, le mariage avait tenu. Zablonsky s'était montré immensément gentil et l'avait traitée comme un père trop indulgent. Elle l'adorait, presque comme si elle était sa fille. Il lui avait donné tout ce qu'il pouvait : une belle maison, des toilettes, des colifichets, de l'argent de poche, la sécurité – et elle lui était reconnaissante.

Bien entendu, il y avait une chose qu'il ne pouvait pas lui donner, mais il se montrait compréhensif et tolérant. Il exigeait seulement de ne jamais savoir qui elle rencontrait, et de ne leur être jamais présenté. A trente-cinq ans, Béryl était un peu trop en chair, un peu trop facile sans tomber dans la vulgarité, avec le genre de beauté mûre qui plaît aux jeunes hommes – et les jeunes hommes lui plaisaient. Elle louait pour ses escapades un petit studio dans le West End, et elle profitait sans la moindre vergogne de ses samedis soirs galants.

Deux minutes après être rentrée, Béryl Zablonsky, en larmes, donnait son adresse par téléphone au service des ambulances. Ils arrivèrent six minutes plus tard, placèrent l'agonisant sur une civière et tentèrent de le maintenir en vie jusqu'à l'hôpital public de

Hampstead. Béryl monta avec son mari dans l'ambulance.

Pendant le trajet, il eut une brève période de lucidité, et il fit signe à sa femme de se pencher vers sa bouche en sang. Elle approcha l'oreille, comprit les quelques mots qu'il articula, et son front se plissa de surprise. Il ne lui dit rien d'autre. Le temps de gagner Hampstead, Louis Zablonsky compta parmi les « décédés à l'arrivée » de la nuit.

Béryl Zablonsky conservait un faible pour Jim Rawlings. Elle avait eu une brève aventure avec lui sept ans auparavant, avant qu'il se marie. Elle savait que son mariage avait mal tourné et qu'il vivait de nouveau seul, dans l'appartement de Wandsworth dont elle avait assez souvent composé le numéro de téléphone pour le connaître encore par cœur.

Quand elle appela, elle était encore en larmes et Rawlings, à moitié endormi, eut du mal à comprendre, au début, qui le réveillait ainsi au milieu de la nuit. Elle téléphonait d'un poste public dans le hall du service des urgences et elle devait ajouter sans cesse d'autres pièces. Quand il comprit de qui il s'agissait, Rawlings écouta le message, de plus en plus étonné.

« C'est tout ce qu'il a dit?... Rien d'autre?... D'accord, mon chou. Ecoute, je suis désolé. Sincèrement très désolé. Je viendrai te dire bonjour quand les choses se seront un peu tassées. Je verrai ce que je peux faire. Oh! et puis, Béryl... merci. »

Rawlings raccrocha, réfléchit un instant puis passa deux coups de téléphone. Il eut d'abord Ronnie, au chantier de ferraille, et celui-ci arriva avec Syd dix minutes plus tard. Tous les deux, comme prévu, apportaient leurs outils. Il était temps : les visiteurs montèrent à pied les huit étages un quart d'heure après eux.

Le blond n'avait pas accepté sans réticences le deuxième contrat, mais l'argent supplémentaire que lui avait promis la voix au téléphone était trop tentant pour qu'il le refuse. Ses copains et lui étaient des hommes de l'East End, et ils n'aimaient pas travailler au sud de la Tamise. La rivalité entre les gangs de l'East End et les bandes de South London est légendaire dans le « milieu » de la capitale, et un homme du Sud qui « monte » à l'Est sans y être invité – ou l'inverse – doit s'attendre à toutes sortes d'ennuis. Mais le blond s'était dit qu'à trois heures et demie du matin, le décor devait être assez calme : il pourrait régler la question et rentrer sur son « territoire » sans se faire repérer.

Quand Jim Rawlings ouvrit sa porte, une grosse main le bouscula dans le corridor conduisant au salon. Les deux « slags » entrèrent les premiers, avec le blond à l'arrière-garde. Rawlings recula vite dans le couloir pour qu'ils entrent tous, et quand le blond claqua la porte derrière lui, Ronnie sortit de la cuisine et étala le premier « slag » avec un manche de pioche. Syd jaillit de la penderie et frappa le deuxième homme avec une pince-monseigneur. Les deux truands tombèrent comme des bœufs à l'abattoir.

Le blond tripotait déjà le loquet de la porte pour se réfugier sur le palier, mais Rawlings, enjambant les deux corps, le saisit au collet et le projeta la tête la première contre une madone sous verre. Jamais le petit blond n'avait approché la religion d'aussi près. Le verre se brisa et plusieurs éclats s'enfoncèrent dans ses joues roses.

Ronnie et Syd ligotèrent les deux durs tandis que Rawlings traînait le blond dans le salon. Quelques minutes plus tard, maintenu par les pieds (Ronnie) et par la taille (Syd), le blond plongeait la moitié du corps à travers la baie vitrée, huit étages au-dessus du sol.

« Tu vois les voitures garées, là-bas? » lui demanda Rawlings.

Malgré les ténèbres d'une nuit d'hiver, on distinguait

les reflets de l'éclairage public sur les carrosseries des voitures. Le blond hocha la tête.

« Eh bien, dans vingt minutes, il va y avoir pas mal d'animation, vois-tu. Beaucoup de monde autour d'une couverture de plastique. Et devine qui sera sous la couverture de plastique, tout en purée et pas beau à voir? »

Le blond, comprenant que son espérance de vie se mesurait maintenant en secondes, lança dans l'air glacé :

« D'accord. Je vais causer. »

Ils le tirèrent à l'intérieur et le firent asseoir. Il essaya de garder sa dignité.

« Ecoutez, m'sieur. Nous connaissons tous les deux la musique. On m'a engagé pour faire un boulot, c'est tout. Récupérer un objet volé...

– Le vieux type de Golders Green? dit Rawlings.

– Ouais, quoi... Il a dit que c'était vous qui l'aviez, alors je suis venu.

– C'était mon ami. Il est mort.

– Je regrette m'sieur, vraiment. Je ne savais pas qu'il avait des problèmes cardiaques. Mes hommes ne l'ont bousculé qu'une ou deux fois.

– Espèce de fouille-merde! Sa bouche avait éclaboussé tout le salon, et il n'avait plus une seule côte intacte. Pourquoi es-tu venu ici? »

Le blond le lui dit.

« Le quoi?... » lança Rawlings incrédule.

Le blond répéta.

« Ne me demandez pas de détails, m'sieur. J'étais juste payé pour le ramener. Ou découvrir ce qui lui est arrivé.

– J'ai bien envie de te faire prendre un bain dans la Tamise, avec les deux gros lards, dit Rawlings. Je vous offrirais même des caleçons de béton à la dernière mode. Seulement, je ne veux pas de vagues. Alors je vais vous laisser filer. Tu diras à ton contracteur qu'il était vide. Complètement vide. Et que je l'ai brûlé...

réduit en cendres. Il n'en reste rien. Tu ne te figures tout de même pas que je vais garder quelque chose qui me vient d'un coup, non? Je ne suis pas complètement idiot... Et maintenant, du vent. »

Sur le seuil, Rawlings rappela Ronnie.

« Fais-leur retraverser la Tamise. Et tu donneras à la petite fouine un cadeau de ma part, en souvenir du vieux bonhomme. D'accord? »

Ronnie acquiesça.

Quelques minutes plus tard, sur le parc à voitures, le plus abîmé des deux truands de l'East End, toujours ligoté, se retrouva à l'arrière de sa fourgonnette. L'autre, encore à moitié inconscient, se glissa derrière le volant. Syd lui délia les mains et lui ordonna de conduire. Le blond, assis à côté, appuya ses deux avant-bras cassés sur ses genoux. Ronnie et Syd les suivirent jusqu'à Waterloo Bridge puis firent demi-tour et rentrèrent chez eux.

Jim Rawlings, plus intrigué que jamais, se prépara une tasse de café et essaya de mettre de l'ordre dans les faits.

Il avait eu l'intention de brûler l'attaché-case sur le terrain vague. Mais il était si beau, si bien fini... Le cuir ciré luisait à la lumière des flammes comme du métal. Il avait cherché des initiales, des marques permettant de l'identifier. Il n'y en avait pas. Malgré tous ses principes, malgré l'avertissement de Zablonsky, il avait décidé de courir le risque... Il l'avait conservé.

Il se dirigea vers un grand placard et prit l'attaché-case sur l'étagère supérieure. Cette fois il l'examina avec l'œil d'un cambrioleur de métier. Il lui fallut dix minutes pour trouver, du côté charnière, un téton qui glissait sur le côté quand on le poussait fort avec le bout du pouce. Il entendit un petit déclic à l'intérieur de l'attaché-case. Quand il le rouvrit, la base s'était soulevée d'un bon centimètre, sur le côté. Avec un coupe-papier, il fit remonter la feuille de cuir : il avait sous les yeux un compartiment plat, entre le fond réel de l'attaché-case et le double fond. Avec des précelles, il retira les dix feuilles de papier qui s'y trouvaient.

Rawlings n'était pas expert en matière de documents officiels, mais il comprit très bien ce que signifiait l'en-tête MINISTÈRE DE LA DÉFENSE; et les mots TOP SECRET ont le même sens dans toutes les langues du monde. Il s'assit et se mit à siffloter.

Rawlings était un cambrioleur, un voleur. Mais comme la majeure partie de la pègre de Londres, il n'admettait pas qu'un homme trahisse son pays. De fait, dans les prisons, on isole toujours les traîtres et les sadiques qui ont abusé d'enfants, car les truands professionnels, si on leur en laissait l'occasion, auraient tôt fait de les réduire en pièces détachées.

Rawlings savait à qui appartenait l'appartement qu'il avait cambriolé, mais le vol n'avait pas encore été signalé à la police et il était persuadé – pour des raisons qu'il commençait seulement à entrevoir – que cela n'aurait jamais lieu. Inutile, donc, d'attirer l'attention davantage. D'autre part, avec la mort de Zablonsky, les diamants étaient sans doute perdus à jamais, et bien entendu sa part du butin. Il se mit à détester le propriétaire de cet appartement.

Il avait déjà manipulé les papiers sans gants, et il savait que ses empreintes digitales se trouvaient au fichier. Il n'était pas question de se laisser identifier ainsi et il essuya les papiers avec un chiffon, effaçant du même coup les empreintes du traître.

Dans l'après-midi du dimanche, il glissa une enveloppe brune toute simple, bien fermée et avec deux fois trop de timbres, dans une boîte aux lettres de la station de métro Elephant and Castle. La levée suivante était le lundi matin, et la missive n'arriva donc que le mardi. Ce jour-là, 20 janvier, le général Bertie Capstick appela John Preston, à Gordon. Sa voix avait perdu tout son côté affable.

« Johnny, vous vous rappelez ce dont nous parlions

l'autre jour? S'il se produit une grosse tuile... Eh bien, c'est arrivé. Et il ne s'agit pas de la collecte de Noël. Enorme, Johnny. Quelqu'un m'a adressé une lettre par la poste... Non, pas une bombe, mais peut-être pire. On dirait que nous avons une fuite ici, Johnny. Et le bonhomme doit être très, très haut placé. L'affaire relève donc de votre service. Je crois que vous avez intérêt à venir tout de suite jeter un coup d'œil. »

Ce matin-là également, en l'absence du propriétaire mais sur son ordre et avec des clefs qu'il leur avait fournies, deux ouvriers entrèrent dans l'appartement du huitième étage de Fontenoy House. Il leur fallut la journée pour arracher du mur le coffre-fort Hamber éventré et le remplacer par un modèle identique. A la tombée de la nuit, ils avaient refait la décoration murale comme elle était auparavant. Quand ce fut terminé, ils repartirent.

5

PRESTON s'assit en face d'un Bertie Capstick très inquiet, examina les dix feuillets photocopiés étalés sur le bureau, puis les lut attentivement.

« Combien de personnes ont manipulé l'enveloppe? demanda-t-il.

– Le facteur, bien entendu. Dieu sait combien d'employés au centre de tri. Ici même, les gens de la réception, le planton qui monte le courrier du matin dans les services, et moi. Je crois que vous ne pourrez pas tirer grand-chose de l'enveloppe.

– Et les papiers à l'intérieur?

– Uniquement moi, Johnny. Bien entendu, j'ignorais de quoi il s'agissait avant de les avoir sortis. »

Preston réfléchit un instant.

« Outre les empreintes de la personne qui les a postés, ils conservent, je suppose, celles de la personne qui s'en est emparée. Il faudra que je demande à Scotland Yard de vérifier. Personnellement, je n'ai pas grand espoir. Voyons donc le contenu. Cela me paraît d'un niveau très élevé.

– Le plus haut niveau, répondit Capstick d'un ton sombre. Rien moins que top secret. Certains documents très sensibles et concernant nos alliés occidentaux; des plans d'urgence de l'O.T.A.N. pour contrer toute une gamme de menaces soviétiques – ce genre de chose.

– Bien, dit Preston, envisageons toutes les possibilités. Suivez mon raisonnement. Supposons que cette enveloppe ait été renvoyée par un patriote peu désireux, pour une raison ou une autre, de nous révéler son nom. Cela arrive. La plupart des gens n'aiment pas être personnellement impliqués. Où une personne de ce genre a-t-elle pu dénicher ces documents? Une serviette oubliée dans un vestiaire, un taxi ou un club? »

Capstick secoua la tête.

« Pas légalement, Johnny. En aucune circonstance, ces documents n'auraient dû quitter l'immeuble, sauf peut-être dans le sac postal scellé à destination des Affaires étrangères ou du Conseil des ministres. Nous n'avons eu aucun rapport signalant des problèmes avec un sac postal. D'autre part, aucun document ne porte d'indication d'envoi en dehors de ce bâtiment, ce qui serait le cas s'ils étaient sortis de façon normale et légale. Les gens qui ont accès à ce genre de mémos, même si c'est depuis peu, connaissent le règlement. Personne, absolument personne, n'est autorisé à emporter des documents de cette nature chez lui pour les étudier. Cela répond à votre question?

– Très précisément, dit Preston. Les documents sont revenus du dehors. Il a donc fallu qu'ils sortent. Illégalement. Négligence coupable ou tentative délibérée de trahison?

– Regardez les dates d'origine, dit Capstick. Les dix feuillets s'échelonnent sur un mois entier. Aucune chance qu'ils soient tous arrivés le même jour sur un bureau donné. Ils ont été réunis au cours d'une certaine période. »

Preston, en s'aidant de son mouchoir, remit les dix documents dans leur enveloppe.

« Il va falloir que je les emporte Charles Street, Bertie. Je peux me servir de votre téléphone? »

Il appela Charles Street et demanda qu'on lui passe directement le bureau de Sir Bernard Hemmings. Le directeur général était là et quelques instants après, sur l'insistance de Preston, il prit la communication en personne. Preston lui demanda simplement un rendez-vous immédiat, et l'obtint. Il raccrocha et se retourna vers le général Capstick.

« Bertie, pour le moment ne faites rien et ne dites rien. A personne. Agissez à tout point de vue comme s'il s'agissait d'une journée normale. Je garderai le contact. »

Il était hors de question de quitter le ministère avec ces documents sans escorte. Le général Capstick lui « prêta » un des plantons de la réception, ancien sous-officier de la Garde, carré d'épaules.

Preston sortit du ministère avec les documents dans sa propre serviette et prit un taxi jusqu'aux Clarges Apartments, attendant que le véhicule disparaisse au coin de la rue pour franchir à pied les deux cents mètres séparant Clarges Street de Charles Street, le quartier général du « Cinq », où il pourrait renvoyer son garde du corps. Sir Bernard le reçut dix minutes plus tard.

Le vieux chasseur d'espions avait le visage gris, comme s'il souffrait – ce qui était souvent le cas. Le mal qui ne cessait de grossir en lui se dérobait aux regards, mais les analyses médicales étaient formelles. Un an, lui avait-on dit, et ce n'était pas opérable. Il devait prendre sa retraite le 1er septembre, et en tenant compte de la « permission libérable », cela signifiait qu'il partirait mi-juillet, six semaines avant son soixantième anniversaire.

Il aurait certainement abandonné son poste plus tôt sans les charges familiales qui l'accablaient. Sa seconde épouse lui avait « donné » une fille adoptive, que cet homme sans enfant adorait. L'enfant n'avait pas fini ses études. Si Hemmings prenait une retraite anticipée, le montant de sa pension serait lourdement amputé, et il laisserait sa veuve et la jeune fille dans une situation financière difficile. Avec raison ou non, il avait l'intention de continuer jusqu'à la date statutaire de sa retraite, pour laisser à sa mort le bénéfice d'une pension complète. Après une vie entière dans ce métier, il n'avait pour ainsi dire aucun bien à leur léguer.

Preston exposa brièvement ce qui s'était produit au ministère de la Défense ce matin-là, et l'opinion de Capstick sur l'impossibilité de faire sortir les documents du ministère autrement que par un acte délibéré.

« Oh! mon Dieu, pas un autre! » murmura Sir Bernard.

Bien des années après, le souvenir de Vassall et de Prime restait encore douloureux, comme la réaction amère des Américains quand on les avait informés.

« Eh bien, John, dit-il. Par où voulez-vous commencer?

– J'ai demandé à Bertie Capstick de garder le silence pour l'instant, répondit Preston. Si nous avons un véritable traître au sein du ministère, il existe un second mystère. Qui nous a renvoyé les documents? Un passant, un cambrioleur, une épouse ayant des remords de conscience? Nous l'ignorons. Mais si nous pouvions dénicher cette personne, nous serions en mesure de savoir où elle a trouvé les feuillets. Cela simplifierait une bonne partie de l'enquête. Je ne nourris guère d'espoir en ce qui concerne l'enveloppe – du papier brun classique, un article vendu dans des milliers de boutiques, des timbres normaux, l'adresse en majuscules, un stylo à pointe de feutre. De plus, elle a été déjà manipulée par une vingtaine d'anonymes. Mais les papiers à l'intérieur conservent peut-être des empreintes digitales. J'aimerais que Scotland Yard les examine – sous notre surveillance, bien entendu. Ensuite, nous saurons peut-être où aller.

– Excellent. Occupez-vous de ce côté de l'affaire, répondit Sir Bernard. Il va falloir que j'en parle à Tony Plumb et probablement à Perry Jones. Je vais essayer d'organiser un déjeuner avec eux. Cela dépendra de l'opinion de Perry Jones, bien sûr, mais je crois que nous serons contraints de réunir le Comité interministériel des Services secrets. Allez-y, John, et restez en contact avec moi. Si Scotland Yard découvre quoi que ce soit, il faut que je le sache aussitôt. »

A Scotland Yard, la collaboration fut immédiate et l'on mit à la disposition de Preston les meilleurs hommes du laboratoire. Preston demeura auprès du technicien civil qui répandait sa poudre sur les feuilles. L'homme ne pouvait pas ne pas voir le cachet TOP SECRET en haut de chaque document.

« Quelqu'un a été polisson à Whitehall? lança le technicien avec un sourire malicieux.

– Stupide et paresseux, mentit Preston. Ces machins auraient dû passer au broyeur et non dans la corbeille à papiers. Le responsable va se faire taper salement sur les doigts... Si nous pouvons identifier les doigts. »

Quand il eut terminé, le technicien secoua la tête.

« Rien. Propre comme un sou neuf, dit-il. Mais je vais vous dire une chose. Ces papiers ont été essuyés. Il y a bien entendu un jeu d'empreintes très nettes, sans doute les vôtres. »

Preston acquiesça. Inutile de révéler que ces empreintes appartenaient au général Capstick.

« Voyez-vous, dit le technicien, ce papier prend très bien les empreintes et peut les conserver des semaines, peut-être des mois. Il devrait y avoir au moins un autre jeu, probablement davantage. Le type qui les a touchés avant vous, par exemple. Mais rien. Avant de passer à la corbeille à papiers, ils ont été essuyés avec un bout de tissu. On voit encore les fibres. Mais pas d'empreintes. Désolé. »

Preston ne lui avait même pas donné l'enveloppe. La personne qui avait essuyé les documents n'y avait sûrement pas laissé ses empreintes. En outre, l'enveloppe aurait démenti l'explication de l'employé négligent. Il prit les dix documents secrets et s'en fut. Capstick avait raison, se dit-il. C'est une fuite, et une mauvaise... Il était trois heures de l'après-midi; il rentra Charles Street et attendit Sir Bernard.

Sir Bernard dut insister, mais il obtint son déjeuner avec Sir Anthony Plumb, président du Comité interministériel des Services secrets (le J.I.C., selon les initiales anglaises) et Sir Peregrine Jones, chef de cabinet du ministre de la Défense. Ils se rencontrèrent dans une salle à manger discrète d'un club de Saint James. Les deux autres hauts fonctionnaires, troublés par la requête pressante du directeur général du « Cinq », passèrent leur commande d'un air pensif. Quand le maître d'hôtel se retira, Sir Bernard leur expliqua ce qui s'était produit. Cela leur coupa entièrement l'appétit.

« J'aurais préféré que Capstick m'en parle d'abord, lança Sir Perry Jones, contrarié. Terriblement désagréable d'apprendre une chose pareille ainsi.

– Je crois, répondit Sir Bernard, que mon homme sur l'affaire lui a demandé de garder le silence. Parce que s'il existe une fuite à l'échelon supérieur dans le ministère, le traître ne doit pas apprendre que l'on nous a renvoyé les documents. »

Sir Peregrine, un peu moins hostile, poussa un grognement.

« Qu'en pensez-vous, Perry? lui demanda Sir Anthony Plumb. Ces documents pouvaient-ils quitter le ministère sous forme de photocopie d'une manière normale ou par simple négligence? »

Le haut fonctionnaire de la Défense secoua la tête.

« La fuite ne s'est pas forcément produite à un niveau très élevé, répondit-il. Tous les hommes des échelons supérieurs ont des adjoints et des collaborateurs personnels. Il y a toujours des copies – parfois trois ou quatre personnes ont besoin de voir un document original. Mais les copies sont enregistrées à mesure qu'on les tire, et le règlement prévoit de les passer au broyeur après usage. Trois copies réalisées, trois copies détruites. L'ennui, c'est qu'un chef de service ne peut pas détruire lui-même tout ce qu'il reçoit. Il confie des documents à un collaborateur pour destruction. Tout le monde passe des examens sévères avant d'être engagé, mais aucun système de contrôle n'est absolument parfait. »

Il s'arrêta un instant.

« Le problème, c'est que ces copies, échelonnées sur un mois entier, ont été sorties du ministère. Il est impossible que ce soit un hasard ou le produit d'une négligence. C'est forcément un acte délibéré. Nom de Dieu!... »

Il reposa son couteau et sa fourchette; il avait à peine touché à son assiette.

« Désolé, Tony, mais je crois que c'est une sale histoire. »

Sir Tony Plumb avait l'air consterné.

« Je crois que je vais être obligé de convoquer un sous-comité restreint du J.I.C., dit-il. Très restreint, en tout cas à ce stade. L'Intérieur, les Affaires étrangères, la Défense, le chef de cabinet du Conseil des ministres, les directeurs de « Cinq » et de « Six », un représentant du Q.G. des Communications du Gouvernement. A tout le moins. »

On convint de réunir les membres du sous-comité le lendemain matin. Hemmings leur apprendrait si Preston avait eu de la chance à Scotland Yard. Sur ce, ils se séparèrent.

Le J.I.C. au complet est un comité assez important. Outre une demi-douzaine de ministères et plusieurs organismes d'Etat, les trois armes et les deux services secrets, il comprend les représentants à Londres du Canada, de l'Australie, de la Nouvelle-Zélande, et bien entendu de la C.I.A. américaine.

Les assemblées plénières sont plutôt rares et de pure forme. On préfère les sous-comités, parce que les membres présents, concernés par un problème spécifique, se connaissent personnellement et peuvent accomplir davantage de travail en moins de temps.

Le sous-comité convoqué le matin du 21 janvier par Sir Anthony Plumb, en tant que président du J.I.C. et coordinateur des Services secrets auprès du Premier Ministre, portait le nom de code Phénix. Il se réunit à dix heures dans le centre de conférences du Conseil des ministres (C.O.B.R.A., d'après les initiales en anglais) deux étages au-dessous du niveau du sol à Whitehall, salle climatisée, insonorisée et « nettoyée » chaque jour d'éventuels systèmes d'écoute.

Normalement, le directeur de séance du sous-comité devait être le chef de cabinet du Conseil des ministres, Sir Martin Flannery, mais il demanda à Sir Anthony d'assurer la présidence. Sir Perry Jones représentait la Défense, Sir Patrick (Paddy) Strickland les Affaires étrangères et Sir Hubert Villiers l'Intérieur, dont dépend officiellement le MI-5.

Le Quartier général des Communications du Gouvernement, le service d'« écoutes » du pays, installé dans le Gloucestershire – si important depuis les progrès de la technique qu'il constitue presque à lui seul un service de renseignements indépendant –, avait envoyé son directeur général adjoint, le directeur général se trouvant en vacances.

Sir Bernard Hemmings vint de Charles Street, accompagné de Brian Harcourt-Smith.

« J'ai pensé qu'il valait mieux que Brian soit parfaitement au courant de la situation », avait expliqué Hemmings à Sir Anthony.

Tout le monde avait compris qu'il sous-entendait :

« Au cas où je ne pourrais pas assister à une réunion à l'avenir. »

Le dernier homme présent, assis impassible au bout de la longue table en face de Sir Anthony Plumb, n'était autre que Sir Nigel Irvine, le chef du Secret Intelligence Service (S.I.S), le MI-6.

Curieusement, bien que le MI-5 ait un directeur général le MI-6 n'en a pas. Il a un « chef », connu dans le monde du renseignement et à Whitehall par l'initiale « C », quel que soit son nom. Et plus curieusement encore, « C » n'est pas l'initiale de « chef ». Le premier chef du MI-6 se nommait Mansfield-Cummings et le « C » en question est l'initiale de la deuxième moitié de son nom. Ian Flemming, toujours pince-sans-rire, prit l'autre initiale, « M », pour désigner le chef dans ses romans de James Bond.

En tout, donc, neuf hommes autour de la table, dont sept anoblis par la Reine, représentant sans doute davantage de pouvoir et d'influence que n'importe quel groupe de sept hommes dans le royaume. Ils se connaissaient très bien et s'appelaient par leur prénom. Ils appelleraient également par leur prénom les deux directeurs généraux adjoints, mais ceux-ci en revanche n'omettraient pas le « Sir » en s'adressant à eux. C'était bien normal.

Sir Anthony Plumb inaugura la séance par une brève description de la découverte de la veille, qui suscita des murmures de consternation, puis passa la parole à Bernard Hemmings. Le directeur du « Cinq » entra davantage dans les détails et signala que la recherche d'empreintes par Scotland Yard n'avait rien donné. Sir Perry Jones conclut en soulignant que la sortie des photocopies hors du ministère ne pouvait être ni accidentelle, ni le fruit d'une simple négligence. C'était un acte délibéré et clandestin.

Quand il eut terminé, le silence se fit autour de la table. Trois mots demeuraient en suspens au-dessus de leurs têtes : « évaluer les dégâts ». Depuis combien de temps cela durait-il? Combien de documents avaient disparu? Vers quelle destination? (Quoique cela parût évident.) Quel genre de documents avait-on choisi? Quelles conséquences exactes pour la Grande-Bretagne et l'O.T.A.N.? Et comment diable annoncer la nouvelle aux alliés?

« Qui avez-vous mis sur cette affaire? demanda Sir Martin Flannery à Hemmings.

– Un nommé John Preston, répondit Hemmings. Le chef de la section C-1 (A). Le général Capstick, l'homme du ministère de la Défense, l'a appelé dès que la lettre est arrivée au courrier.

– Nous pourrions, euh... désigner quelqu'un ayant davantage de... d'expérience », suggéra Brian Harcourt-Smith.

Sir Bernard Hemmings se rembrunit.

« John Preston est entré au « Cinq » en milieu de carrière, expliqua-t-il. Mais il est avec nous depuis six ans et j'ai en lui une confiance entière... »

Il se pencha en avant.

« Mais il y a une autre raison. Nous devons supposer qu'il s'agit d'une fuite délibérée. »

Sir Perry Jones hocha la tête, le visage sombre.

« Nous pouvons également supposer, continua Hemmings, que la personne responsable – appelons-la Joe – est au courant de la perte de ces documents. Nous pouvons espérer, en revanche, que Joe ignore qu'ils ont été renvoyés anonymement au ministère. Mais Joe doit être très inquiet et se faire tout petit. Si nous lançons une équipe de furets, Joe saura que tout est joué. La dernière chose dont nous ayons besoin en ce moment, c'est qu'il file à l'anglaise pour réapparaître en vedette à Moscou, dans une conférence de presse internationale. Je propose donc que pour l'instant nous avancions sur la pointe des pieds. Le temps, en tout cas, de trouver une piste. »

Cela semblait logique.

« Comme il vient d'être nommé chef de C-1 (A),

Preston peut, sans attirer l'attention, faire le tour des ministères et vérifier les procédures de sécurité – simple visite de routine. Jamais nous ne pourrons trouver une meilleure couverture pour cette enquête. Avec un peu de chance, Joe ne s'en effraiera pas. »

A l'autre bout de la table, Sir Nigel Irvine acquiesça.

« C'est la sagesse même.

– Avons-nous une chance de trouver une piste par l'intermédiaire d'une de vos « sources », Nigel? demanda Anthony Plumb.

– Je poserai quelques jalons », répondit-il sans se compromettre.

Andreïev, songea-t-il. Il faudrait qu'il prenne contact avec Andreïev.

« Et nos vaillants alliés?

– Ce sera probablement à vous de les informer, en tout cas certains d'entre eux, rappela Plumb à Irvine. Qu'en pensez-vous? »

Sir Nigel dirigeait le « Six » depuis sept ans, et ce serait sa dernière année. Subtil, compétent, impénétrable, il était tenu en haute estime par les services secrets alliés d'Europe et d'Amérique du Nord. Mais annoncer cette nouvelle-là ne serait pas une partie de plaisir. Et sûrement pas une bonne note sur laquelle quitter le Grand Jeu.

Il songea à Alan Fox, le représentant de la C.I.A. à Londres, personnage acerbe et parfois même sarcastique, qui allait faire tout un plat de l'histoire – et même un festin de cinq entrées. Sir Nigel haussa les épaules et sourit.

« Je suis de l'avis de Bernard. Joe doit être inquiet. Nous pouvons supposer, à mon sens, qu'il ne va pas se hâter de chaparder une poignée de documents ultra-secrets dans les jours qui viennent. Ce serait plus agréable de prévenir nos alliés quand nous serons un peu plus avancés, et que nous aurons au moins évalué les dégâts. Oui, je préférerais attendre. Voyons ce que ce Preston peut faire. Donnons-nous quelques jours.

– Evaluer les dégâts est évidemment essentiel, acquiesça Sir Anthony. Mais cela semble presque impossible tant que nous n'aurons pas découvert Joe pour le persuader de répondre à quelques questions. Pour l'instant, nous dépendons des progrès de Preston. »

Le groupe se sépara; les chefs de cabinet pour informer leurs ministres respectifs en confidence, et Sir Martin Flannery pour affronter la redoutable Mme Margaret Thatcher, qui allait sans doute lui faire passer un mauvais quart d'heure.

Le lendemain, à Moscou, un autre comité tenait sa séance inaugurale.

Le major Pavlov avait téléphoné à Philby après le déjeuner pour l'informer qu'il viendrait chercher le camarade colonel à dix-huit heures; le camarade secrétaire général du P.C. d'U.R.S.S. désirait le voir. Philby supposa (à juste titre) qu'on le prévenait cinq heures à l'avance pour qu'il soit à jeun et correctement vêtu.

A cette heure-là, sous la neige tombant à gros flocons, les rues étaient bloquées par la circulation ralentie, mais la Chaïka aux plaques minéralogiques M.O.C. avait filé sur l'allée centrale réservée aux *vlasti*, l'élite, les « huiles » de la société soviétique – non pas la société sans classes rêvée par Karl Marx, mais une structure rigide divisée en classes étanches comme seule une vaste hiérarchie bureaucratique peut le devenir.

Quand ils passèrent devant l'hôtel Ukraïna, Philby crut qu'ils se rendaient à la datcha d'Ousovo, mais huit cents mètres plus loin, la voiture tourna vers l'entrée surveillée de l'énorme immeuble de huit étages du 26, avenue Koutouzov. Philby n'en croyait pas ses yeux : pénétrer dans les quartiers privés des membres du Politburo était un honneur rarissime.

Il y avait des hommes de la Neuvième Direction en civil sur le trottoir, mais à la grille d'acier de l'entrée ils étaient en uniformes, épaisses capotes grises, chapskas avec les protège-oreilles baissés, insignes bleus des Gardes du Kremlin. Le major Pavlov se présenta et la grille d'acier s'ouvrit. La Chaïka se glissa dans la cour intérieure et s'arrêta.

Sans un mot, le major conduisit Philby dans l'immeuble. Ils franchirent deux autres contrôles d'identité, un détecteur de métaux et un faisceau de rayons X, puis ils entrèrent dans l'ascenseur. Ils s'arrêtèrent au troisième étage, réservé tout entier au sécrétaire général. Le major Pavlov frappa à une porte; elle s'ouvrit : un majordome en blanc fit signe à Philby d'entrer. Le major silencieux recula et la porte se referma derrière Philby. Le domestique prit son manteau et son chapeau, puis le fit entrer dans un vaste salon, très chauffé car les vieillards craignent le froid, mais meublé avec une simplicité surprenante.

A l'inverse de Léonide Brejnev qui adorait le surchargé, le rococo et le luxuriant, le secrétaire général avait manifestement des goûts ascétiques. Les meubles étaient en bois blanc suédois ou finlandais, peu nombreux, sobres de lignes et fonctionnels. Hormis deux tapis de Boukhara probablement sans prix, pas un meuble ancien. Quatre fauteuils groupés autour d'une table basse, laissant de l'espace pour un cinquième siège. Encore debout – personne ne songeait à s'asseoir sans y être invité – trois hommes attendaient. Philby les connaissait et ils le saluèrent d'un signe de tête. L'un d'eux était le professeur Vladimir Ilitch Krilov, qui enseignait l'histoire moderne à l'université de Moscou – une encyclopédie vivante dans le domaine des partis socialistes et communistes d'Europe occidentale et notamment de Grande-Bretagne. Surtout, il était membre du Soviet suprême, l'assemblée nationale de l'U.R.S.S. qui ratifie sans discussion les décisions du parti unique, membre de l'Académie des Sciences, et conseiller fréquemment consulté du Département international du Comité central, dont le secrétaire général avait assuré autrefois la direction.

L'homme en civil mais d'allure visiblement militaire devait être le général Pyotr Sergeïvitch Marchenko. Philby ne le connaissait que vaguement mais savait qu'il occupait un poste important au G.R.U., le service de renseignements des Forces armées soviétiques. Marchenko était spécialiste des techniques de la sécurité nationale et de sa contrepartie : la déstabilisation. Il s'était toujours attaché à l'étude des démocraties d'Europe occidentale, dont il avait analysé les forces de police et de sécurité nationale pendant la moitié de sa vie.

Le troisième homme était le docteur Josef Viktorovitch Rogov, académicien lui aussi. Physicien de métier, il devait sa célébrité à une autre activité : c'était un grand maître du jeu d'échecs. On le comptait parmi les rares amis personnels du secrétaire général, et le leader de l'Union soviétique avait fait appel à lui plusieurs fois dans le passé, quand il avait eu besoin de son remarquable cerveau dans les phases de préparation de certaines opérations.

A peine deux minutes après l'arrivée de Philby, les doubles portes au fond de la pièce s'ouvrirent devant le maître incontesté de la Russie soviétique et de ses satellites et colonies.

Il était assis dans un fauteuil roulant, que poussait un grand domestique en veste blanche. Le fauteuil se dirigea vers l'espace vide qui avait été réservé.

« Asseyez-vous, je vous prie », dit le secrétaire général.

L'homme avait beaucoup changé et Philby eut du mal à dissimuler sa surprise. A soixante-quinze ans, il avait le visage et les mains tachés comme la peau des grands vieillards. L'opération à cœur ouvert de 1985 semblait avoir parfaitement réussi et le stimulateur cardiaque faisait visiblement son travail. Mais il émanait du vieil homme une impression de fragilité extrême.

Les cheveux blancs, épais et brillants sur les portraits brandis lors des cérémonies du Premier Mai (qui lui donnaient un air de brave médecin de famille), avaient presque disparu. Il avait de grands cernes marron autour des yeux.

Deux kilomètres plus loin, sur l'avenue Koutouzov, près du vieux village de Kountsevo, sur un immense terrain entouré d'une palissade de deux mètres au cœur d'une forêt de bouleaux, se trouve l'hôpital réservé aux seuls membres du Comité central – extension et modernisation de l'ancienne clinique de Kountsevo. Dans l'enceinte même de l'hôpital se dresse la vieille datcha de Staline, maisonnette tout à fait modeste, dans laquelle le tyran avait passé une grande partie de sa vie, avant d'y mourir. Cette datcha avait été transformée en centre de soins intensifs, le plus moderne du pays, pour le bénéfice d'un seul homme, celui qui, depuis son fauteuil roulant, sondait maintenant les regards des quatre hommes en face de lui.

Six spécialistes éminents étaient attachés en permanence à la datcha de Kountsevo, et le secrétaire général allait les voir chaque semaine. Ils étaient parvenus à le maintenir en vie – de justesse.

Pourtant, le cerveau demeurait intact derrière les yeux glacés qui fixaient ses invités à travers les lunettes cerclées d'or. Il clignait rarement des paupières, et quand il le faisait, c'était d'un mouvement lent, comme un oiseau de proie.

Il ne perdit pas de temps en préambules. Philby savait qu'il n'en faisait jamais. Se tournant vers les trois autres, il dit :

« Vous avez lu le mémorandum de notre ami, le camarade colonel Philby. »

Ce n'était pas une question mais les trois hommes acquiescèrent.

« Vous ne vous étonnerez donc pas d'apprendre que je considère la victoire du Parti travailliste de Grande-Bretagne, et donc de l'aile ultra-gauche de ce parti, comme d'un intérêt capital pour l'Union soviétique. Je désire que vous formiez, à tous les quatre, un comité très discret qui me conseillera sur toute méthode nous permettant de contribuer à cette victoire. De façon entièrement occulte, bien entendu. »

Il cligna lentement des yeux.

« Vous ne discuterez de ceci avec personne. Si des documents doivent être rédigés, vous vous en chargerez personnellement. Vous brûlerez vos notes. Vous tiendrez vos réunions dans vos résidences personnelles. Vous ne vous rencontrerez jamais en public. Vous ne consulterez personne d'autre. Et vous me rendrez compte personnellement, en téléphonant ici et en demandant à parler au major Pavlov. J'organiserai aussitôt une entrevue où vous m'exposerez vos propositions. »

Philby savait déjà que le secrétaire général tenait au secret absolu. Il aurait pu organiser cette réunion dans les bureaux du Comité central, l'énorme immeuble gris de Novaya Ploshed, où tous les leaders de l'Union soviétique ont travaillé depuis Staline. Mais d'autres membres du Politburo auraient pu les voir arriver ou repartir, ou entendre parler de leur visite. Manifestement le secrétaire général désirait que le comité ne dépende que de lui-même et que personne d'autre ne soit au courant.

Autre circonstance bizarre : en dehors de Philby, et il était à la retraite, il n'y avait personne du K.G.B. Or la Première Direction générale possédait d'énorme dossiers sur la Grande-Bretagne, et des experts à la hauteur. Pour des raisons personnelles, le renard du Kremlin avait décidé de tenir à l'écart de l'affaire le service dont il était jadis le directeur.

« Des questions? » lança-t-il.

Philby leva une main hésitante. Le secrétaire général hocha la tête.

« Camarade secrétaire général, autrefois je conduisais moi-même ma Volga. Mais depuis ma crise cardiaque, l'an dernier, les médecins me l'ont interdit. Maintenant, c'est ma femme qui prend le volant. Mais dans ce cas précis, si tout doit rester confidentiel...

– Je vous ferai détacher un chauffeur du K.G.B. pour la durée de la mission », répondit le secrétaire général.

Ils savaient tous que les trois autres avaient déjà des chauffeurs.

On ne posa aucune autre question. Sur un signe de tête, le domestique emmena le fauteuil roulant et son occupant. Les quatre conseillers se préparèrent à partir.

Deux jours plus tard, dans la datcha de campagne d'un des deux professeurs, le comité Albion tint sa première séance de travail intensif.

Preston avançait. Pendant la première réunion du comité Phénix, il s'était retranché aux Archives, dans les sous-sols du ministère de la Défense.

« Bertie, avait-il déclaré au général Capstick, pour l'ensemble du personnel, je ne suis qu'un nouveau pète-sec en train d'enquiquiner tout le monde. Racontez-leur que j'essaie de me faire mousser auprès de mes supérieurs. Vérification des procédures de routine, aucune raison de se tracasser, le caprice d'un emmerdeur. »

Capstick avait passé le mot : le nouveau chef de C-1 (A) faisait le tour des ministères pour montrer qu'il ne ménageait pas sa peine. Les employés des Archives levèrent les yeux au ciel et coopérèrent avec une exaspération à peine voilée. Mais Preston eut accès aux dossiers, aux fiches de retrait et de retour, et il put déterminer qui avait pris quoi et surtout à quelle date.

Dès le début, il avait fait une découverte. Tous les documents sauf un auraient pu provenir des Affaires étrangères ou du secrétariat du Conseil des ministres, car ils concernaient tous les alliés de la Grande-Bretagne au sein de l'O.T.A.N. et les questions de réaction conjointe de l'O.T.A.N. à diverses initiatives soviétiques éventuelles.

Mais un des documents n'avait jamais été envoyé hors du ministère. Le chef du cabinet permanent, Sir Peregrine Jones, était rentré récemment d'entretiens à Washington avec les responsables du Pentagone; l'objet des concertations était l'organisation de patrouilles conjointes de sous-marins nucléaires anglais et américains en Méditerranée, dans le centre et le sud de l'Atlantique, ainsi que dans l'océan Indien. Il avait rédigé un compte rendu sommaire des entretiens, qu'il avait communiqué à une vingtaine de « mandarins » au sein du ministère. Le fait que ce document, sous forme photocopiée, se trouvait parmi les papiers volés, démontrait en tout cas que la fuite avait eu lieu à la Défense et non ailleurs.

Preston analysa la distribution des documents « top secret » au sein du ministère en remontant dans le temps sur plusieurs mois. Il constata que les documents de l'enveloppe s'échelonnaient du premier au dernier, sur quatre semaines en tout. Il était également évident que tous les mandarins ayant eu ces documents sur leur bureau en avaient reçu beaucoup d'autres pendant la même période. Le voleur avait donc opéré un choix.

Le soir du deuxième jour, Preston avait établi que vingt-quatre hommes avaient pu recevoir *tous* les dix documents volés. Ensuite, il vérifia les absences des bureaux, les voyages à l'étranger, les grippes... et il élimina toutes les personnes n'ayant pas eu accès aux textes pendant la période du vol.

Deux choses retardaient beaucoup ses recherches : il devait faire semblant d'examiner des centaines d'autres retraits pour ne pas attirer l'attention sur ces dix documents particuliers. Même les employés des Archives bavardent, et la fuite pouvait se situer au niveau d'un collaborateur de second plan, un secrétaire ou une dactylo, susceptibles d'échanger des ragots avec un archiviste pendant la pause café. Surtout, Preston ne pouvait pas monter dans les étages supérieurs pour vérifier le nombre de photocopies réalisées à partir des originaux. Un homme qui recevait officiellement un document secret à son nom pouvait avoir envie (et c'était courant) de demander conseil à un collègue. Dans ce cas, il faisait faire une photocopie, aussitôt numérotée, et la remettait au collègue en question. A son retour, la photocopie était passée au broyeur – sauf bien entendu dans le cas des documents volés. L'original redescendait ensuite aux Archives. Mais plusieurs paires d'yeux pouvaient avoir vu la photocopie.

Pour résoudre ce deuxième problème, Preston revint au ministère avec Capstick après la fermeture des bureaux et passa deux nuits aux étages supérieurs, vides à l'exception de femmes de ménage dénuées de toute curiosité, pour vérifier la quantité de photocopies tirées. Cela permit d'autres éliminations : chaque fois qu'un haut fonctionnaire avait rendu l'original d'un des dix documents sans effectuer de photocopie. Le 27 janvier, il revint à Charles Street avec un rapport provisoire.

Ce fut Brian Harcourt-Smith qui le reçut. Sir Bernard était de nouveau absent du bureau.

« Ravi que vous ayez quelque chose pour nous, John, lui dit le directeur général adjoint. Anthony Plumb m'a appelé deux fois. J'ai l'impression que le comité Phénix perd patience. Je vous écoute.

– Tout d'abord, les documents. Ils ont été choisis avec soin, comme si notre voleur prenait exactement ce qu'on lui avait demandé. Cela requiert des compétences. Je crois que cela exclut tout le personnel de niveau inférieur. Les incompétents opèrent selon le syndrome de la pie voleuse, ils s'emparent de tout ce qui passe. C'est une hypothèse, mais elle permet de réduire le nombre. Je crois qu'il s'agit d'un homme d'expérience ayant une connaissance claire du contenu. Ce qui exclut aussi les secrétaires et les plantons. La fuite ne s'est pas produite au niveau des Archives. Aucun sceau brisé, aucun retrait illicite, aucune photocopie non autorisée. »

Harcourt-Smith hocha la tête.

« Vous croyez donc que c'est tout en haut?

– Oui, Brian. En voici une deuxième raison. J'ai passé deux nuits à vérifier toutes les photocopies effectuées. Il n'y a aucune irrégularité. Cela ne laisse qu'une possibilité. Le passage des copies au broyeur. Quelqu'un a eu trois copies à détruire et n'en a détruit que deux pour emporter la troisième en douce hors du ministère. Venons-en au nombre des mandarins ayant eu la possibilité de le faire. »

Il se pencha en avant et poursuivit :

« Vingt-quatre personnes auraient pu recevoir l'ensemble des dix documents. Je crois pouvoir en éliminer douze, parce qu'elles ont eu accès uniquement à des copies, une copie chacune, adressée par un autre haut fonctionnaire sollicitant leur avis. Le règlement est très clair. Un homme recevant une photocopie pour cette raison doit la retourner à celui qui la lui a adressée. En conserver une serait irrégulier et attirerait les soupçons. En conserver dix est impensable. Reste donc les douze hommes qui ont reçu les originaux des Archives. »

Il baissa les yeux sur ses notes.

« Trois d'entre eux étaient absents pour diverses raisons aux dates de retrait indiquées sur les photocopies renvoyées par notre correspondant anonyme. Ces hommes ont retiré les documents à d'autres dates et doivent donc être éliminés. Reste neuf. Sur ces neuf, quatre n'ont jamais demandé de photocopies « pour avis » et bien entendu il est impossible de faire des photocopies sans les enregistrer.

– Nous en sommes à cinq, murmura Harcourt-Smith.

– Exact. Ce n'est qu'une hypothèse, mais c'est le mieux que je puisse faire pour le moment. Pendant la période considérée, trois personnes sur ces cinq ont eu sur leur bureau des documents tombant exactement dans la catégorie des papiers volés et du plus grand intérêt. Or ces documents n'ont pas été volés, alors que logiquement ils auraient dû l'être. Reste deux hommes. Rien de certain, mais des soupçons justifiés. »

Il posa sur le bureau d'Harcourt-Smith deux dossiers que le directeur général adjoint regarda avec curiosité.

« Sir Richard Peters et M. George Berenson, lut-il. Le premier est sous-secrétaire adjoint responsable de la politique internationale et industrielle; le deuxième, directeur adjoint des Marchés de la Défense. Ces deux hommes ont sans doute des collaborateurs personnels...

– Oui.

– Mais vous ne les rangez pas au nombre des suspects. Puis-je vous demander pourquoi?

– Ils sont suspects, répondit Preston. Ces deux hommes demandent sans doute à leurs collaborateurs de faire les photocopies et de les détruire ensuite. Mais cela élargit le filet à une douzaine de personnes. Si l'on parvient à innocenter les deux mandarins, piéger la brebis galeuse avec la collaboration du chef de service sera un jeu d'enfant. J'aimerais commencer par les deux mandarins.

– Que demandez-vous? dit Harcourt-Smith.

– La surveillance totale et secrète de ces deux

hommes pendant une période limitée, avec interception du courrier et écoutes téléphoniques, répondit Preston.

– J'en ferai part au comité Phénix. Mais ce sont des huiles, John. Vous n'avez pas intérêt à vous tromper. »

La deuxième réunion de Phénix eut lieu dans la salle C.O.B.R.A. en fin d'après-midi. Harcourt-Smith représentait Sir Bernard Hemmings. Il remit une copie du rapport de Preston à chaque membre présent. Ils le lurent en silence. Quand ils eurent tous terminé, Sir Anthony Plumb demanda :

« Eh bien?

– Ça paraît logique, dit Sir Hubert Villiers.

– Je pense que M. Preston a fait un excellent travail dans un délai aussi bref », dit Sir Nigel Irvine.

Harcourt-Smith sourit d'un air pincé.

« Bien entendu, lança-t-il, il est possible que ce ne soit aucun de ces deux très hauts fonctionnaires. Une dactylo à qui l'on a donné les copies à détruire a très bien pu prendre les dix documents. »

Brian Harcourt-Smith avait fait ses études dans un institut sans renom et en arborait sur l'épaule l'écusson de grande taille (tout à fait superflu). Sous son vernis de politesse il possédait une considérable capacité de haïr. Toute sa vie, il avait envié la facilité apparemment déconcertante avec laquelle certains hommes autour de lui avançaient dans la vie. Il détestait leur réseau complexe de contacts et d'amitiés, souvent tissé depuis les années de lycée, à l'université ou dans les régiments de l'armée. Quand ils le désiraient, ces hommes pouvaient faire appel à la « bande de copains », au « cercle magique » et ce qu'Harcourt-Smith ne leur pardonnait pas, c'était qu'il n'en faisait pas partie.

Un jour, s'était-il dit bien souvent, quand il serait directeur général et anobli par la reine, il siégerait au milieu de ces hommes comme leur égal, et ils l'écouteraient, oui, ils l'écouteraient vraiment.

Au bout de la table, Sir Nigel Irvine, très sensible au contact humain, surprit un regard étrange dans les yeux d'Harcourt-Smith et s'en inquiéta. Ce garçon, se dit-il, est capable de colère. Sir Nigel était de la génération de Sir Bernard Hemmings et avait fait un bon bout de chemin avec lui. Il songea à la succession de Sir Bernard à l'automne, puis s'interrogea sur la colère d'Harcourt-Smith, son ambition rentrée – quelles en seraient les conséquences? Quelles en étaient déjà (peut-être) les conséquences?

« En tout cas, nous avons appris ce que désire M. Preston, dit Anthony Plumb. Surveillance totale. Le lui accorderons-nous? »

Les mains se levèrent.

Chaque vendredi se tient au MI-5 ce qu'on appelle la conférence des « enchères ». Le directeur de K, responsable des Services généraux communs à toutes les sections, préside les débats. A la conférence des enchères, les autres directeurs exposent leurs demandes (ce qu'ils considèrent comme leurs besoins) en matière de finances, services techniques, et surveillance des suspects du moment. Le directeur de A, responsable des « guetteurs », est toujours assailli de suppliques. Cette semaine-là, la conférence du vendredi fut torpillée : les participants aux enchères du 30 janvier découvrirent que la réserve de guetteurs était vide. Deux jours plus tôt, Harcourt-Smith, à la requête de Phénix, avait alloué à Preston les guetteurs qu'il désirait.

A raison de six guetteurs par équipe et de quatre équipes par vingt-quatre heures, il avait, pour filer deux suspects, retiré quarante-huit guetteurs aux autres missions du « Cinq ». Il y avait eu des cris et des grincements de dents, mais personne ne pouvait rien y changer.

« Il y a deux « cibles », avaient dit aux agents les officiers d'opération de Cork. Cet homme, et celui-là. Le premier est marié mais sa femme se trouve à la campagne. Ils habitent dans un appartement du West End et, en général, il se rend au ministère à pied chaque matin. Presque deux kilomètres. L'autre est célibataire et habite du côté d'Edenbridge, dans le Kent. Il prend le train matin et soir. Nous commençons demain. »

Le Soutien technique s'occupa des écoutes téléphoniques et de l'interception du courrier – ainsi M. George Berenson et Sir Richard Peters passèrent sous le microscope.

Les guetteurs arrivèrent trop tard pour observer la livraison par porteur, à Fontenoy House, d'un petit paquet. Le propriétaire de l'appartement du huitième le reçut des mains du concierge à son retour du bureau. Il contenait une réplique, avec des zircons à la place des diamants, de la parure Glen. Le lendemain matin, elle fut déposée à la banque Coutts.

6

Le vendredi 13 passe pour un jour de malchance, mais pour John Preston, ce fut l'inverse. Il connut son premier succès dans la filature assommante de ses deux hauts fonctionnaires suspects.

La surveillance s'était prolongée seize jours sans aucun résultat. Les deux hommes avaient leurs habitudes et ni l'un ni l'autre ne semblait particulièrement préoccupé. Ils ne cherchaient pas à savoir s'ils étaient filés, et la tâche des guetteurs en était d'autant plus facile. Mais d'autant plus ennuyeuse.

Le Londonien quittait son appartement de Belgravia chaque jour à la même heure, se dirigeait vers Hyde Park Corner, descendait Constitution Hill et s'engageait dans Saint James Park. Il débouchait sur Horse Guards Parade, qu'il traversait, puis il entrait dans Whitehall et montait à son bureau du ministère. Il déjeunait parfois dehors, parfois à l'intérieur. Il passait la plupart des soirées chez lui ou à son club.

Le banlieusard, qui vivait seul dans une fermette pleine de cachet des environs d'Edenbridge, prenait le même train pour Londres chaque jour, flânait de la gare de Charing Cross jusqu'au ministère, puis disparaissait à l'intérieur. Les guetteurs le « couchaient » chaque soir et montaient la garde dans le froid jusqu'à ce que la première équipe de jour vienne les relever.

Aucun des deux hommes ne fit un seul geste suspect. Le courrier intercepté et les écoutes téléphoniques ne révélèrent dans les deux cas que les factures habituelles, des lettres personnelles, des appels banals et une vie sociale modeste mais respectable. Jusqu'au 13 février.

Preston, responsable de l'opération, se trouvait dans la salle de liaison, au sous-sol de Cork Street, quand l'équipe « B » filant Sir Richard Peters passa son appel.

« Joe vient de faire signe à un taxi. Nous sommes derrière lui dans les voitures. »

Dans le jargon des guetteurs, la cible est toujours Joe, le Pote, ou « notre ami ». Quand l'équipe « B » fut relevée à la fin de son « tour », Preston discuta avec son chef, Harry Burkinshaw. C'était un petit homme rondelet, entre deux âges, ancien dans le métier – il n'en avait jamais pratiqué d'autre –, capable de passer des heures fondu dans le décor d'une rue de Londres, puis d'agir à une vitesse étonnante si la cible tentait de lui échapper.

Il portait une veste écossaise et un chapeau en forme de galette, avec un imperméable sous le bras et un appareil photographique autour du cou : le touriste américain classique. Comme tous les costumes des guetteurs, chapeau, veste et imperméable étaient souples et réversibles, offrant six combinaisons différentes. Les Guetteurs étaient très fiers de leurs « accessoires » et de leur talent pour changer de rôle en quelques secondes.

« Que s'est-il passé, Harry? demanda Preston.

– Il est sorti du ministère à l'heure habituelle. Nous l'avons pris en charge et avons formé la « boîte » autour de lui. Mais au lieu de partir dans la direction prévue, il est allé jusqu'à Trafalgar Square, où il a pris un taxi. Nous étions en fin de journée. Nous avons averti la relève de ne pas bouger et nous avons suivi le taxi.

– Ensuite?

– Joe a quitté son taxi près de chez Panzer, la charcuterie de luxe de Bayswater Road, et s'est engagé dans Clanricarde Gardens. A mi-chemin il a soudain disparu dans une cour intérieure et s'est mis à descendre un escalier. L'un de mes hommes était assez près pour voir qu'il n'y avait en bas des marches que la porte d'un appartement en sous-sol. Joe avait disparu à l'intérieur. Mais mon homme a dû filer vite, parce que le Pote ressortait déjà et remontait l'escalier. Il est revenu Bayswater Road, il a pris un autre taxi et il est reparti dans le West End. Après ça, la routine normale. Nous l'avons refilé à l'équipe de relève en bas de Park Lane.

– Combien de temps est-il resté en bas de l'escalier?

– Trente à quarante secondes, répondit Burkinshaw. Ou bien on l'a fait entrer salement vite, ou bien il avait sa clef. Pas de lumière à l'intérieur. J'ai eu l'impression qu'il était venu prendre du courrier, ou vérifier s'il y en avait.

– Quel genre de maison?

– Plutôt dégueulasse. Et sous-sol dégueulasse. Tout sera dans le rapport demain matin. J'aimerais dégager, si ça ne vous fait rien. J'ai les pieds en compote. »

Preston passa la soirée à s'interroger sur l'incident. Pourquoi diable Sir Richard s'était-il rendu dans un appartement miteux de Bayswater? Pendant quarante secondes? Il n'avait pas pu y rencontrer quelqu'un. Trop rapide. Prendre du courrier? Ou bien *laisser* un message? Il demanda que l'on place la maison sous surveillance. Une heure plus tard, une voiture était en place, avec un homme et un appareil photographique.

Les week-ends sont sacrés. Preston aurait pu secouer les autorités civiles pour lancer des recherches sur l'appartement le samedi et le dimanche, mais cela aurait fait trop de vagues. L'opération de surveillance devait rester ultra-secrète. Il décida d'attendre le lundi.

Le comité Albion avait choisi le professeur Krilov comme président et porte-parole, et ce fut donc lui qui prévint le major Pavlov que le comité était prêt à rendre compte de ses réflexions au secrétaire général. C'était le samedi matin. Quelques heures plus tard, les quatre membres du comité étaient convoqués à la datcha de week-end du camarade secrétaire général, à Ousovo.

Les trois autres vinrent dans leur voiture personnelle. Le major Pavlov passa prendre Philby, qui put renvoyer Gregoriev, le chauffeur du K.G.B. placé à sa disposition deux semaines plus tôt.

A l'ouest de Moscou, près des berges de la Moskova au-delà du pont Ouspensky, se situent des villages entiers de datchas de week-end, celles des apparatchiks de la société soviétique. Même ici, la hiérarchie demeure inflexible : à Peredelkino, les datchas des artistes, des professeurs et des généraux; à Joukovka, le Comité central et les dignitaires juste au-dessous du Politburo; mais les membres de l'instance suprême ont leurs datchas groupées autour d'Ousovo, le plus exclusif de ces villages.

A l'origine, la datcha russe était une maison campagnarde, mais les datchas d'Ousovo sont de véritables demeures de luxe, bâties au milieu de dizaines d'hectares de forêts de pins et de bouleaux, patrouillées vingt-quatre heures sur vingt-quatre par des cohortes de gardes de la Neuvième Direction, pour assurer la tranquillité et la sécurité des *vlasti*.

Philby n'ignorait pas que chaque membre du Politburo, dès qu'il est élevé à ce poste, obtient de droit quatre résidences. D'abord l'appartement familial de l'avenue Koutouzov qui demeurera dans la famille à jamais, sauf si le hiérarque tombe en disgrâce. Ensuite, la villa officielle dans les Collines Lénine, toujours prête à servir, avec personnel et confort, inévitablement parsemée de micros, et presque jamais utilisée sauf pour recevoir des dignitaires étrangers. En troisième lieu vient la datcha dans les forêts de l'ouest de Moscou, que le nouveau promu a la possibilité de faire construire sur ses plans et selon ses goûts. Enfin, la résidence d'été, souvent en Crimée sur la mer Noire – bien que le secrétaire général ait fait construire depuis longtemps sa résidence d'été à Kislovodsk, station thermale du Caucase spécialisée dans le traitement des maladies abdominales.

Philby n'avait jamais vu la datcha du secrétaire général à Ousovo. Quand la Chaïka arriva, par cette soirée glaciale, il remarqua qu'elle était longue et basse, en pierre de taille, avec un toit de bardeaux, d'une simplicité toute scandinave comme l'ameublement de l'avenue Koutouzov. A l'intérieur, il faisait très chaud et le secrétaire général les reçut dans un salon spacieux où un feu de bûches grondait, augmentant encore la température. Après un échange de politesses réduit au minimum, le secrétaire général fit signe au professeur Krilov de lui faire part des réflexions du comité Albion.

« Ce que nous avons recherché, camarade secrétaire général, c'est un moyen de faire « basculer » une fraction d'au moins dix pour cent de l'électorat britannique sur l'ensemble du pays; il s'agit d'une part de leur faire perdre confiance dans le gouvernement conservateur au pouvoir, d'autre part de les convaincre que l'élection d'un gouvernement travailliste constitue leur meilleure chance de bonheur et de sécurité.

« Pour simplifier cette recherche, nous nous sommes demandé s'il n'existait pas un problème capable à lui seul de dominer, ou d'être amené à dominer, l'ensemble de la campagne électorale. A la réflexion nous avons tous conclu qu'aucune question économique – diminution de l'emploi, fermeture d'usines, automatisation croissante de l'industrie et même licenciement de fonctionnaires – ne pouvait constituer le problème central dont nous aurions besoin.

« Nous croyons qu'une seule question peut remplir ce rôle : le problème politique le plus important et le plus sensible en Grande-Bretagne et dans toute l'Europe occidentale en ce moment : le désarmement nucléaire. Des millions de gens se sentent concernés. C'est, fondamentalement, un problème de peur collective, et nous estimons qu'il faut le placer au centre de la campagne électorale, pour que nous puissions l'exploiter en sous-main.

– Vos propositions concrètes? demanda le secrétaire général d'une voix de velours.

– Vous êtes au courant, camarade secrétaire général, de nos efforts dans ce domaine à cette date. Nous avons dépensé des millions – que dis-je? des milliards – de roubles à encourager les divers mouvements antinucléaires. Les résultats de nos campagnes clandestines ont été fantastiques, mais représentent peu de chose par rapport à ce que nous croyons nécessaire d'entreprendre et de réussir maintenant.

« Le Parti travailliste est le seul des quatre partis en présence qui défende une politique de désarmement nucléaire unilatéral. Nous estimons qu'il faut maintenant conjuguer tous nos efforts – aide financière, intoxication et propagande – pour persuader au moins dix pour cent des hésitants au sein de l'électorat britannique d'accorder leur voix au Parti travailliste, présenté comme le parti de la Paix. »

Ils attendirent la réaction du secrétaire général. Le silence était presque tangible. Le vieux dignitaire répondit enfin.

« Les efforts que nous avons accomplis depuis huit ans, ces campagnes que vous venez d'évoquer... Ont-elles été efficaces? »

Le professeur Krilov parut comme frappé en plein

vol par un missile air-air. Philby sentit l'humeur du numéro un soviétique et secoua la tête. Le secrétaire général remarqua le geste et poursuivit :

« Depuis huit ans, nous avons déployé d'énormes efforts pour saper la confiance des électorats d'Europe occidentale dans leurs gouvernements respectifs, au sujet de la question nucléaire. Aujourd'hui, j'en conviens, tous les mouvements en faveur du désarmement unilatéral ont viré tellement à gauche qu'ils sont tombés d'une manière ou d'une autre sous le contrôle de nos amis et qu'ils œuvrent à nos propres fins. Nos campagnes nous ont valu une riche moisson d'agents d'influence et de sympathisants. Mais... »

Le secrétaire général fit claquer soudain ses deux paumes sur les bras de son fauteuil roulant. Ce geste violent, chez un homme normalement glacial, stupéfia les quatre conseillers.

« Rien n'a changé, tonna le secrétaire général. Il y a cinq ans, et de nouveau il y a quatre ans, reprit-il de sa voix égale, tous nos experts du Comité central, des universités et des groupes d'études analytiques du K.G.B., nous ont assuré que les mouvements de désarmement unilatéral étaient assez puissants pour arrêter le déploiement des missiles Cruise et Pershing. Nous l'avons cru. On nous a induits en erreur. A Genève, nous nous sommes accrochés à nos positions, persuadés par notre propre propagande que si nous tenions assez longtemps, les gouvernements d'Europe occidentale céderaient à la pression des énormes manifestations « pour la paix » que nous soutenions en sous-main, et refuseraient de déployer les Pershing et les Cruise. Mais ils les ont déployés et nous avons dû quitter la table des négociations. »

Philby hocha la tête, prenant un air de fausse modestie. En 1983, il s'était fait remarquer en rédigeant un dossier soutenant que le mouvement « pacifiste » des pays occidentaux, malgré ses bruyantes manifestations populaires, ne provoquerait aucun glissement sensible de l'opinion au niveau des élections, ni aucun changement d'attitude des gouvernements en place. Les faits lui avaient donné raison. Il comprit que le secrétaire général abondait maintenant dans son sens.

« Nous piétinons, camarades, et la situation s'envenime, dit le secrétaire général. Or vous continuez de me proposer la même formule. Camarade colonel Philby, comment sont les derniers sondages d'opinion sur ce problème en Angleterre?

– Pas très bons, j'en ai peur, répondit Philby. Le dernier indique que vingt pour cent seulement de la population britannique défend le désarmement nucléaire unilatéral. Mais ce chiffre lui-même me paraît trompeur. Dans la classe ouvrière, électorat traditionnel du Parti travailliste, le chiffre est inférieur. En toute objectivité, et si désolant que ce soit pour nous, camarade secrétaire général, la classe ouvrière britannique demeure l'une des plus conservatrices du monde. Les sondages montrent aussi que les ouvriers anglais sont les plus patriotes, au sens traditionnel de ce mot. Pendant l'affaire des Malouines, des syndicalistes grand teint ont jeté les règlements syndicaux aux orties et travaillé vingt-quatre heures sur vingt-quatre pour préparer les vaisseaux de guerre à l'appareillage.

« Regardons les choses en face : l'ouvrier anglais a de tout temps refusé de voir qu'il a tout intérêt à se ranger à nos côtés, ou en tout cas à affaiblir les défenses de la Grande-Bretagne. Rien ne permet de croire qu'il changera d'opinion en ce moment.

– Regarder les choses en face, dit le secrétaire général. C'est ce que j'ai demandé à ce comité. »

Pendant plusieurs minutes, il s'enferma dans le silence.

« Partez, camarades. Retournez à vos délibérations. Et rapportez-moi un plan, une proposition d'action pratique, capable d'exploiter de manière nouvelle la peur collective que vous avez évoquée, une mesure qui persuadera même les hommes et les femmes qui gardent la tête sur les épaules de voter en faveur du retrait définitif des armes nucléaires sur leur sol – et donc de porter les travaillistes au pouvoir. »

Après leur départ, le vieux Russe se leva, prit une canne et marcha lentement jusqu'à la fenêtre. Il regarda la forêt de bouleaux enfouie sous la neige. Quand il avait accédé au pouvoir suprême, avant même les funérailles de son prédécesseur, il avait fait vœu de réaliser, dans les années qu'il lui restait à vivre, cinq objectifs qui lui tenaient à cœur.

Il voulait entrer dans l'histoire comme l'homme qui avait développé la production alimentaire et amélioré sa distribution; qui avait doublé le nombre des biens de consommation et augmenté leur qualité en ordonnant de vastes réformes de l'industrie, inefficace de façon chronique; qui avait resserré la discipline du Parti à tous les niveaux; qui avait extirpé le fléau de la corruption rongeant les parties vives du pays; et qui avait assuré la suprématie définitive de la Russie, en hommes et en armes, sur les forces armées des ennemis du pays. Il avait échoué sur tous les points.

Il était vieux et malade, et il savait que le temps filait vite. Il s'était toujours flatté d'être pragmatique et réaliste, dans le cadre de la stricte orthodoxie marxiste. Mais même les pragmatistes conservent des rêves et les vieillards leur vanité. Ses rêves étaient très simples : il avait envie d'un triomphe gigantesque, d'un grand monument, pour lui et pour lui seul. A quel point en avait-il envie? Par cette sinistre nuit d'hiver, il était seul à le savoir.

Le dimanche, Preston alla faire un tour du côté de la maison de Clanricarde Gardens, petite rue orientée plein nord à partir de Bayswater Road. Burkinshaw avait raison : il s'agissait d'une de ces maisons de cinq étages de l'ère victorienne, jadis prospère mais tombée bien bas; le genre d'appartements qu'on loue meublés. La petite cour à l'avant était envahie de mauvaises herbes; cinq marches formaient un perron devant la porte d'entrée écaillée. Un escalier permettait de descendre directement à un petit sous-sol dont on apercevait le haut de la porte – l'appartement en question. Comment, se demanda Preston de nouveau, un haut fonctionnaire du ministère, appartenant de surcroît à la noblesse du royaume, pouvait-il se résoudre à fréquenter un endroit aussi minable?

Quelque part, non loin, devait se trouver le guetteur, sans doute dans une voiture stationnée, avec un appareil photographique et un téléobjectif prêts à fonctionner. Preston n'essaya pas de repérer le bonhomme, mais il se savait observé. (Le lundi il apparut dans le rapport : « Un personnage sans distinction est passé à onze heures vingt et une et a témoigné d'un certain intérêt pour la maison. » Merci beaucoup! se dit-il.)

Le lundi matin, il se rendit à la mairie du quartier et jeta un coup d'œil à la liste des personnes payant les impôts locaux dans cette rue. Il n'y avait qu'un seul propriétaire à l'adresse, un certain Michael Z. Mifsud. La deuxième initiale le réjouit : il ne pouvait pas y avoir beaucoup de Mifsud prénommés Z. dans les parages. Prévenu par radio, le guetteur de Clanricarde Gardens traversa la rue pour vérifier les boutons de sonnette. M. Mifsud habitait au rez-de-chaussée. Propriétaire-occupant, se dit Preston. Il doit louer le reste de la maison – les locataires des appartements meublés ne paient pas la cote mobilière.

En fin de matinée, il interrogea au sujet de M. Michael Z. Mifsud l'ordinateur de l'Immigration, à Croydon. Il était d'origine maltaise comme son nom le laissait supposer, installé en Angleterre depuis trente ans. Rien à signaler, mais un point d'interrogation, quinze ans plus tôt. Aucune suite donnée, donc pas d'explications. Le bureau des dossiers criminels, à

Scotland Yard, fournit des éclaircissements sur ce point d'interrogation : l'homme avait failli être expulsé. A la place, il avait subi deux ans de détention pour avoir vécu de « ressources immorales ». Après le déjeuner, Preston alla voir Armstrong de la section Finances, à Charles Street.

« Est-ce que je peux être demain inspecteur des impôts sur le revenu? » lui demanda-t-il.

Armstrong poussa un soupir écœuré.

« J'essaierai d'arranger ça. Rappelez-moi avant la fermeture des bureaux, voulez-vous? »

Il se rendit ensuite au bureau du Conseiller juridique.

« Pouvez-vous demander à la Brigade spéciale de me préparer un mandat de perquisition pour cette adresse? Et j'aimerais avoir un sergent de la Brigade spéciale sur convocation, pour m'épauler. »

Le MI-5, en Angleterre, n'a pas le pouvoir de procéder à des arrestations. Seul un officier de police y est habilité, sauf dans les cas de flagrant délit, où n'importe quel citoyen peut arrêter un délinquant. Quand le MI-5 veut « épingler » quelqu'un, la Brigade spéciale se fait en général un plaisir de lui rendre service.

« Vous n'allez pas entrer par effraction, hein? demanda le juriste, soupçonneux.

– Certainement pas, dit Preston. Je compte attendre que le locataire de l'appartement se présente, puis j'entrerai perquisitionner. C'est pour cela que j'ai besoin du sergent.

– D'accord, soupira le juriste. Je parlerai à l'un de nos amis magistrats. Vous aurez tout cela demain matin. »

Juste avant cinq heures de l'après-midi, Preston passa prendre à la section Finances sa carte d'identification d'inspecteur des impôts. Armstrong lui remit en même temps un bristol où était inscrit un numéro de téléphone.

« Si votre suspect fait le difficile, demandez-lui de téléphoner à ce numéro. C'est l'inspection des impôts de Willesden Green. Qu'il demande M. Charnby, il se portera garant pour vous. A propos, vous vous appelez Bent.

– C'est ce que je vois », dit Preston.

M. Michael Z. Mifsud, à qui Preston rendit visite, n'était pas un homme aimable. Mal rasé, en gilet de corps, revêche et réfractaire à toute coopération, il laissa tout de même Preston entrer dans son salon miteux.

« Qu'est-ce que vous racontez? protesta Mifsud. Quels revenus? Je déclare tout ce que je gagne.

– Monsieur Mifsud, il s'agit d'une vérification de routine, je vous assure. C'est très fréquent. Si vous déclarez tous vos loyers, vous n'avez rien à craindre.

– Je ne crains rien. Voyez donc mon comptable, lança Mifsud d'un ton de défi.

– Oh! je peux le faire si vous y tenez, répondit Preston. Mais je vous garantis qu'après mon passage, votre comptable risque de vous envoyer une note plutôt salée. En toute franchise, monsieur Mifsud, si vos loyers sont en ordre, terminé, je passe à quelqu'un d'autre. Mais si, Dieu me pardonne, un de ces appartements est loué à des fins immorales, ce sera différent. Bien entendu, je ne m'intéresse qu'aux impôts sur le revenu. Mais la règle veut que je transmette à la police ce que je découvre. Vous savez ce que signifie « vivre de ressources immorales »?

– Qu'est-ce que vous racontez? Il n'y a pas de ressources immorales ici. Ce sont tous de bons locataires. Ils paient leur loyer. Je paie mes impôts. Pour tout. »

Il était devenu un peu plus pâle. A regret, il sortit le registre des loyers de son tiroir. Preston fit semblant de s'intéresser à tous. Il remarqua que le sous-sol était loué à un certain M. Dickie quarante livres sterling par semaine. Il lui fallut une heure pour obtenir tous les détails. Mifsud n'avait jamais rencontré le locataire du sous-sol. Il payait en espèces avec une régularité d'horloge. Mais il y avait eu à l'origine de la location une lettre dactylographiée, signée par M. Dickie. Preston l'emporta en s'en allant, malgré les protestations de M. Mifsud. A l'heure du déjeuner, il la remit aux graphologues de Scotland Yard, en même temps que des copies de l'écriture et de la signature de Sir Richard Peters. En fin de journée, Scotland Yard le rappela. Même écriture mais déguisée.

Donc, Peters louait lui-même ce pied-à-terre. Pour des rencontres discrètes avec son « contrôleur »? Très probablement. Preston lança ses ordres : si Peters faisait mine de se diriger de nouveau vers l'appartement, il voulait être averti aussitôt, où qu'il fût. Le sous-sol continuerait d'être surveillé au cas où quelqu'un d'autre s'y rendrait.

Le mercredi passa, et la journée du jeudi. Mais le soir, au moment où il quittait le ministère, Sir Richard Peters héla un taxi et se dirigea de nouveau vers Bayswater. Les guetteurs joignirent Preston au bar de Gordon Street, d'où il appela Scotland Yard. Le sergent désigné se trouvait à la cantine. Preston lui indiqua l'adresse au téléphone.

« Retrouvez-moi sur le trottoir d'en face, le plus tôt possible, mais sans faire de boucan », lui dit-il.

Ils se réunirent dans l'obscurité glacée, en face de la maison suspecte. Preston était descendu de son taxi deux cents mètres plus haut dans la rue. L'homme de la Brigade spéciale était venu avec une voiture banalisée que le chauffeur avait garée au coin d'une rue latérale, tous phares éteints. Le sergent-détective Lander était jeune, un vrai « bleu ». C'était son premier « coup » avec les gens du MI-5 et cela semblait lui faire de l'effet. Harry Burkinshaw se matérialisa soudain entre les ombres.

« Depuis combien de temps est-il à l'intérieur, Harry?

– Cinquante-cinq minutes, répondit le guetteur.
– Des visites?
– Personne. »
Preston présenta son mandat de perquisition à Lander.
« D'accord? Allons-y, dit-il.
– Se montrera-t-il violent, monsieur? lui demanda le jeune sergent.
– Oh! j'espère bien que non. C'est un haut fonctionnaire d'un certain âge. Il aura peur de se faire blesser. »
Ils traversèrent la chaussée et entrèrent sans bruit dans la petite cour. Une faible lumière brillait derrière les rideaux de l'appartement du sous-sol. Les deux hommes descendirent l'escalier en silence et Preston sonna. Des hauts talons claquèrent à l'intérieur et la porte s'ouvrit. A contre-jour, ils virent une femme.
Elle n'était pas de première jeunesse, mais elle avait fait de son mieux. Des cheveux bruns ondulés tombaient sur ses épaules, encadrant un visage fortement maquillé. Elle n'avait pas lésiné : rimmel, ombre sur les paupières, rose sur les pommettes et une tache de rouge vif en travers de la bouche. Avant qu'elle ne referme le devant de son peignoir, Preston entrevit des bas et un porte-jarretelles noirs, ainsi qu'une guêpière ornée de rubans rouges.
Il la prit par le coude, l'entraîna dans le couloir jusqu'au salon et la fit asseoir. Elle baissa les yeux vers le tapis. Ils demeurèrent silencieux pendant que Lander fouillait l'appartement. Le jeune sergent savait que les criminels en cavale se cachent parfois sous les lits et dans les placards. Il fit du bon travail. Au bout de dix minutes, il revint dans le salon, le visage légèrement en feu.
« Aucun signe de l'homme, monsieur. Il a dû filer par l'arrière et passer dans une autre rue à travers les jardins. »
Au même instant, on sonna à la porte.

« Vos hommes, monsieur? » demanda Lander à Preston.

Preston secoua la tête.

« Ils auraient donné trois coups de sonnette », répondit-il.

Lander alla ouvrir. Preston entendit un juron, puis le bruit d'une course poursuite. Plus tard, il apprit qu'un homme s'était présenté. En voyant le détective, il avait essayé de fuir. Les guetteurs de Burkinshaw l'avaient coincé en haut de l'escalier et maintenu jusqu'à ce que Lander lui passe les menottes. Aussitôt, l'homme s'était tenu tranquille et on l'avait emmené dans la voiture de police.

Preston, assis en face de la femme, écouta le tumulte s'éloigner.

« Ce n'est pas une arrestation, dit-il doucement, mais je crois que nous devrions nous rendre au quartier général. Qu'en pensez-vous? »

La femme, visiblement effondrée, hocha la tête.

« Voyez-vous une objection à ce que je me change d'abord?

– Je crois que c'est une excellente idée, Sir Richard », répondit Preston.

Une heure plus tard, le commissariat de police de Paddington Green relâcha un conducteur de poids lourds large d'épaules mais très coquet, après lui avoir vivement déconseillé de répondre à des petites annonces sans référence de magazines « pour adultes ».

John Preston conduisit Sir Richard Peters quelque part dans la campagne et écouta ce qu'il avait à dire jusqu'à minuit passé. Il revint ensuite à Londres et consacra le reste de la nuit à rédiger son rapport. Ce rapport se trouvait devant chaque membre du comité Phénix lorsqu'ils se réunirent à onze heures le vendredi matin. Tous les visages exprimèrent la même stupéfaction mêlée de dégoût.

« Seigneur! songea à part lui Sir Martin Flannery, le chef de cabinet du Conseil des ministres. D'abord Hayman, puis Trestrail, puis Dunnett, et maintenant ceci. Ces malheureux ne peuvent donc jamais garder leurs braguettes fermées? »

Sir Hubert Villiers, de l'Intérieur, finit de lire le rapport et leva les yeux.

« Epouvantable, dit-il.

– Nous ne conserverons pas ce bonhomme au ministère, répondit Sir Perry Jones de la Défense.

– Où se trouve-t-il en ce moment? demanda Sir Anthony Plumb au directeur général du MI-5, assis à côté de Brian Harcourt-Smith.

– Dans une de nos maisons, à la campagne, répondit Sir Bernard Hemmings. Il a déjà téléphoné au ministère comme s'il se trouvait chez lui, à Edenbridge, pour signaler qu'il avait glissé sur du verglas hier soir et s'était brisé la cheville. Il a prétendu que sa jambe devait rester dans le plâtre une quinzaine de jours. Ordre des médecins. Cela nous laisse une certaine marge.

– Ne sommes-nous pas en train d'oublier une question? murmura Sir Nigel Irvine du MI-6. Quels que soient ses goûts inhabituels, est-ce notre homme? Est-il à l'origine de la fuite? »

Brian Harcourt-Smith se racla la gorge.

« L'interrogatoire, messieurs, n'en est qu'à ses premières phases, dit-il, mais il paraît probable que c'est bien lui. Une cible rêvée pour recrutement par chantage.

– Le temps commence à manquer, intervint Sir Patrick Strickland des Affaires étrangères. La question de l'évaluation des fuites reste entière. Plus, en ce qui me concerne, le problème de ce qu'il faudra dire à nos alliés, et quand.

– Nous pourrions, euh... intensifier l'interrogatoire, suggéra Harcourt-Smith. Je crois que cela nous permettrait d'obtenir notre réponse en vingt-quatre heures. »

Il y eut un silence gêné. La perspective de faire « cuisiner » un de leurs collègues (quels que soient ses errements) par l'équipe de « durs » du MI-5 n'était pas alléchante. Sir Martin Flannery avait l'estomac noué. Il ne supportait pas la violence.

« Est-ce vraiment nécessaire à ce stade? » demanda-t-il.

Sir Nigel Irvine leva la tête du rapport.

« Bernard, dit-il au directeur général du MI-5, ce Preston, qui dirige l'enquête, m'a l'air d'un excellent collaborateur.

– Sans aucun doute, affirma Sir Bernard Hemmings.

– Je me demandais..., continua Nigel Irvine en feignant d'hésiter. Il a passé plusieurs heures avec Peters aussitôt après les événements de Bayswater. Je me demandais si le comité n'aurait pas intérêt à l'entendre.

– Je l'ai interrogé personnellement ce matin, intervint Harcourt-Smith aussitôt. Je suis certain de pouvoir répondre à toutes vos questions sur ce qui s'est passé. »

Le chef du « Six » se confondit en excuses.

« Mon cher Brian, il n'existe aucun doute à ce sujet dans mon esprit, dit-il. Seulement, voyez-vous... Il arrive parfois qu'en interrogeant un suspect on éprouve des impressions qu'il est difficile de faire passer dans un rapport écrit. J'ignore ce qu'en pense le comité, mais nous allons être contraints de prendre des décisions pour la suite. Je me suis dit simplement qu'il serait sans doute utile d'écouter le seul homme qui ait parlé à Peters. »

Autour de la table, chaque membre du comité hocha la tête tour à tour. Hemmings envoya Harcourt-Smith, manifestement contrarié, convoquer Preston par téléphone. Les mandarins attendirent et on leur servit du café. Preston entra trente minutes plus tard. Les hauts fonctionnaires l'examinèrent avec curiosité. On lui donna un siège au centre de la table, en face de son directeur général et de son directeur adjoint. Sir Anthony Plumb expliqua le dilemme du comité.

« Que s'est-il passé au juste entre vous? » demanda-t-il.

Preston réfléchit un instant.

« Dans la voiture, à mi-chemin, il s'est effondré. Jusque-là il avait conservé une espèce de sang-froid, quoique au prix d'un grand effort. J'étais seul avec lui, au volant de la voiture. Il s'est mis à pleurer. Et à parler.

– Oui, et qu'a-t-il dit? insista Sir Anthony.

– Il a avoué son goût pour le fétichisme et le travesti, mais l'accusation de trahison m'a semblé le frapper de stupeur. Il l'a niée énergiquement et il a continué de nier jusqu'à ce que je le laisse avec les gardiens.

– Réaction normale, dit Brian Harcourt-Smith. C'est peut-être notre homme malgré tout.

– Oui, peut-être, lui accorda Preston.

– Mais votre impression? Votre intuition? » murmura Sir Nigel Irvine.

Preston respira à fond.

« Je crois que ce n'est pas lui.

– Puis-je vous demander pourquoi? dit Sir Anthony.

– Comme l'a précisé Sir Nigel, ce n'est qu'une intuition, répondit Preston. J'ai déjà vu des hommes dont l'univers s'effondrait soudain et qui croyaient n'avoir plus aucune raison de vivre. Quand un homme se met à parler dans ces circonstances, il a tendance à tout déballer. Des hommes d'un sang-froid exceptionnel, comme Philby ou Blunt, ont pu résister jusqu'au bout. Mais c'étaient des traîtres idéologiques, des marxistes par conviction. Si Sir Richard Peters a trahi, il y a été amené par chantage et je crois qu'il l'aurait avoué au moment où le château de cartes s'est écroulé. En tout cas l'accusation de trahison ne l'aurait pas étonné. Or ce fut pour lui une surprise totale. Peut-être a-t-il joué la comédie, mais je crois sincèrement qu'il n'était pas en mesure de donner le change. S'il l'a fait, il mérite un oscar. »

C'était un long discours pour un fonctionnaire de second plan en présence du comité Phénix, et le silence se prolongea. Harcourt-Smith regarda Preston comme s'il voulait le poignarder des yeux. Sir Nigel étudia l'homme du MI-5 avec intérêt. De par ses fonctions, il était au courant de l'incident de Londonderry au cours duquel Preston avait été « grillé » comme agent clandestin de l'Armée. Il remarqua également le regard d'Harcourt-Smith et se demanda pourquoi le directeur général adjoint du « Cinq » semblait détester Preston. Son opinion personnelle était favorable.

« Qu'en pensez-vous, Nigel? » demanda Anthony Plumb.

Irvine hocha la tête.

« J'ai été témoin moi aussi de cet effondrement total qui accable le traître au moment où il est démasqué. Vassall, Prime... Deux hommes faibles, anormaux eux aussi. Et ils ont tout avoué quand l'édifice s'est écroulé. S'il ne s'agit pas de Peters, cela nous laisse George Berenson.

– Il s'est écoulé un mois, se lamenta Sir Patrick Strickland. Nous devons épingler le coupable d'une manière ou d'une autre. Et vite.

– Le coupable peut être également un collaborateur personnel ou la secrétaire de l'un de ces deux hommes, fit observer Sir Perry Jones. N'est-ce pas, monsieur Preston?

– C'est exact.

– Dans ce cas, nous devons innocenter George Berenson ou démontrer que c'est bien notre homme, lança Patrick Strickland, exaspéré. Même s'il est innocenté, cela nous laisse Peters. Et si Peters ne parle pas, nous nous retrouverons à la case départ.

– Puis-je faire une suggestion? » demanda Preston doucement.

Le comité parut surpris. On n'avait pas convoqué Preston pour faire des suggestions. Mais Sir Anthony Plumb était un homme courtois.

« Je vous en prie, dit-il.

– Les dix documents renvoyés par le correspondant anonyme entrent tous dans la même catégorie », commença Preston.

Les hommes autour de la table acquiescèrent.

« Sept d'entre eux contenaient des éléments relatifs aux dispositifs de la marine anglaise et des forces de l'O.T.A.N. dans l'Atlantique nord et sud. Il semble que ce domaine soit particulièrement intéressant pour l'auteur des fuites ou ses « contrôleurs ». Serait-il possible de faire passer sur le bureau de M. Berenson un document d'un intérêt si irrésistible qu'il sera tenté (s'il est notre coupable) de prélever une copie et d'essayer de la transmettre? »

Plusieurs membres du comité hochèrent la tête, songeurs.

« Pour le forcer hors de son terrier, n'est-ce pas? murmura Sir Bernard Hemmings. Qu'en pensez-vous, Nigel?

– L'idée me plaît. Il est bien possible que l'homme morde à l'appât. Est-ce faisable, Perry? »

Sir Peregrine Jones plissa les lèvres.

« En fait, avec beaucoup plus de réalisme que vous ne le pensez, dit-il. Pendant mon séjour en Amérique, nous avons envisagé – et je n'ai encore rien rédigé à ce sujet – d'augmenter sensiblement le niveau de nos installations de ravitaillement en carburants et en vivres dans l'île de l'Ascension, pour permettre d'approvisionner nos sous-marins nucléaires. Les Américains, très intéressés, ont proposé de collaborer aux dépenses si nous leur accordions le droit d'utiliser nos équipements. Cela éviterait à nos sous-marins nucléaires de revenir à Faslane, où les manifestations n'en finissent pas, et à ceux des Yankees de remonter jusqu'à Norfolk, en Virginie... Je pense que je pourrais préparer un papier personnel confidentiel, en présentant le projet comme déjà accepté au niveau politique, et le glisser sur quatre ou cinq bureaux, y compris celui de Berenson.

– Est-ce que, dans des circonstances normales, Berenson recevrait ce genre de note? demanda Sir Patrick Strickland.

– Sans aucun doute, dit Jones. Il est directeur adjoint des Marchés, et sa section est responsable du nucléaire. Il le recevrait, ainsi que trois ou quatre autres directeurs de section. Certains feront sans doute des photocopies pour des collègues proches, qui les leur retourneront pour destruction. Les originaux me seront remis en mains propres. »

Tout le monde tomba d'accord. La note sur l'île de l'Ascension tomberait sur le bureau de George Berenson le mardi.

Lorsqu'ils quittèrent les bureaux du Conseil des ministres, Sir Nigel Irvine invita Sir Bernard Hemmings à déjeuner.

« Un brave type, ce Preston, lança Irvine. Il a une tête qui me revient. Est-ce qu'il vous est fidèle?

– J'ai toute raison de le croire », répondit Sir Bernard très surpris.

Cela explique peut-être les choses, songea « C » sans développer sa pensée.

Le Premier Ministre de Grande-Bretagne passa la journée du dimanche 22 dans sa résidence officielle de campagne, Chequers, dans le comté de Buckinghamshire. Dans le secret absolu, elle demanda à trois de ses conseillers les plus proches du Conseil des ministres et au président du Parti conservateur de lui rendre une visite privée.

Ce qu'elle avait à leur dire suscita de profondes réflexions. Au mois de juin, elle terminerait la quatrième année de sa deuxième législature. Elle avait décidé de tenter une troisième victoire électorale successive. Les indicateurs économiques permettaient de prévoir un automne difficile, avec une vague de revendications salariales. Il y aurait sans doute des grèves. Elle ne voulait pas que se renouvelle l'« hiver de grogne » de 1978 pendant lequel les arrêts de travail en série avaient complètement sapé la crédibilité du gouvernement travailliste, provoquant finalement sa chute en mai 1979.

En outre, alors que la coalition sociaux-démocrates-alliance libérale plafonnait toujours dans les sondages d'opinion au niveau des vingt pour cent, le Parti travailliste avec son vernis de fraîche date d'unité et de modération avait vu sa cote de popularité monter à trente-sept pour cent de l'électorat, à peine six points derrière les conservateurs. L'écart se resserrait. Bref, elle désirait provoquer des élections anticipées en juin, mais sans les regrettables hésitations qui avaient précédé et précipité sa décision en 1983. Une déclaration soudaine, totalement inattendue, et une campagne électorale de trois semaines – voilà ce qu'elle désirait. Pas en 1988, même pas à l'automne 1987, mais au début de l'été.

Elle demanda à ses collègues de garder le secret, mais la date qu'elle prévoyait était l'avant-dernier jeudi de juin, le 18.

Le lundi, Sir Nigel Irvine rencontra Andreïev. Ce fut très discret, à Hampstead Heath. Un écran composé d'hommes d'Irvine patrouilla le parc pour s'assurer qu'Andreïev n'était pas lui-même filé par K.R. (contre-espionnage) de l'ambassade soviétique. Mais il était

« propre ». Les guetteurs anglais qui surveillaient les mouvements du diplomate russe avaient été rappelés.

Nigel Irvine « contrôlait » lui-même Andreïev. Ces « opérations du directeur » sont exceptionnelles. Normalement, dans un service secret, les responsables au niveau supérieur comme le chef du MI-6 ne traitent pas avec les agents. Mais cela peut se produire, à cause de l'importance exceptionnelle de l'agent, ou parce que le recrutement remonte à une époque où le « contrôleur » n'était pas encore le directeur du service, et que l'agent refuse de traiter avec une autre personne. Tel était le problème avec Andreïev.

En février 1972 Sir Nigel, qui était encore simplement M. Irvine, dirigeait l'antenne de Tokyo. Au cours de ce mois-là, les brigades antiterroristes japonaises avaient décidé d'« éliminer » le quartier général de la Faction Armée Rouge (des fanatiques d'extrême gauche), qui venait d'être repéré : une villa sous la neige, sur les pentes du mont Otakine, au lieu-dit Asama-so. Ce fut en définitive la Police nationale qui se chargea de l'opération, mais sous le commandement du redoutable chef des brigades antiterroristes, M. Sassa, ami personnel d'Irvine.

Possédant une certaine expérience glanée auprès des unités d'élite du S.A.S. anglais, Irvine avait été en mesure de donner quelques conseils utiles à M. Sassa, et ses suggestions avaient sauvé un certain nombre de vies japonaises. En raison de la position strictement neutraliste de son pays, M. Sassa n'avait pas la possibilité de remercier Irvine de manière officielle.

Mais un mois plus tard, au cours d'un cocktail diplomatique, le Japonais, aussi subtil qu'intelligent, avait croisé le regard d'Irvine et fait un signe de tête en direction d'un diplomate soviétique à l'autre bout de la pièce. Puis il avait souri et s'était éloigné. Irvine s'intéressa aussitôt au Russe; il découvrit qu'il venait d'arriver à Tokyo et se nommait Andreïev.

Irvine le fit filer et apprit qu'il avait une aventure amoureuse avec une Japonaise – situation qui lui vaudrait la perte de son poste si l'ambassade l'apprenait. Bien entendu, les Japonais le savaient déjà, car tout diplomate soviétique à Tokyo est filé discrètement chaque fois qu'il met le pied hors de l'ambassade.

Irvine organisa un piège, obtint les photographies et les enregistrements sonores dont il avait besoin puis surgit brusquement au milieu des ébats – la technique « cric-crac-boum-je-te-tiens ». Le Russe faillit s'évanouir : il s'était cru démasqué par son propre service. Tout en enfilant son pantalon, il accepta de parler à Irvine. C'était une sacrée prise. Ne serait-ce que par son appartenance à la Direction des Illégaux du K.G.B. : Andreïev était un homme de la « Ligne N ».

La Première Direction générale du K.G.B., responsable de toutes les activités à l'étranger, se divise en Directions, Départements spéciaux et Départements ordinaires. Les agents soviétiques « ordinaires » du K.G.B., sous couverture diplomatique, viennent d'un des départements « géographiques » – c'est le Département VII qui couvre le Japon. Ces hommes, lorsqu'ils sont en poste à l'étranger constituent la « Ligne PR » et ce sont eux qui accomplissent toutes les opérations de routine : ils recueillent les renseignements, prennent les contacts utiles, dépouillent les publications techniques, etc.

Mais au cœur le plus secret de la Première Direction générale se trouvent des Illégaux, ou Direction « S », qui n'a pas de frontières géographiques. Les illégaux forment et contrôlent les agents « illégaux », qui partent à l'étranger sous couverture, avec des faux papiers, en missions secrètes. Les illégaux opèrent indépendamment de l'ambassade.

Néanmoins, dans chaque « Rezidentura » du K.G.B., dans chaque ambassade soviétique, il y a en général un homme de la Direction « S » – la Ligne « N ». Il ne s'occupe que des missions spéciales, il contrôle souvent les espions de la nationalité du pays qu'ils espionnent, et il apporte une assistance personnelle et technique aux illégaux entrant sous couverture dans le pays en provenance du Bloc soviétique.

Andreïev appartenait à la Direction « S », et plus étrange encore, il n'était pas un spécialiste du Japon, comme tous ses collègues de l'ambassade venant du Département VII. Il faisait partie du « domaine anglophone » et son séjour à Tokyo s'expliquait par une prise de contact avec un sergent-chef de l'aviation américaine, déjà repéré à San Diego avant d'être muté à la base mixte, américano-japonaise, de Tashikawa. N'ayant aucun espoir de justifier sa conduite auprès de ses supérieurs à Moscou, Andreïev avait accepté de travailler pour Irvine.

Cet accord amiable avait pris fin quand le sergent américain, au bout du rouleau, s'était « expédié » de façon assez peu ragoûtante avec son revolver d'ordonnance dans les latrines du dépôt de vivres. Andreïev avait été renvoyé à Moscou en quatrième vitesse. Irvine avait songé à « griller » l'espion au K.G.B., puis y avait renoncé.

Et Andreïev avait refait surface à Londres. Sir Nigel Irvine l'avait reconnu dans un jeu de photos déposées sur son bureau six mois plus tôt. Muté de la Direction « S » à la Ligne « PR », Andreïev occupait un poste de deuxième secrétaire à l'ambassade. Sir Nigel avait de nouveau lancé ses filets. Andreïev n'avait guère le choix. Il accepta de coopérer, mais refusa tout contact avec une autre personne que Sir Nigel. Il devint une « opération du directeur ».

Au sujet de la fuite au ministère de la Défense il avait peu à offrir. Il n'était pas au courant de son existence. Si fuite il y avait, le haut fonctionnaire du ministère devait être contrôlé directement par un agent soviétique « illégal » résidant en Grande-Bretagne. Il faisait ses rapports à Moscou sans intermédiaire, ou bien par l'entremise de l'un des trois hommes de la Ligne « N » au sein de l'ambassade. Mais ces « illégaux » ne discutaient pas d'une opération de cette envergure en prenant leur café à la cantine. Andreïev n'avait rien appris mais il ouvrirait l'œil et tendrait l'oreille. Sur cette promesse, les deux promeneurs d'Hampstead Heath se séparèrent.

Sir Peregrine Jones avait passé la journée du lundi à préparer sa note sur l'île de l'Ascension, et il la distribua le mardi. Il la fit remettre à quatre personnes. Bertie Capstick avait accepté de revenir au ministère chaque nuit pour vérifier les photocopies officielles qui seraient tirées. Preston avait dit à ses guetteurs qu'il voulait être prévenu sans délai chaque fois que George Berenson se grattait la nuque. Il secoua de même les agents qui interceptaient le courrier, et il mit son équipe d'écoutes téléphoniques en état d'alerte permanente. La longue attente commença.

7

Le premier jour, rien ne se produisit. La nuit venue, le général Capstick et John Preston se rendirent au ministère pendant que tout le monde dormait et vérifièrent le nombre de photocopies tirées. Il y en avait sept : trois par George Berenson, deux par chacun des deux autres mandarins ayant reçu la note sur l'île de l'Ascension, et aucune par le quatrième homme.

Le soir du deuxième jour, M. Berenson fit quelque chose de bizarre. Les guetteurs signalèrent qu'en milieu de soirée, il quitta son appartement de Belgravia et se rendit à pied jusqu'à une cabine téléphonique publique du quartier. Ils ne virent pas quel numéro Berenson composa, mais il prononça seulement quelques mots, raccrocha et rentra chez lui. Pourquoi, se demanda Preston, un homme agissait-il ainsi alors qu'il avait dans son appartement un appareil en parfait état de marche – ce dont Preston pouvait se porter garant puisqu'il l'avait placé sur table d'écoute?

Le troisième jour, jeudi, George Berenson quitta le ministère à l'heure habituelle, arrêta un taxi et se rendit à St. John's Wood. Dans la grand-rue de ce quartier qui conserve une atmosphère de village, se trouve un salon de thé où l'on vend des glaces. Le haut fonctionnaire de la Défense y entra, s'assit et commanda un « banana split », spécialité de la maison.

John Preston, installé dans la salle radio au sous-sol de Cork Street, écouta le compte rendu du chef de l'équipe de guetteurs – Len Stewart, responsable de l'équipe « A ».

« Placé deux agents à l'intérieur, dit-il, et deux ici, dans la rue. Plus mes voitures.

– Qu'est-ce qu'il fabrique? demanda Preston.

– Peux pas voir, répondit Stewart dans son émetteur personnel. Faut attendre que les types de l'intérieur aient l'occasion de me le dire. »

En fait, M. Berenson, au fond d'une stalle, dégustait sa crème glacée et finissait de remplir la grille de mots croisés du *Daily Telegraph*, qu'il avait sorti de son porte-documents. Il ne remarqua pas les deux étudiants en blue-jean qui se pelotaient dans le coin de la salle.

Au bout de trente minutes, le haut fonctionnaire demanda la note, se dirigea vers la caisse, paya et sortit.

« Il vient de passer dans la rue, lança Len Stewart. Mes deux agents sont restés à l'intérieur. Il remonte la grand-rue. Il cherche un taxi, je crois. Je peux voir mes deux agents du salon de thé. Ils sont en train de payer à la caisse.

– Pouvez-vous leur demander ce qu'il a fait à l'intérieur? » demanda Preston.

Tout cet épisode semblait étrange. Les glaces de ce salon de thé étaient sans doute spéciales, mais il y avait d'autres glaciers réputés à Mayfair et dans le West End, sur le chemin direct du ministère à Belgravia. Pour quoi faire un grand détour jusqu'à St. John's Wood pour manger un « banana split »?

Stewart reprit la parole.

« Un taxi arrive. Il lui fait signe. Ne quittez pas, voici mes agents du salon de thé. »

L'émission s'interrompit, puis :

« On dirait qu'il a bouffé sa glace et terminé les mots croisés du *Telegraph*. Il a payé et il a filé.

– Où est passé le journal? demanda Preston.

– Il l'a laissé sur la table quand il a fini... Ne quittez pas... Ensuite le patron est venu nettoyer la table. Il a emporté la coupe sale et le journal dans la cuisine... Maintenant, Joe est dans le taxi. Il s'éloigne... Qu'est-ce qu'on fait? On colle? »

Preston réfléchit très vite. Harry Burkinshaw et l'équipe « B » en avaient terminé avec Sir Richard Peters. Après plusieurs semaines de pluie, de froid et de brouillard on leur avait accordé quelques jours de repos. Il ne restait plus qu'une équipe sur l'opération. S'il la divisait et perdait Berenson, en route pour assurer son « contact », Harcourt-Smith ne le lui pardonnerait pas. Il prit sa décision.

« Len, laissez une voiture, avec son chauffeur, suivre le taxi. Je sais que ça ne suffit pas s'il essaie de filer à pied. Mais je veux le reste de votre équipe sur le marchand de glaces.

– C'est parti », répondit Len Stewart avant de couper.

Preston eut de la chance. Le taxi retourna directement au club de M. Berenson, dans le West End. Berenson descendit et entra. Bien sûr, se dit Preston, le contact pouvait se trouver à l'intérieur du club.

Len Stewart entra dans le salon de thé et y demeura jusqu'à la fermeture, devant une tasse de café et l'*Evening Standard*. Il ne se passa rien. A l'heure de la fermeture, on lui demanda de partir et il le fit. Depuis leurs planques, de chaque côté de la rue, les quatre agents de l'équipe virent le personnel du salon s'en aller. Le patron ferma la porte et les lumières s'éteignirent.

Depuis son poste de commandement de Cork Street, Preston essaya d'obtenir une écoute téléphonique du salon de thé et une identification du patron. Il s'agissait d'un signor Benotti, immigrant en situation légale, originaire de Naples, qui avait mené pendant vingt ans une existence sans reproche. A minuit, les téléphones du salon de thé et de la maison du signor Benotti, à Swiss Cottage, étaient sur table d'écoute.

Preston passa à Cork Street une nuit sans sommeil. L'équipe de relève de Stewart arriva à vingt heures et surveilla le salon de thé et la maison de Benotti toute la nuit. Le vendredi matin à neuf heures, Benotti revint à son magasin, qu'il ouvrit à la clientèle à dix heures. Au même moment, Stewart et l'équipe de jour prirent position. A onze heures, Stewart appela.

« Il y a une petite camionnette de livraison devant la porte, dit-il à Preston. Le chauffeur est en train de charger des bacs de crème glacée de quatre litres. On dirait un service de livraisons à domicile. »

Preston remua le sucre insoluble dans sa vingtième tasse de café imbuvable. Le manque de sommeil lui rendait l'esprit nébuleux.

« Je suis au courant, dit-il. Il en a déjà été question au téléphone. Détachez une voiture et deux hommes pour filer la camionnette. Notez tous les clients à qui on livrera de la glace.

– Cela ne me laisse qu'une voiture et deux agents, moi compris, fit observer Stewart. C'est drôlement mince.

– C'est le jour de la conférence des enchères, à Charles, répondit Preston. Je vais essayer d'obtenir une équipe supplémentaire. »

La camionnette de livraison de glaces servit douze clients ce matin-là, tous dans le périmètre de St. John's Wood et de Swiss Cottage, sauf deux beaucoup plus au sud, du côté de Marylebone.

Certaines livraisons eurent lieu dans des immeubles d'appartements, où les guetteurs eurent du mal à passer inaperçus, mais ils notèrent tous les clients. Ensuite, la camionnette revint au salon de thé. Elle ne fit aucune livraison dans l'après-midi.

« Voulez-vous déposer la liste à Cork en rentrant chez vous? » demanda Preston à Stewart.

Ce soir-là, l'écoute téléphonique signala que Berenson avait reçu quatre appels téléphoniques à son domicile, dont une erreur : l'homme à l'appareil avait fait un faux numéro. Berenson lui-même n'avait pas appelé. Tout se trouvait sur bande magnétique. Preston avait-il envie d'écouter la bande? Il n'y avait absolument rien de suspect. Preston décida d'écouter tout de même.

Le samedi matin, Preston joua le coup de poker le plus hasardeux de sa vie. Avec un magnétophone installé par les hommes des Services techniques, et sous des prétextes divers, il appela tour à tour toutes les personnes qui s'étaient fait livrer de la glace. Chaque fois qu'une femme décrochait l'appareil, il demandait à parler à son mari. On était samedi, il trouva tous les hommes chez eux sauf un.

Il crut reconnaître vaguement une voix. A quoi au juste? Un soupçon d'accent? Et où l'avait-il donc entendue auparavant? Il vérifia le nom de la personne. Il ne lui apprit rien.

Il déjeuna sans appétit dans une brasserie voisine de Cork Street. Le rapprochement se fit au moment où on lui servait le café. Il retourna à son sous-sol sur-le-champ et repassa les bandes magnétiques. Possible. Pas concluant mais possible.

Scotland Yard, parmi les nombreux équipements de son service d'identité judiciaire, possède un laboratoire d'analyse de voix, utile chaque fois qu'un criminel épinglé après une écoute téléphonique prétend qu'il ne s'agit pas de sa voix. Le MI-5, n'ayant aucun équipement de ce genre, s'adresse à Scotland Yard en cas de nécessité, en général par l'intermédiaire de la Brigade spéciale.

Preston appela le sergent-détective Lander, qu'il trouva chez lui. Ce fut Lander qui organisa un rendez-vous d'urgence, dans l'après-midi du samedi, au laboratoire d'analyse de voix de Scotland Yard. Il n'y avait qu'un seul technicien de permanence. Il n'était pas content d'abandonner son match de rugby télévisé pour se mettre au travail, mais il s'exécuta. C'était un jeune homme mince portant des verres très épais. Il fit passer les bandes de Preston cinq ou six fois sans quitter des yeux la ligne verte qui montait et descendait sur l'écran de l'oscilloscope, enregistrant fidèlement les moindres nuances de ton et de timbre des voix.

« Même voix, dit-il enfin. C'est hors de doute. »

Le dimanche, Preston identifia le propriétaire de la voix à l'aide de la liste diplomatique. Il appela également un ami à la Faculté de Physique de l'université de Londres, lui gâcha la journée en lui demandant un service considérable, et téléphona enfin à Sir Bernard Hemmings, dans sa maison du Surrey.

« Je crois avoir des éléments dont nous devrions faire part au comité Phénix, monsieur, dit-il. Demain matin, par exemple. »

Le comité Phénix se réunit à onze heures et Sir Anthony Plumb demanda à Preston de faire son rapport. Tout le monde semblait impatient, quoique Sir Bernard Hemmings eût l'air soucieux.

Preston exposa aussi brièvement que possible les événements des deux premiers jours suivant la distribution de la note sur l'île de l'Ascension. L'appel étrange et très bref de Berenson à partir d'une cabine publique, le mercredi soir, suscita l'intérêt.

« Avez-vous enregistré cet appel? demanda Sir Peregrine Jones.

– Non monsieur, nous n'étions pas assez près, répondit Preston.

– Et quelles suppositions avez-vous faites?

– Je crois que M. Berenson prévenait son contrôleur d'une livraison imminente, probablement en utilisant un code pour indiquer le moment et l'endroit.

– En avez-vous la preuve? demanda Sir Hubert Villiers, de l'Intérieur.

– Non, monsieur. »

Preston décrivit ensuite la visite au salon du glacier et l'abandon du *Daily Telegraph*; il signala le fait que le journal avait été ramassé par le propriétaire en personne.

« Avez-vous réussi à récupérer le journal? demanda Sir Paddy Strickland.

– Non, monsieur. Une perquisition dans le salon de thé nous aurait sans doute permis d'arrêter M. Benotti et peut-être M. Berenson, mais Benotti aurait pu affirmer qu'il ignorait la présence d'un document à l'intérieur du journal. Et M. Berenson aurait sans doute prétendu qu'il s'agissait simplement d'une énorme négligence.

– Mais vous croyez que le glacier de St. John's Wood était la « boîte aux lettres »? demanda Sir Anthony Plumb.

– J'en suis certain. »

Il décrivit la livraison des bacs de quatre litres de glace à une douzaine de clients le lendemain matin, puis la façon dont il avait obtenu des enregistrements de la voix de onze d'entre eux et du correspondant de Berenson qui s'était « trompé de numéro » ce soir-là.

« L'homme qui l'a appelé a dit simplement qu'il avait composé un faux numéro, puis il s'est excusé et a raccroché. Sa voix était celle d'un des clients qui s'étaient fait livrer de la glace. »

Le silence se fit autour de la table.

« Ne serait-ce pas une coïncidence? demanda Sir Hubert Villiers, sceptique. Un nombre surprenant de personnes se trompent de numéro dans cette ville. Je reçois ce genre d'appels tout le temps.

– J'ai vérifié hier après-midi avec un ami qui a accès à un ordinateur, répondit Preston d'une voix égale. Il n'y a pas une chance sur un million pour qu'un citoyen d'une ville de douze millions d'habitants entre dans un salon de thé pour consommer un « banana split », que cet établissement livre des glaces à douze clients le lendemain et que l'un de ces clients compose par erreur, à minuit, le numéro de l'amateur de « banana split ». L'appel téléphonique du vendredi soir était un accusé de bonne réception.

– Voyons si j'ai bien compris, dit Sir Perry Jones. Berenson a récupéré auprès de ses trois collègues les photocopies de ma note fallacieuse et il a prétendu les passer toutes au broyeur. En réalité, il en a conservé une. Il l'a glissée à l'intérieur de son journal, et il l'a laissée dans le salon de thé. Le patron a recueilli le journal, a placé le document secret dans une enveloppe de matière plastique et l'a fait livrer le lendemain matin au contrôleur, dans un bac de crème glacée. Ensuite, le contrôleur a prévenu Berenson qu'il avait bien reçu la livraison.

– C'est à mon avis ce qui s'est passé.

– Une chance sur un million, répéta Sir Anthony Plumb. Nigel, qu'en pensez-vous? »

Le chef du MI-6 secoua la tête.

« Je ne crois pas aux coïncidences quand la probabilité est de l'ordre d'une chance contre un million, dit-il. Pas dans notre métier, n'est-ce pas Bernard? Non, c'était bien une transmission, de la « source » au « contrôleur » par l'entremise d'un « coupe-circuit », le signor Benotti. John Preston ne se trompe pas. Mes félicitations. Berenson est notre homme.

– Et depuis que vous avez établi ceci, monsieur Preston? demanda Sir Anthony.

– J'ai permuté la surveillance. De M. Berenson au contrôleur, répondit Preston. Je l'ai identifié. En fait, ce matin, je me suis joint aux guetteurs et je l'ai suivi depuis son appartement de Marylebone, où il vit en célibataire, jusqu'à son bureau. C'est un diplomate étranger. Il se nomme Jan Maartens.

– Jan? C'est un prénom tchèque, dit Sir Perry Jones.

– Pas tout à fait, dit Preston d'un ton sombre. Jan

Maartens fait partie du personnel diplomatique de l'ambassade de la république d'Afrique du Sud. »

Il y eut un silence surpris, incrédule. Sir Paddy Strickland, en un langage que les diplomates ont l'habitude d'éviter, murmura : « Bon Dieu de merde! » Tous les regards se tournèrent vers Sir Nigel Irvine.

Il se tenait au bout de la table, visiblement stupéfait. « Si c'est vrai, se dit-il, je me ferai servir les couilles du général en guise d'olives à l'apéritif. »

Il songeait au général Henry Pienaar, chef du Service de Renseignements d'Afrique du Sud : le N.I.S. qui a succédé au B.O.S.S., peu regretté. Que les Sud-Africains engagent une poignée de truands londoniens pour cambrioler les archives de l'*African National Congress* était une chose; mais « planter » un espion au cœur du ministère de la Défense revenait à une déclaration de guerre entre services.

« Je crois, messieurs, qu'avec votre permission, je vais demander une prolongation d'enquête de quelques jours », répondit le chef du MI-6.

Deux jours plus tard, le 4 mars, un des ministres clefs du Conseil, à qui Mme Thatcher avait confié son désir de provoquer des élections générales anticipées, prenait son petit déjeuner avec son épouse dans leur bel hôtel particulier d'Holland Park, à Londres.

« Corfou est vraiment adorable, dit l'épouse qui feuilletait des prospectus d'agences de voyages. Ou bien la Crète. »

Ne recevant pas de réponse, elle revint à la charge.

« Chéri, nous devrions essayer de prendre deux semaines de repos complet cet été. Après tout, cela fait presque deux ans que nous n'avons pas bougé. Que penses-tu de juin? Avant la cohue, mais quand le temps est déjà excellent.

– Pas juin, répondit le ministre sans lever les yeux.
– Mais c'est le meilleur mois, insista-t-elle.
– Pas juin, répéta-t-il. Quand tu voudras sauf juin. »
Elle le fixa avec de grands yeux.
« Qu'y a-t-il de si important en juin?
– Rien de particulier.
– Espèce de vieux renard! s'écria-t-elle, surprise. C'est Margaret, n'est-ce pas? Votre petite conversation amicale à Chequers, l'autre dimanche? Elle veut retourner aux urnes. Que le diable m'emporte...
– Tu plaisantes! » lui dit son mari.
Mais après vingt-cinq ans de mariage, elle savait qu'elle avait touché juste. Elle leva les yeux. Emma, leur fille, se trouvait sur le seuil.
« Tu t'en vas, ma chérie?
– Ouais, répondit la jeune fille. A plus tard. »
Emma Lockwood, dix-neuf ans et étudiante aux Beaux-Arts, adhérait de tout son enthousiasme juvénile à la « mode gauchiste ». Elle avait en horreur les opinions politiques de son père et elle les « contestait » à tout instant par son style de vie. En dépit de l'exaspération tolérante de ses parents, elle ne manquait jamais une manifestation antinucléaire, ou les défilés plus bruyants des protestataires d'extrême gauche. L'un de ses actes de contestation personnelle consistait à coucher avec Simon Devine, maître assistant à l'université, qu'elle avait rencontré à une manif.
Ce n'était pas un amant de premier ordre, mais il lui faisait beaucoup d'effet par son trotskisme incendiaire et sa haine pathologique de la « bourgeoisie » – terme qui semblait comprendre toute personne ne partageant pas son opinion. Ceux qui s'avéraient capables de s'opposer à ses idées plus efficacement que les « bourgeois » se trouvaient aussitôt qualifiés de « fascistes ». Ce soir-là dans son studio meublé, il apprit d'Emma le

contenu de la conversation que la jeune fille avait surprise sur le seuil de la salle à manger de ses parents.

Devine appartenait à plusieurs groupes d'étudiants révolutionnaires et écrivait des articles dans des publications d'extrême gauche brillant davantage par leur passion que par leur tirage. Deux jours plus tard, il fit allusion à la nouvelle extraordinaire qu'il tenait d'Emma Lockwood en présence du rédacteur en chef d'une petite feuille de chou pour laquelle il avait écrit un article appelant les ouvriers métallurgistes « amis de la liberté » de Cowley à détruire leur chaîne de montage pour protester contre le renvoi d'un de leurs camarades, reconnu coupable de vol.

Le journaliste en question répondit à Devine que l'écho ne pouvait pas constituer la matière d'un article mais qu'il en discuterait avec ses collègues... Il conseilla à Devine de garder la nouvelle pour lui. Après le départ de Devine, il en discuta effectivement avec un de ses collègues, son « intermédiaire », et l'intermédiaire transmit le message à son « contrôleur », de la « rezidentura » de l'ambassade soviétique. Le 10 mars, la nouvelle parvint à Moscou. Devine aurait été atterré. Ardent partisan de l'appel de Trotski à la révolution mondiale permanente, il détestait Moscou et tout ce que le communisme russe représentait.

Sir Nigel, ulcéré d'apprendre que le contrôleur d'un espion important au sein du mandarinat britannique était un diplomate sud-africain, adopta la seule option à sa disposition : une prise de contact avec le N.I.S. d'Afrique du Sud, pour demander des explications.

A en croire les hommes politiques des deux pays, aucune relation n'existe entre le S.I.S. anglais et le N.I.S. sud-africain (ou son prédécesseur B.O.S.S.). En réalité, il en subsiste certaines, bien que pour des raisons politiques elles demeurent difficiles – « on se prend avec des pincettes ».

En raison du peu d'estime que suscite un peu partout l'apartheid, ces relations ont toujours été très mal vues – quoique davantage sous les travaillistes que sous les conservateurs. Quand le Parti travailliste était au pouvoir, de 1964 à 1979, elles ne se sont pas interrompues, curieusement, à cause de l'imbroglio rhodésien. Le Premier Ministre travailliste Harold Wilson avait besoin de tous les renseignements possibles sur la Rhodésie de Ian Smith pour appliquer ses sanctions, et les Sud-Africains étaient évidemment les mieux placés.

Quand cette affaire fut terminée, les conservateurs étaient revenus au pouvoir, en mai 1979, et les relations se poursuivirent, cette fois à cause des inquiétudes anglaises au sujet de la Namibie et de l'Angola, où les Sud-Africains possédaient d'excellents réseaux. Ce n'étaient pas, bien entendu, des relations à sens unique. Les Anglais, par exemple, avaient appris des Allemands de l'Ouest les liens avec l'Allemagne de l'Est de l'épouse du commandant Dieter Gerhardt, de la Marine sud-africaine – on l'avait arrêté plus tard comme espion du bloc soviétique. Londres avait également prévenu Pretoria, grâce aux dossiers encyclopédiques du S.I.S., de l'arrivée en Afrique du Sud d'un couple d'« illégaux » soviétiques.

Il s'était produit un épisode déplaisant en 1967, quand un agent du B.O.S.S. du nom de Norman Blackburn, employé comme barman du Zambezi Club, avait conquis par ses charmes une des « Jardinières » (les *Garden Girls* sont les secrétaires du Premier Ministre, 10 Downing Street, surnommées ainsi parce qu'elles travaillent dans un bureau donnant sur le jardin).

Follement amoureuse, la jeune Hellen (son prénom suffira ici, car elle est depuis longtemps « rangée » et mère de famille) avait remis à Blackburn plusieurs documents secrets avant que l'affaire n'éclate. Cela avait provoqué du « pétard ». Par la suite, Harold Wilson en était venu à penser que tout ce qui tournait mal, depuis le goût de bouchon de son vin jusqu'aux mauvaises récoltes, était la faute du B.O.S.S.

Bien entendu les relations avaient repris bientôt un tour plus civilisé. Les Anglais conservent toujours une « antenne », résidant normalement à Johannesburg, au vu et au su du N.I.S.

L'Angleterre ne procède à aucune « mesure active » sur le territoire sud-africain. Les Sud-Africains ont à leur ambassade de Londres plusieurs hommes du N.I.S. (au vu et au su du S.I.S. anglais) et deux ou trois agents non attachés à l'ambassade, sur lesquels le MI-5 garde un œil attentif. Ces derniers ont pour tâche de dépister les activités à Londres de diverses organisations révolutionnaires des pays du sud de l'Afrique – A.N.C., S.W.A.P.O., etc. Tant que les agents sud-africains se limitent à ce gibier, on les laisse tranquilles.

Ce fut le chef d'antenne à Johannesburg qui sollicita et obtint une entrevue personnelle avec le général Henry Pienaar. Il rendit compte à « C », à Londres, de ce que le directeur du N.I.S. avait déclaré. Sir Nigel réunit le comité Phénix de nouveau le 10 mars.

« Le brave général Pienaar jure par tout ce qu'il a de sacré qu'il ne connaît pas l'existence de Jan Maartens. Il prétend que Maartens ne travaille pas et n'a jamais travaillé pour lui.

– Dit-il la vérité? demanda Sir Paddy Strickland.

– Dans ce genre de partie, on ne sait jamais, répondit Sir Nigel. Mais c'est fort possible. Tout d'abord, il saurait depuis déjà trois jours que nous avons démasqué Maartens. Si Maartens était à lui, il saurait que nous allons prendre une revanche terrible. Or il n'a pas retiré un seul de ses hommes ici... Je crois qu'il l'aurait fait s'il se savait coupable.

– Dans ce cas, qui diable est ce Maartens? demanda Sir Perry Jones.

– Pienaar prétend qu'il aimerait le savoir autant que nous, répondit « C ». Il a accepté ma requête de recevoir un de nos enquêteurs pour organiser une battue avec ses propres agents. J'ai envie d'envoyer un homme là-bas.

– Quelle est la situation de Berenson et de Maartens en ce moment? demanda Sir Anthony Plumb à Harcourt-Smith, qui représentait le « Cinq ».

– Les deux hommes sont sous surveillance discrète, mais aucune mesure directe n'a été prise. Pas de perquisition dans leurs appartements. Interception de courrier, écoutes téléphoniques et les guetteurs vingt-quatre heures sur vingt-quatre, c'est tout.

– De combien de temps avez-vous besoin, Nigel? demanda Plumb.

– Dix jours.

– D'accord, mais c'est la limite. Dans dix jours, nous arrêterons Berenson avec ce que nous aurons, et nous commencerons l'évaluation des fuites avec sa coopération, volontaire ou non. »

Le lendemain, Sir Nigel Irvine téléphona à Sir Bernard Hemmings dans sa maison des environs de Farnham, que le malade quittait de plus en plus rarement.

« Bernard, votre homme, ce Preston... Je sais que c'est inhabituel, je pourrais envoyer un de mes agents, etc. Mais son style me plaît. Pourrais-je vous l'emprunter pour la petite balade en Afrique du Sud? »

Sir Bernard accepta. Preston partit à Johannesburg par le vol de nuit du 12 au 13 mars. La nouvelle ne parvint au bureau d'Harcourt-Smith qu'après son départ. Le directeur général adjoint piqua une colère glacée, mais dut s'incliner devant la décision de son supérieur.

Le comité Albion rendit compte de ses activités au secrétaire général dans la soirée du 12. Le chef de l'Union soviétique reçut ses quatre conseillers dans son appartement de l'avenue Koutouzov.

« Et qu'avez-vous à m'offrir? leur demanda-t-il à mi-voix. »

Le professeur Krilov, président du comité fit signe au Grand Maître Rogov, qui ouvrit le dossier devant lui et se mit à lire.

Comme toujours en présence du secrétaire général, Philby fut frappé, à la limite de l'admiration, par la puissance sans entrave, à l'état pur, qu'incarnait cet homme. Au cours des recherches du comité, une simple allusion à son nom et à son autorité suprême leur avait permis d'obtenir tout ce qu'ils voulaient en U.R.S.S. sans qu'aucune question ne soit posée. Philby, qui avait longuement étudié le pouvoir et son exercice, admirait la brutalité et la ruse avec lesquelles le secrétaire général s'était assuré une mainmise absolue sur la vie de l'Union soviétique jusque dans ses moindres détails.

Des années auparavant, quand il avait accédé à la puissante direction du K.G.B., ce n'avait pas été grâce à l'appui de Brejnev, mais du discret « faiseur de rois » du Politburo, l'idéologue du Parti Mikhaïl Souslov. Relativement indépendant, donc, de Brejnev et de sa « mafia » personnelle, il avait veillé à ce que le K.G.B. ne devienne jamais le caniche soumis de Brejnev. Quand il avait quitté le K.G.B. pour retourner au Comité central, il n'avait pas commis la même erreur.

Il avait mis à sa place, à la tête du K.G.B., un de ses hommes liges. A son retour dans l'appareil du Parti, il avait consolidé sa position au Comité central, puis attendu son tour dans l'ombre pendant les règnes brefs d'Andropov et de Tchernenko. Aussitôt, en quelques mois, il était parvenu à réunir entre ses mains tous les fils du pouvoir : le Parti, les Forces armées, le K.G.B. et le ministère de l'Intérieur (MVD)... Il détenait toutes les cartes, personne n'osait plus s'opposer ou conspirer.

« Nous avons mis au point un plan, camarade secrétaire général, dit Rogov, utilisant en présence d'autres personnes la formule de politesse consacrée par l'usage. C'est un plan concret, une mesure active qui provoquera au sein de la population britannique une déstabilisation telle que l'attentat de Sarajevo et l'incendie du Reichstag de Berlin paraîtront insignifiants en comparaison. Nous l'avons appelé le Plan Aurore. »

Il lui fallut une heure entière pour lire tous les détails. De temps à autre, il levait les yeux de ses notes pour voir s'il provoquait une réaction, mais le secrétaire était un Grand Maître dans un jeu beaucoup plus subtil que les échecs, et il restait de marbre. Enfin Rogov termina. Le silence se prolongea longtemps.

« Il y a des risques, dit le secrétaire général à mi-voix. Qui nous garantit que le plan ne se retournera pas contre nous, comme certaines... autres opérations? »

Il n'avait rien précisé mais ils savaient tous à quoi il faisait allusion. Au cours de sa dernière année au K.G.B., son autorité avait été fortement ébranlée par l'échec lamentable de l'affaire Wojtyla. Les rumeurs et les accusations avaient mis plus de trois ans à mourir, provoquant le genre de publicité mondiale que l'U.R.S.S. préfère vraiment éviter.

Au début du printemps 1981, le Service secret de Bulgarie avait signalé que ses hommes avaient pêché un drôle de poisson dans la communauté turque d'Allemagne de l'Ouest. Pour des raisons ethniques, culturelles et historiques, la Bulgarie, satellite loyal et soumis de la Russie, s'intéresse beaucoup à la Turquie et aux Turcs. L'homme qu'ils avaient ramassé était un tueur terroriste prêt à tout. Formé par l'extrême gauche au Liban, il avait tué pour le compte des Loups Gris d'extrême droite en Turquie, s'était évadé de prison et avait fui en Allemagne de l'Ouest.

Le plus curieux était son obsession personnelle de tuer le pape. Fallait-il rejeter Mehmed Ali Agça à la mer, ou bien lui donner des fonds, des faux papiers et une arme, puis lui laisser sa chance?

Dans des circonstances normales, le K.G.B. aurait opté pour une réponse prudente : « Eliminez-le. » Mais les circonstances n'étaient pas normales. Karol Wojtyla, le premier pape polonais de l'histoire, représentait une menace grave. La Pologne venait de s'insurger; le mouvement dissident Solidarité risquait de renverser le pouvoir communiste.

Wojtyla, dissident lui aussi, s'était déjà rendu en Pologne, avec des résultats désastreux du point de vue soviétique. Il fallait l'arrêter ou le discréditer. Le K.G.B. répondit aux Bulgares : « Allez-y... mais nous ne voulons rien savoir. » En mai 1981, avec de l'argent, des faux papiers et une arme, Agça fut escorté à Rome. On lui indiqua la bonne direction et on lui accorda sa tête. Résultat, beaucoup de personnes perdirent la leur.

« Je ne crois pas, sauf votre respect, que les deux opérations puissent être comparées », répondit Rogov.

Principal auteur du Plan Aurore, il était prêt à le défendre jusqu'au bout.

« L'affaire Wojtyla a été un désastre pour trois raisons : la « cible » n'est pas morte; l'assassin a été pris vivant; surtout, aucune mesure d'intoxication élaborée n'avait été mise en place pour faire retomber les responsabilités sur l'extrême droite italienne ou américaine, par exemple. Il aurait fallu inonder l'opinion internationale de preuves crédibles démontrant qu'Agça avait été téléguidé par la droite. »

Le secrétaire général hocha la tête comme un vieux lézard.

« Dans notre plan, reprit Rogov, la situation est différente. L'opération demeurera étanche à tous les niveaux. L'exécutant sera un professionnel de premier ordre qui mourra avant d'être capturé. Les éléments constitutifs de l'engin sont tout à fait inoffensifs et personne ne pourra démontrer qu'ils sont d'origine russe. L'exécutant ne pourra pas survivre à l'exécution du plan. Et tout est prévu pour que les Américains en supportent les conséquences. »

Le secrétaire général se tourna vers le général Marchenko.

« Est-ce faisable? » demanda-t-il.

Les trois membres du comité parurent mal à l'aise. Il aurait été beaucoup plus facile de découvrir la réaction du secrétaire général puis d'adopter le même avis. Mais il était demeuré impassible. Marchenko respira à fond, puis hocha la tête.

« Oui, faisable. Je crois que l'opération pourra être mise en place en dix à seize mois.

– Camarade colonel? » demanda le secrétaire général à Philby.

Philby bégayait toujours davantage quand il était nerveux.

« Quant aux risques, dit-il, je ne suis pas en mesure de les évaluer. Pas plus que du problème des possibilités techniques. Mais en ce qui concerne les conséquences, elles ne font à mes yeux aucun doute : l'opération poussera au moins dix pour cent des électeurs hésitants à voter en faveur des travaillistes.

– Camarade professeur Krilov?

– Je suis opposé au projet, camarade secrétaire général. Je le considère comme extrêmement risqué, à la fois au niveau de l'exécution et des conséquences possibles. Il est absolument contraire aux termes du Quatrième Protocole. Et si nous passons outre, nous risquons tous d'en pâtir. »

Le secrétaire général sembla perdu dans sa méditation, que personne n'eut envie de troubler. Pendant cinq minutes, les yeux clairs se voilèrent derrière les reflets des lunettes. Enfin, il leva la tête.

« Il n'existe aucune note, aucun enregistrement, aucun brouillon de ce plan en dehors de cette pièce?

– Non, déclarèrent les quatre membres du comité.

– Réunissez vos dossiers et vos classeurs et donnez-les-moi », dit le secrétaire général.

Quand ce fut fait, il reprit la parole, de son ton monocorde habituel.

« C'est un plan imprudent, insensé, aventuriste et incroyablement dangereux, proclama-t-il. Le comité est dissous. Retournez à vos occupations et ne faites plus jamais la moindre allusion au comité Albion et au Plan Aurore. »

Il était encore immobile, les yeux fixés sur la table, quand les quatre hommes accablés sortirent sans demander leur reste. Ils enfilèrent leurs manteaux et leurs chapeaux sans dire un mot, en évitant de se regarder.

Dans la cour intérieure de l'immeuble, chacun monta dans sa voiture. Philby s'assit à l'arrière de sa Volga et attendit que le chauffeur Gregoriev lance le moteur. Il n'en fit rien. Les trois limousines quittèrent la cour, franchirent le porche et disparurent sur le boulevard. On frappa à la portière, du côté de Philby. Il baissa la glace, reconnaissant le visage du major Pavlov.

« Voulez-vous m'accompagner, camarade colonel? »

Le cœur de Philby se brisa. Il venait de comprendre : il en savait trop. Il était le seul étranger du groupe. Le secrétaire général avait la réputation de ne jamais rien laisser au hasard...

Il suivit le major Pavlov dans l'immeuble. Deux minutes plus tard, il se retrouvait dans le salon du secrétaire général. Le vieil homme était encore dans son fauteuil roulant, devant la table basse. Il indiqua un siège à Philby. Le traître anglais s'assit en tremblant.

« Qu'en pensez-vous en réalité? » demanda le secrétaire général à mi-voix.

Philby avala sa salive.

« C'est ingénieux, audacieux et risqué. En cas de succès, extrêmement efficace, répondit-il.

– Un projet fabuleux, murmura le secrétaire général. Et il réussira. Sous ma direction personnelle. Ce sera mon opération. Personne d'autre ne s'en mêlera. Et vous y serez étroitement impliqué.

– Puis-je vous poser une question? risqua Philby. Pourquoi moi? Je suis étranger. Même si j'ai servi l'Union soviétique ma vie entière et vécu ici plus du tiers de mes années, je demeure un étranger.

– Justement, répliqua le secrétaire général, et vous ne possédez aucun appui, en dehors de moi. Vous ne pouvez pas vous permettre de conspirer contre moi... Vous prendrez congé de votre femme et de vos enfants et vous renverrez votre chauffeur. Vous vous installerez dans l'appartement d'invité de ma datcha d'Ousovo. De là, vous réunirez l'équipe qui exécutera le plan Aurore. Vous aurez tous pouvoirs, par l'entremise de mon bureau au Comité central. Vous n'interviendrez jamais personnellement. »

Il appuya sur une sonnette dissimulée sous la table.

« Vous travaillerez en tout temps sous l'œil de cet homme. Je crois que vous le connaissez déjà. »

La porte s'était ouverte. Le major Pavlov, impassible, se tenait sur le seuil.

« Il est très intelligent et extrêmement soupçonneux, dit le secrétaire général d'un ton d'approbation. Et sa loyauté à mon égard demeure totale. Il se trouve que je suis son oncle. »

Quand Philby se leva pour suivre le major, le

secrétaire général lui tendit une feuille de papier. C'était une note de la Première Direction générale du K.G.B., à l'attention personnelle du secrétaire général du P.C. d'Union soviétique. Philby n'en crut pas ses yeux.

« Oui, dit le secrétaire général. La nouvelle m'est parvenue hier. Vous n'aurez pas les dix ou seize mois dont parlait le général Marchenko. Il semble bien que Mme Thatcher a décidé de provoquer des élections en juin. Nous devons intervenir une semaine avant. »

Philby vida lentement ses poumons. En 1916, il avait fallu dix mois pour réaliser la révolution russe. Le plus grand de tous les renégats anglais allait avoir à peine quatre-vingt-dix jours pour provoquer la révolution anglaise.

DEUXIÈME PARTIE

8

QUAND Preston atterrit à l'aéroport Jan Smuts, le matin du 13, le chef de l'antenne locale, un grand blond dégingandé du nom de Dennis Grey l'attendait sur le tarmac. Deux hommes du N.I.S. d'Afrique du Sud observèrent son arrivée du haut de la terrasse de l'aérogare mais restèrent à distance.

L'immigration et la douane n'étaient qu'une formalité et, trente minutes après l'atterrissage, les deux Anglais fonçaient déjà sur la route du nord, vers Pretoria. Preston regarda avec curiosité le paysage du haut veld. Il ne correspondait guère à l'image que le Londonien se faisait de l'Afrique : une autoroute goudronnée à six voies, bordée de fermes et d'usines modernes de style européen, traversant une plaine nue.

« Je vous ai retenu une chambre au Burgerspark, lui dit Grey, au centre de Pretoria. On m'a dit que vous préféreriez descendre à l'hôtel plutôt qu'à la Résidence.

– Oui, merci.

– Nous irons d'abord vous installer. Nous avons rendez-vous avec la Bête à onze heures. »

Ce titre peu affectueux avait été décerné à l'origine au redouté Van den Berg, général de la police et chef de l'ancien Bureau de Sécurité de l'Etat, le B.O.S.S. Après le scandale dit « de Puldergate » en 1979, le mariage malheureux des services de renseignements d'Afrique du Sud et de sa police de sécurité avait été dissous, au vif soulagement des agents de renseignements professionnels et des services des Affaires étrangères, que les tactiques matraquantes du B.O.S.S. gênaient depuis toujours.

Les services de renseignements s'étaient reconstitués sous le titre de N.I.S. (National Intelligence Service) et le général Henry Pienaar, ancien chef des Renseignements militaires, en avait pris la tête. Ce n'était pas un policier mais un soldat. Sans doute n'avait-il pas débuté comme agent de terrain, à l'instar de Sir Nigel Irvine, mais les années qu'il avait passées dans l'armée lui avaient appris les mille et un moyens d'arriver à ses fins. Le général Van den Berg avait pris sa retraite. Peu charitables, les Anglais avaient fait passer son surnom sur les épaules du général Pienaar.

Preston se présenta à la réception de l'hôtel de la rue Van der Walt, laissa ses bagages dans un coin de sa chambre, prit une douche rapide, se rasa, et rejoignit Grey dans le hall à dix heures et demie. Ils se rendirent aussitôt à l'Union Building.

Le siège de la plupart des services gouvernementaux d'Afrique du Sud se trouve dans cet énorme bâtiment de grès ocre, à trois étages, dont la façade de quatre cents mètres de longueur s'orne de quatre portiques à colonnes. Il s'élève au centre de Pretoria sur une hauteur dominant, vers le sud, le vallon que suit la Kerk Straat. L'esplanade devant l'édifice officiel offre un panorama splendide, au-delà du vallonnement, sur les collines brunes du haut veld couronnées par la masse trapue, carrée, du monument des Voortrekkers.

Dennis Grey déclina son identité au bureau de la réception et signala son rendez-vous. Quelques minutes plus tard, un jeune secrétaire parut et les conduisit au bureau du général Pienaar. Le quartier général du chef du N.I.S. se trouve à l'étage supérieur, tout au bout du bâtiment, vers l'ouest. Grey et Preston suivirent d'interminables corridors marron et crème, apparemment la décoration type des bâtiments officiels sud-africains, l'accent demeurant sur les panneaux de bois foncé. Le repaire du général était au fond du dernier couloir du troisième étage, flanqué de deux bureaux : deux secrétaires à droite, deux adjoints à gauche.

Le jeune homme frappa à la dernière porte, attendit l'ordre bourru d'entrer, et fit passer devant lui les deux visiteurs anglais. La pièce était assez sombre, fonctionnelle. Face à la porte, un vaste bureau dont tous les papiers avaient disparu; près des fenêtres donnant sur Kerk Straat et les collines, quatre fauteuils « club » de cuir, autour d'une table basse. Sur les murs, plusieurs cartes sans aucun doute opérationnelles, pudiquement recouvertes de rideaux verts.

Le général Pienaar, grand et lourd, se leva à leur entrée et s'avança vers eux, la main tendue. Grey fit les présentations et le général entraîna les deux Anglais vers les fauteuils. On servit du café, mais la conversation demeura de pure politesse. Comprenant que sa présence n'était pas souhaitée, Grey prit congé et sortit. Le général Pienaar fixa Preston pendant un certain temps.

« Eh bien, monsieur Preston, dit-il dans un anglais presque sans accent, la question de notre diplomate Jan Maartens. Je l'ai déjà dit à Sir Nigel et je vous le répète : il ne travaille pas pour moi ou pour mon gouvernement. En tout cas, pas comme contrôleur d'agents en Angleterre. Vous êtes venu ici découvrir pour qui il travaille en réalité?

– Exactement, mon général. Si je peux. »

Le général Pienaar hocha plusieurs fois la tête.

« J'ai promis à Sir Nigel de vous faire bénéficier de notre totale coopération. Et je tiendrai parole.

– Merci, mon général.

– Je vais vous détacher l'un de mes deux collaborateurs personnels. Il vous aidera en toutes circonstances, vous fournira tous les dossiers que vous désirerez consulter, vous servira d'interprète le cas échéant. Vous parlez afrikaans?

– Non, mon général. Pas un mot.

– Il y aura donc des traductions à faire. »

Il appuya sur un bouton de l'interphone et quelques secondes plus tard la porte s'ouvrit devant un homme de la même taille que le général mais beaucoup plus jeune. Preston lui donna la trentaine. Il avait des cheveux filasse et des sourcils à peine plus foncés.

« Je vous présente le capitaine Andries Viljoen. Andy, M. John Preston de Londres, avec qui vous allez travailler. »

Preston se leva pour échanger une poignée de main. Il sentit de la part du jeune Afrikaner une hostilité à peine voilée, peut-être le reflet des sentiments mieux dissimulés de son supérieur.

« J'ai mis une pièce à votre disposition un peu plus bas dans le couloir, dit le général Pienaar. Eh bien, messieurs, ne perdons pas davantage de temps. Mettez-vous au travail, je vous prie. »

Quand ils furent seuls dans le bureau qui leur était réservé, Viljoen demanda :

« Par quoi préférez-vous commencer, monsieur Preston? »

Preston réprima un soupir. Il était plus à l'aise quand on abandonnait les politesses formelles pour en venir tout de suite aux prénoms, comme à Charles et à Gordon.

« Par le dossier personnel de Jan Maartens, s'il vous plaît, capitaine Viljoen. »

Affichant un sourire de triomphe, le capitaine sortit le dossier d'un tiroir du bureau.

« Bien entendu, nous l'avons déjà étudié, dit-il. Je l'ai retiré moi-même, il y a quelques jours, des archives des Affaires étrangères. »

Il posa devant Preston un gros dossier dans un classeur marron.

« Permettez-moi de vous faire la synthèse de ce que nous avons glané, si cela peut vous aider. Maartens est entré au ministère des Affaires étrangères d'Afrique du Sud au Cap, au printemps 1946. Il est dans l'administration depuis plus de quarante ans et il doit prendre sa retraite en décembre. Il est issu d'un milieu afrikaner parfait et n'a jamais attiré le moindre soupçon. Son comportement à Londres paraît d'autant plus mystérieux. »

Preston hocha la tête. Il n'avait pas besoin que Viljoen lui fasse un dessin. On estimait au N.I.S. que Londres avait commis une erreur. Il ouvrit le dossier. Parmi les premiers documents se trouvaient plusieurs feuillets manuscrits, en anglais.

« Son autobiographie manuscrite, expliqua Viljoen. Tous les candidats aux Affaires étrangères doivent la fournir. A l'époque, l'United Party de Jan Smuts était au pouvoir et l'on utilisait beaucoup plus l'anglais que de nos jours. A présent, ce genre de document serait en afrikaans. Bien entendu, les candidats doivent parler et écrire impeccablement les deux langues.

– Je suppose que nous avons intérêt à commencer par ce texte. Pendant que je le lis, pourriez-vous établir, je vous prie, un résumé de sa carrière par la suite? En précisant surtout ses postes à l'étranger : où, quand, combien de temps?

– Très bien, acquiesça Viljoen. S'il a été pourri, s'il a été retourné, cela s'est probablement produit au-dehors. »

La répétition du « si » indiquait bien que Viljoen conservait tous ses doutes, et le ton sur lequel il prononça le mot « au-dehors » soulignait l'effet corrosif que pouvaient avoir les étrangers sur de bons Afrikaners. Preston se mit à lire.

Je suis né en août 1925 dans la petite ville agricole de Duiwelskloof dans le Nord-Transvaal, fils unique d'un agriculteur de la vallée de la Mootseki, non loin de la ville. Mon père Laurens Maartens était un pur Afrikaner mais ma mère Mary était anglo. Les mariages de ce genre restaient exceptionnels en ce temps-là. Cela explique que je parle couramment l'anglais et l'afrikaans.

Mon père était beaucoup plus âgé que ma mère mais celle-ci, de constitution fragile, mourut quand j'avais dix ans, au cours d'une des épidémies de typhoïde qui décimaient encore la région à l'époque. Mon père avait quarante-six ans à ma naissance, et ma mère seulement vingt-cinq ans. Il cultivait surtout des pommes de terre et du tabac, et nous avions aussi quelques poulets, des oies, des dindons, des vaches, des moutons et un peu de blé. Toute sa vie durant, mon père avait soutenu l'United Party, et il m'a donné le même prénom que le maréchal Jan Smuts.

Preston s'interrompit.

« Je suppose que ce genre de détail ne pouvait pas nuire à sa candidature, lança-t-il.

– Aucunement, répondit Viljoen en regardant le passage. L'United Party était encore au pouvoir à ce moment-là. Les Nationaux n'ont gouverné le pays qu'à partir de 1948. »

Preston continua sa lecture.

A l'âge de sept ans, je suis allé à l'Ecole Paysanne locale de Duiwelskloof, et à douze ans j'ai continué mes études au lycée Merensky, fondé cinq ans plus tôt. Quand les hostilités ont éclaté en 1939, mon père, admirateur sincère de l'Angleterre et de l'Empire, s'est mis à écouter sur son appareil de T.S.F. les bulletins d'information sur la guerre, le soir après le travail, sous le *stoep*. Après la mort de ma mère, nous sommes devenus plus proches l'un de l'autre, et j'ai commencé à avoir envie de participer à la guerre.

Deux jours après mon dix-huitième anniversaire, en

août 1943, j'ai fait mes adieux à mon père, j'ai pris le train à Pietersburg, puis la ligne du sud jusqu'à Pretoria. Mon père m'a accompagné à Pietersburg, et la dernière image que je garde de lui est sa silhouette sur le quai, son bras qui s'agitait tandis que je partais pour le front. Le lendemain, je suis allé au quartier général de la Défense, à Pretoria, on m'a fait prêter serment et signer mon engagement puis on m'a envoyé au camp de Roberts Heights faire mes classes : marche au pas, ordre serré, champ de tir. Je me suis porté volontaire pour l'insigne rouge.

« Qu'est-ce que l' « insigne rouge »? »

Viljoen leva les yeux de sa feuille.

« A l'époque, seuls des volontaires pouvaient être envoyés au combat hors des frontières d'Afrique du Sud, répondit-il. On ne pouvait contraindre personne. Ceux qui se portaient volontaires pour la guerre à l'étranger recevaient un insigne rouge. »

De Roberts Heights, j'ai été muté au régiment Witwatersrand Rifles amalgamé au De la Rey après les pertes de Tobrouk pour former le Wits-De la Rey. On nous a envoyés par train dans un camp de transit à Haypaddock, près de Pietermaritzburg, et on nous a rattachés, en renforts, à la Sixième Division Sud-Africaine, qui attendait un transport à destination d'Italie. Enfin, à Durban, on nous a embarqués sur le *Duchesse of Richmond*, nous avons franchi le canal de Suez et nous avons débarqué fin juin à Tarente.

Au cours du printemps, nous avons remonté vers Rome, et c'est avec la Sixième Division, composée de la 12e brigade motorisée et de la 11e brigade blindée que le Wits-De la Rey est entré dans Rome et a lancé l'attaque de Florence. Le 13 juillet, je me trouvais au nord de Monte Benichi, dans les collines du Chianti, avec une patrouille d'éclaireurs de la compagnie C. Le terrain était très boisé et à la tombée de la nuit j'ai perdu le contact avec le reste de la patrouille. Quelques minutes plus tard des soldats allemands de la Division Hermann Goering m'entouraient. J'étais « fait comme un rat ».

J'ai eu la chance de ne pas perdre la vie, mais on m'a emmené en camion avec plusieurs autres prisonniers alliés jusqu'à une « cage », un camp provisoire établi dans le village de La Tarina, au nord de Florence. Le sous-officier sud-africain de grade le plus élevé était, je me souviens, l'adjudant Snyman. Cela ne dura pas longtemps. Dès que les Alliés prirent Florence, on nous évacua soudain en pleine nuit. C'était le chaos. Certains prisonniers tentèrent de s'évader, on les abattit. Leurs cadavres restèrent au milieu de la route et les camions passèrent dessus. On nous transféra des camions dans des wagons à bestiaux, et le convoi roula vers le nord pendant des jours, à travers les Alpes. Nous nous sommes enfin retrouvés dans un camp de prisonniers à Moosberg, quarante kilomètres au nord de Munich.

Cela ne dura pas longtemps non plus. Au bout de quatorze jours seulement, la moitié d'entre nous quittèrent Moosberg à pied. A la gare, on nous enferma de nouveau dans des wagons à bestiaux. Sans presque rien à boire ou à manger, nous avons sillonné l'Allemagne pendant six jours et six nuits. Fin août 1944, on nous a enfin débarqués pour nous conduire dans un autre camp, beaucoup plus grand. C'était, avons-nous découvert, le Stalag 344, à Lamsdorf, près de Breslau, dans ce qui était à l'époque la Silésie allemande. Je crois que le Stalag 344 devait être le pire de tous. Nous étions onze mille prisonniers alliés, avec des rations de famine. Seuls les colis de la Croix-Rouge nous ont maintenus en vie.

Comme j'étais caporal à l'époque, on m'ordonna de me joindre aux groupes de travail. Chaque jour, nous partions en camion travailler dans une raffinerie de pétrole, à trente-cinq kilomètres du camp. Cet hiver-là fut très dur sur les plaines de Silésie. Un jour, la semaine avant Noël, notre camion tomba en panne. Deux prisonniers essayèrent de le réparer pendant que les gardiens allemands montaient la garde. Plusieurs d'entre nous eurent le droit de faire un peu d'exercice à l'arrière du véhicule. Un jeune soldat sud-africain, à côté de moi, fixa la forêt de pins, à une trentaine de mètres de la route, me regarda et haussa les sourcils. Jamais je ne comprendrai pourquoi je l'ai fait, mais l'instant suivant, nous courions tous les deux dans la neige jusqu'aux cuisses, tandis que nos camarades bousculaient les gardiens allemands pour les empêcher de viser. Nous avons gagné l'orée du bois sans être touchés et nous nous sommes enfoncés dans la forêt.

« Vous voulez déjeuner dehors? demanda Viljoen. Nous avons une cantine ici.

– Peut-on se faire monter des sandwichs et du café? dit Preston. Qu'en pensez-vous?

– Bien sûr. Je vais téléphoner. »

Preston reprit sa lecture du récit de Jan Maartens.

Nous avons vite découvert que nous étions tombés, comme on dit, de la marmite dans le feu, sauf que ce n'était pas du feu mais un enfer glacé, où les températures nocturnes descendaient au-dessous de moins trente. Nous avions enveloppé nos pieds dans du papier, à l'intérieur de nos bottes, mais rien, même pas nos grosses capotes, ne pouvait arrêter un tel froid. Au bout de deux jours nous étions affaiblis, et prêts à nous rendre.

La deuxième nuit, alors que nous tentions de dormir dans une grange en ruine, des hommes nous ont tirés de notre torpeur. Nous avons cru qu'il s'agissait de nazis, mais comme je parlais afrikaans je comprenais quelques mots d'allemand, et les voix ne me parurent pas germaniques. Elles étaient polonaises; nous avions été découverts par un groupe de résistants polonais. Ils ont failli nous fusiller, nous prenant pour des déserteurs allemands, mais j'ai crié que nous étions anglais et l'un d'eux a paru comprendre.

La plupart des citadins de Breslau et de Lamsdorf étaient de culture allemande, mais les paysans, semblait-il, étaient tous polonais. Depuis que l'armée russe avançait, ils avaient gagné les bois en grand nombre, pour harceler les Allemands qui battaient en retraite. Il y avait deux sortes de résistants : les communistes et les catholiques. Nous avions eu la chance de tomber aux mains d'un groupe de combat catholique. Ils nous ont gardés avec eux pendant tout le reste de l'hiver glacé, tandis que les canons russes tonnaient vers l'est, de plus en plus proches. En janvier mon camarade a contracté une pneumonie. J'ai essayé de le soigner, mais sans antibiotiques, il est mort. Je l'ai enterré dans la forêt.

Preston grignota son sandwich sans appétit et avala son café. Il ne restait qu'une ou deux pages.

En mars 1945, l'armée russe tomba soudain sur nous. Nous avons entendu, du fond des bois, leurs chars avancer sur les routes, vers l'ouest. Les Polonais préférèrent rester dans la forêt mais je n'en pouvais plus. Ils m'indiquèrent un sentier et un matin, les deux mains sur la tête, je sortis des bois pour me rendre à un groupe de soldats russes.

Au début, ils me prirent pour un Allemand et faillirent me tuer. Mais les Polonais m'avaient recommandé de crier « Angliski », ce que je fis à plusieurs reprises. Ils baissèrent leurs armes et appelèrent un officier. Il ne parlait pas anglais mais après avoir examiné ma plaque d'identité il dit quelques mots à ses soldats, qui sourirent jusqu'aux oreilles. J'espérais qu'ils me rapatrieraient au plus vite, mais je me trompais. Ils me remirent aux mains du N.K.V.D.

Pendant cinq mois, dans toute une série de cellules humides et glacées, toujours en détention solitaire, j'ai subi le plus brutal des traitements : interrogatoires du troisième degré incessants pour essayer de me faire avouer que j'étais un espion. J'ai résisté. On m'a renvoyé nu dans ma cellule. A la fin du printemps (la guerre s'achevait en Europe, mais je l'ignorais) ma santé s'est détériorée. On m'a donné une paillasse pour dormir et davantage de nourriture – d'ailleurs immangeable selon nos normes sud-africaines.

Ensuite, des ordres ont dû arriver d'en haut. En août 1945, on m'a jeté plus mort que vif dans un camion, j'ai parcouru des centaines de kilomètres, jusqu'à Potsdam où l'on m'a enfin remis à l'armée britannique. Les Anglais se sont montrés plus aimables que je ne saurais le dire. Après un séjour dans un hôpital militaire des environs de Bielefeld, on m'a renvoyé en Angleterre. J'ai passé trois mois entiers à l'hôpital militaire de Killearn, au nord de Glasgow, puis, en décembre 1945, je me suis embarqué à Southampton sur l'*Ile-de-France*, à destination du Cap, où je suis arrivé cette année, fin janvier.

C'est au Cap que j'ai appris la mort de mon cher père, le seul parent qui me restait au monde. Le désespoir a provoqué une rechute et je suis entré à l'hôpital militaire Wynberg, ici au Cap, où je suis resté deux mois de plus.

Je suis maintenant démobilisé, j'ai entièrement recouvré ma santé et je serais heureux d'obtenir un poste au sein du ministère des Affaires étrangères d'Afrique du Sud.

Preston referma le dossier et Viljoen leva les yeux.

« Ensuite, dit le Sud-Africain, sa carrière s'est déroulée de façon normale, irréprochable quoique sans lustre, jusqu'au rang de premier secrétaire. Il a occupé huit postes à l'étranger, toujours dans des pays nettement pro-occidentaux. Cela fait beaucoup, mais il est resté célibataire et cela facilite la vie dans la carrière diplomatique, sauf au niveau d'ambassadeur, bien entendu, où l'épouse joue un rôle. Vous croyez encore qu'il a été pourri à un moment ou un autre? »

Preston haussa les épaules. Viljoen se pencha au-dessus du bureau pour poser l'index sur le dossier.

« Vous avez vu ce que ces salauds de Russes lui ont fait? Je crois que vous vous trompez complètement, monsieur Preston. Il aime les glaces et il a composé un mauvais numéro. Et après? Simple coïncidence.

– Peut-être... Ce récit de sa vie... Il y a quelque chose de bizarre... »

Le capitaine Viljoen secoua la tête.

« Nous avons réclamé ce dossier dès que Sir Nigel Irvine a pris contact avec le général. Nous l'avons passé au peigne fin. Il est absolument exact. Noms, dates, lieux, camps militaires, unités, campagnes... jusqu'au moindre détail. Même les cultures que l'on faisait dans la vallée de la Mootseki avant la guerre. Le ministère de l'Agriculture nous l'a confirmé. Maintenant, on y cultive des tomates et des avocats, mais à l'époque c'était bien pommes de terre et tabac. Personne ne peut avoir inventé cette histoire. Non... si vraiment il est passé de l'autre côté, ce dont je doute, c'est arrivé à l'étranger. »

Preston avait l'air sombre. Derrière les fenêtres, le crépuscule tombait.

« Mais je suis ici pour vous aider, lui dit Viljoen. Par où voulez-vous commencer, maintenant?

– Par le commencement, si c'est possible. Ce village de Duiwelskloof? Est-ce loin?

– Quatre heures de route. Vous voulez y aller?

– Oui. Pourrions-nous partir tôt? Disons à six heures demain matin?

– Je prendrai une voiture au garage et je serai devant votre hôtel à six heures », répondit le capitaine.

Cela faisait une longue trotte sur la route du nord, qui remonte jusqu'au Zimbabwe, mais l'autoroute est moderne et Viljoen avait pris au garage une Chevair banalisée, la voiture de prédilection des agents du N.I.S. Elle avala les kilomètres jusqu'à Nylstroom et Potgietersrus, puis Pietersburg qu'ils atteignirent en trois heures. La promenade fut pour Preston l'occasion de découvrir les grands horizons sans limite de l'Afrique, qui marquent tellement le visiteur européen, habitué à des dimensions plus restreintes.

A Pietersburg, ils prirent à l'est et roulèrent près de quatre-vingts kilomètres sur le moyen veld entièrement plat – encore des horizons sans fin sous une voûte céleste d'un bleu pervenche. Ils parvinrent enfin à la rupture de terrain qui porte le nom de Buffelberg, où le moyen veld tombe dans la vallée de la Mootseki. Dès qu'ils se mirent à descendre la route en lacets, Preston eut le souffle coupé.

En contrebas s'étendait une vallée riche et luxuriante, parsemée de plus de mille cases africaines en forme de ruche – les *rondavels* – entourées de *kraals*, de hangars à bestiaux et de petits carrés de maïs. Certaines cases étaient perchées sur la pente abrupte du Buffelberg mais la plupart s'égaillaient au fond de la vallée. De très loin, Preston aperçut des jeunes Africains qui gardaient de petits troupeaux de zébus, et plusieurs femmes courbées sur leurs jardins.

Enfin, se dit-il, l'Afrique africaine! Rien ne semblait avoir changé depuis que les *impis* de Mzilikazi, le fondateur de la nation matabélé, avaient migré vers le nord pour échapper à la colère du Zoulou Chaka, traversé le Limpopo et fondé le royaume du peuple aux longs boucliers. La route se tortillait sur le flanc de la falaise. De l'autre côté de la vallée, une autre chaîne de montagnes, et au centre une faille profonde qu'empruntait la route : le « trou », le Trou du Diable, le Duiwelskloof.

Dix minutes plus tard, les deux voyageurs y entraient. Ils passèrent lentement devant l'école primaire toute neuve puis descendirent l'avenue Botha, principale artère de la bourgade.

« Où voulez-vous aller? demanda Viljoen.

– Quand le vieux Maartens est mort, il a dû laisser un testament, fit observer Preston. Ce testament a été exécuté, ce qui implique un homme de loi. Pouvons-nous découvrir s'il existe un cabinet juridique à Duiwelskloof et s'il est ouvert le samedi matin? »

Viljoen s'arrêta devant le garage Kirstens et montra à Preston l'hôtel Imp, sur le trottoir d'en face.

« Allez prendre un café et commandez-en un pour moi. Je vais faire le plein et poser des questions. »

Il rejoignit Preston au bar de l'hôtel cinq minutes plus tard.

« Il n'y a qu'un seul cabinet juridique, dit-il en avalant son café. Un Anglo. Du nom de Benson. De l'autre côté de la rue, à deux portes du garage. Et il sera probablement à son bureau ce matin. Allons-y. »

M. Benson était là. Viljoen montra à sa secrétaire une carte sous plastique qui eut un effet immédiat. Elle parla en afrikaans dans un interphone, puis fit passer les deux hommes sans plus attendre dans le bureau de M. Benson, petit homme rubicond au sourire amical, vêtu d'un complet marron clair. Il les salua en afrikaans, Viljoen répondit dans son anglais à l'accent très prononcé.

« Je vous présente monsieur Preston, qui arrive de Londres, en Angleterre. Il désire vous poser quelques questions. »

M. Benson les invita à s'asseoir et se réinstalla derrière son bureau.

« Je vous en prie, dit-il. Tout ce qui est en mon pouvoir...

– Pouvez-vous m'indiquer votre âge? » demanda Preston.

Benson le fixa d'un œil stupéfait.

« Vous avez fait tout le chemin de Londres pour me demander mon âge?... J'ai cinquante-trois ans.

– En 1946, vous aviez donc douze ans?

– Oui.

– Pouvez-vous me dire qui exerçait votre profession à Duiwelskloof à l'époque?

– Bien sûr. Mon père. Cedric Benson.

– Est-il vivant?

– Oui. Quatre-vingts ans passés. Il m'a cédé le cabinet il y a quinze ans. Mais il a encore bon pied bon œil.

– Serait-il possible de lui parler? »

Pour toute réponse, M. Benson se pencha sur le téléphone et composa un numéro. Son père dut décrocher, car le fils expliqua que deux visiteurs, dont un venu de Londres, aimeraient lui parler. Il raccrocha aussitôt.

« Il habite à une dizaine de kilomètres mais il continue de conduire – c'est la terreur de tous les autres usagers de la route. Il m'a dit qu'il arrivait tout de suite.

– En attendant, demanda Preston, pourriez-vous consulter vos archives de l'année 1946 et me dire si vous avez... ou plutôt si votre père a exécuté le testament d'un agriculteur de l'endroit, un certain Laurens Maartens décédé en janvier de cette année-là.

– Je vais voir, dit Benson le jeune. Bien entendu, ce M. Maartens a pu se rendre à un cabinet de Pietersburg. Quoique à l'époque, les gens des campagnes avaient tendance à rester dans le bourg. »

Il sortit du bureau. La secrétaire servit des cafés. Dix minutes plus tard, on entendit des voix à la réception. Les deux Benson entrèrent en même temps; le fils tenait à la main une boîte en carton couverte de poussière. Le vieillard avait une crinière de cheveux blancs et paraissait aussi alerte qu'un jeune springbok. Après les présentations, Preston expliqua son problème.

Sans un mot, Benson l'aîné s'installa dans le fauteuil derrière le bureau, forçant son fils à aller en chercher un autre. Il posa ses lunettes sur le bout de son nez et fixa les visiteurs par-dessus les montures.

« Je me souviens de Laurens Maartens, dit-il. Oui,

nous nous sommes occupés de son testament à sa mort. Je l'ai fait moi-même. »

Le fils lui tendit un document poussiéreux et fané, attaché avec un ruban rose. Le vieil homme souffla sur la poussière, dénoua le ruban et étala l'acte officiel. Il se mit à lire en silence.

« Ah! oui. Tout me revient à présent. Il était veuf. Il vivait seul. Il avait un fils unique, Jan. Une tragédie. Le jeune homme venait juste de rentrer de la seconde guerre mondiale. Laurens Maartens est mort en se rendant au Cap pour le voir. Tragique.

– Pouvez-vous me préciser les legs? demanda Preston.

– Tout au fils, dit Benson simplement. Les terres, la maison, le cheptel, le mobilier. Et quelques petits legs classiques en argent à ses ouvriers agricoles indigènes, son contremaître, ce genre de chose...

– Pas de legs personnels, d'objets ayant un caractère sentimental? insista Preston.

– Hm... Il y a quelque chose, ici. « Et à mon vieil et bon ami Joop Van Rensburg, mon échiquier d'ivoire en souvenir des nombreuses soirées de bonheur que nous avons passées à jouer ensemble, à la ferme. » C'est tout.

– Le fils était revenu en Afrique du Sud quand le père est mort? demanda Preston.

– Sans doute, puisque le vieux Laurens était parti le voir. Un long voyage, à l'époque. Pas d'avions, n'est-ce pas? On prenait le train.

– Vous vous êtes occupé de la vente de la ferme et des autres biens, monsieur Benson?

– Un commissaire priseur a organisé la vente aux enchères, sur les lieux. Ce sont les Van Zyl qui ont acheté. En bloc. Toutes les terres appartiennent à Bertie Van Zyl à présent. Mais j'étais présent en tant qu'exécuteur testamentaire.

– Existe-t-il des objets personnels, des souvenirs, qui n'ont pas été vendus? » demanda Preston.

Le vieil homme plissa le front.

« Pas grand-chose. Tout est parti. Oh!... Je me souviens d'un album de photos. Sans valeur commerciale. Je crois que je l'ai donné à M. Van Rensburg.

– Qui était-ce?

– L'instituteur, coupa le fils. Il m'a fait la classe jusqu'à ce que j'entre au lycée Merensky. Il a enseigné à l'ancienne Ecole Paysanne jusqu'à la construction de l'école primaire. Il a pris sa retraite ici, à Duiwelskloof.

– Est-il encore en vie?

– Non. Il est mort depuis dix ans, répondit Benson l'aîné. J'ai assisté aux obsèques.

– Mais il avait une fille, lança son fils. Cissy. Elle était au lycée avec moi. Elle a donc le même âge.

– Vous savez ce qu'elle est devenue?

– Bien sûr. Elle s'est mariée, il y a bien longtemps. Au propriétaire d'une scierie, sur la route de Tzaneen.

– Une dernière question, demanda Preston à Benson l'aîné. Pourquoi avez-vous vendu la propriété? Le fils n'en voulait pas?

– Apparemment, répondit le vieillard. Il se trouvait à l'hôpital militaire Wynberg à l'époque. Il m'a fait parvenir un télégramme. Les autorités militaires m'ont confirmé son adresse et se sont portées garantes de son identité. Le télégramme me demandait de réaliser la succession et de lui envoyer l'argent.

– Il n'est pas venu aux obsèques?

– Pas le temps. Janvier est le mois le plus chaud de notre été austral. A l'époque, il n'existait pas de morgue. Il fallait enterrer les morts sans délai. En fait, je crois qu'il n'est jamais revenu. C'est bien normal. Son père n'étant plus là, pourquoi se serait-il déplacé?

– Où Laurens Maartens est-il enterré?

– Dans le cimetière de la colline, répondit le vieil homme. Est-ce tout? Je vais rentrer déjeuner. »

A Duiwelskloof, le climat change de façon spectaculaire selon que l'on se trouve à l'est ou à l'ouest des montagnes. A l'ouest de la chaîne, dans la vallée de la Mootseki, les précipitations sont de l'ordre de mille millimètres par an. A l'est de la chaîne, les gros nuages venus de l'océan Indien traversent le Mozambique et le parc Krüger, puis se heurtent aux montagnes, dont les versants orientaux reçoivent annuellement jusqu'à quatre mètres de pluie. Ce sont les forêts de gommiers bleus qui constituent la principale richesse de ces pentes. A dix kilomètres de Duiwelskloof, sur la route de Tzaneen, Viljoen et Preston trouvèrent la scierie de M. du Plessis. Ce fut son épouse, la fille de l'instituteur, qui ouvrit la porte – la cinquantaine, toute ronde avec des joues de pomme mûre, en tablier de cuisine et les mains couvertes de farine.

Elle écouta attentivement leurs questions puis secoua la tête.

« Je me souviens d'être souvent allée à la ferme quand j'étais fillette. Oui, mon père jouait aux échecs avec Maartens, dit-elle. Ce devait être en 1944 et 1945. Je me rappelle l'échiquier d'ivoire mais non l'album de photos.

– Au décès de votre père, n'avez-vous pas hérité de ses affaires? demanda Preston.

– Non, répondit Mme du Plessis. Voyez-vous, mon père est resté veuf à la mort de ma mère en 1955. Je me suis occupée de lui jusqu'à mon mariage en 1958... J'avais vingt-trois ans. Quand il est resté seul, il s'est très mal débrouillé. Sa maison était toujours en désordre. J'ai continué d'aller lui faire la cuisine et le ménage, puis les enfants sont venus, et j'ai eu trop de travail. »

Elle s'essuya les mains et baissa la tête un instant.

« Et puis, en 1960, ma tante, la sœur de mon père, s'est trouvée veuve à son tour. Elle habitait Pietersburg. Elle est venue vivre avec mon père et s'occuper de lui. C'était bien normal. Quand il est mort... Je lui avais demandé depuis longtemps de tout léguer à sa sœur – la maison, les meubles et le reste.

– Qu'est-il arrivé à votre tante? demanda Preston.

– Oh! elle vit toujours là-bas. C'est une modeste villa, derrière l'hôtel Imp, à Duiwelskloof. »

Elle accepta d'accompagner les deux hommes. Sa tante, Mme Winter, était chez elle, petite dame au regard pétillant, vive comme un moineau, dont les cheveux blancs avaient des reflets bleutés. Dès qu'elle sut de quoi il retournait, elle alla chercher dans un buffet une boîte plate.

« Le pauvre Joop adorait jouer sur cet échiquier, dit-elle. Il est en ivoire. C'est cela que vous désirez?

– En fait, c'est plutôt l'album de photographies », dit Preston.

La vieille dame parut surprise.

« Il y a bien une caisse de vieilleries au grenier, dit-elle. Des choses que j'ai montées là-haut à sa mort. Des papiers et des bricoles du temps où il faisait la classe. »

Andries Viljoen alla au grenier et redescendit la caisse. Sous les rapports scolaires jaunis se trouvait l'album de famille des Maartens. Preston le feuilleta lentement. Tout était là : la jolie mariée aux épaules frêles de 1920; la mère au sourire timide de 1930; le gamin qui fronçait les sourcils, à califourchon sur son premier poney; le père, la pipe vissée à la bouche, qui essayait de ne pas paraître trop fier de son fils, debout à ses côtés, avec les lapins du tableau de chasse étalés à ses pieds. Enfin une photo sépia d'un jeune homme en tenue de cricket, bel adolescent de dix-sept ans en train de courir vers la ligne pour lancer la balle. La légende disait : « Janni, capitaine de l'équipe de cricket du lycée Merensky, 1943. » C'était le dernier cliché de l'album.

« Puis-je garder celle-ci? dit Preston.

– Bien entendu.

– Est-ce que votre frère vous parlait de M. Maartens?

– Parfois, dit-elle. Ils étaient restés très bons amis pendant de nombreuses années.

– Vous a-t-il raconté de quoi il est mort? »

Elle fronça les sourcils.

« On ne vous l'a pas dit au cabinet des Benson? Ah! Le vieux Cedric doit perdre sa jugeote. Un accident de la circulation avec délit de fuite, m'a raconté Joop. Laurens Maartens s'était arrêté, semble-t-il, pour changer une roue dégonflée et un camion l'a renversé en passant. Au début, on avait cru que c'étaient des négros... Oh! pardon!... »

Elle porta la main à sa bouche et lança à Viljoen un regard gêné.

« Il ne faut plus que je les appelle ainsi. Bref, de toute façon, on n'a jamais découvert qui était au volant du camion. »

En revenant sur la route nationale, ils passèrent devant le cimetière. Preston demanda à Viljoen de s'arrêter. C'était un endroit agréable et calme, dominant la ville, bordé de pins et de sapins, enclos par une haie de poinsettias avec en son centre un vieil arbre mwataba au tronc crevassé. Dans un angle, ils trouvèrent une pierre recouverte de mousse. Preston se baissa pour gratter la mousse et lut, gravé dans le granit : « Laurens Maartens, 1879-1946. Epoux aimé de Mary et père de Jan. Toujours avec Dieu. *Requiescat In Pace.* »

Preston se dirigea vers la haie, cueillit un rameau de poinsettias flamboyants et le posa près de la pierre tombale. Viljoen lui lança un regard curieux.

« Direction Pretoria, je pense », dit Preston.

Comme ils remontaient les pentes du Buffelberg, Preston se retourna pour jeter un dernier regard à la vallée de la Mootseki. Des nuages d'orage gris-noir s'étaient amoncelés au-dessus du Trou du Diable. Sous ses yeux ils se rapprochèrent, effaçant soudain la petite ville et son secret macabre, connu uniquement d'un Anglais entre deux âges, dans une voiture qui s'éloignait... Il se laissa aller contre l'appui-tête et s'endormit.

Ce soir-là, le major Pavlov escorta Harold Philby de l'appartement d'invité au salon du secrétaire général, où celui-ci l'attendait. Philby posa plusieurs documents devant le vieux leader de l'Union soviétique, qui les lut puis les reposa.

« Il n'y a pas beaucoup de personnes impliquées, dit-il.

– Permettez-moi de souligner deux points importants, camarade secrétaire général. Tout d'abord, en raison du caractère extrêmement confidentiel du plan Aurore j'ai jugé préférable de limiter le nombre des participants au strict minimum. Chacun ne saura que l'indispensable pour accomplir sa mission, et donc pour ainsi dire *personne* ne comprendra nos intentions réelles. »

Le secrétaire général hocha lentement la tête.

« En second lieu et inversement, comme nous devons agir dans un délai extrêmement réduit il faudra prendre des raccourcis. Les semaines et les mois de préparation que nécessite en principe une « mesure active » importante devront être télescopés en quelques jours.

– Expliquez-moi pourquoi vous avez besoin de ces hommes?

– La clef de toute l'opération, continua Philby, est l'agent d'exécution, l'homme qui s'infiltrera en Grande-Bretagne, y vivra plusieurs semaines comme un Anglais, et mènera le plan Aurore à bon terme.

« Douze courriers, ou mules, lui fourniront ce dont il a besoin. Il faudra qu'ils passent les objets en contrebande, soit à un poste de douane, soit à un endroit non contrôlé. Aucun d'eux ne saura ce qu'il transporte, ni à quelle fin. Ils auront mémorisé un rendez-vous et un « point de chute », rendez-vous de secours au cas où le premier contact ne pourrait pas être assuré. Ils remettront leur paquet à l'agent d'exécution, puis retourneront dans notre territoire où ils seront placés immédiatement en quarantaine totale. L'agent d'exécution et l'un d'entre eux ne reviendront jamais. Mais aucun de ces hommes ne le saura.

« Les courriers seront placés sous les ordres de l'agent d'expédition, qui aura la responsabilité d'assurer la livraison des envois à l'agent d'exécution en Angleterre. Il sera assisté par un agent d'approvisionnement chargé de procurer les paquets à livrer. Cet homme aura quatre subordonnés, chacun dans une spécialité différente.

« L'un fournira les documents d'identité des courriers et leurs moyens de transport; un autre s'occupera de réunir la technologie sophistiquée; le troisième fournira les éléments usinés; le quatrième assurera les liaisons. Il est capital que l'agent d'exécution puisse nous tenir au courant de sa situation, de ses progrès, de ses problèmes et surtout du moment où il deviendra opérationnel; nous devons en outre être en mesure de l'informer de tout changement de plan, et bien entendu de lui donner l'ordre d'exécution.

« Au sujet des liaisons, je voudrais ajouter un mot. A cause du facteur temps, il ne sera pas possible de procéder par les voies normales : lettres et rencontres personnelles. Nous pourrons communiquer avec l'agent d'exécution par signaux morse codés, sur la longueur d'onde normale de Radio Moscou, en utilisant des grilles à usage unique. Mais pour qu'il puisse nous atteindre d'urgence, il aura besoin de disposer d'un émetteur clandestin quelque part en Angleterre. C'est démodé et dangereux, on ne prévoit de les utiliser qu'en cas de guerre. Mais il n'y a pas d'autre solution. Je l'ai précisé clairement. »

Le secrétaire général étudia de nouveau les documents, et nota les agents nécessaires à l'exécution du plan.

« Vous aurez vos hommes. Je les ferai sélectionner un par un, chacun sera le meilleur de sa spécialité, et sera détaché pour cette mission. »

Il leva les yeux.

« Un dernier point, ajouta-t-il. Je tiens à ce qu'aucune personne participant à Aurore ne prenne le moindre contact avec les hommes du K.G.B. de notre Rezidentura à l'ambassade de Londres. On ne sait jamais qui est sous surveillance ou... »

Quelle que fût son autre crainte, il ne la formula pas.

« Ce sera tout », dit-il.

9

Preston et Viljoen, à la requête de l'Anglais, se retrouvèrent le lendemain matin dans leur bureau du troisième étage de l'Union Building. Comme c'était dimanche, ils avaient l'immense édifice pour eux seuls, ou presque.

« Et maintenant? demanda le capitaine Viljoen.

– J'ai passé la nuit dernière à retourner tous les éléments dans ma tête, dit Preston, et il y a quelque chose qui ne colle pas.

– Vous avez dormi pendant tout le chemin du retour, grogna Viljoen. J'étais obligé de conduire.

– Oh! mais vous êtes en bien meilleure forme que moi. »

La remarque plut à Viljoen, fier de sa carrure athlétique, qu'il entretenait par des exercices réguliers. Il se fit plus aimable.

« J'aimerais trouver la trace de l'autre soldat, dit Preston.

– Quel autre soldat?

– Celui avec qui Maartens s'est évadé. Il n'a jamais cité son nom. Uniquement « l'autre soldat » ou « mon camarade ». Pourquoi n'a-t-il pas donné son nom? »

Viljoen haussa les épaules.

« Il ne l'a pas jugé néccssaire. Il a dû l'indiquer aux

autorités, à l'hôpital Wynberg, pour qu'on le signale à son plus proche parent.

– C'était verbal, remarqua Preston. Les officiers à qui il a parlé ont dû se disperser très vite dans la vie civile. Seul le rapport écrit demeure, et il ne comporte aucun nom. Je veux retrouver la trace du deuxième soldat.

– Mais il est mort, protesta Viljoen. Il a été enterré dans une forêt de Pologne, il y a quarante-deux ans.

– Je veux découvrir qui il était.

– Mais par où commencer?

– Maartens a écrit que seuls les colis de vivres de la Croix-Rouge les avaient maintenus en vie dans ce camp, dit Preston comme s'il réfléchissait à haute voix. Il a écrit aussi qu'ils se sont évadés juste avant Noël. Leur évasion a dû mettre les Allemands en fureur. Souvent dans ces cas-là, tout le baraquement était puni – perte des privilèges, notamment les colis de vivres. Toute personne détenue dans ce baraquement se souviendra sans doute de ce Noël jusqu'à la fin de ses jours. Pouvons-nous trouver un ancien prisonnier de ce baraquement? »

Il n'existe pas d'association d'anciens prisonniers de guerre en Afrique du Sud, mais une fraternité d'anciens combattants, limitée aux hommes ayant participé aux combats. Elle se nomme l'Ordre des Casques de Fer et ses membres portent le nom de « Papillons », *Moths*, d'après les initiales anglaises de l'organisation. Les salles de réunion à l'échelon local s'appellent des « trous d'obus » et l'officier qui les dirige porte le titre de « Vieux Taureau ». Preston et Viljoen prirent chacun un téléphone et se mirent à appeler l'un après l'autre tous les trous d'obus d'Afrique du Sud, à la recherche d'un ancien détenu du Stalag 344.

Ce fut un travail de Romain. La plupart des onze mille prisonniers alliés de ce camp venaient de Grande-Bretagne, du Canada, d'Australie, de Nouvelle-Zélande ou d'Amérique. Les Sud-Africains ne comptaient que pour une minorité.

En outre, le temps avait passé et un grand nombre d'entre eux étaient morts. Certains Papillons faisaient leur partie de golf, d'autres étaient sortis. Ils obtinrent des réponses négatives et toute une série de suggestions bien intentionnées, qui aboutirent à des impasses. Ils s'interrompirent au coucher du soleil et recommencèrent le lendemain matin. Viljoen eut enfin une piste, juste avant midi : un boucher à la retraite du Cap. Viljoen, qui parlait avec lui en afrikaans, posa la main sur l'appareil.

« Le type dit qu'il était au Stalag 344. »

Preston prit la communication.

« Monsieur Anderson?... Oui, je m'appelle Preston. J'effectue des recherches sur le Stalag 344... Merci, très aimable... Oui, je crois que vous étiez là-bas. Vous souvenez-vous de Noël 1944? Deux jeunes soldats sud-africains s'étaient évadés d'un groupe de travail à l'extérieur du camp... Ah! vous vous en souvenez. Oui, je suis sûr que cela a dû être affreux... Vous vous rappelez leurs noms? Ah! pas dans leur baraquement? Non, bien sûr. Et vous ne vous souvenez pas du nom du sous-officier sud-africain du plus haut grade?... Bien, l'adjudant Roberts. Son prénom?... Essayez de vous souvenir. Quoi? Wally? Vous en êtes certain?... Merci beaucoup. »

Preston raccrocha.

« L'adjudant Wally Roberts. Probablement Walter Roberts. Pouvons-nous aller aux Archives militaires? »

Les Archives militaires d'Afrique du Sud se trouvent pour Dieu sait quelle raison, dans les sous-sols du ministère de l'Education, au numéro 20 de la rue Visagie, à Pretoria. Il y avait plus de cent Roberts, dont dix-neuf avec l'initiale W et sept prénommés Walter. Aucun ne correspondait. Ils étudièrent les autres W. Roberts. Sans succès. Preston commença par les dossiers A. Roberts et trouva ce qu'il cherchait une heure plus tard. James Walter Roberts avait été adjudant pendant la seconde guerre mondiale, fait prisonnier à Tobrouk et traîné de camp en camp en Afrique du Nord, en Italie et enfin dans l'Est de l'Allemagne.

Il était resté dans l'armée après la guerre, était parvenu au grade de colonel et avait pris sa retraite en 1972.

« Faites une prière pour qu'il soit encore en vie, dit Viljoen.

– S'il l'est, il doit toucher une retraite, répondit Preston. Les services des pensions l'ont donc dans leurs fichiers. »

Ils l'avaient. Le colonel Wally Roberts, à la retraite, passait l'automne de sa vie à Orangeville, petite bourgade nichée dans un décor de lacs et de forêts, à soixante kilomètres au sud de Johannesburg. Il faisait déjà sombre dans la rue Visagie quand Viljoen et Preston sortirent. Ils décidèrent de prendre la route le lendemain matin.

Ce fut Mme Roberts qui ouvrit la porte de la jolie villa. Elle examina la carte d'identification du capitaine Viljoen avec un frisson d'émoi.

« Il est descendu près du lac donner à manger aux oiseaux », leur dit-elle en indiquant le sentier.

Ils trouvèrent le vieux soldat en train de distribuer des croûtons de pain à toute une nuée d'oiseaux aquatiques reconnaissants. Il se redressa en les voyant s'avancer, examina la carte de Viljoen puis hocha la tête d'un air de dire : « Allez-y. »

A soixante-dix ans passés, il se tenait très droit. Costume de tweed et chaussures marron astiquées, le trait blanc d'une moustache sur la lèvre supérieure. Il écouta gravement la question de Preston.

« Si je m'en souviens! On m'a traîné devant le commandant allemand, qui a piqué une crise de rage. Tout le baraquement a perdu ses colis de la Croix-

Rouge à cause de cette aventure. De jeunes idiots! Nous avons été évacués vers l'ouest le 22 janvier 1945 et libérés fin avril.

– Vous vous rappelez leurs noms? demanda Preston.

– Certainement. Je n'oublie jamais un nom. Tous les deux étaient jeunes, moins de vingt ans, je dirais. Tous les deux étaient caporaux. L'un se nommait Maartens, l'autre Brandt. Frikki Brandt. Deux Afrikaners. Mais je ne me souviens pas de leurs unités. Nous étions tous tellement emmitouflés. On portait ce qu'on trouvait. On ne voyait presque jamais les insignes des régiments. »

Ils se confondirent en remerciements et retournèrent à Pretoria, pour une nouvelle séance rue Visagie. Malheureusement, Brandt est un nom hollandais très courant, avec sa variante Brand, sans « t » mais se prononçant de façon identique. Il y en avait des centaines.

A la tombée de la nuit, avec l'aide du personnel des archives, ils avaient repéré six caporaux Frederick Brandt, tous décédés. Deux étaient morts au combat en Afrique du Nord, deux en Italie et un dans le naufrage d'une péniche de débarquement. Ils ouvrirent le sixième dossier.

Le capitaine Viljoen fixa avec de grands yeux le classeur ouvert.

« Ce n'est pas possible, dit-il doucement. Qui a pu faire ça?

– Qui sait? répliqua Preston. Mais cela date de longtemps. »

Le dossier était complètement vide.

« J'en suis désolé, dit Viljoen en reconduisant Preston à l'hôtel Burgerspark. Mais j'ai l'impression que c'est la fin de la piste. »

Tard dans la soirée, Preston appela le colonel Roberts depuis sa chambre d'hôtel.

« Désolé de vous déranger de nouveau, colonel.

Vous rappelez-vous si le caporal Brandt avait un ami, un copain plus intime, dans ce baraquement? D'après ma propre expérience de l'armée, presque chaque soldat a un copain.

– Très juste. C'est en général le cas. Je ne m'en souviens pas comme ça, au pied levé. Mais la nuit porte conseil. Si une idée me vient, je vous rappellerai dans la matinée. »

L'aimable colonel rappela Preston à l'heure du petit déjeuner. La voix nette vint en ligne comme s'il faisait un rapport de situation au quartier général en pleine bataille.

« Me souviens de quelque chose, dit-il. Ces baraquements étaient construits pour cent hommes. Mais à la fin, nous étions entassés là-dedans comme des sardines. Plus de deux cents bonshommes par baraquement. Certains dormaient par terre. D'autres partageaient un bat-flanc. Rien d'ambigu, vous savez, nécessité fait loi.

– Je comprends, dit Preston. Et Brandt?

– Partageait un bat-flanc avec un autre caporal. Nommé Levinson. R.D.L.I.

– Je vous demande pardon...

– Royal Durban Light Infantery. Un nommé Levinson. »

Rue Visagie, les choses allèrent plus vite cette fois. Levinson n'était pas un nom si fréquent et ils connaissaient son régiment. Le dossier fut sorti en quinze minutes. Max Levinson était né à Durban. Il avait quitté l'armée à la fin de la guerre, donc ni retraite ni adresse. Mais ils savaient qu'il avait soixante-cinq ans.

Preston essaya l'annuaire de téléphone de Durban pendant que Viljoen demandait à la police de cette même ville de vérifier le nom dans leurs fichiers. Le Sud-Africain obtint très vite un résultat : deux contraventions pour stationnement interdit et une adresse. Max Levinson dirigeait un petit hôtel sur le front de mer. Viljoen téléphona et obtint Mme Levinson. Elle confirma que son mari s'était trouvé au Stalag 344. En ce moment, il était à la pêche.

Preston et Viljoen se croisèrent donc les bras jusqu'au retour de Levinson à la tombée de la nuit, puis Preston lui parla. La voix chaleureuse de l'hôtelier de Durban résonnait dans l'appareil.

« Et comment, je me souviens de Frikki! Ce salopard a piqué un sprint dans les bois. Plus jamais entendu parler de lui. Qu'est-ce que vous voulez savoir?

– D'où venait-il? demanda Preston.

– D'East London, répondit M. Levinson sans hésiter.

– De quel milieu?

– Il n'en parlait guère. Afrikaner, bien entendu. Son afrikaans était impeccable, son anglais mauvais. Classe ouvrière. Oh! je me rappelle : il m'a dit que son père était aiguilleur à la gare de triage, là-bas. »

Preston remercia et se tourna vers Viljoen.

« East London, dit-il. Nous pouvons y aller en voiture? »

Viljoen soupira.

« Je ne le conseillerais pas. Plusieurs centaines de kilomètres. Notre pays est très étendu, vous savez, monsieur Preston. Si vous voulez vraiment y aller, nous prendrons l'avion demain. Une voiture de police et un chauffeur nous attendront à l'aéroport.

– Une voiture banalisée, je vous prie, demanda Preston. Et un chauffeur en bourgeois. »

Bien que le quartier général du K.G.B. soit au « Centre », 2 place Dzerjinsky au cœur de Moscou, et bien que le bâtiment soit immense, il ne saurait contenir ne serait-ce qu'une fraction de l'une des Directions générales, Directions et Départements qui constituent cette colossale organisation. Les quartiers généraux des divers services sont disséminés un peu partout.

La Première Direction générale se trouve à Yasyenevo, sur le boulevard périphérique qui ceinture Moscou, au sud de la capitale. Presque tous ses services sont installés dans un édifice moderne de sept étages, d'aluminium et de verre, en forme d'étoile à trois pointes, rappelant le macaron des Mercedes.

Il a été construit et livré « clefs en mains » par la Finlande, pour héberger le Département international du Comité central. Mais à la fin des travaux, les dirigeants de cet organisme n'en ont pas voulu. Ils l'ont trouvé laid et ils ont préféré rester près du centre de Moscou. On l'a donc donné à la Première D.G. du K.G.B. Il lui convient admirablement : à l'écart de la ville, il demeure à l'abri des regards indiscrets.

Les agents de la Première D.G. sont officiellement « sous couverture » même dans leur propre pays. Comme la plupart iront à l'étranger (ou y sont déjà allés) avec des postes de diplomates, mieux vaut ne pas risquer qu'un touriste curieux armé d'un téléobjectif les voie sortir du K.G.B.

Mais il existe au sein de la Première D.G. une direction si clandestine qu'elle n'est même pas basée avec le reste, à Yasyenevo. Si la Première D.G. est secrète, la Direction « S » – les illégaux – est ultra-secrète. Non seulement ses agents ne rencontrent jamais leurs collègues de la Première D.G., mais ils ne se rencontrent pas entre eux. Leur formation et la préparation de leurs missions s'effectuent sur une base individuelle : l'instructeur et l'élève. Pour éviter de se voir, ils ne se rendent jamais dans aucun bureau.

La raison en est simple dans le cadre de la psychologie soviétique : les Russes sont paranoïaques en matière de secret et de trahison – il n'y a d'ailleurs rien de particulièrement communiste dans cette attitude, qui remonte à l'époque des tsars. Les illégaux, en majorité des hommes, reçoivent un entraînement rigoureux leur permettant d'aller dans des pays étrangers et d'y vivre sous de faux noms, avec de fausses identités.

Mais il arrive que des illégaux se fassent prendre et collaborent avec l'adversaire; d'autres sont passés à l'Ouest et se sont « mis à table ». Donc moins chacun en sait, mieux cela vaut. Premier axiome de l'espionnage : personne ne peut trahir ce qu'il ignore.

Les illégaux sont logés dans des vingtaines de petits appartements du centre de Moscou et se rendent de là à leurs rendez-vous individuels d'entraînement ou de prise d'ordres. Pour rester près de ses hommes, le directeur de « S » conserve son bureau au Centre, place Dzerjinsky. Il se trouve au sixième étage, trois étages au-dessus de celui du directeur Chebrikov et deux étages au-dessus des directeurs adjoints, les généraux Tsinev et Kryoutchkov.

Ce fut dans ce sanctuaire sans prétention de la direction « S » que deux hommes se présentèrent le mercredi 18 mars dans l'après-midi, au moment même où Preston parlait à Max Levinson. Ils remirent un ordre écrit au directeur des illégaux, vieux renard blanchi sous le harnois qui avait passé toute sa vie adulte dans l'espionnage clandestin. Ce qu'il lut ne lui fit pas plaisir.

« Il n'existe qu'un seul homme correspondant à cette description, reconnut-il à contrecœur. Un agent remarquable. »

L'un des deux visiteurs du Comité central lui tendit une petite carte.

« Vous voudrez bien, camarade major général, le détacher de ses fonctions actuelles jusqu'à nouvel ordre et lui ordonner de se présenter à cette adresse. »

Le directeur acquiesça d'un ton lugubre. Il connaissait l'adresse. Après le départ des deux hommes, il vérifia de nouveau leur demande officielle de services. Elle émanait bien du Comité central. De qui exactement? Manifestement de très haut. Il poussa un soupir résigné. C'était dur de perdre ainsi l'un des meilleurs éléments qu'il ait jamais formés, un agent vraiment exceptionnel... Mais il n'était pas question de discuter un ordre comme celui-là. Il était officier, il ne lui appartenait pas de contester les ordres. Il appuya sur un bouton de son interphone :

« Dites au major Valéri Petrofsky de venir me voir. »

Le premier avion de Johannesburg arriva à l'heure à Ben Schoeman, le petit aéroport bleu et blanc, net et propre, qui dessert le port commercial d'East London, quatrième ville d'Afrique du Sud. Le chauffeur de la police les attendait dans le hall. Il les conduisit vers une conduite intérieure Ford ordinaire, dans le parc à voitures.

« Où allons-nous, capitaine? » demanda-t-il.

Viljoen se tourna vers Preston.

« Aux chemins de fer. Plus précisément aux services administratifs. »

Le chauffeur hocha la tête et démarra. La gare moderne d'East London se trouve Fleet Street et les bureaux administratifs occupent un vieil ensemble de bâtiments à un seul étage, plutôt misérables quoique repeints en vert et crème, de l'autre côté de la rue.

A l'intérieur, la carte « sésame ouvre-toi » de Viljoen leur permit de rencontrer très vite le directeur des services financiers. Il écouta la requête de Preston.

« Oui, nous payons des pensions à tous les cheminots retraités demeurant encore dans la région, dit-il. Quel nom désirez-vous?

– Brandt. Nous n'avons pas de prénom, je le crains, mais il était aiguilleur, il y a très longtemps. »

Le directeur appela un de ses adjoints et le petit groupe arpenta de longs couloirs décrépis jusqu'au bureau des Dossiers. L'adjoint fouilla pendant un moment et sortit une fiche.

« Le voilà, dit-il. Le seul que nous ayons. Il a pris sa retraite il y a trois ans. Koos Brandt.

– Quel âge a-t-il? demanda Preston.

– Soixante-trois ans », répondit l'adjoint après avoir jeté un coup d'œil à la fiche.

Preston secoua la tête. Si Frikki Brandt avait le même âge que Jan Maartens et son père une trentaine d'années de plus, ce dernier aurait à présent plus de quatre-vingt-dix ans.

« L'homme que je recherche aurait quatre-vingt-dix ans maintenant », dit-il.

Le directeur et son adjoint se montrèrent catégoriques. Il n'y avait aucun autre Brandt à la retraite.

« Dans ce cas, pouvez-vous me trouver, demanda Preston, les trois retraités les plus âgés qui soient encore en vie et qui touchent leur pension mensuelle?

– Nous n'avons pas de liste par âge, protesta l'adjoint. Notre fichier est alphabétique. »

Viljoen attira le directeur à l'écart et lui dit quelques mots en afrikaans. Ses paroles firent leur effet. Le directeur prit un air grave.

« Mettez-vous au travail, ordonna-t-il à son adjoint. Une fiche après l'autre. Tous les hommes nés avant 1910. Je serai dans mon bureau. »

Cela prit une heure. L'assistant apporta trois fiches.

« Celui-ci a quatre-vingt-dix ans, mais il était contrôleur à la gare des voyageurs. Celui-là, quatre-vingts ans, était balayeur. Le dernier, quatre-vingt-un ans, est un ancien aiguilleur de la gare de triage. »

L'homme se nommait Fourié et demeurait quelque part dans le Quigney.

Dix minutes plus tard, ils traversaient en voiture le vieux quartier du Quigney, construit plus d'un demi-siècle auparavant. Certaines maisons avaient été « retapées », d'autres tombaient en ruine, toutes demeuraient très modestes : l'habitat de la classe ouvrière pauvre, les « petits Blancs ». Ils entendirent du côté de la rue Moore les échos des ateliers des chemins de fer et de la gare de triage, où l'on formait les grands trains qui transportaient le fret depuis les docks d'East London jusque dans la province enclavée du Transvaal, via Pietermaritzburg. La maison qu'ils cherchaient se trouvait à deux pas de la rue Moore.

Une vieille métisse répondit à la porte. Ses cheveux blancs étaient tirés en chignon sur son visage, aussi ridé qu'une pomme cuite. Viljoen lui parla en afrikaans. La vieille tendit le bras vers l'horizon, grogna quelques mots puis referma brusquement la porte. Viljoen raccompagna Preston à la voiture.

« Elle prétend qu'il est allé à l'Institut, lança Viljoen au chauffeur. Vous voyez ce qu'elle veut dire?

– Oui, capitaine. L'ancienne Institution des Chemins de fer. On l'appelle maintenant Turnbull Park. C'est au bout de la rue Paterson. Le foyer des cheminots. »

Il s'agissait d'un vaste bâtiment de plain-pied, au milieu d'un parc à voitures clôturé de murs, donnant sur trois terrains de boules. Ils passèrent devant plusieurs salles de billard et salons de télévision avant d'arriver dans un bar très animé.

« Pépé Fourié? dit le barman. Il doit être en train de regarder les joueurs de boules. »

Ils trouvèrent le vieillard près d'un des terrains, assis au soleil encore chaud de l'automne, une canette de bière à la main. Preston lui posa sa question. Pépé Fourié le regarda longuement avant de hocher la tête.

« Oui, je me souviens de Joe Brandt... Il est mort depuis si longtemps!

– Il avait un fils. Frederick ou Frikki.

– C'est exact. Bon Dieu, jeune homme, ça ne me rajeunit pas. Un brave gosse. Il descendait souvent à la gare de triage, après la classe. Joe le laissait conduire avec lui les locos qui faisaient la navette. C'était une vraie fête pour un gamin, à l'époque.

– Sans doute au milieu des années 30? » demanda Preston.

Le vieillard acquiesça.

« A peu près. Joe et sa famille venaient d'arriver.

– En 1943, le jeune Frikki s'est engagé... », dit Preston.

Pépé Fourié le fixa un moment avec des yeux humides qui essayaient de regarder en arrière, par-delà plus d'un demi-siècle de vie bien remplie.

« C'est exact, dit-il. Le jeune homme n'est jamais revenu. On a dit à Joe qu'il était mort quelque part en Allemagne. Il en a eu le cœur brisé. Il adorait cet enfant, il faisait de grands projets pour lui. Il n'a jamais plus été le même après le télégramme qu'il a reçu à la fin de la guerre. Il est mort en 1950. Sans doute de chagrin, je l'ai toujours pensé. Sa femme l'a suivi presque aussitôt, deux ans après peut-être.

– Vous avez dit : « Joe et sa famille venaient d'arriver », lui rappela Viljoen. De quelle région d'Afrique du Sud venaient-ils? »

Pépé Fourié parut surpris.

« Ils ne venaient pas d'Afrique du Sud.

– Mais c'était une famille afrikaner, insista Viljoen.

– Qui vous a raconté ça?

– L'armée », dit Viljoen.

Le vieillard sourit.

« Je suppose que le jeune Frikki a voulu se faire passer pour Afrikaner dans l'armée, répondit-il. Non, ils arrivaient d'Allemagne. Des immigrants. Vers le milieu des années 30. Jamais Joe n'a parlé l'afrikaans correctement jusqu'au jour de sa mort. Bien entendu, son fils l'a appris à l'école. »

Quand ils retournèrent au parc à voitures, Viljoen se tourna vers Preston.

« Alors?

– Où sont les fichiers des services d'immigration d'Afrique du Sud?

– Au sous-sol de l'Union Building, avec toutes les Archives nationales.

– Les archivistes pourraient-ils effectuer une petite vérification pendant que nous attendons ici? demanda Preston.

– Bien entendu. Allons au commissariat central. Ce sera plus facile de téléphoner de là-bas. »

Le commissariat central, également Fleet Street, est une forteresse de briques jaunes aux fenêtres opaques, d'une hauteur de trois étages, attenante à la salle de manœuvres des Kaffrarian Rifles. Ils transmirent leur requête et allèrent déjeuner à la cantine pendant qu'à Pretoria, un archiviste sautait son repas pour parcourir les dossiers. Heureusement, ils étaient tous sur ordinateur et le numéro du fichier fut facile à découvrir. L'archiviste retira le dossier, dactylographia un résumé et l'envoya par télex.

A East London, Preston et Viljoen reçurent un télex au moment des cafés. Viljoen le traduisit mot à mot.

« Bon Dieu! dit-il quand il eut terminé. Qui aurait cru ça? »

Preston avait l'air pensif. Il se leva et traversa la cantine pour parler à leur chauffeur, installé à une table séparée.

« Il y a une synagogue, à East London?

– Oui, monsieur. Avenue du Parc. A deux minutes d'ici. »

La synagogue peinte en blanc, couronnée d'un dôme noir surmonté de l'étoile de David, était vide en ce jeudi après-midi, à l'exception d'un balayeur métis vêtu d'une vieille capote militaire et d'un bonnet de laine. Il leur donna l'adresse du rabbin Blum, dans le quartier périphérique de Salbourne. Ils frappèrent à sa porte peu après trois heures.

Il ouvrit lui-même. C'était un quinquagénaire robuste, barbu, aux cheveux gris acier. Un seul regard suffit : il était trop jeune. Preston se présenta.

« Pouvez-vous m'indiquer, je vous prie, qui était rabbin avant vous.

– Sans doute. Le rabbin Shapiro.

– Savez-vous s'il est encore en vie et où je pourrais le trouver?

– Entrez donc », répondit Blum.

Il le précéda dans un long couloir et ouvrit la porte du fond. C'était une chambre-salon, dans laquelle un grand vieillard prenait une tasse de thé devant un radiateur à gaz.

« Oncle Salomon... Quelqu'un veut vous parler », dit-il.

Preston quitta la maison une heure plus tard et rejoignit Viljoen qui était resté dans la voiture.

« A l'aéroport, dit Preston au chauffeur; et à Viljoen : Pouvez-vous demander au général Pienaar de nous accorder une entrevue demain matin? »

Cet après-midi-là, deux hommes de plus furent mutés de leurs postes dans les forces armées soviétiques à une « mission spéciale ».

A cent cinquante kilomètres à l'ouest de Moscou, non loin de la route de Minsk et au milieu d'une vaste forêt, se trouve un ensemble d'antennes radio paraboliques, avec les bâtiments des services correspondants. C'est l'une des stations d'écoute de l'U.R.S.S. pour les signaux hertziens venant des unités militaires du Pacte de Varsovie et des pays étrangers. Mais elle est également capable d'écouter les messages que s'adressent d'autres systèmes de communication, très loin des frontières soviétiques. Une section de ce complexe est entièrement isolée du reste et réservée au K.G.B.

L'un des hommes mutés était l'adjudant radio de cette section.

« C'était mon meilleur opérateur, se plaignit le

colonel chef de poste à son adjoint, après le départ des hommes du Comité central. Bon? Ah! oui, il est bon! Avec le matériel qu'il faut, il est capable d'enregistrer un cancrelat en train de se gratter le cul au fond de la Californie. »

L'autre muté était un colonel de l'Armée Rouge, et quand il se mettait en uniforme, ce qui lui arrivait rarement, ses écussons indiquaient qu'il appartenait à l'artillerie. En réalité, il était davantage savant que soldat. Il travaillait à la direction du Matériel, division de la Recherche.

« Eh bien, dit le général Pienaar quand ils s'assirent dans les fauteuils de cuir autour de la table à thé. Notre diplomate Jan Maartens. Innocent ou coupable?

– Coupable, répondit Preston. Jusqu'au cou.

– J'aimerais vous entendre en donner la preuve, monsieur Preston. Où a-t-il fait un faux pas? Quand a-t-il été retourné?

– Jamais, dit Preston. Pas le moindre faux pas. Vous avez lu son autobiographie manuscrite?

– Oui, et comme le capitaine Viljoen a dû vous le faire observer, nous avons tout vérifié dans la carrière de cet homme, depuis la naissance jusqu'à ce jour. Nous n'avons trouvé aucune incohérence, aucune contradiction.

– Il n'y en a pas. Le récit de son enfance est absolument exact dans le moindre détail. Je crois qu'il pourrait, même aujourd'hui, décrire cette enfance pendant cinq heures d'affilée sans se tromper une seule fois et sans omettre aucun détail.

– Donc c'est exact. Tout ce qui est vérifiable est exact, dit le général.

– Tout ce qui est vérifiable, oui. Tout est exact jusqu'au moment où les deux jeunes soldats sont descendus du plateau d'un camion allemand en Silésie et se sont mis à courir. Après, tout est faux. Permettez-moi de vous l'expliquer en commençant par l'autre bout de l'histoire : l'homme qui a sauté avec Jan Maartens, Frikki Brandt.

« En 1933, dit-il, Adolf Hitler a pris le pouvoir en Allemagne. En 1935, un cheminot allemand du nom de Josef Brandt s'est rendu à la légation sud-africaine à Berlin et a demandé un visa d'immigration pour « raisons humanitaires » : il était en danger d'être persécuté parce qu'il était juif. On accéda à sa supplique et on lui accorda un visa pour émigrer en Afrique du Sud avec sa femme et son jeune fils. Vos archives confirment la demande de visa et son acceptation.

– C'est un fait, acquiesça le général Pienaar. L'Afrique du Sud a reçu de nombreux immigrants juifs pendant la période nazie. Nous avons d'excellentes références sur ce point, meilleures que bien d'autres pays.

– En septembre 1935, continua Preston, Josef Brandt, son épouse Ilse et leur fils Friedrich âgé de dix ans, ont pris le bateau à Bremerhaven pour débarquer à East London six semaines plus tard. Il y avait dans la ville une colonie allemande nombreuse et une petite communauté juive. Josef décida donc de rester et chercha un emploi aux chemins de fer. Un agent de l'immigration, plein de prévenance, informa le rabbin de l'arrivée de la famille.

« Le rabbin, jeune homme dynamique du nom de Salomon Shapiro, rendit visite aux nouveaux venus et tenta de les aider en les encourageant à participer à la vie communautaire juive. Ils refusèrent, et Shapiro supposa qu'ils désiraient s'assimiler à la communauté des Gentils. Il fut déçu mais ne conçut aucun soupçon.

« Puis en 1938, l'enfant, « afrikanerisé » en Frederick ou Frikki, eut ses treize ans, l'âge de la *bar-mitzvah*, qui marque le passage de l'enfance à l'adolescence dans la religion juive. Quel que fût le désir des

Brandt de s'assimiler, c'est un sacrement important pour un homme n'ayant qu'un fils. Aucun Brandt ne fréquentait la *Schule,* mais le rabbin Shapiro rendit visite à la famille pour leur proposer de célébrer la cérémonie. Ils refusèrent catégoriquement. Le rabbin n'eut pas seulement des soupçons, cette fois, mais une certitude.

– Laquelle? demanda le général, intrigué.

– La certitude qu'ils n'étaient pas juifs, répondit Preston. Il me l'a raconté hier soir. Lors de la *bar-mitzvah,* le rabbin bénit l'enfant, mais il faut d'abord qu'on lui donne la preuve que l'enfant est israélite. Dans la religion juive, c'est la mère et non le père, qui doit apporter cette preuve. Elle doit présenter un document que l'on appelle *ketubah* et qui confirme qu'elle-même est juive. Ilse Brandt n'avait pas de *ketubah.* Il ne pouvait pas y avoir de *bar-mitzvah.*

– Ils sont donc entrés en Afrique du Sud sous un faux prétexte, dit le général Pienaar. C'était il y a diablement longtemps...

– Ce n'est pas tout, reprit Preston. Je ne peux pas le démontrer, mais je crois avoir raison. Josef Brandt ne mentait pas en déclarant à votre légation à Berlin qu'il était menacé par la Gestapo. Seulement ce n'était pas à cause de sa religion mais parce qu'il militait activement au sein du Parti communiste allemand. Il savait que s'il le déclarait à votre légation, jamais il n'obtiendrait de visa.

– Continuez, dit le général d'un ton sombre.

– A dix-huit ans, Frikki, complètement imprégné des idéaux secrets de son père, est donc un communiste fervent prêt à travailler pour le Komintern.

« En 1943, deux jeunes gens s'engagent dans l'armée sud-africaine pour la durée de la guerre : Jan Maartens, de Duiwelskloof, pour défendre l'Afrique du Sud et l'Empire britannique; Frikki Brandt pour défendre sa patrie idéologique, l'Union soviétique.

« Ils ne se rencontrent ni pendant leurs classes, ni

sur le transport de troupes, ni en Italie, ni à Moosberg. Mais leurs chemins se croisent au Stalag 344. J'ignore si Brandt avait déjà défini son projet d'évasion, mais toujours est-il qu'il prend pour compagnon un jeune homme de sa taille et blond comme lui. Je crois que c'est lui et non Maartens qui a eu l'initiative de courir vers la forêt quand le camion est tombé en panne.

– Mais, la pneumonie? demanda Viljoen.

– Il n'y a pas eu de pneumonie, dit Preston. Et ils ne sont pas tombés entre les mains de résistants catholiques. Ils ont été probablement recueillis par des francs-tireurs communistes, avec qui Brandt pouvait parler allemand. Ils l'ont conduit à l'Armée Rouge et de là au N.K.V.D., et le jeune Maartens a suivi en toute confiance.

« C'est entre mars et août 1945 que la permutation a eu lieu. Toute cette histoire de cellules glacées est de la frime. Le N.K.V.D. a extirpé de Maartens jusqu'aux moindres détails de son enfance et de son éducation et Brandt les a mémorisés – de façon à pouvoir, malgré son mauvais anglais écrit, rédiger son curriculum vitae les yeux fermés.

« Brandt a dû suivre également des cours d'anglais et modifier légèrement son apparence. Une fois prêt, il a mis autour de son cou la plaque d'identité militaire de Maartens. Après quoi, devenu inutile, Jan Maartens a probablement été supprimé.

« Ils ont tabassé Brandt, ils lui ont donné quelques drogues pour le rendre suffisamment malade, et ils l'ont rendu aux Alliés à Potsdam. Il a séjourné à l'hôpital de Bielefeld puis près de Glasgow. Au début de l'hiver 1945, tous les soldats sud-africains étaient rentrés dans leurs foyers depuis longtemps; il était peu probable qu'il tombe sur un ancien du régiment Wits-De la Rey. En décembre, il est parti pour Le Cap, où il est arrivé en janvier 1946.

« Il y avait un problème. Il ne pouvait pas se rendre à Duiwelskloof. Il n'avait nullement l'intention d'y aller. Mais quelqu'un au Q.G. de la Défense envoya au vieux cultivateur Maartens un télégramme pour le prévenir du retour tant attendu de son fils, que l'on avait déjà classé « disparu, présumé décédé ». Et Brandt, horrifié, a reçu un message le pressant de rentrer à la maison – je reconnais que je suis en train de « broder » un peu, mais c'est logique. Il s'est porté malade aussitôt et il est entré à l'hôpital militaire Wynberg.

« Le vieux père n'a pas renoncé pour autant. Il a câblé de nouveau, pour prévenir qu'il allait descendre au Cap. En désespoir de cause, Brandt a fait appel à ses amis du Komintern et la question a été réglée. Ils ont écrasé le vieux Maartens sur une route déserte de la vallée de la Mootseki, ils ont crevé un pneu de sa voiture, enlevé la roue et maquillé le meurtre en accident de la circulation. La suite a été d'une facilité déconcertante. Le jeune homme n'était pas en mesure de se rendre aux obsèques, tout le monde à Duiwelskloof comprenait pourquoi, et le cabinet juridique Benson n'a eu aucun soupçon quand on lui a demandé de réaliser la succession et d'envoyer le montant de la vente au Cap. »

Seul le bourdonnement d'une mouche contre la vitre troubla le silence qui se fit dans le bureau. Le général Pienaar hocha plusieurs fois la tête.

« Oui, c'est logique, concéda-t-il enfin. Mais il n'y a aucune preuve. Nous ne pouvons pas démontrer que les Brandt n'étaient pas juifs, encore moins qu'ils étaient communistes. Pouvez-vous me donner un seul élément susceptible de chasser les doutes? »

Preston prit une photographie dans sa poche intérieure et la posa sur le bureau du général Pienaar.

« Cette photo est la dernière du véritable Jan Maartens. Comme vous le voyez, c'était un bon joueur de cricket dans sa jeunesse. Un lanceur. Regardez bien : ses doigts se crispent sur la balle de façon à lui donner de l'effet. Vous remarquerez aussi qu'il est gaucher.

« J'ai passé une semaine à étudier le Jan Maartens qui se trouve actuellement à Londres, continua Preston. De près, avec des jumelles. Je l'ai vu conduire, fumer, manger, boire... Il est droitier. Général, on peut changer beaucoup de choses chez un homme : ses cheveux, sa voix, son visage, ses manières. Mais on ne peut pas changer un lanceur de cricket gaucher en droitier. »

Le général Pienaar, qui avait joué au cricket pendant la moitié de sa vie, baissa les yeux vers la photo jaunie.

« Et qui avons-nous donc à Londres, monsieur Preston?

– Général, vous avez un agent communiste fervent qui a travaillé pendant plus de quarante ans pour l'Union soviétique, au sein du ministère des Affaires étrangères d'Afrique du Sud. »

Le général Pienaar leva les yeux du bureau et les posa sur le monument des Voortrekkers, de l'autre côté du vallon.

« Je le briserai, dit-il entre ses dents. Je le couperai en petits morceaux que je disperserai dans le veld. »

Preston toussa dans sa main.

« Conservant à l'esprit que nous avons également un problème à cause de cet homme, puis-je vous demander de retenir votre bras jusqu'à ce que vous ayez parlé personnellement à Sir Nigel Irvine?

– Très bien, monsieur Preston. Je parlerai à Sir Nigel d'abord. Quels sont vos projets?

– J'aimerais me trouver dans l'avion qui part ce soir pour Londres, mon général. »

Le général Pienaar se leva et tendit la main.

« Bonne journée, monsieur Preston. Le capitaine Viljoen vous accompagnera à l'aéroport. Et merci pour votre concours. »

A l'hôtel, tout en préparant ses bagages, Preston téléphona à Dennis Grey, qui remonta à Johannesburg en voiture et prit un message pour transmission codée à Londres. Il reçut la réponse deux heures plus tard. Sir Bernard Hemmings se rendrait à son bureau le lendemain, samedi, pour le rencontrer.

A vingt heures, au moment des derniers appels pour le vol South African Airways à destination de Londres, Preston et Viljoen se trouvaient dans le hall des départs. Preston tendit sa carte d'embarquement et Viljoen sa carte d'identité passe-partout. Ils sortirent sur le tarmac. La soirée était fraîche.

« Je dois reconnaître, l'Anglo, que vous êtes un sacré *jagdhond.*

– Merci, dit Preston.

– Vous savez ce que c'est un *jagdhond*?

– Je crois, répondit Preston doucement, que le chien de chasse du Cap manque de vitesse et de grâce mais non de ténacité. »

Pour la première fois de la semaine, le capitaine Viljoen se mit à rire à gorge déployée.

« Puis-je vous poser une question? demanda-t-il quand il reprit son sérieux.

– Je vous en prie.

– Pourquoi avez-vous déposé une fleur sur la tombe du vieux Maartens? »

Preston se tourna vers l'énorme appareil qui attendait. A vingt mètres, dans l'ombre, les hublots formaient une sorte de pointillé de lumière. Les derniers passagers étaient en train de monter.

« Ils lui ont pris son fils, dit-il. Puis ils l'ont tué pour l'empêcher de découvrir la vérité... Le geste m'a paru naturel. »

Viljoen lui tendit la main.

« Au revoir, John, et bonne chance.

– Au revoir, Andries. »

Dix minutes plus tard, l'avion décolla et le springbok, emblème de la compagnie, tourna son museau vers le ciel.

10

Sir Bernard Hemmings, avec Brian Harcourt-Smith à ses côtés, garda le silence jusqu'à ce que Preston ait terminé son rapport.

« Bon Dieu! s'écria-t-il quand Preston se tut. C'était donc Moscou malgré tout. La note va être lourde. Les fuites sont sans doute énormes. Brian, les deux hommes sont encore sous surveillance?

– Oui, Sir Bernard.

– Continuez jusqu'à la fin du week-end. Aucune initiative tant que le comité Phénix n'a pas entendu ce que nous avons à lui apprendre. John, je sais que vous êtes fatigué, mais pouvez-vous rédiger votre rapport d'ici dimanche soir?

– Certainement.

– Déposez-le sur mon bureau lundi matin à la première heure. Je vais joindre les membres du comité chez eux et convoquer une réunion d'urgence lundi. »

Quand le major Valéri Petrofsky pénétra dans le salon de l'élégante datcha d'Ousovo, il était dans un état d'émotion extrême. Jamais il n'avait rencontré le secrétaire général du Parti communiste d'Union soviétique, jamais il n'avait imaginé qu'il le rencontrerait un jour.

Il venait de vivre trois journées déconcertantes, voire

terrifiantes. Depuis que son directeur l'avait affecté à cette « mission spéciale », il était demeuré en quarantaine dans un appartement du centre de Moscou, gardé jour et nuit par deux hommes de la Neuvième Direction – les Gardes du Kremlin. Naturellement, il avait craint le pire – sans avoir la moindre idée de ce qu'on pouvait bien lui reprocher.

Puis, le dimanche soir, il avait reçu l'ordre inattendu de passer son plus beau costume civil et de suivre les gardes jusqu'à une Chaïka en stationnement. Pas un mot n'avait été prononcé pendant le trajet jusqu'à Ousovo.

Il n'avait compris où il était qu'à l'arrivée, quand le major Pavlov lui avait annoncé : « Le camarade secrétaire général va vous recevoir. » Au moment où il franchit la porte, sa gorge se contracta. Il essaya de garder une attitude digne et décida de répondre avec respect et sincérité à toutes les accusations qu'on lui lancerait.

Sur le seuil, il se mit au garde-à-vous. Le vieil homme dans le fauteuil d'infirme l'observa en silence pendant plusieurs minutes, puis leva la main et lui fit signe de se rapprocher. Petrofsky avança de quatre pas raides puis s'arrêta, toujours au garde-à-vous. Mais quand le leader soviétique prit la parole, le ton de sa voix n'avait pas la sécheresse d'une mise en accusation. Il parla d'un ton très doux.

« Major Petrofsky, vous n'êtes pas un mannequin de tailleur. Avancez-vous dans la lumière, pour que je puisse vous voir. Et asseyez-vous. »

Petrofsky resta sans voix. S'asseoir en la présence du secrétaire général, pour un jeune major, était impensable, inouï. Mais il obéit. Il se percha sur le bord du fauteuil indiqué, le dos raide, les genoux joints.

« Avez-vous la moindre idée de la raison pour laquelle je vous ai fait venir?

– Non, camarade secrétaire général.

– Il est nécessaire que personne ne le sache. Mais je

vais vous le dire... Il y a une mission à accomplir. Son aboutissement aura une importance incalculable pour l'Union soviétique et le triomphe de la Révolution. Si elle est couronnée de succès, notre pays en retirera un avantage inestimable; si elle échoue, ce sera pour nous une catastrophe. Je vous ai choisi personnellement, Valéri Alexeïevitch, pour exécuter cette mission. »

Petrofsky sentit que la tête lui tournait. Ses craintes d'être condamné à la disgrâce et à l'exil firent place à une jubilation presque incontrôlable. Depuis le jour où, brillant étudiant de l'université de Moscou, il avait été réorienté de la carrière de son choix au ministère des Affaires étrangères pour devenir l'un des jeunes espoirs de la Première Direction générale, depuis qu'il s'était porté volontaire (avec succès) pour la Direction des Illégaux – l'élite du K.G.B. – il avait rêvé d'une mission importante. Mais jamais il n'avait envisagé une chose pareille, même dans ses rêves les plus fous. Il se permit enfin de regarder le secrétaire général dans les yeux.

« Merci, camarade secrétaire général.

– D'autres vous préciseront les détails, continua le secrétaire général. Vous aurez peu de temps, mais vous avez déjà reçu une formation d'élite et vous disposerez de tout ce dont vous aurez besoin pour votre mission.

« J'ai demandé de vous voir personnellement pour une seule raison. Vous devez savoir une chose, et j'ai tenu à vous la dire moi-même. Si la mission réussit – et je n'ai aucun doute à cet égard – vous reviendrez ici recevoir une promotion et des honneurs qui dépasseront ce que vous pouvez imaginer. J'y veillerai.

« Mais si quoi que ce soit tourne mal, si la police et l'armée du pays où l'on vous envoie resserrent leur filet autour de vous, vous devrez sans hésitation vous assurer que vous ne serez pas pris vivant. Est-ce que je me fais bien comprendre, Valéri Alexeïevitch?

– Oui, camarade secrétaire général.

– De toute manière, être pris vivant, être interrogé avec rigueur, être brisé – oh! oui, c'est possible de nos jours, car aucune réserve de courage ne saurait résister aux drogues –, être mis au pilori au cours d'une conférence de presse internationale, serait pour vous un véritable enfer. Et le préjudice d'un tel spectacle pour l'Union soviétique, votre patrie, serait colossal et sans doute irréparable. »

Le major Petrofsky respira à fond.

« Je n'échouerai pas, dit-il. Mais si cela devait se produire, personne ne me prendra vivant. »

Le secrétaire général appuya sur une sonnerie placée sous la table et la porte s'ouvrit. Le major Pavlov parut.

« Partez, jeune homme. Une personne que vous avez peut-être déjà vue vous indiquera, dans cette maison même, ce que votre mission implique. Puis vous vous rendrez en un autre endroit pour la préparation pratique. Nous ne nous reverrons pas – avant votre retour. »

Quand la porte se referma sur les deux majors du K.G.B., le secrétaire général fixa pendant un certain temps les flammes pétillantes du feu de bûches. « Un si bel homme, se dit-il. Quel dommage! »

Petrofsky suivit le dos du major Pavlov le long de deux couloirs jusqu'à l'appartement d'invité. Il avait l'impression que sa poitrine ne parviendrait pas à contenir ses émotions – son espérance et sa fierté.

Le major Valéri Alexeïevitch Petrofsky était un soldat russe, patriote dans l'âme. Eduqué en langue anglaise, il connaissait bien la phrase « mourir pour Dieu, le roi et le pays » et savait ce qu'elle signifiait. Il n'avait pas de Dieu, mais le leader de son pays l'avait personnellement chargé d'une mission, et tout en suivant les longs couloirs de la datcha, il se jura, si le cas se présentait, de ne pas faillir à sa résolution.

Le major Pavlov s'arrêta devant une porte, frappa et ouvrit. Il s'écarta pour faire entrer Petrofsky. Puis il referma la porte et se retira. Un homme aux cheveux blancs se leva de son siège devant une table couverte de notes et de cartes.

« C'est donc vous le major Petrofsky... », dit-il en souriant, la main tendue.

Le bégaiement surprit Petrofsky. Il connaissait ce visage quoique n'ayant jamais rencontré Philby. Dans le folklore de la Première Direction générale, cet homme (enseignait-on aux jeunes) était l'une des Cinq Etoiles, un personnage à respecter car il représentait l'un des grands triomphes de l'idéologie soviétique sur le capitalisme.

« Oui, camarade colonel », dit-il.

Philby avait lu le dossier jusqu'à le savoir par cœur. Petrofsky, trente-six ans, avait été entraîné pendant dix ans à se faire passer pour un Anglais. Il s'était rendu deux fois en Angleterre pour des séjours de familiarisation. Chaque fois, il avait vécu sous une fausse identité, sans jamais s'approcher de l'ambassade soviétique, sans participer à la moindre mission.

Ces séjours de familiarisation permettaient aux Illégaux, avant de devenir opérationnels, de s'acclimater à tout ce qu'ils devraient peut-être faire un jour pour de bon. Des choses simples pour la plupart : ouvrir un compte en banque, savoir quoi faire après un accrochage avec une autre voiture, se servir du métro de Londres, et bien entendu améliorer la langue parlée et l'argot.

Philby savait que le jeune homme devant lui parlait non seulement un anglais parfait, mais maîtrisait quatre accents régionaux et, sans la moindre faute, le gallois et l'irlandais. Il passa aussitôt à l'anglais.

« Asseyez-vous. Je vais vous décrire simplement les grandes lignes de la mission. D'autres vous préciseront les détails. Vous aurez malheureusement peu de temps. Très peu de temps. Vous devez donc tout assimiler très rapidement. »

Pendant leur conversation, Philby s'aperçut qu'après trente ans hors de son pays natal, et bien qu'il lût tous les journaux et magazines anglais lui tombant sous la main, c'était lui qui manquait de pratique; c'était son vocabulaire à lui qui était limité et désuet. Le jeune Russe parlait anglais comme un Anglais moderne de son âge.

Philby mit deux heures à exposer le plan Aurore et ce qu'il impliquait. Petrofsky absorba tous les détails. L'audace de l'entreprise le passionnait et le stupéfiait.

« Vous passerez les prochains jours avec une équipe réduite à quatre hommes. Ils vous indiqueront toute une série de noms, de lieux, de dates, d'heures d'émission, de rendez-vous et de points de chute. Vous les mémoriserez tous. La seule chose que vous emmènerez sera un bloc de grilles à usage unique. Voilà. C'est tout. »

Petrofsky hocha la tête.

« J'ai dit au camarade secrétaire général que je n'échouerai pas. Ce sera fait. Comme prévu et dans les temps. Si les éléments me sont livrés, ce sera fait. »

Philby se leva.

« Bien. Je vais vous faire conduire à Moscou, à l'endroit où vous séjournerez jusqu'à votre départ. »

Lorsque Philby traversa le salon pour décrocher le téléphone intérieur, un bruit fit sursauter Petrofsky : le roucoulement très fort d'un pigeon, dans un coin de la pièce. Il vit une grande cage. Un beau pigeon le regardait. Il avait des attelles à une patte. Philby se tourna vers le major, en souriant comme pour s'excuser.

« Je l'appelle Clopinette, dit-il en composant le numéro du major Pavlov. Je l'ai trouvé dans la rue, l'hiver dernier, avec une aile et une patte cassées.

L'aile est guérie, mais la patte le fait encore souffrir. »

Petrofsky s'approcha de la cage et gratta les barreaux de l'ongle. Mais le pigeon clopina à l'autre bout de la cage. La porte s'ouvrit et le major Pavlov entra. Comme d'habitude, il ne dit rien mais fit signe à Petrofsky de le suivre.

« Au plaisir de vous revoir. Bonne chance », dit Philby.

Les membres du comité Phénix lurent le rapport de Preston et Sir Anthony Plumb attendit que tous aient terminé pour lancer les débats.

« Nous savons maintenant quoi, où, quand et qui. Nous ignorons encore pourquoi.

– Et jusqu'à quel point, intervint Sir Patrick Strickland. Nous n'avons pas encore commencé l'évaluation des fuites, et il faut absolument que nous informions nos alliés, même si rien de secret – en dehors d'un mémorandum fictif – n'est parti à Moscou depuis janvier.

– C'est entendu, dit Sir Anthony. Je crois, messieurs, que la période des enquêtes préliminaires est terminée. Que faisons-nous de cet homme? Vous avez une idée? Brian? »

Brian Harcourt-Smith, en l'absence de son directeur général, représentait le MI-5. Il choisit ses mots avec soin.

« Nous estimons que Berenson, Maartens et l'intermédiaire Benotti constituent les seuls membres du réseau. Le Service de Sécurité est persuadé qu'aucun autre agent n'était contrôlé par cette filière. Berenson était si important que le réseau entier a dû être organisé pour s'occuper de lui. »

La plupart des membres du comité acquiescèrent.

« Et votre recommandation? demanda Sir Anthony.

– Les arrêter tous, éliminer la filière, répondit Harcourt-Smith.

– Un diplomate étranger est impliqué, objecta Sir Hubert Villiers, de l'Intérieur.

– Je crois que Pretoria acceptera de ne pas invoquer l'immunité diplomatique dans ce cas précis, dit Sir Patrick Strickland. A l'heure qu'il est, le général Pienaar a dû informer M. Botha de toute l'affaire. Ils voudront sûrement ce Maartens dès que nous en aurons terminé avec lui.

– Cela me paraît naturel, dit Sir Anthony. Et vous, Nigel, qu'en pensez-vous? »

Sir Nigel Irvine fixait le plafond, comme perdu dans ses pensées. La question parut l'éveiller.

« Je me demandais..., commença-t-il doucement. Nous les arrêtons, soit. Et après?

– Interrogatoire, répondit Harcourt-Smith. Nous pourrons commencer à évaluer l'importance des fuites et signaler à nos alliés que l'ensemble du réseau est éliminé – la pilule passera mieux.

– Oui, dit Sir Nigel. C'est parfait. Mais ensuite? »

Il se tourna vers les chefs de cabinet des trois ministères et du Conseil des ministres.

« A mon avis, nous avons quatre options. Nous pouvons arrêter Berenson et l'inculper dans les règles en invoquant la loi sur les secrets officiels – c'est obligatoire si nous l'arrêtons. Mais avons-nous vraiment en main suffisamment d'éléments pour convaincre un tribunal? Nous savons que nous sommes dans le vrai, mais pouvons-nous le prouver contre une défense juridique de premier ordre? En outre, une arrestation et une inculpation formelle provoqueront un énorme scandale, qui rejaillira inévitablement sur le gouvernement. »

Sir Martin Flannery, le chef de cabinet du Conseil des ministres, comprit aussitôt l'objection. Il était le seul membre du comité à connaître le projet d'élections anticipées en début d'été – le Premier Ministre l'avait mis au courant sous le sceau du secret. Grand commis de l'Etat appartenant à la vieille école, Sir Martin était d'une loyauté totale à l'égard du gouvernement en place, comme il l'avait été à l'égard des trois gouvernements précédents, dont deux travaillistes. Il offrirait la même loyauté à tout gouvernement ultérieur démocratiquement élu.

« Ensuite, reprit Sir Nigel, nous pouvons laisser Berenson et Maartens en place, mais fournir à Berenson des documents truqués qu'il transmettra à Moscou. Seulement, cela ne saurait durer longtemps. Berenson est trop haut placé et trop compétent pour que nous puissions lui donner le change. »

Sir Peregrine Jones acquiesça. Il savait que Sir Nigel avait raison sur ce point.

« Ou bien nous pouvons essayer d'obtenir de Berenson sa coopération complète pour l'évaluation des fuites, en lui promettant de renoncer à toute poursuite. Personnellement je déteste pardonner aux traîtres. On ne sait jamais s'ils vous ont dit toute la vérité ou s'ils vous ont mené en bateau – comme dans le cas de Blunt. Puis l'affaire finit toujours par éclater au grand jour, et le scandale est encore plus désolant. »

Sir Hubert Villiers, dont le ministère contrôlait la magistrature du royaume, acquiesça d'un air sombre. Il détestait lui aussi les promesses d'immunité en échange de renseignements et tout le monde savait que le Premier Ministre pensait de même.

« Il ne reste donc, semble-t-il, poursuivit le chef du S.I.S. sur le même ton, que la détention sans jugement et l'interrogatoire rigoureux. En un mot, le troisième degré. Je suis sans doute un peu vieux jeu, mais je n'ai jamais confiance dans ce genre de méthodes. Berenson avouera peut-être cinquante documents, mais aucun de nous ne saura jusqu'au jour de sa mort, s'il n'en a pas transmis cinquante de plus. »

Le silence se prolongea.

« Toutes ces options sont assez déplaisantes, convint

Sir Anthony Plumb, mais nous serons amenés à suivre la suggestion de Brian s'il n'y en a pas d'autre.

– Il y en a peut-être une, dit Sir Nigel doucement. Il est possible, voyez-vous, que le recrutement de Berenson soit le résultat d'un contact sous faux pavillon. »

La plupart des membres du comité savaient ce qu'est un recrutement « sous faux pavillon », mais Sir Hubert Villiers, de l'Intérieur, et Sir Martin Flannery, du Conseil des ministres, parurent surpris. Sir Nigel expliqua :

« La « source » est recrutée par des hommes prétendant travailler en faveur d'un pays pour lequel le sujet éprouve des sympathies, alors qu'en réalité ils travaillent pour un autre pays. Les Israéliens du Mossad sont passés maîtres dans cette technique. Comme ils sont en mesure de placer des agents se faisant passer pour ressortissants de n'importe quelle nation sous le soleil, les Israéliens ont monté plusieurs « coups » remarquables sous faux pavillon.

« Par exemple, reprit-il, un Allemand de l'Ouest travaillant au Proche-Orient entre en contact au cours d'une permission en Allemagne, avec deux de ses compatriotes allemands qui, avec des documents impeccables à l'appui, lui prouvent qu'ils représentent la B.N.D. – le service de renseignements ouest-allemand. Ils lui racontent que des Français, travaillant sur le même projet que lui en Irak, livrent des secrets techniques dont la diffusion est interdite par l'O.T.A.N. Leur but est manifestement d'obtenir davantage de commandes commerciales. L'Allemand accepterait-il d'aider son propre pays en leur rendant compte de ce qui se passe? Allemand loyal, il accepte – et passe des années à travailler pour Jérusalem. C'est arrivé plusieurs fois.

« C'est logique, voyez-vous, poursuivit Sir Nigel. Nous avons tous étudié le dossier de Berenson jusqu'à en perdre l'appétit. D'après ce que nous savons, la technique du faux pavillon est peut-être la réponse. »

Les membres du comité, au souvenir du contenu du dossier de Berenson, hochèrent la tête. A la sortie de l'université, il était entré aux Affaires étrangères. Il avait fait un début de carrière excellent, obtenu trois postes à l'étranger et bénéficié d'un avancement régulier sinon spectaculaire dans le corps diplomatique.

Au milieu des années 60, il avait épousé Lady Fiona Glen et, peu après, il avait été envoyé à Pretoria, où son épouse l'avait accompagné. C'était sûrement là-bas, charmé par l'hospitalité traditionnelle et presque sans limite des Sud-Africains, qu'il avait commencé à éprouver une sympathie et une admiration profondes pour l'Afrique du Sud. Avec un gouvernement travailliste au pouvoir en Grande-Bretagne et la Rhodésie en état de rébellion, son admiration pour Pretoria, qu'il songeait de moins en moins à dissimuler, ne lui avait pas valu de bonnes notes.

A son retour en Angleterre en 1969, il avait appris que son poste suivant serait probablement dans un pays moins controversé – par exemple en Bolivie.

Les membres du comité Phénix étaient réduits à des conjectures, mais il était sans doute probable que Lady Fiona, prête à accepter Pretoria au lendemain de son mariage, s'était carrément révoltée à la pensée de quitter ses chevaux bien-aimés et sa vie de société pour passer trois ans à mi-pente de la cordillère des Andes.

Quelle qu'en ait été la raison, George Berenson avait demandé sa mutation à la Défense, considérée alors comme un ministère mal payé. Mais avec la fortune de sa femme peu lui importait. Libéré des contraintes du ministère des Affaires étrangères, il avait adhéré a plusieurs associations sympathisantes de l'Afrique du Sud – composées en majorité d'hommes d'extrême droite.

Sir Peregrine Jones savait que les sympathies bien connues et trop affichées de Berenson pour l'extrême droite l'avaient empêché (lui, Jones) de recommander Berenson pour un anoblissement – ce qui avait peut-être suscité un certain ressentiment de la part du haut fonctionnaire.

En lisant le rapport, au début de la séance, les membres du comité avaient supposé que l'engouement de Berenson pour l'Afrique du Sud lui avait servi de couverture pour ses activités prosoviétiques secrètes. La suggestion de Sir Nigel Irvine plaçait les choses sous un jour très différent.

« Un faux pavillon..., murmura Sir Paddy Strickland. Vous voulez dire qu'il croyait sincèrement livrer des secrets à l'Afrique du Sud?

– Un point m'a paru obscur, expliqua « C ». S'il était sympathisant soviétique ou communiste occulte dès le départ, pourquoi le Centre ne l'a-t-il pas fait contrôler directement par un agent russe? Je peux vous citer au moins cinq noms, à leur ambassade, capables de faire le travail aussi bien.

– J'avoue que je ne sais pas si... », commença Anthony Plumb.

Il leva les yeux vers l'autre bout de la table et son regard croisa celui de Nigel Irvine. Irvine baissa rapidement une paupière et la releva aussitôt. Sir Anthony se força à fixer de nouveau le dossier Berenson devant lui.

« Espèce de rusé salopard, Nigel! se dit-il. Tu ne lances pas d'hypothèses en l'air, tu sais la vérité. »

En réalité, Andreïev avait fait signe à « C » deux jours auparavant. Ce n'était pas grand-chose, des bavardages de cantine à l'ambassade soviétique. Il avait pris un verre avec l'homme de la ligne N et discuté métier en général. Il avait fait allusion à l'efficacité, parfois, des recrutements sous faux pavillon; le représentant de la Direction des Illégaux avait éclaté de rire, fait un clin d'œil et tapé avec l'index sur le côté de son nez. Andreïev avait interprété ce geste comme la preuve qu'il y avait une opération sous faux pavillon en cours à Londres en ce moment, et que l'homme de la ligne N savait quelque chose. Sir Nigel, quand il l'apprit, fut du même avis.

Une autre pensée vint à l'esprit de Sir Anthony : « Si tu es vraiment au courant, Nigel, c'est forcément parce que tu as une source au beau milieu de leur rezidentura, vieux renard. » Puis il fit une autre réflexion à part lui, et elle était moins agréable. Pourquoi Sir Nigel ne l'avait-il pas dit carrément? Tous les hommes autour de la table étaient dignes de confiance, non? Il se sentit soudain mal à l'aise, et son estomac se noua. Il leva les yeux.

« Ma foi, je crois que nous devrions envisager sérieusement la suggestion de Nigel. Elle est logique. Qu'avez-vous en tête, Nigel?

– Cet homme est un traître, cela ne fait aucun doute, dit « C ». Si nous lui mettons sous le nez les documents renvoyés par notre correspondant anonyme, je suis persuadé qu'il sera très secoué. Mais si nous lui donnons à lire le dossier réalisé par John Preston en Afrique du Sud, et s'il croyait sincèrement travailler pour Pretoria, il ne pourra pas dissimuler son effarement. Si c'est un communiste occulte dès le départ, il connaît de toute façon l'idéologie de Jan Maartens et cela ne le surprendra pas. Je crois qu'un observateur entraîné sera en mesure de le dire.

– Et s'il s'agit bien d'un recrutement sous faux pavillon? demanda Sir Perry Jones.

– Je suis persuadé que nous obtiendrons aussitôt sa coopération totale et sans réserve pour l'évaluation des fuites. En outre, je crois que nous pourrons le persuader de continuer sous nos directives, ce qui nous permettra de monter une importante opération d'intoxication contre Moscou. Et ce serait là un bon point important en notre faveur, aux yeux de nos alliés. »

Sir Paddy Strickland, des Affaires étrangères, en

convint volontiers. On décida d'adopter la tactique de Sir Nigel.

« Une dernière chose, demanda Sir Anthony. Qui ira lui parler? »

Sir Nigel Irvine se racla la gorge.

« Bien entendu, dit-il, cela relève en réalité du « Cinq ». Mais une opération d'intoxication contre le Centre devrait être confiée au « Six ». Surtout, voyez-vous, il se trouve que je connais cet homme... Pour tout dire, nous étions au lycée ensemble.

– Mon Dieu, s'écria Plumb. Mais il est plus jeune que vous, non.

– Cinq ans. Il me cirait les bottes.

– Soit. Sommes-nous tous d'accord? Quelqu'un s'y oppose? A vous de jouer, Nigel. Occupez-vous de lui, il vous appartient. Vous nous tiendrez au courant. »

Le mardi 24, un touriste sud-africain arriva de Johannesburg à Londres-Heathrow, où il passa les formalités sans encombre.

Quand il sortit de la salle des douanes avec son sac de voyage à la main, un jeune homme s'avança vers lui et lui murmura une question à l'oreille. Le grand Sud-Africain hocha la tête. Le jeune homme lui prit son sac des mains et le conduisit dehors où une voiture attendait.

Au lieu de se diriger vers Londres, le chauffeur prit l'autoroute périphérique M-25, puis la M-3 en direction du Hampshire. Une heure plus tard la voiture s'arrêtait devant la porte d'une belle maison des environs de Basingstoke. Le Sud-Africain, débarrassé de son manteau fut introduit dans la bibliothèque. Un Anglais du même âge, vêtu d'un tweed très rustique, se leva d'un fauteuil devant la cheminée pour aller à sa rencontre.

« Henry Pienaar, quel plaisir de vous revoir! Cela fait si longtemps. Bienvenue en Angleterre.

– Nigel, comment allez-vous? »

Les chefs des deux services secrets avaient une heure avant le déjeuner, et après les préliminaires habituels, les deux hommes se mirent à discuter du problème qui avait conduit le général Pienaar dans cette maison de campagne équipée par le S.I.S. pour recevoir des hôtes de marque, mais clandestins.

Le soir venu, Sir Nigel Irvine avait conclu l'accord qu'il souhaitait. Les Sud-Africains acceptaient de laisser Jan Maartens à son poste pour donner à Irvine l'occasion de monter une vaste opération d'intoxication par l'entremise de George Berenson, à supposer que celui-ci accepte de jouer le jeu.

Les Anglais maintiendraient Maartens sous surveillance totale; ils en prenaient la responsabilité et Maartens n'aurait aucune chance de filer à l'improviste à Moscou – les Sud-Africains songeaient eux aussi à évaluer leurs fuites, et elles s'échelonnaient sans doute sur quarante ans.

Ils convinrent en outre qu'après l'opération d'intoxication, Irvine informerait Pienaar que Maartens n'était plus utile. On le rappellerait au pays, les Anglais veilleraient à ce qu'il prenne un avion sud-africain, et les hommes de Pienaar l'arrêteraient après le décollage, c'est-à-dire en territoire sud-africain.

Après le dîner, Sir Nigel s'excusa. Sa voiture attendait. Pienaar passerait la nuit dans la maison, ferait quelques achats dans le West End de Londres le lendemain, et prendrait le vol du soir pour Johannesburg.

« Ne le laissez pas filer, hein? dit-il en raccompagnant Sir Nigel à la porte. Je veux ce salopard dans mon bureau à la fin de l'année.

– Vous l'aurez, promit Sir Nigel. Mais surtout, ne lui faites pas peur entre-temps. »

Pendant que le chef du N.I.S. cherchait dans Bond Street une babiole pour Mme Pienaar, John Preston se trouvait Charles Street pour un rendez-vous avec Brian Harcourt-Smith. Le directeur général adjoint était de son humeur la plus enjôleuse.

« Eh bien, John, je pense que des félicitations s'imposent. Vos révélations d'Afrique du Sud ont fait beaucoup d'effet sur le comité.

– Merci, Brian.

– En toute sincérité... Le comité prend désormais l'affaire en mains. Je ne peux dire exactement ce qui se fera, mais Tony Plumb m'a demandé de vous transmettre ses sentiments personnels. Maintenant, dit-il en posant les mains bien à plat sur le buvard de son sous-main, parlons un peu de l'avenir.

– L'avenir?

– Voyez-vous, je suis dans une situation délicate. Cela fait huit semaines que vous vous occupez de cette affaire, parfois dans les rues avec les guetteurs, le reste du temps au sous-sol de Cork, maintenant en Afrique du Sud... Pendant tout ce temps, le jeune March, votre numéro deux, a dirigé en fait la section C-1 (A), et s'en est d'ailleurs très bien sorti.

« Alors je me demande : que dois-je faire de lui? Je ne pense pas qu'il serait tout à fait juste de le renvoyer sans autre forme de procès à son poste d'adjoint. Après tout, il a fait le tour de tous les ministères, lancé des suggestions extrêmement utiles, et même effectué deux ou trois changements très positifs. »

Sans nul doute, se dit Preston. March était un jeune fayot, tout à fait dans le style des protégés d'Harcourt-Smith.

« Bref, je sais que vous n'êtes resté à C-1 (A) que dix semaines, ce qui est très bref, mais vous vous êtes couvert de gloire, n'est-ce pas? Et le moment ne serait donc pas mal choisi pour un peu d'avancement. J'en ai touché deux mots au Personnel, et le hasard a voulu que Cranley, de C-5 (C), prenne sa retraite anticipée à la fin de la semaine. Son épouse, vous le savez peut-être, est souffrante depuis longtemps. Il veut aller s'installer avec elle dans la région des Lacs. Il réclame sa pension et nous quitte. Je me suis dit que cela vous conviendrait. »

Preston réfléchit. C-5 (C)?

« Ports et aéroports? » demanda-t-il.

Un autre travail de liaison. Immigration, Douanes, Brigade spéciale, Brigade des Délits graves, Brigade des Stupéfiants – chacun de ces services contrôlait les ports et les aéroports et vérifiait toutes sortes de personnages peu appétissants qui cherchaient à s'introduire dans le pays ou à y introduire leurs marchandises illicites. Preston se douta que C-5 (C) devait hériter de tout ce qui n'entrait pas automatiquement dans la catégorie des autres services. Harcourt-Smith leva un index paternaliste.

« C'est important, John. Bien entendu, la responsabilité spéciale du service consiste à garder un œil ouvert sur les illégaux et les courriers du bloc soviétique, ce genre de chose. Vous serez toujours par monts et par vaux, mais vous aimez ça, n'est-ce pas? »

Et loin du quartier général pendant que se livrera la bataille pour la succession, songea Preston. Il était un homme de Bernard Hemmings, un inconditionnel – et Harcourt-Smith ne l'ignorait pas. Il eut envie de protester, d'exiger une entrevue avec Sir Bernard pour défendre sa position et conserver son poste actuel.

« J'aimerais de toute façon que vous y fassiez un essai. C'est encore à Gordon, vous n'aurez pas à changer d'immeuble. »

Preston savait qu'il ne pourrait pas gagner à ce jeu : Harcourt-Smith avait passé la moitié de sa vie à étudier le système du quartier général... « En tout cas, se dit-il, je retourne sur le terrain, même s'il s'agit d'un autre boulot de flic. »

« Je compte donc sur vous pour démarrer lundi matin », lui lança le directeur général adjoint.

Le vendredi, le major Valéri Petrofsky entra discrètement en Grande-Bretagne.

Il avait pris à Moscou un vol à destination de Zurich avec un passeport suédois. Il glissa l'ensemble de son identité suédoise dans une enveloppe qu'il adressa à une « boîte aux lettres » du K.G.B. en Suisse, et il recueillit les papiers d'ingénieur helvétique qui l'attendaient dans une autre enveloppe déposée à la poste de l'aéroport. De Zurich, il prit l'avion pour Dublin.

Sur le même vol se trouvait son escorteur, qui ignorait ce qu'allait faire Petrofsky et ne s'en souciait nullement. Il exécutait simplement ses ordres. Dans une chambre de l'hôtel de l'aéroport international de Dublin, les deux hommes se rencontrèrent. Petrofsky se mit entièrement nu et donna à l'autre tous ses vêtements « européens ». Il enfila ceux que son escorteur avait apportés dans son propre sac de voyage : des vêtements anglais, de la tête aux pieds, plus une valise garnie de l'habituel méli-mélo de pyjamas, trousse de toilette, roman à moitié lu et sous-vêtements de rechange.

L'escorteur avait déjà pris sur le panneau des messages de l'aéroport, une enveloppe préparée par l'homme de la Ligne N de l'ambassade de Dublin et déposée quatre heures auparavant. Elle contenait un talon de billet de l'Eblana Theatre pour la représentation de la veille, la note de l'hôtel New Jury pour la nuit précédente, établie au nom qu'il fallait, et la moitié « retour » d'un billet Londres-Dublin-Londres sur Aer Lingus.

Enfin, Petrofsky reçut son nouveau passeport. Quand il retourna dans le hall de départ pour faire enregistrer sa valise, nul ne le remarqua. C'était un Anglais rentrant chez lui après un séjour d'affaires de vingt-quatre heures à Dublin. Il n'y a aucune vérification de passeports entre Dublin et Londres; à l'arrivée de Londres les voyageurs montrent simplement leur carte d'embarquement ou le talon de leur billet d'avion. Ils défilent également devant deux hommes de la Brigade spéciale qui ont l'air de ne rien voir mais qui ne laissent pour ainsi dire rien passer. Ni l'un ni l'autre n'avaient vu le visage de Petrofsky auparavant, car il n'était jamais entré en Angleterre par l'aéroport d'Heathrow. S'ils le lui avaient demandé, il aurait pu leur présenter un passeport britannique parfait, au nom de James Duncan Ross, document que le Service des Passeports lui-même aurait jugé valide, pour la bonne et simple raison qu'il l'avait délivré.

Le Russe passa la douane sans vérification et prit un taxi pour la gare de King's Cross. Là, il se rendit à la consigne automatique. Il possédait déjà la clef. Le casier était l'un de ceux que l'homme de la Ligne N à l'ambassade conserve en permanence un peu partout dans la capitale. La clef avait été copiée depuis longtemps. Du casier de consigne, le Russe sortit un paquet, clos exactement comme au moment où il était arrivé à l'ambassade par la valise diplomatique, deux jours plus tôt.

L'homme de la Ligne N n'avait pas demandé non plus pourquoi il fallait déposer ce paquet dans le casier de consigne d'une gare. Cela ne faisait pas partie de ses attributions.

Petrofsky glissa le paquet dans son sac de voyage sans l'ouvrir. Il avait tout le temps. Il savait déjà ce qu'il contenait. A King's Cross, il prit un autre taxi pour traverser Londres jusqu'à la gare de Liverpool Street, où il monta dans le train du soir à destination d'Ipswich, dans le comté de Suffolk. Il arriva au Grand Hôtel du Cheval Blanc juste à temps pour dîner.

Si un agent de police curieux avait insisté pour regarder à l'intérieur du paquet dissimulé dans le sac de voyage du jeune Anglais voyageant dans le train d'Ipswich, il aurait fait des yeux ronds. Il contenait notamment un pistolet automatique finlandais Sako avec un chargeur plein. Le nez conique de chaque balle portait une entaille en forme de croix. Ces entailles avaient été enduites d'un mélange de gélatine et de cyanure de potassium concentré. Non seulement les balles éclateraient au moment de l'impact, mais il était hors de question que la victime survive au poison.

Le paquet contenait aussi le reste de la « légende » de James Duncan Ross.

Dans le jargon du métier une « légende » est l'histoire imaginaire de la vie d'un homme qui n'a jamais existé, avec à l'appui une gamme de documents parfaitement authentiques, de tout genre et de toute nature. En général, la légende est construite à partir d'une personne ayant réellement vécu mais décédée sans laisser de traces ni attirer l'attention. On prend alors l'identité en question et on la revêt de chair, comme jamais le squelette du défunt ne saurait l'être, avec une documentation à l'appui remontant en arrière dans le passé et continuant jusqu'au jour de la « résurrection ».

Le vrai James Duncan Ross, ou le peu qu'il restait de lui, pourrissait depuis des années dans un coin de brousse du côté du Zambèse. Il était né en 1950, fils d'Angus et de Kirtie Ross de Kilbride en Ecosse. En 1951, las des restrictions désespérantes de l'Angleterre d'après-guerre, Angus Ross avait émigré avec son épouse et leur bébé en Rhodésie du Sud, comme on disait à l'époque. Jeune ingénieur, il avait trouvé un emploi dans une affaire de machines agricoles, et en 1960 il avait pu fonder sa propre entreprise.

Sa réussite matérielle lui avait permis d'envoyer le jeune James dans une bonne école, puis à Michaelhouse. En 1971, à la fin de son service militaire, le jeune homme était revenu travailler avec son père. Mais c'était à ce moment-là la Rhodésie de Ian Smith, et la guerre contre les guérilleros de la Z.I.P.R.A. de Joshua Nkomo et de la Z.A.N.L.A. de Robert Mugabe devenait de plus en plus meurtrière.

Tout homme valide appartenait à la Réserve, et les périodes à passer dans l'armée furent de plus en plus longue. En 1976, avec son régiment de l'Infanterie Légère Rhodésienne, James Ross fut pris dans une embuscade de la Z.I.P.R.A. Il mourut. Les guérilleros de la Z.I.P.R.A. dépouillèrent son cadavre et se replièrent dans leurs bases de Zambie.

Il n'aurait pas dû avoir sur lui le moindre document permettant une identification, mais juste avant le départ de sa patrouille, il avait reçu une lettre de sa petite amie et l'avait glissée dans la poche de son blouson de combat. La lettre passa en Zambie et tomba aux mains du K.G.B.

L'ambassadeur soviétique à Lusaka était alors Vassili Solodovnikov, officier supérieur du K.G.B., qui supervisait plusieurs réseaux s'étendant à toute la partie méridionale du continent africain. L'un de ses hommes s'intéressa à la lettre adressée à James Ross, aux bons soins de ses parents. Les premières vérifications sur le jeune officier décédé apprirent aux agents russes que, nés en Grande-Bretagne, Angus Ross et son fils James n'avaient jamais abandonné leur nationalité britannique. Le K.G.B. ressuscita donc James Duncan Ross.

Quand la Rhodésie devint indépendante sous le nom de Zimbabwe, Angus et Kirtie Ross partirent en Afrique du Sud et, apparemment, James décida de retourner en Angleterre. Des mains invisibles retirèrent de Somerset House, à Londres, un certificat de naissance; d'autres mains remplirent et envoyèrent par la poste une demande de passeport. Les services de l'état civil vérifièrent, et le passeport fut accordé.

Pour fabriquer une bonne légende, des vingtaines de personnes doivent sacrifier des milliers d'heures de travail. Le K.G.B. n'a jamais manqué de personnel ni de patience. On ouvre des comptes en banque et on les annule; on n'oublie pas de renouveler des permis de conduire avant expiration; on achète des voitures et on les revend pour que le nom paraisse sur l'ordinateur du Service d'Immatriculation des Véhicules. Le fantôme accepte des emplois, reçoit des promotions, obtient des lettres de référence, cotise à des caisses de retraite. Toute une équipe d'agents de renseignements débutants s'occupe de la mise à jour en permanence de cette masse de documentation.

Une autre équipe remonte dans le passé. Quel était son surnom à la communale? Où est-il allé au lycée? Comment les gamins appelaient-ils le prof de sciences naturelles derrière son dos? Quel nom donnait-on au chien de la famille?

Quand la légende est terminée (et cela prend parfois des années) le nouveau bénéficiaire de cette identité la mémorise. Il faudrait plusieurs semaines d'enquête serrée pour la percer à jour – et encore... Tel était donc ce que Petrofsky portait dans sa tête et son bagage à main. Il s'appelait James Ross et pouvait le démontrer. Il quittait les comtés de l'Ouest pour prendre le poste de représentant en East Anglia d'une société suisse vendant du « software » d'ordinateurs. Il avait un compte bien approvisionné à la banque Barclays de Dorchester, dans le Dorset, qu'il se proposait de transférer dans la ville de Colchester, en Essex mais à deux pas d'Ipswich. Il savait reproduire à la perfection la signature de Ross.

La Grande-Bretagne est un pays où la vie privée est sacrée. Les Anglais sont presque les seuls dans le monde avec les Australiens, à ne pas posséder de carte d'identité. Si l'on vous demande votre identité – ce qui est fort rare – il vous suffit la plupart du temps de montrer une lettre qui vous a été adressée, comme si cela prouvait quelque chose. Le permis de conduire, bien qu'il ne comporte pas de photographie, est considéré comme une preuve positive. En Angleterre, un homme est censé être la personne qu'il prétend.

Quand il s'attabla pour dîner à Ipswich ce soir-là, Valéri Alexeïevitch Petrofsky était absolument certain de son fait, et à juste titre : personne n'aurait le moindre doute sur son identité de James Duncan Ross. Après le dîner, il demanda à la réception l'annuaire par professions et l'ouvrit à la page des agences immobilières.

11

TANDIS que le major Petrofsky dînait au Grand Hôtel du Cheval Blanc d'Ipswich, la sonnerie de la porte d'entrée tinta dans l'appartement du huitième étage de Fontenoy House, à Belgravia. Le propriétaire, M. Berenson, ouvrit. Pendant une seconde, il fixa, surpris, la silhouette dans le corridor.

« Mon Dieu! Sir Nigel... »

Ils se connaissaient vaguement, moins à cause de leur passage par la même école, des années auparavant, que pour s'être rencontrés de temps à autre dans les antichambres de Whitehall. Le chef du S.I.S. le salua d'un signe de tête poli mais distant.

« Bonsoir, Berenson. Me permettrez-vous d'entrer?

– Bien entendu, bien entendu, mais que diable... »

George Berenson parut fort troublé, quoique n'ayant aucune idée du but de la visite. Le fait que Sir Nigel l'ait appelé par son nom de famille tout seul indiquait que le ton de l'entrevue serait courtois mais non intime. La familiarité des prénoms était exclue d'emblée.

« Lady Fiona est ici?

– Non, elle assiste à une de ses réunions de comité. Nous avons la maison à nous. »

Sir Nigel le savait déjà. Avant de monter, il avait

attendu dans sa voiture que l'épouse de Berenson sorte de l'immeuble.

Sir Nigel se débarrassa de son manteau mais garda sa serviette. Berenson le fit asseoir dans le salon, à moins de dix mètres du nouveau coffre-fort mural, derrière le miroir.

« Que puis-je pour vous? » demanda-t-il en s'asseyant à son tour.

Sir Nigel ouvrit sa serviette et posa dix photocopies sur la plaque de verre de la table à thé.

« Je crois que vous devriez jeter un coup d'œil. »

Berenson examina en silence la première feuille, la souleva pour regarder la deuxième, puis la troisième. A la quatrième, il s'arrêta et les reposa. Il était devenu très pâle mais demeurait parfaitement maître de lui. Il garda les yeux fixés sur les papiers.

« Je ne vois pas ce que je pourrais dire.

– Pas grand-chose, répondit Sir Nigel calmement. On nous les a renvoyés, il y a un certain temps. Nous savons comment vous les avez perdus – une vraie malchance, de votre point de vue. Quand nous les avons reçus, nous vous avons placé sous surveillance pendant plusieurs semaines, nous avons suivi la note sur l'île de l'Ascension, son passage entre les mains de Benotti puis de Groot. Nous avons tous les fils entre nos mains. »

Une petite partie de ce qu'il disait était démontrable mais pour tout le reste, il bluffait; il ne voulait pas que Berenson soupçonne à quel point la position des services secrets serait faible sur le plan juridique. Le directeur adjoint des Marchés du ministère de la Défense se redressa soudain et leva les yeux. Voici venir la phrase de défi, se dit Irvine, la tentative de justification. C'est drôle que tous suivent exactement le même schéma... Son regard croisa celui de Berenson : le défi était bien là.

« Puisque vous savez tout, qu'allez-vous faire?

– Vous poser quelques questions, répondit Sir

Nigel. Par exemple depuis combien de temps cela dure-t-il, et pourquoi avez-vous commencé? »

Malgré ses efforts pour conserver son sang-froid et sa dignité, Berenson demeurait troublé, et il ne s'étonna donc pas d'un détail pourtant surprenant : ce genre de confrontation n'était pas du ressort du chef du S.I.S. Les espions travaillant pour des puissances étrangères sont arrêtés par le contre-espionnage. Son désir de se justifier l'emporta sur ses capacités d'analyse :

« J'ai commencé il y a un peu plus de deux ans. »

Ce pourrait être pire, se dit Sir Nigel. Il savait que Maartens se trouvait en Angleterre seulement depuis trois ans, mais Berenson aurait pu être « contrôlé » auparavant par un autre Sud-Africain travaillant pour Moscou. Cela ne semblait pas le cas.

« Quant à votre deuxième question, je croyais que cela allait de soi.

– Supposons que je sois un peu borné, suggéra Sir Nigel. Eclairez ma lanterne. Pourquoi? »

Berenson respira à fond. Peut-être, comme tant d'autres avant lui, avait-il souvent préparé sa défense dans sa tête et plaidé devant le tribunal de sa conscience – ou plutôt de ce qu'il prenait encore pour sa conscience.

« Je considère, et cela depuis des années, que le seul combat sur cette planète méritant d'être aidé est la lutte contre le communisme et l'impérialisme soviétique, commença-t-il.

« Dans ce combat, l'Afrique du Sud constitue l'un des derniers bastions. Probablement le bastion le plus important, sinon le seul, au sud du Sahara. Depuis longtemps, j'estime futile et néfaste que les puissances occidentales, pour des raisons morales douteuses, traitent l'Afrique du Sud comme un lépreux, et refusent de lui faire partager nos décisions conjointes pour répondre à la menace soviétique sur la surface du globe.

« Je pense depuis des années que la façon dont les puissances occidentales agissent à l'égard de l'Afrique du Sud est une honte et que l'exclure des plans d'urgence de l'O.T.A.N. constitue une erreur et une sottise. »

Sir Nigel hocha la tête, comme si cette idée ne lui avait jamais traversé l'esprit.

« Et vous avez estimé normal et juste de rétablir l'équilibre?

– Oui. Et en dépit de la loi sur les secrets officiels, je continue de le penser. »

La vanité, se dit Sir Nigel. Toujours la vanité, l'orgueil démesuré des hommes qui ne font pas le poids. Ils s'arrogent le droit de jouer au bon Dieu, persuadés que seul le traître a raison et que tous ses collègues sont des imbéciles. Hantés par l'amour du pouvoir, aussi puissant qu'une drogue, ils s'imaginent qu'en faisant passer des secrets ils manipulent la politique du monde au bénéfice de leur idéologie personnelle et à la confusion de leurs adversaires supposés, au sein de leur propre gouvernement – ceux qui les ont dépassés dans la course aux promotions et aux honneurs.

« Ah! bon? murmura Sir Nigel. Et dites-moi, avez-vous commencé de vous-même, ou à la suggestion de Maartens? »

Berenson réfléchit un instant.

« Jan Maartens est diplomate, il échappe donc à votre pouvoir. Ce que je vous dis ne peut donc pas lui nuire... Oui, c'est à sa suggestion. Nous ne nous étions jamais rencontrés pendant mon séjour à Pretoria. Nous avons fait connaissance ici, peu de temps après son arrivée. Nous nous sommes aperçus que nous avions beaucoup de points communs. Il m'a persuadé qu'en cas de conflit avec l'U.R.S.S., l'Afrique du Sud serait entièrement isolée dans l'hémisphère Sud, au nœud des routes maritimes vitales de l'océan Indien et de l'Atlantique Sud, avec probablement des bases soviétiques disséminées dans toute l'Afrique noire. Nous avons estimé l'un et l'autre que sans aucune indication sur les plans de l'O.T.A.N. dans ces deux régions maritimes, l'Afrique du Sud serait paralysée, quoique notre allié le plus irréductible dans cette partie du monde.

– C'est un argument très valable, acquiesça Sir Nigel à regret. Mais vous savez, après avoir découvert que Maartens était votre contrôleur, j'ai pris le risque de tout dire carrément au général Pienaar, des services secrets sud-africains. Il a nié que Maartens ait jamais travaillé pour lui.

– C'est bien naturel.

– Naturel, sans doute. Mais nous avons envoyé un homme sur place pour vérifier les déclarations de Pienaar. Je crois que vous devriez prendre connaissance de son rapport. »

Il sortit de sa serviette le rapport rédigé par Preston à son retour de Pretoria; avec la photo du jeune Maartens agrafée sur la couverture du dossier. Berenson haussa les épaules et se mit à lire les sept pages grand format. A la sixième page, il avala sa salive, le souffle court, porta le poing à sa bouche et se mordit le doigt. Quand il eut terminé la dernière page, il enfouit son visage entre ses mains et se balança lentement d'avant en arrière.

« Oh! mon Dieu, balbutia-t-il. Qu'ai-je fait?

– Beaucoup de mal... », dit Sir Nigel.

Il laissa Berenson absorber toute l'étendue de son malheur. Sans pitié, il regarda s'effondrer le mandarin prétentieux. Pour Sir Nigel, ce n'était qu'un petit traître minable de plus, capable de prêter solennellement serment à sa reine et à son pays, et de les trahir par pure vanité personnelle. Un homme du même acabit, quoique de moindre envergure, que Donald Maclean.

Berenson n'était plus pâle, mais d'un gris de cendre.

Quand il ôta les mains de son visage, il avait vieilli de plusieurs années.

« Que puis-je faire? Demandez-moi n'importe quoi. »

Sir Nigel haussa les épaules comme si la situation était sans issue. Il décida de retourner encore un peu le fer dans la plaie.

« Il y a évidemment une faction qui souhaite une arrestation rapide. Vous et Maartens. Pretoria a renoncé à invoquer l'immunité diplomatique. Vous aurez un jury de la classe moyenne et d'âge moyen, le procureur de la Couronne y veillera. Des gens honnêtes, pas compliqués. Ils ne croiront probablement jamais au recrutement sous faux pavillon. Une condamnation à perpétuité. Etant donné votre âge... Ce serait toute votre vie à Parkhurst ou à Dartmoor. »

Il laissa Berenson digérer cette perspective pendant plusieurs minutes.

« Mais j'ai réussi à calmer pour l'instant la faction de la ligne dure. Il y a une autre option...

– Sir Nigel, je ferai n'importe quoi, je vous assure. N'importe quoi... »

Comme c'est bien vrai, songea le chef. Comme c'est bien vrai. Si seulement vous saviez...

« Trois choses, en fait..., dit-il à haute voix. La première : vous continuez d'aller au ministère comme si de rien n'était. Ne changez rien de votre routine habituelle. Pas une ride ne doit troubler la surface de l'eau.

« La deuxième : ici, dans cet appartement, le soir et si nécessaire pendant la nuit, vous nous aidez à établir l'évaluation des fuites. Le seul moyen que nous ayons de minimiser les dégâts déjà faits est de savoir, dans le moindre détail, tout ce qui a été passé à Moscou. Vous gardez pour vous un point ou une virgule, et ce sera le pain sec et les barreaux jusqu'à la fin de vos jours.

– Oui, oui, c'est entendu. Rien n'est plus simple. Je

me rappelle chaque document que j'ai livré. Tout... Euh... Vous avez dit trois choses.

– Oui, répondit Sir Nigel en fixant ses ongles. La troisième est plus délicate. Vous continuerez vos relations avec Maartens.

– Je... Quoi?

– Vous n'aurez pas besoin de le rencontrer. Je préférerais même que vous l'évitiez. Je ne vous crois pas assez bon acteur pour lui donner le change. Non, vos contacts habituels par appels téléphoniques codés chaque fois que vous voudrez faire une livraison. »

Berenson ne comprit pas tout de suite.

« Une livraison de quoi?

– De documents que mes services, en collaboration avec d'autres, vous prépareront à intervalles réguliers. De l'intoxication, si vous voulez. Outre votre coopération avec les hommes du ministère de la Défense pour l'évaluation des fuites, j'aimerais que vous collaboriez avec moi. Pour faire vraiment mal aux Soviets. »

Berenson se raccrocha à cette proposition comme un homme en train de se noyer saisit le moindre brin de paille. Cinq minutes plus tard, Sir Nigel se leva. Les responsables de l'évaluation des fuites se mettraient au travail après le week-end. Il sortit et longea le couloir jusqu'à l'ascenseur d'un pas satisfait.

« A partir de maintenant, salaud..., se dit-il en songeant à l'homme brisé, terrifié, qu'il venait de quitter. A partir de maintenant, tu travailles pour moi. »

La jeune fille au comptoir de réception de l'agence Oxborrow leva les yeux à l'entrée de l'inconnu. Son allure lui plut. Taille moyenne, trapu et athlétique, un sourire spontané, des cheveux châtain clair et des yeux noisette.

« Puis-je vous aider?

– Je l'espère. Je viens d'arriver dans la région, on

m'a dit que vous faisiez des locations de maisons meublées.

– Oh! oui. Je vais prévenir M. Knights. C'est lui qui s'occupe des locations. Quel nom dois-je donner? »

De nouveau, il sourit.

« Ross, dit-il. James Ross. »

Elle appuya sur un bouton et parla dans l'interphone.

« Un M. Ross voudrait vous voir, monsieur Knights. Au sujet d'une maison meublée. Pouvez-vous le recevoir? »

Deux minutes plus tard, James Ross était assis devant le bureau de M. Knights.

« J'arrive du Dorset pour travailler dans l'East Anglia pour ma compagnie, dit-il d'un ton léger. L'idéal serait que ma femme et mes gosses puissent venir me rejoindre au plus tôt.

– Vous envisagez peut-être d'acheter une maison?

– Pas pour l'instant. Quand on achète, on aime trouver quelque chose qui convient vraiment. Et les formalités prennent beaucoup de temps. Surtout, je ne resterai peut-être ici que pour une période limitée. Tout dépendra de la direction. Vous savez ce que c'est. »

M. Knights comprenait parfaitement :

« Bien entendu, bien entendu. Une location de courte durée vous aiderait à vous installer en attendant de savoir si vous séjournerez ici plus longtemps.

– Exactement, dit Ross. Vous avez tout dit en deux mots.

– Vide ou meublé?

– Meublé. Si vous avez ça.

– Oh! oui, dit M. Knights en tendant la main vers ses classeurs. Les locations vides sont presque impossibles à décrocher. On ne parvient pas toujours à se débarrasser du locataire à l'expiration du bail. Nous avons quatre maisons meublées sur nos listes en ce moment. »

Il montra les fiches à M. Ross. Deux maisons étaient manifestement trop grandes pour convenir à un voyageur de commerce, et nécessiteraient beaucoup d'entretien. Les deux autres semblaient possibles. M. Knights disposait d'une heure et il les fit visiter à son client. L'une était parfaite, petite maison de brique toute propre, dans une petite rue de brique toute propre, dans un petit lotissement de brique tout propre, à deux pas de Belstead Road.

« Elle appartient à un certain M. Johnson, lui dit M. Knights lorsqu'ils redescendirent au rez-de-chaussée. C'est un ingénieur, sous contrat en Arabie Saoudite pour un an. Mais il ne reste plus à courir que six mois.

– Cela me convient parfaitement », répondit M. Ross.

La maison était située au numéro 12 de l'allée des Cerisiers. Toutes les rues environnantes portaient des noms d'arbres ou d'arbustes, et on appelait le lotissement simplement « les Allées ». Il y avait l'allée des Fougères, l'allée des Genêts, l'allée des Amandiers et l'allée des Bruyères. Le 12, allée des Cerisiers était séparé du trottoir par deux mètres de gazon et il n'y avait pas de clôture. Sur le côté, un garage fermé pour une seule voiture – Petrofsky savait qu'il aurait besoin d'un garage. Dans la cuisine (minuscule) une porte donnait sur le jardin, petit et clôturé. Le rez-de-chaussée se composait d'un vestibule étroit sur lequel s'ouvrait la porte d'entrée vitrée et, juste en face, l'escalier montant au premier. Sous l'escalier, un placard à balais.

Le salon se trouvait à l'avant et la cuisine au fond du couloir entre l'escalier et la porte du salon. A l'étage deux chambres, une donnant sur la rue et une sur l'arrière avec une salle de bain-toilettes. Rien qui puisse attirer l'œil, au milieu des maisons de brique presque identiques de la rue, habitées, elles aussi en majorité par des jeunes couples, le mari dans le commerce ou l'industrie, la femme s'occupant du ménage et d'un ou deux marmots. Exactement l'endroit que choisirait un homme attendant que sa femme et ses enfants viennent le rejoindre du Dorset à la fin du trimestre scolaire. Personne ne s'en étonnerait.

« Je la prends, dit-il.

– Pouvons-nous retourner au bureau pour régler les détails? » demanda M. Knights.

Comme il s'agissait d'une location meublée, les formalités étaient simples : un bail de deux pages signé en présence de témoins, une caution correspondant à un mois de loyer et le premier mois d'avance. M. Ross présenta une référence de ses employeurs à Genève et demanda à M. Knights de téléphoner à sa banque dans le Dorset le lundi matin pour se faire confirmer le chèque qu'il signa sur-le-champ. M. Knights espérait que toutes les paperasses pourraient être réglées à la satisfaction de tous le lundi soir, si le chèque était approvisionné. Ross sourit. Il savait qu'il y avait tout ce qu'il fallait à son compte.

Alan Fox se trouvait également dans son bureau ce samedi matin, à la requête spéciale de son ami Sir Nigel Irvine qui lui avait demandé un rendez-vous. Peu après dix heures, l'Anglais monta l'escalier de l'ambassade des Etats-Unis.

Alan Fox était le chef de l'antenne locale de la C.I.A. et ce n'était pas un nouveau venu dans le métier. Il connaissait Nigel Irvine depuis vingt ans.

« Je crains que nous ayons un petit problème, dit Sir Nigel en s'asseyant. Un de nos hauts fonctionnaires du ministère de la Défense a fait un faux pas.

– Oh! pour l'amour de Dieu, Nigel, pas une autre fuite! » s'exclama Fox.

Irvine prit un air contrit.

« J'en ai bien peur, avoua-t-il. Un peu comme votre affaire Harper. »

Alan Fox se rembrunit. Le coup avait porté. En 1983, les Américains avaient découvert, sans joie aucune, qu'un ingénieur travaillant à Silicon Valley en Californie avait « craché » aux Polonais (et donc aux Russes) toute une série de renseignements secrets sur les systèmes électroniques du missile américain Minuteman.

En comptant l'affaire Boyce, l'incident Harper avait en quelque sorte mis les deux pays à égalité. Les Anglais avaient longtemps subi les allusions ironiques ou amères des Américains au sujet de Philby. Burgess et Maclean, sans parler de Blake, Vassall, Blunt et Prime, et même après tant d'années les stigmates demeuraient. Les Anglais s'étaient sentis plus à l'aise quand les Américains avaient eu eux aussi leurs planches pourries : Boyce et Harper. Ils n'étaient plus les seuls à posséder des traîtres.

« Touché, dit Fox. Ce que j'ai toujours aimé chez vous, Nigel, c'est que vous ne pouvez pas voir une ceinture sans avoir envie de cogner en dessous. »

Fox était bien connu à Londres pour son esprit mordant. On se souvenait encore d'une des premières séances du « Joint Intelligence Committee » où Sir Anthony Plumb s'était plaint de ne pas avoir un beau titre comme tous les autres. Il était simplement le président du J.I.C. Pourquoi ne pas choisir un autre groupe d'initiales, qui formerait un mot bref?

« Pourquoi pas Coordinateur des Unités de Lutte », avait lancé Fox de sa voix traînante, à l'autre bout de la table.

Sir Anthony qui préférait ne pas être connu comme le C.U.L. de Whitehall s'était bien gardé d'insister.

« O.K., dit Fox. Très mauvais?

– Moins qu'on ne pouvait le craindre », répondit Sir Nigel.

Et il expliqua toute l'histoire à Fox, du début à la fin. L'Américain se pencha en avant, intéressé.

« Vous voulez dire qu'il a vraiment tourné casaque. Il va passer aux Russes ce qu'on lui dira?

– C'est cela, ou le reste de sa vie au pain sec. Il sera à tout instant sous surveillance. Bien entendu, il peut envoyer un signal de mise en garde codé quand il appellera son contrôleur au téléphone, mais je ne crois pas. C'est un homme d'extrême droite, et il s'agissait d'un recrutement sous faux pavillon. »

Fox réfléchit un moment.

« A votre avis, quelle est la cote de ce Berenson auprès du Centre, Nigel?

– Nous commencerons l'évaluation des fuites lundi, répondit Irvine, mais je pense qu'en raison de son poste important au ministère, sa cote doit être très élevée à Moscou. C'est peut-être même une « opération du directeur ».

– Pourrons-nous passer des éléments d'intoxication de notre cru par cette filière? » demanda Fox.

Son esprit envisageait déjà plusieurs scénarios que Langley adorerait faire avaler par Moscou.

« Je ne tiens pas à surcharger les circuits, dit Sir Nigel. Le rythme des livraisons doit rester le même, ainsi que le type de renseignements. Mais oui, nous pourrons vous laisser profiter de l'aubaine.

– Et vous désirez que je persuade ma direction de se montrer gentille avec Londres? »

Sir Nigel haussa les épaules.

« Le mal qui a été fait est fait. Remuer la boue donne des satisfactions d'amour-propre mais ce n'est guère productif. Je préférerais que nous réparions les dégâts et que nous en infligions à notre tour.

– O.K., Nigel. C'est entendu. Je dirai à mes supérieurs de rentrer les griffes. Nous disposerons de l'évaluation des fuites dès qu'elle sera terminée. Bon. Nous préparerons deux ou trois mémos sur nos sous-marins nucléaires dans l'Atlantique et l'océan Indien, qui pousseront le Centre à regarder dans la mauvaise direction. Je garderai le contact. »

Le lundi matin, Petrofsky loua une petite conduite intérieure modeste à une agence de location de Colchester. Il expliqua qu'il arrivait de Dorchester pour chercher une maison en Essex ou dans le Suffolk. Sa femme avait gardé leur voiture, au Dorset, et il ne voulait pas acheter un véhicule pour si peu de temps. Son permis de conduire était parfaitement en règle, avec une adresse à Dorchester bien entendu, la voiture était assurée par le loueur. Il loua pour trois mois, en option « Economie ».

Il paya une semaine de location en espèces et laissa un chèque pour le mois. Le problème suivant allait être plus difficile à résoudre, et il allait avoir besoin des services d'un agent d'assurances. Il repéra un cabinet dans la même ville et s'y rendit pour expliquer son cas.

Il avait travaillé à l'étranger pendant plusieurs années, dit-il, et avant cela, il avait toujours conduit un véhicule de service. Dans ces circonstances, il n'avait pas de compagnie d'assurances attitrée en Angleterre. Il avait décidé de retourner au pays et de se mettre à son compte. Il fallait qu'il achète un véhicule et il avait donc besoin d'une assurance. Est-ce que l'agent pouvait l'aider?

L'agent répondit qu'il en serait ravi. Il s'assura que le nouveau client avait un permis de conduire en règle, un permis de conduire international, une allure sérieuse et respectable et un compte en banque approvisionné (qu'il avait transféré de Dorchester à Colchester le matin même).

Quel genre de véhicule avait-il l'intention d'acheter? Une motocyclette? Oui, oui... Tellement plus facile pour circuler. Bien entendu, entre les mains des adolescents, ces machines étaient difficiles à assurer. Mais un adulte, appartenant à une profession libérale... Aucun problème. Peut-être une police « tous risques » présenterait-elle des difficultés... Ah! le client se contenterait d'un « recours des tiers »? Et l'adresse? Il cherchait une maison en ce moment... C'est bien naturel. Mais il était descendu au Grand Hôtel du Cheval Blanc d'Ipswich? Parfaitement acceptable. Si M. Ross voulait bien le prévenir du numéro d'immatriculation de sa motocyclette quand il procéderait à l'achat, ainsi que tout changement d'adresse, il pourrait lui obtenir une police « recours des tiers » en un ou deux jours.

Petrofsky revint à Ipswich dans sa voiture louée. Une journée chargée, mais il était certain de n'avoir attiré aucun soupçon et de n'avoir laissé derrière lui aucune trace repérable. A l'agence de location de voitures et à l'hôtel, il avait donné une adresse de Dorchester qui n'existait pas. Oxborrow, l'agent immobilier, et l'agent d'assurances connaissaient son adresse temporaire à l'hôtel et, bien entendu, Oxborrow était au courant du 12, allée des Cerisiers. La banque Barclays à Colchester avait pour adresse l'hôtel pendant qu'il cherchait une maison.

Il garderait sa chambre d'hôtel jusqu'à ce qu'il reçoive de l'assureur sa police. Ensuite, il partirait. L'idée que l'une de ces personnes puisse entrer en contact avec les autres était hautement improbable. Oxborrow mis à part, la piste s'arrêtait à l'hôtel ou à une adresse non existante à Dorchester. Tant qu'il payait régulièrement le loyer de la maison et les factures de location de la voiture, et si l'agent d'assurances avait un chèque approvisionné pour la prime annuelle de la motocyclette, nul ne se poserait de questions à son sujet. Barclays, à Colchester, avait reçu l'ordre de lui envoyer ses relevés tous les trimestres – mais fin juin, il serait parti depuis longtemps.

Il retourna à l'agence immobilière pour signer le bail et terminer les formalités.

Ce même lundi soir, l'avant-garde de l'équipe d'évaluation des fuites arriva à l'appartement de George Berenson à Belgravia pour commencer son travail.

C'était un petit groupe d'experts du MI-5 et d'analystes du ministère de la Défense. Leur premier devoir consistait à identifier chaque document livré à Moscou. Ils avaient apporté des copies des registres des Archives mentionnant les retraits et les retours, au cas où la mémoire de Berenson serait défaillante.

Plus tard, d'autres analystes, en se fondant sur la liste des documents livrés, essaieraient d'évaluer les dégâts et de les pallier : ils proposeraient les changements encore possibles, détermineraient les plans à annuler, les dispositions tactiques et stratégiques à modifier et celles qui pouvaient demeurer en place.

Ils travaillèrent toute la nuit et rendirent compte par la suite que Berenson s'était montré un modèle de coopération. Ce qu'ils pensaient personnellement de lui n'apparut pas dans leur rapport, pour la bonne raison que c'était impubliable.

Une autre équipe, au ministère, commença à préparer la série suivante de documents secrets que Berenson livrerait à Jan Maartens et à ses contrôleurs, quelque part au sein de la Première Direction générale, à Yasyenevo.

Le mercredi, John Preston s'installa dans son nouveau bureau de chef du C-5 (C), avec bien entendu tous ses dossiers personnels. Heureusement, il n'avait à monter que d'un étage, au troisième. Lorsqu'il s'assit à son bureau, son regard se posa sur le calendrier mural. On était le 1er avril.

Un sacré poisson à avaler! songea-t-il avec amertume.

Le seul rayon de soleil à l'horizon était l'arrivée de son fils Tommy la semaine suivante, pour les vacances de Pâques. Ils passeraient ensemble huit jours entiers avant que Julia, à son retour des sports d'hiver avec son « ami », à Verbier, ne réclame l'enfant pour le reste des congés.

Pendant une semaine entière, son petit appartement de Kensington s'animerait des enthousiasmes d'un enfant de douze ans, du récit de ses prouesses sur le terrain de rugby, des plaisanteries dont était victime le prof de français, et de la nécessité d'avoir des réserves de confitures et de gâteaux à manger au dortoir après l'extinction des lumières. Cette perspective ramena un sourire sur les lèvres de Preston et il décida de prendre au moins quatre jours de congé. Il avait prévu plusieurs expéditions et il espérait qu'elles recevraient le sceau d'approbation de Tommy. Jeff Bright, son adjoint à la tête de la section, interrompit le cours de ses pensées.

Bright aurait sans doute obtenu le poste de chef de section sans l'obstacle insurmontable de sa jeunesse. C'était, lui aussi, un des protégés d'Harcourt-Smith, heureux et flatté d'être invité régulièrement à prendre un verre avec le directeur général adjoint et de lui rapporter tout ce qui se passait dans la section. Il irait loin quand Harcourt-Smith prendrait enfin la direction générale.

« Je me suis dit que vous aimeriez voir la liste des ports et des aéroports qui dépendent de nous, John », lui dit Bright en entrant.

Preston étudia donc les listes que le jeune fonctionnaire lui remit. Existait-il vraiment un si grand nombre d'aéroports avec des vols en provenance ou à destination de pays extérieurs aux îles Britanniques? Et la liste des ports capables de recevoir des navires marchands arrivant à l'étranger se prolongeait sur plusieurs pages. Il soupira et commença sa lecture.

Le lendemain, Petrofsky trouva ce qu'il cherchait. Fidèle à son principe d'effectuer ses différents achats dans différentes villes de la région Suffolk-Essex, il s'était rendu à Stowmarket. La moto était une BMW K 100 à transmission par arbre, d'occasion mais en excellent état, une grosse machine puissante n'ayant que 35000 kilomètres au compteur. Le même magasin vendait des accessoires : pantalons et blousons de cuir noir, gants, bottes à fermeture Eclair et casques de sécurité avec visière fumée et rabattable. Il acheta une tenue complète.

Un à-valoir de vingt pour cent lui permit de conclure l'affaire mais non de partir avec la moto. Il demanda qu'on installe de chaque côté de la roue arrière une grande sacoche et, par-dessus, une sorte de mallette en fibre de verre fermant à clef. On lui promit d'équiper l'engin pour le surlendemain.

D'une cabine téléphonique, il appela l'agent d'assurances de Colchester pour lui indiquer le numéro d'immatriculation de la BMW. L'agent lui assura qu'il aurait la police provisoire valable un mois, dès le lendemain. Il la lui enverrait par la poste au Grand Hôtel du Cheval Blanc d'Ipswich.

De Stowmarket, Petrofsky se rendit en voiture à Thetford, en Norfolk, juste au nord de la limite du Suffolk. Thetford n'avait rien de particulièrement attirant; mais la petite ville se trouvait à peu de chose près dans l'axe désiré. Il découvrit ce qu'il cherchait peu après le déjeuner. Sur Magdalen Street, entre le numéro 13A et la salle de réunion de l'Armée du Salut, il y a une petite cour rectangulaire en retrait, contenant trente et un garages fermant à clef. Sur la porte de l'un d'eux une pancarte « A louer » était accrochée.

Il se mit à la recherche du propriétaire, qui habitait Thetford, et il loua le garage pour trois mois. Il paya d'avance et en espèces, on lui remit la clef. Le garage était petit et humide mais il servirait admirablement son dessein. Le propriétaire, ravi d'empocher quelques billets nets d'impôts n'avait demandé aucune preuve d'identité. Petrofsky lui avait donc donné un nom et une adresse imaginaires.

Il accrocha à un clou du mur sa tenue de cuir et son casque, posa ses bottes en dessous et profita du reste de l'après-midi pour acheter deux bidons de quarante litres en plastique dans deux magasins différents. Il les fit remplir d'essence dans deux stations-service différentes et les entreposa dans son garage. Au coucher du soleil, il rentra à Ipswich et demanda à la réception de l'hôtel de préparer sa note pour le lendemain matin.

Preston s'aperçut qu'il s'ennuyait au point d'en devenir distrait. Il n'avait pris son poste que depuis deux jours, et il les avait passés à lire des dossiers.

Il alla déjeuner à la cantine et envisagea sérieusement de prendre sa retraite anticipée. Cela présentait deux problèmes : à quarante-cinq ans passés, il aurait du mal à trouver un bon emploi, d'autant que ses qualifications mystérieuses n'étaient pas du genre jugé irrésistible par les grosses boîtes.

Son deuxième souci était sa fidélité à Sir Bernard Hemmings. Preston n'appartenait au « Cinq » que depuis six ans, mais le Patron s'était montré très bon pour lui. Il aimait beaucoup Sir Bernard et il savait que les candidats à sa succession fourbissaient leurs armes contre le directeur général malade.

Le directeur du MI-5 et le chef du MI-6 sont choisis en dernière instance par un « Comité des Sages ». Pour MI-5, ce comité comprenait normalement le chef de cabinet du ministère de l'Intérieur, assurant la tutelle du MI-5, le chef de cabinet de la Défense; celui du Conseil des ministres et le président du Comité interministériel des Services secrets.

Ces hommes « recommanderaient » le candidat de

leur choix au ministre de l'Intérieur et au Premier Ministre, seuls responsables de la nomination au niveau politique. Il était fort rare que les hommes politiques refusent de suivre la recommandation des « Sages ».

Mais avant de prendre leur décision, les mandarins du comité opéreraient des « sondages » à leur manière – qui est inimitable. Il y aurait des déjeuners discrets dans des clubs, des apéritifs dans des bars, des chuchotements autour d'une tasse de café. Dans le cas du directeur général du MI-5, on consulterait le chef du MI-6. Mais comme, en l'occurrence, Sir Nigel Irvine prendrait lui-même sa retraite peu après, il faudrait qu'il présente une très bonne raison pour s'opposer à un candidat agréé par les autres services de renseignements. Après tout, il ne serait pas obligé de travailler personnellement avec le nouveau D.G.

De toutes les sources « sondées » par les sages, la plus influente serait sans doute l'ancien directeur général du MI-5 lui-même. Preston savait qu'un homme d'honneur comme Bernard Hemmings se ferait un devoir de consulter ses chefs de section, dans les six divisions du service. Le résultat de cette consultation pèserait lourdement sur sa décision, quels que puissent être ses sentiments personnels. Ce n'était pas pour rien que Brian Harcourt-Smith avait profité de sa liberté croissante dans l'administration du service pour placer l'un après l'autre tous ses protégés à la tête des nombreuses sections.

Harcourt-Smith aurait sans aucun doute aimé que Preston démissionnât avant l'automne, comme deux ou trois autres anciens chefs de section, qui étaient retournés à la vie civile au cours des douze mois précédents.

« Le con! lança-t-il dans une cantine presque vide. Je resterai. »

Tandis que Preston déjeunait, Petrofsky quitta l'hôtel avec ses bagages – augmentés d'une grande valise pleine de vêtements qu'il avait achetés sur place. Il signala à la réception qu'il s'installait dans le Norfolk et demanda qu'on lui garde son courrier. Il passerait le prendre.

Il téléphona à l'agent d'assurances de Colchester et apprit que la police d'assurance de la motocyclette était prête. Le Russe demanda à l'agent de ne pas l'envoyer : il viendrait la chercher.

Il se rendit à Colchester sur-le-champ, puis emménagea au 12, allée des Cerisiers dans la soirée. Il passa une partie de la nuit à travailler avec ses grilles à usage unique, pour préparer un message codé qu'aucun ordinateur ne pourrait déchiffrer. Le décryptage se fonde sur les répétitions et les formules récurrentes. Mais en utilisant une grille à usage unique pour chaque mot d'un message bref, on ne laissait ni formules récurrentes ni répétitions.

Le samedi matin, il se rendit à Thetford, gara sa voiture et prit un taxi de la ville pour aller à Stowmarket. Il paya le reste du prix de la BMW avec un chèque certifié, passa dans les toilettes pour enfiler sa tenue de cuir et le casque, qu'il avait apportés dans son sac de voyage. Il rangea ce sac, sa veste, son pantalon et ses chaussures ordinaires dans les sacoches et prit la route.

Le trajet était long et lui prit plusieurs heures. Il ne revint à Thetford que tard dans la soirée. Il changea de vêtements, laissa la moto et reprit la conduite intérieure. Il retourna paisiblement allée des Cerisiers, à Ipswich, sur le coup de minuit. Personne ne le remarqua, mais même si on l'avait aperçu, ce n'était que ce brave M. Ross, qui s'était installé au numéro 12 le vendredi.

Pour sa soirée du samedi, le sergent-chef de l'armée américaine Averell Cook aurait préféré roucouler avec sa petite amie à Bedford. Ou même jouer au billard avec ses copains, au foyer. Au lieu de cela, il était de service à la station d'écoute anglo-américaine de Chicksands.

Le « siège » du centre britannique de surveillance électronique et de décryptage se trouve au Q.G. des Communications à Cheltenham (Gloucestershire) dans le sud de l'Angleterre. Mais il existe des stations dans diverses régions du pays et l'une d'elles, Chicksands dans le Bedfordshire, est dirigée conjointement par les Communications et par les services de sécurité des Etats-Unis.

L'époque où des hommes aux aguets, casqués d'écouteurs, essayaient de repérer et d'enregistrer les signaux d'un manipulateur morse envoyés par un agent allemand en Grande-Bretagne, est révolue depuis longtemps. En matière d'écoute, d'analyse, de filtrage des signaux « intéressants » parmi la masse des signaux innocents, d'enregistrement puis de décodage des signaux « intéressants », les ordinateurs ont pris le relais.

Le sergent-chef Cook était certain – et à juste titre – que si le moindre murmure électronique se faisait prendre dans la forêt d'antennes au-dessus de lui, il serait aussitôt transmis aux colonnes d'ordinateurs du sous-sol. Le balayage des bandes passantes était automatique, et l'enregistrement de tout murmure qui n'aurait pas dû se trouver dans l'éther l'était aussi.

Si un murmure de ce genre se produisait, l'ordinateur éternellement aux aguets déclencherait son bouton « action » au plus profond de ses entrailles multicolores, enregistrerait l'émission, effectuerait un relevé instantané de la source, donnerait à d'autres ordinateurs jumeaux du pays l'ordre de prendre un relevé « croisé », et avertirait aussitôt le sergent-chef Cook.

A 23 h 43 quelque chose provoqua la mise en marche de l'ordinateur central. Quelque chose ou quelqu'un avait émis un signal auquel on ne s'attendait pas, et au milieu du tourbillon kaléidoscopique des messages électroniques qui emplissent l'éther de cette planète, vingt-quatre heures sur vingt-quatre, l'ordinateur l'avait remarqué et isolé. Le sergent-chef Cook nota le signal d'avertissement et décrocha le téléphone.

Ce que l'ordinateur avait repéré était un « squirt », bruit très bref, durant à peine quelques secondes et n'ayant aucun sens pour une oreille humaine.

Un « squirt » est le résultat final d'une procédure assez laborieuse pour envoyer des messages clandestins. Tout d'abord, le message est écrit « en clair » et aussi bref que possible. Puis il est codé, mais il demeure encore une succession de lettres et de chiffres. Le message codé passe alors au manipulateur morse, relié non à un émetteur mais à un système d'enregistrement. La bande enregistrée est ensuite accélérée de sorte que les points et les traits constituant le message sont télescopés, réduits à un seul petit cri de quelques secondes.

Quand l'émetteur est prêt à fonctionner, l'opérateur envoie simplement ce petit cri, puis range son matériel et file aussitôt ailleurs.

Le samedi soir en question, dix minutes après l'émission du « squirt », les appareils de triangulation avaient défini le point exact d'où le signal avait été émis. D'autres ordinateurs à Menwith Hill dans le Yorkshire et à Brawdy au pays de Galles, avaient également détecté le « squirt » et relevé son origine.

Quand la police locale arriva à l'endroit de l'émission, elle découvrit qu'il s'agissait d'une petite aire de repos sur une route nationale peu fréquentée, dans la région de Derbyshire Peak. Il n'y avait plus personne.

Comme toujours, le « squirt » fut transmis à Cheltenham et ralenti à un rythme où les points et les traits pourraient être transcrits en lettres. Mais après vingt-quatre heures de tentatives effectuées par les cerveaux électroniques des décrypteurs, le résultat demeurait un énorme zéro.

« Il s'agit d'un émetteur « dormant », sans doute quelque part dans les Midlands, qui a été soudain « activé », expliqua le chef analyste au directeur général des Communications. Mais notre homme a l'air d'utiliser une grille à usage unique pour chaque mot. Si nous ne disposons pas de messages beaucoup plus longs, nous ne parviendrons jamais à percer le code. »

On décida de surveiller de très près la longueur d'onde utilisée par l'opérateur clandestin, alors que celui-ci émettrait sans doute les messages suivants (s'il y en avait) sur une autre bande passante.

Une note sur l'incident, brève et peu circonstanciée, passa sur les bureaux – entre autres chefs de service – de Sir Bernard Hemmings et de Sir Nigel Irvine.

Le message avait été enregistré ailleurs, et notamment à Moscou. Décodé avec le double des grilles à usage unique utilisées dans un faubourg paisible d'Ipswich, le message apprit aux personnes intéressées que « l'homme de terrain » avait réalisé tous ses objectifs préliminaires en avance sur les délais prévus et était prêt à recevoir son premier courrier.

12

Le dégel du printemps ne serait plus long à venir, mais pour l'instant de la neige glacée s'accrochait encore aux branches des bouleaux et des sapins... Depuis la baie panoramique pourvue de double vitrage, au septième et dernier étage de l'immeuble de la Première Direction générale, à Yasyenevo, l'homme qui regardait le paysage pouvait distinguer, par-delà la mer blanche de la forêt, la pointe occidentale du lac où, en été, les diplomates étrangers en poste à Moscou aimaient se délasser...

Le lieutenant général Yevgeni Sergeïevitch Karpov aurait préféré passer cette matinée de dimanche avec son épouse et leurs enfants adolescents, dans leur datcha de Peredelkino, mais même lorsqu'on s'est hissé à un poste aussi élevé dans la hiérarchie que celui de Karpov, il reste certaines choses que l'on doit faire soi-même. Par exemple, recevoir le « voyageur » de Copenhague à son arrivée.

Il regarda sa montre. Presque midi. L'homme était en retard. Karpov se détourna de la baie et se laissa tomber dans le fauteuil pivotant derrière son bureau.

A cinquante-sept ans, Yevgeni Karpov avait acquis la plus haute promotion et le pouvoir le plus élevé que puisse atteindre un agent de renseignements de métier au sein du K.G.B., ou en tout cas au sein de la Première Direction générale. Fédortchouk était monté plus haut, jusqu'au fauteuil de directeur du « Centre » puis du M.V.D., mais il n'y était parvenu qu'en s'accrochant aux basques du secrétaire général du Parti. En outre, Fédortchouk n'avait jamais appartenu à la Première Direction générale; il avait rarement quitté l'Union soviétique; il « s'était fait les griffes » en écrasant les mouvements dissidents et nationalistes de l'intérieur.

Mais pour un homme qui avait passé des années à servir son pays à l'étranger – toujours un mauvais point pour une promotion à un poste très élevé en Union soviétique – Karpov avait réalisé une belle carrière. Elancé, athlétique dans son complet de bonne coupe (l'un des petits à-côtés intéressants de la Première Direction générale), il était parvenu au grade de lieutenant général et au poste de premier directeur adjoint de la Première Direction générale. A ce titre, il était l'agent de rang le plus élevé en matière d'espionnage, l'équivalent des directeurs adjoints des Opérations et des Renseignements de la C.I.A., ou de Sir Nigel Irvine en Angleterre.

Des années plus tôt, au moment où il avait pris le pouvoir, le secrétaire général avait retiré le général Fédortchouk de la direction du K.G.B. pour le placer à la tête du ministère de l'Intérieur, et le général Chebrikov l'avait remplacé. Cela laissait une place vide – Chebrikov était l'un des deux directeurs adjoints.

On avait offert le poste vacant de premier directeur adjoint au colonel général Kryoutchkov, qui avait sauté sur l'occasion à pieds joints. Seulement Kryoutchkov, qui était jusque-là à la tête de la Première Direction générale, n'avait pas voulu renoncer à ce poste puissant. Il avait tenu à cumuler les deux. Même Kryoutchkov – en son for intérieur Karpov estimait que le brave colonel général n'était pas une lumière – s'était vite rendu compte qu'il ne pourrait pas se trouver en même temps au four et au moulin :

dans son bureau de premier directeur adjoint au Centre, place Dzerjinsky, et dans le bureau du directeur de la Première Direction générale à Yasyenevo.

Le résultat fut que le poste de premier directeur adjoint de la Première Direction générale, qui existait depuis des années, prit soudain une importance beaucoup plus grande. C'était déjà un poste réservé à un officier possédant une expérience considérable des opérations – le poste le plus élevé auquel puisse aspirer un espion de carrière. Kryoutchkov ne résidant plus au « village » (Yasyenevo, dans le jargon intérieur du K.G.B.), les responsabilités du premier adjoint s'étaient encore accrues.

Lorsque l'homme en place, le général B.S. Ivanov, avait pris sa retraite, les candidats « possibles » à sa succession étaient au nombre de deux : Karpov, encore un peu jeune, mais déjà à la tête de l'important Département III au bureau 6013 – responsable des opérations en Grande-Bretagne, Australie, Nouvelle-Zélande et Scandinavie; et Vadim Vassiliévitch Kirpichenko, plus âgé, plus élevé en grade et chef de la Direction « S » – les Illégaux. Kirpichenko avait obtenu le poste.

Comme prix de consolation, Karpov avait été promu à la tête de la puissante Direction des Illégaux, poste qu'il avait occupé pendant deux années passionnantes.

Puis, au début du printemps 1985, Kirpichenko avait fait « juste ce qu'il fallait ». Lancée à presque cent soixante à l'heure sur le périphérique de Sadovaya Spasskaya, sa voiture avait glissé sur une flaque d'huile provenant d'un camion en panne. Il avait perdu complètement le contrôle de la direction. Une semaine plus tard, on avait célébré une cérémonie discrète, dans l'intimité, au cimetière Novodevichii, et Karpov avait enfin obtenu le poste convoité, assorti d'une promotion de major général à lieutenant général.

Il avait remis avec plaisir la Direction des Illégaux au vieux Borisov, numéro deux depuis tant d'années qu'il en avait oublié le nombre – de toute façon, il le méritait.

Le téléphone sur son bureau se mit à sonner et il décrocha aussitôt.

« Le camarade major général Borisov à l'appareil. Il veut vous parler. »

Quand on parle du loup..., se dit-il. Puis il se rembrunit. Il avait une ligne privée qui ne passait pas par le standard, mais son ancien collègue ne l'avait pas utilisée. Il devait appeler de l'extérieur. Karpov recommanda à sa secrétaire de lui annoncer le « voyageur » de Copenhague dès son arrivée, puis appuya sur le bouton de la ligne extérieure pour prendre l'appel de Borisov.

« Pavel Petrovitch, comment allez-vous par cette belle journée?

– J'ai essayé de vous joindre chez vous, puis à la datcha. Ludmilla m'a appris que vous étiez au bureau.

– Eh oui! Il faut bien que quelqu'un travaille. »

Karpov faisait marcher le vieux bonhomme. Veuf et vivant seul, Borisov passait sans doute plus de week-ends au bureau que quiconque en Union soviétique.

« Yevgeni Sergeïevitch, il faut que je vous voie.

– Mais bien sûr. Vous n'avez pas besoin de le demander. Voulez-vous passer ici demain ou préférez-vous que je vienne en ville?

– Serait-ce possible aujourd'hui? »

Encore plus étrange, se dit Karpov. Le vieux bougre doit perdre la tête. Sa voix semblait avinée.

« Avez-vous cajolé une bonne bouteille, Pavel Petrovitch?

– Peut-être, peut-être..., répondit la voix agressive au bout du fil. On a besoin d'un petit réconfort de temps en temps. Surtout quand on a des problèmes. »

Karpov comprit que de toute façon ce devait être grave. Il renonça au ton ironique.

« D'accord, *starets,* dit-il d'une voix apaisante. Où êtes-vous?

– Vous connaissez ma datcha?

– Bien sûr. Vous voulez que j'y aille?

– Oui. Je vous en serais reconnaissant, dit Borisov. Quand pourrez-vous passer?

– Disons vers six heures, proposa Karpov.

– Je préparerai une bouteille de vodka poivrée, lança Borisov avant de raccrocher.

– Pas pour moi en tout cas », murmura Karpov.

A l'inverse de la plupart des Russes, Karpov ne buvait presque pas, et quand cela lui arrivait, il préférait une bonne eau-de-vie arménienne ou un scotch de qualité – qu'il faisait venir de Londres par la valise diplomatique. Il considérait la vodka comme une abomination et la vodka poivrée était à ses yeux la pire.

Adieu mon dimanche après-midi à Peredelkino, se dit-il. Il téléphona à Ludmilla pour la prévenir. Il ne fit aucune allusion à Borisov; il lui précisa simplement qu'il était retenu et qu'il la retrouverait à leur appartement du centre de Moscou vers minuit.

L'agressivité inhabituelle de Borisov continuait cependant de le tracasser. Ils avaient parcouru un long chemin ensemble, un trop long chemin pour que Karpov s'en offense. Mais c'était tout de même étrange de la part d'un homme en général si aimable et si flegmatique.

Ce même dimanche après-midi, le vol régulier Aéroflot de Moscou arriva à l'aéroport de Londres-Heathrow peu après dix-sept heures.

Comme pour tous les vols Aéroflot, chaque membre de l'équipage servait deux maîtres : la ligne aérienne nationale soviétique et le K.G.B. Le premier lieutenant Romanov n'appartenait pas au personnel fixe du K.G.B., il n'était qu'un « agent », c'est-à-dire un indicateur surveillant ses collègues, et de temps à autre un porteur de messages et un garçon de courses.

L'équipage quitta l'avion après l'avoir confié pour la nuit à l'équipe d'entretien au sol. Les mêmes hommes le ramèneraient à Moscou le lendemain. Comme d'habitude ils accompliraient les formalités d'entrée du personnel navigant et les douanes vérifieraient pour la forme leurs sacs de voyage et leurs bagages à main. Plusieurs d'entre eux avaient des postes de radio portatifs, et personne ne remarqua le Sony de Romanov, qui pendait au bout de sa courroie d'épaule. Les articles de luxe occidentaux font partie des petits avantages dont bénéficient les citoyens soviétiques voyageant à l'étranger, tout le monde le sait; les allocations de devises fortes ont beau être très limitées, lecteurs de cassettes, radios et parfums pour la femme, à Moscou, demeurent en tête de liste.

Après avoir effectué les formalités d'émigration et de douane, l'ensemble de l'équipage russe embarqua dans le minibus de la compagnie à destination du Green Park Hotel, où descendent souvent les pilotes d'Aéroflot. La personne qui avait remis ce poste de radio à Romanov, trois heures avant le décollage de l'avion à Moscou, devait savoir que les équipages d'Aéroflot ne sont pour ainsi dire jamais filés quand ils quittent Heathrow. Le contre-espionnage britannique semble considérer que s'ils représentent un risque, ce risque demeure acceptable comparé aux problèmes que poserait l'organisation d'une opération de surveillance efficace.

En arrivant dans sa chambre, Romanov ne put s'empêcher de regarder le poste de radio avec une certaine curiosité. Puis il haussa les épaules, l'enferma dans sa valise et descendit au bar prendre un verre avec les autres officiers. Il savait exactement ce qu'il devait faire de l'objet le lendemain, après le petit déjeuner. Il le ferait, puis oublierait toute l'histoire. Il ignorait encore qu'à son retour à Moscou, il serait mis directement en quarantaine.

La voiture de Karpov remonta en crissant la piste recouverte de neige, juste avant six heures, et il maudit Borisov d'avoir choisi une datcha de week-end en un lieu si reculé.

Tout le monde dans le service savait que Borisov était un original. Dans une société qui considère tout individualisme, tout écart de la norme et à plus forte raison la moindre excentricité, comme extrêmement suspects, Borisov n'avait fait carrière qu'en raison de ses qualités professionnelles hors pair. Il travaillait dans l'espionnage clandestin depuis son adolescence, et certains coups qu'il avait montés contre l'Ouest étaient devenus légendaires dans les centres de formation et les cantines où les jeunes recrues prenaient leurs repas.

A huit cents mètres du début de la piste, Karpov distingua les lumières de l'*isba,* la maison de rondins où Borisov passait ses week-ends. La plupart des dignitaires de la hiérarchie acceptaient volontiers, et même avec enthousiasme, des maisons de week-end situées dans des zones réservées, en fonction de leur rang. Ces zones se trouvent toutes à l'ouest de Moscou dans un méandre du fleuve, après le pont Ouspensky. Pas Borisov. En fin de semaine, quand il parvenait à s'arracher à son bureau, il aimait s'enfoncer au cœur des forêts de l'est de la capitale, pour jouer au paysan dans une *isba* traditionnelle. La Chaïka s'arrêta devant la porte de bois fruste.

« Attendez-moi, dit Karpov à son chauffeur.

– J'ai intérêt à faire demi-tour et à mettre des bûches sous les pneus, sinon nous resterons collés à la neige », grogna Micha.

Karpov acquiesça et descendit. Il n'avait pas apporté

de bottes, car il ne s'attendait pas à patauger dans la neige jusqu'aux genoux. Il atteignit l'entrée non sans mal et frappa. La porte s'ouvrit sur un rectangle de lumière jaune, provenant apparemment d'une lampe à pétrole. Le major général Pavel Petrovitch Borisov apparut, vêtu d'une tunique sibérienne, d'un pantalon de toile grossière et de bottes de feutre.

« Vous avez l'air de sortir d'un roman de Tolstoï, lui fit remarquer Karpov en entrant dans le salon, où un poêle de brique rempli de bûches ronronnait.

– C'est mieux que de sortir d'une vitrine de Bond Street », lui répliqua Borisov d'une voix bourrue en prenant le manteau de Karpov pour le suspendre à un piton de bois.

Il déboucha une bouteille de vodka, si forte qu'elle coulait comme du sirop, et emplit deux petits verres. Les deux hommes s'assirent de part et d'autre de la table.

« Cul sec! »

Karpov souleva son verre à la mode russe, entre le pouce et l'index, petit doigt tendu.

« A la vôtre! » répliqua Borisov.

Et ils vidèrent la première tournée.

Une vieille paysanne dont la silhouette ressemblait à une bouilloire, visage blême et cheveux gris remontés en chignon, incarnant la sainte Russie, entra par la porte de derrière, laissa tomber un plateau contenant une collation de pain noir, oignons, cornichons salés et petits dés de fromage, puis ressortit sans un mot.

« Quel est donc le problème, *starets*? » demanda Karpov.

Borisov était son aîné de cinq ans et ce n'était pas la première fois que sa ressemblance saisissante avec Dwight Eisenhower frappait Karpov. Il savait, qu'à l'inverse de la plupart des chefs du Centre, Borisov était aimé par ses collègues et adoré par ses jeunes agents. Ils lui avaient donné depuis longtemps le surnom affectueux de « starets », qui servait autrefois à désigner le chef d'un village, mais qui était devenu l'équivalent de « Patron » ou de « Old Man ». Borisov leva les yeux, toujours aussi renfrogné.

« Yevgeni Sergeïevitch, depuis combien de temps nous connaissons-nous?

– Plus d'années que je n'ai envie de me rappeler, répondit Karpov.

– Et pendant tout ce temps, est-ce que je vous ai jamais menti?

– Pas que je sache... »

Karpov commença à s'inquiéter.

« Et vous, aurez-vous le front de me mentir aujourd'hui?

– Pas si je peux l'éviter », répondit Karpov prudemment.

Qu'est-ce que le Vieux avait donc derrière la tête?

« Alors expliquez-moi ce que vous êtes en train de faire à mon service », demanda Borisov en élevant la voix.

Karpov réfléchit à la question longuement.

« Pourquoi ne me dites-vous pas plutôt ce qui se passe? lança-t-il.

– On m'a entièrement dépouillé, voilà ce qui se passe, ricana Borisov. Et vous devez être derrière ces ordres. Ou en tout cas au courant. Comment suis-je censé diriger les opérations « S » quand on m'arrache mes meilleurs hommes, mes meilleurs documents de couverture, mon meilleur matériel? Des années et des années de dur labeur... entièrement anéanties en quelques jours. »

Les vannes s'étaient ouvertes. Tout ce que Borisov avait avalé sans rien dire jusque-là était sorti d'un coup. Karpov se pencha en arrière, perdu dans ses pensées, tandis que l'autre remplissait de nouveau les verres. Karpov n'était pas parvenu à un poste aussi élevé dans les couloirs labyrinthiques du K.G.B. sans acquérir un sixième sens qui l'avertissait du danger. Borisov n'était pas de tempérament alarmiste. Ses paroles devaient cacher quelque chose. Quoi? Karpov n'en avait pas la moindre idée. Il se pencha en avant.

« Paul Petrovitch..., dit-il, adoptant le diminutif familier de Pavel. Comme vous l'avez dit, nous sommes dans le circuit depuis fort longtemps. Croyez-moi, je ne sais pas de quoi vous parlez. Voulez-vous cesser de crier et m'expliquer la situation? »

La protestation d'ignorance de Karpov adoucit Borisov, mais ne fit que l'intriguer davantage.

« D'accord, dit-il, du ton dont on explique une évidence à un enfant. Tout d'abord, deux types arrivent du Comité central et me demandent de leur confier mon meilleur illégal, un homme que j'ai passé des années à former moi-même, et pour qui je nourrissais les plus grands espoirs. Ils m'ont expliqué qu'il allait être détaché en « mission spéciale » – si vous savez ce que ça veut dire...

« D'accord, continua-t-il. Je leur donne mon meilleur homme. Ça ne me plaît pas, mais je le fais quand même. Deux jours plus tard, les revoilà. Ils veulent ma meilleure légende, une légende que j'ai mis plus de dix ans à peaufiner. Jamais depuis cette maudite affaire d'Iran on ne m'a traité de la sorte! Vous vous souvenez de l'histoire d'Iran? Je ne m'en suis pas encore remis. »

Karpov hocha la tête. Il n'était pas à la Direction des Illégaux à l'époque, mais Borisov lui avait tout expliqué au cours des deux années où ils avaient travaillé ensemble. Pendant les derniers jours du règne du shah d'Iran, le Département international du Comité central avait décidé de faire filer d'Iran en douce tous les membres du Politburo du Parti communiste iranien (Tudeh).

Ils avaient opéré un raid meurtrier sur les dossiers que Borisov couvait comme une pie voleuse et confisqué vingt-deux légendes iraniennes parfaites, identités de couverture que Borisov avait mises de côté pour *envoyer* des hommes en Iran, et non l'inverse.

« Dépouillé jusqu'à l'os! avait-il tempêté à l'époque. Uniquement pour assurer la sécurité de ces ratons couverts de mouches. »

Par la suite, il s'était plaint à Karpov :

« Et cela ne leur a servi à rien : l'Ayatollah est toujours au pouvoir, le Tudeh est encore interdit, et nous ne pouvons plus monter une seule opération là-bas. »

Karpov savait que le *starets* n'avait pas encore digéré l'incident d'Iran, mais la nouvelle affaire était plus étrange. Tout d'abord, la demande aurait dû passer par lui, Karpov.

« Qui leur avez-vous donné? demanda-t-il.

– Petrofsky, répondit Borisov d'un ton résigné. Obligé... Ils ont demandé le meilleur. Vous vous rappelez Petrofsky? Il dépasse tous les autres de la tête et des épaules. »

Karpov acquiesça; il n'était resté que deux ans à la Direction des Illégaux mais il se rappelait les noms des meilleurs et les opérations en cours. De toute façon, son poste actuel lui donnait accès à tous les dossiers.

« De quelle autorité émanait l'ordre écrit?

– Officiellement du Comité central. Mais la signature... »

Borisov leva son index tendu vers le plafond et donc le ciel.

« Dieu? demanda Karpov.

– Presque. Notre bien-aimé secrétaire général.

– Rien d'autre?

– Si. A peine ont-ils obtenu la légende, voilà les deux clowns qui reviennent. Cette fois ils prennent le cristal récepteur de l'un des émetteurs clandestins que vous avez plantés en Angleterre il y a quatre ans. C'est ce qui m'a fait croire que tout venait de vous. »

Karpov plissa les yeux. A l'époque où il était

directeur des Illégaux, les pays de l'O.T.A.N. déployaient des missiles Cruise et Pershing II. Washington, dans tous les coins du monde, essayait de rejouer dans la vie réelle la dernière bobine de tous les films de John Wayne qui aient jamais été réalisés et le Politburo en était malade d'inquiétude. Karpov avait reçu l'ordre de renforcer le plan d'urgence des Illégaux prévoyant d'énormes opérations de sabotage derrière les lignes, en cas de déclenchement des hostilités en Europe occidentale.

Dans le cadre de cet ordre, il avait « planté » dans les pays de l'O.T.A.N. un certain nombre d'émetteurs radio clandestins – dont trois en Grande-Bretagne. Les agents qui gardaient les appareils étaient tous des « dormants » ayant reçu l'ordre de ne rien faire tant qu'ils ne seraient pas « activés » par un agent possédant le code d'identification convenu. Les émetteurs, ultra-modernes, brouillaient automatiquement le message pendant l'émission, et pour débrouiller le message le récepteur avait besoin du cristal programmé correspondant. Les cristaux se trouvaient dans un coffre-fort de la Direction des Illégaux.

« Quel émetteur? demanda-t-il.

– Celui que vous appeliez toujours Poplar. »

Karpov hocha la tête. Toutes les opérations, tous les agents et tous les éléments matériels de ces opérations avaient des noms de code officiels. Mais Karpov était spécialiste de l'Angleterre depuis si longtemps et connaissait Londres si bien qu'il avait des noms de code personnels pour ses propres opérations, et il prenait toujours des noms de quartiers du Grand Londres ayant deux syllabes. Les trois émetteurs qu'il avait fait placer en Grande-Bretagne étaient pour lui Hackney, Shoreditch et Poplar.

« Rien d'autre, Paul Petrovitch?

– Mais si, voyons! Ces types sont insatiables, je vous dis. Ils sont revenus me prendre Igor Volkov. »

Le major Volkov avait appartenu au département

Action-Exécution jusqu'à ce que le Politburo décide que les assassinats purs et simples devenaient trop gênants. Les Bulgares et les Allemands de l'Est avaient reçu l'ordre de faire le sale boulot à leur place. Le département « V » (Action-Exécution) s'était recyclé aussitôt dans le sabotage.

« Sa spécialité?

– Transport de colis clandestins à travers les frontières nationales, notamment en Europe occidentale.

– La contrebande?

– C'est ça, la contrebande. Et il est excellent. Nous n'avons personne qui connaisse mieux que lui les frontières de cette partie du monde, ainsi que les procédures d'immigration, les habitudes des douaniers, et les moyens efficaces de les circonvenir. Nous n'*avions* personne..., devrais-je dire. Ils me l'ont pris lui aussi. »

Karpov se leva, puis se pencha en avant pour poser les deux mains sur les épaules de Borisov.

« Ecoutez, starets, je vous en donne ma parole : je ne suis pas à l'origine de cette opération. Je n'étais même pas au courant. Mais nous savons, vous et moi, que ce doit être une opération énorme, et donc qu'il serait dangereux de faire des vagues. Gardez votre calme, mordez la balle entre vos dents, résignez-vous à vos pertes. Je vais essayer, discrètement, de découvrir de quoi il retourne et quand l'on vous renverra vos hommes. Quant à vous, pas un mot, les lèvres plus serrées que les cordons de la bourse d'un Géorgien. D'accord? »

Borisov écarta les bras, paumes tournées vers l'avant en un geste d'innocence.

« Vous me connaissez, Yevgeni Sergeïevitch, j'ai envie de mourir très vieux. Le doyen de toutes les Russies... »

Karpov éclata de rire. Il enfila son manteau et se dirigea vers la porte. Borisov le raccompagna.

« Je suis sûr que vous y parviendrez », dit Karpov.

Quand la porte se referma derrière lui, Karpov cogna à la fenêtre de son chauffeur.

« Suivez-moi jusqu'à ce que je vous fasse signe, dit-il. J'ai besoin de marcher. »

Il se mit à descendre à pied la piste enneigée, sans se soucier de la glace qui se collait à ses chaussures de ville et à son pantalon de laine peignée. L'air glacé de la nuit le revigorait, chassait les brumes de la vodka – et il avait justement besoin de garder la tête claire pour réfléchir. Ce qu'il venait d'apprendre le mettait en rage. Quelqu'un, et il se doutait bien de qui il s'agissait, montait une opération personnelle en Grande-Bretagne. C'était vraiment traiter par-dessus la jambe le premier directeur adjoint de la Première Direction générale, d'autant plus que Karpov avait justement passé de nombreuses années en Angleterre et contrôlé des centaines d'agents en mission là-bas : c'était sa chasse gardée.

Tandis que le général Karpov descendait la piste enneigée, perdu dans ses pensées, un téléphone se mit à sonner dans un petit appartement de Highgate, dans la banlieue de Londres, à moins de cinq cents mètres de la tombe de Karl Marx.

« Tu es là, Barry? lança une voix de femme dans la cuisine.

– Oui, je le prends », répondit une voix d'homme depuis le salon.

L'homme passa dans le vestibule et décrocha, tandis que sa femme continuait de préparer leur dîner du dimanche.

« Barry?

– Lui-même.

– Ah! désolé de vous déranger un samedi soir. « C » à l'appareil.

– Oh! bonsoir monsieur. »

Barry Banks était surpris. Il était extrêmement rare que le Maître téléphone à l'un de ses hommes chez lui.

« Ecoutez, Barry, à quelle heure prenez-vous normalement votre service Charles Street le matin?

– Vers dix heures, monsieur.

– Pourriez-vous partir de chez vous une heure plus tôt lundi et faire un saut à Sentinel pour bavarder avec moi?

– Mais bien sûr.

– Parfait. Je vous verrai donc vers neuf heures. »

Barry Banks était K-7 à Charles Street, le quartier général du MI-5, mais c'était en réalité un homme du MI-6, détaché pour assurer la liaison de Sir Nigel Irvine avec le service de contre-espionnage.

Tout en avalant le dîner préparé par sa femme, il se demandait ce que Sir Nigel Irvine pouvait bien lui vouloir, et pourquoi il l'avait convoqué en dehors des heures normales.

Yevgeni Karpov n'avait pas l'ombre d'un doute : « On » avait monté une opération secrète, elle était en cours d'exécution, et elle concernait l'Angleterre. Petrofsky, il le savait, pouvait passer pour cent pour cent anglais au milieu des Anglais; la légende choisie dans les dossiers de Borisov pouvait s'adapter à Petrofsky trait pour trait; l'émetteur Poplar était « planqué » dans le nord des Midlands. Si Volkov avait été muté à cause de ses compétences pour « passer » des colis en Angleterre, d'autres mutations avaient déjà dû se produire, mais de directions différentes, hors de l'orbite de Borisov.

Tout indiquait incontestablement que Petrofsky se rendrait en Angleterre sous couverture – il y était peut-être déjà. Rien de bizarre : c'était pour cela qu'il avait été recruté et formé. Ce qui était curieux, c'était que la Première Direction générale – lui-même, Karpov – ait été rigoureusement tenue à l'écart de l'opération. Cela n'avait aucun sens, étant donné ses compétences personnelles en ce qui concernait l'Angleterre et les affaires britanniques.

Ses liens avec l'Angleterre remontaient à vingt ans, à une soirée de septembre 1967 où il traînait dans les bars de Berlin-Ouest fréquentés par des soldats anglais en permission. Cela faisait partie de sa mission : il était à l'époque un « illégal » ambitieux sur la voie du succès.

Son regard s'était posé sur un jeune homme morose, visiblement amer, accoudé un peu plus loin. Son complet étriqué, sa coupe de cheveux trahissaient le soldat anglais de carrière. Il s'était rapproché du buveur solitaire et avait découvert qu'il s'agissait d'un opérateur-radio de vingt-neuf ans. Il travaillait dans une unité de transmissions/renseignements (c'est-à-dire la surveillance électronique) appartenant à la Royal Air Force et stationnée à Gatow. L'homme était extrêmement mécontent de son sort.

Entre le mois de septembre et janvier 1968, Karpov avait « travaillé » sur le radio de la R.A.F., se faisant d'abord passer pour Allemand, comme le voulait sa couverture, puis avouant qu'il était Russe. Ce fut un recrutement facile, si facile qu'il semblait presque suspect. Mais il n'en était rien. L'Anglais se sentait flatté d'avoir attiré l'attention du K.G.B., et il était animé par la haine que ressentent parfois les hommes pas tout à fait normaux pour leur entourage professionnel et leur pays. Il accepta de travailler pour Moscou. Au cours de l'été 1968, Karpov lui fit suivre personnellement une formation accélérée à Berlin-Est. Il apprit à le connaître et à le mépriser davantage. L'homme de la R.A.F. parvenait au terme de son service à Berlin et de son engagement dans l'armée. Il devait rentrer en Angleterre en septembre 1968 pour se faire démobiliser. On lui suggéra de quitter l'Aviation et de postuler un emploi au Q.G. des Communications, à Cheltenham. Il accepta, et en septembre 1968 il obtint le poste convoité. L'homme de la R.A.F. se nommait Geoffrey Prime.

Pour pouvoir continuer de « contrôler » Prime, Karpov fut muté sous couverture diplomatique à l'ambassade soviétique à Londres. Il y demeura trois ans, puis remit le dossier Prime à un successeur et retourna à Moscou. Cette affaire avait fait beaucoup de bien à sa carrière : on le promut au grade de major, avec mutation au Département III. De là, il avait exploité le matériel envoyé par Prime jusqu'au milieu des années 70. Dans tous les services de renseignements du monde, la règle veut qu'une opération fournissant d'excellent matériel soit bien notée. Les louanges retombent automatiquement sur l'officier qui contrôle l'opération.

En 1977, Prime démissionna du Q.G. des Communications : les Anglais savaient qu'il y avait une fuite dans le service et les chiens de chasse commençaient à renifler. En 1978, Karpov revint à Londres, cette fois comme chef de la Rezidentura, avec le rang de colonel. Malgré son départ des Communications, Prime demeurait un agent et Karpov le prévint de se faire tout petit. Personne ne possédait la moindre preuve des activités de Prime antérieures à 1977. Prime était le seul à pouvoir s'inculper.

« Il serait en liberté à l'heure actuelle s'il avait été capable d'empêcher ses sales pattes de palper les petites filles », songeait Karpov, furieux. Car il était au courant depuis longtemps de la tare de Prime. Et ce fut une accusation d'« agression indécente » qui amena la police à la porte de Prime et provoqua sa confession. Il avait été condamné à trente-cinq ans de détention criminelle pour sept délits d'espionnage.

Mais Londres avait valu à Karpov deux succès compensant largement le revers de l'affaire Prime. En 1980, au cours d'une réception, il avait fait la connaissance d'un haut fonctionnaire du ministère de la Défense. Au début, l'homme n'avait pas compris correctement le nom de Karpov et pendant plusieurs minutes il avait bavardé avec lui de façon courtoise. Puis l'homme s'était aperçu que Karpov était russe, et son attitude avait changé du tout au tout. Derrière cette volte-face soudaine et le ton glacial qui avait suivi, Karpov avait discerné une haine viscérale à l'égard de lui-même, soit parce qu'il était russe, soit parce qu'il était communiste.

Il n'en fut pas blessé mais fortement intrigué. Il apprit que l'homme se nommait George Berenson, et au cours des semaines suivantes, il découvrit qu'il s'agissait d'un anticommuniste acharné, admirateur passionné de l'Afrique du Sud. Il classa Berenson comme « possible » pour un recrutement sous faux pavillon.

En mai 1981, il était retourné à Moscou pour prendre la tête du Département III et il avait cherché autour de lui un « dormant » sud-africain sympathisant soviétique. La Direction des Illégaux lui avait cité deux noms : Gerhardt, officier dans la marine d'Afrique du Sud, et Maartens qui appartenait au corps diplomatique. Mais Maartens venait justement de rentrer à Pretoria après trois années de séjour à Bonn.

Ce fut au printemps 1983 qu'en devenant major général pour prendre la tête de la Direction des Illégaux, Karpov contrôla directement Jan Maartens. Il ordonna au Sud-Africain de solliciter un poste à Londres pour terminer sa longue carrière, et en 1984 Maartens l'obtint. Karpov se rendit en personne à Paris, sous couverture, et expliqua sa mission au Sud-Africain : il devait fréquenter George Berenson et essayer de le recruter en prétendant travailler pour Pretoria.

En février 1985, à la mort de Kirpichenko, Karpov était enfin parvenu à son poste actuel. Un mois plus tard, en mars, Maartens avait signalé que Berenson était « ferré ». Le même mois, la première série de « documents Berenson » était parvenue à Moscou : de l'or massif, vingt-quatre carats, un filon de rêve. Depuis lors, il avait contrôlé personnellement l'opération Berenson/Maartens, rencontrant ce dernier deux fois par an dans telle ou telle ville d'Europe pour le féliciter et prendre ses avis. Le « voyageur » arrivé à Moscou le jour même, à l'heure du déjeuner, apportait la toute dernière série de documents Berenson, envoyés par Maartens à une adresse du K.G.B. à Copenhague.

Le séjour de Karpov à Londres de 1978 à 1981 avait porté un autre fruit. Comme de coutume, Karpov avait donné à Prime et à Berenson des noms de code personnels : Prime était Knightsbridge et Berenson, Hampstead. En plus, il y avait eu Chelsea...

Il respectait Chelsea autant qu'il méprisait Prime et Berenson. A l'inverse des deux autres, Chelsea n'était pas un agent, mais un « contact ». Haut placé dans la hiérarchie de son pays, cet homme était, comme Karpov, un pragmatique pleinement conscient des réalités parfois très dures de son travail, de son pays et du monde extérieur. Karpov s'était toujours étonné de voir que les journaux de l'Ouest présentaient souvent les responsables du renseignement perdus dans un monde imaginaire de fantasmes. Pour lui, c'étaient les politiques qui vivaient dans leur monde de rêve, séduits et aveuglés par leur propre propagande.

Chelsea lui avait laissé entendre à deux reprises que si l'U.R.S.S. continuait sur une certaine voie ils auraient tous très vite pas mal de dégâts à réparer; et les deux fois il ne s'était pas trompé. Karpov, qui avait pu prévenir ses supérieurs du danger imminent, en avait retiré un profit personnel immense quand les événements avaient confirmé ses dires.

Il s'arrêta brusquement pour forcer son esprit à retourner au problème présent. Borisov avait raison : c'était bien le secrétaire général. Il était en train de monter une opération personnelle, juste sous le nez de Karpov et en Grande-Bretagne, en excluant entièrement la participation du K.G.B. Karpov sentit le danger. Malgré les années qu'il avait passées à la tête du K.G.B., le vieux secrétaire général n'était pas un professionnel de l'espionnage. Karpov allait sans doute risquer sa propre carrière, mais il était vital de découvrir ce qui se tramait. Avec prudence, bien sûr... Une prudence extrême.

Il consulta sa montre. Vingt-trois heures trente. Il fit signe à sa voiture d'avancer, monta à l'intérieur et rentra à Moscou.

Barry Banks arriva au quartier général du S.I.S. le lundi matin à neuf heures moins dix. Sentinel House est un vaste immeuble carré, d'un mauvais goût surprenant, sur la rive sud de la Tamise. Le Conseil du Grand Londres le loue à un ministère du gouvernement. Ses ascenseurs fonctionnent quand ils en ont envie, et dans les étages inférieurs la mosaïque des murs perd ses petits carreaux comme des pellicules de céramique tombant d'un crâne malsain.

Banks présenta sa carte à la réception et monta directement. Le Maître le reçut aussitôt, toujours un peu bourru mais sympathique avec ses subalternes ambitieux.

« Connaîtriez-vous par hasard un garçon du « Cinq » appelé John Preston? demanda « C ».

– Oui, monsieur. Pas très bien mais je l'ai rencontré à plusieurs reprises. En général au bar de Gordon, quand j'y vais.

– Il est à la tête de C-1 (A), n'est-ce pas?

– Plus maintenant. Il vient d'être muté à C-5 (C). La semaine dernière.

– Ah! bon? Un peu brusque, non? On m'avait dit qu'il s'en sortait très bien à C-1 (A). »

Sir Nigel n'avait nulle envie d'apprendre à Banks

qu'il avait fait la connaissance de Preston aux réunions du comité Phénix et l'avait utilisé comme furet en Afrique du Sud. Banks n'était pas au courant de l'affaire Berenson et n'avait pas à l'être.

Banks, quant à lui, se demandait ce que le Maître avait derrière la tête. A sa connaissance Preston n'avait rien à voir avec « Six ».

« Très brusque. En fait, il n'était à C-1 (A) que depuis quelques semaines. Jusqu'au début de l'année il dirigeait la section F-1 (D). Il a dû faire quelque chose qui a contrarié Sir Bernard, ou plus probablement Brian Harcourt-Smith, et on l'a enlevé de son poste pour lui donner C-1 (A). Ensuite, le 1er avril, on l'a de nouveau blackboulé. »

Ah! songea Sir Nigel. Contrarié Harcourt-Smith... Je m'en doutais. Je me demande bien pourquoi. A haute voix, il dit :

« Avez-vous la moindre idée, Barry, de ce qu'il a pu faire pour contrarier Harcourt-Smith?

– J'ai eu des échos, monsieur. De la bouche de Preston. Il ne me parlait pas mais il était assez près pour que j'entende. Il se trouvait au bar de Gordon il y a une quinzaine de jours. Il avait l'air contrarié lui-même. Il a passé des années à préparer un rapport, qu'il a soumis juste avant Noël. Il estimait que son papier méritait une certaine attention, mais Harcourt-Smith l'a « classé ».

– Hum... F-1 (D) ce sont les activités d'extrême gauche, n'est-ce pas? Ecoutez, Barry, j'aimerais que vous fassiez quelque chose pour moi. Inutile de le chanter sur les toits, mais discrètement, trouvez le numéro de dossier de ce rapport et retirez-le des Archives. Vous le mettrez au sac postal et vous me l'adresserez personnellement, ici. »

Banks se retrouva dans la rue, sur le chemin de « Charles », juste avant dix heures.

L'équipage d'Aéroflot prit son petit déjeuner sans hâte et à 9 h 29 le premier lieutenant Romanov regarda l'heure et descendit aux toilettes pour hommes. Il s'y était déjà rendu auparavant pour repérer le cabinet qu'il devait choisir : le deuxième à partir du fond. Celui du fond était déjà occupé, la porte fermée. Il entra dans le cabinet adjacent et ferma la porte.

A 9 h 30, il posa par terre, à côté de la cloison, la petite carte où il avait inscrit les six chiffres prévus. Une main se glissa sous la cloison, retira la carte, y écrivit quelque chose et la reposa sur le carrelage. Romanov la ramassa. Sur l'autre côté de la carte se trouvaient les six chiffres auxquels il s'attendait.

L'identification terminée, il posa son poste de radio par terre et la même main le fit passer sans bruit dans le cabinet voisin. A l'extérieur, quelqu'un utilisait l'urinoir. Romanov tira la chasse, ouvrit la porte et se lava les mains jusqu'à ce que l'utilisateur de l'urinoir quitte les toilettes. Enfin, il s'en alla. Le minibus qui conduirait l'équipage à Heathrow attendait devant la porte. Aucun de ses collègues ne remarqua l'absence du Sony – ils pensèrent qu'il l'avait rangé dans son sac de voyage. Le courrier numéro un avait rempli sa mission.

Barry Banks téléphona à Sir Nigel juste avant l'heure du déjeuner. Sur une ligne intérieure, parfaitement sûre.

« C'est plutôt bizarre, Sir Nigel, lui dit-il. J'ai trouvé le numéro de dossier du rapport que vous désirez et je suis descendu aux Archives le demander. Je connais bien le responsable. Il m'a confirmé qu'il se trouvait dans la section « à classer ». Mais il est sorti.

– Sorti?

– Sorti. Quelqu'un l'a retiré.

– Qui?

– Un nommé Swanton. Je le connais. Ce qui est curieux, c'est qu'il travaille à la section Finances. Je lui ai donc demandé si je pouvais le lui emprunter. Deuxième chose étrange : il a refusé. Il m'a dit qu'il ne l'avait pas encore terminé. D'après les Archives, il l'a sorti il y a trois semaines. Et avant, quelqu'un d'autre l'avait retiré.

– Le balayeur des toilettes? demanda Sir Nigel.

– Presque. Un type des services administratifs. »

Sir Nigel réfléchit un instant. Le meilleur moyen de maintenir un dossier hors de circulation en permanence était de le retirer soi-même ou de le faire retirer en permanence par un de ses protégés. Il aurait juré que ce Swanton et l'autre bonhomme faisaient partie de l'« écurie » d'Harcourt-Smith.

« Barry, il faut que vous me dénichiez l'adresse personnelle de Preston. Puis vous passerez me voir ici à cinq heures. »

Le général Karpov s'installa à son bureau d'Yasyenevo cet après-midi-là et se massa la nuque du bout des doigts. Il avait passé une nuit infernale, éveillé la plupart du temps tandis que Ludmilla dormait à ses côtés. A l'aube, il était parvenu à une conclusion, et les brefs moments de réflexion qu'il avait pu voler au milieu de ses besognes de la matinée n'avaient fait que la confirmer.

C'était bien le secrétaire général qui se trouvait à l'origine de la mystérieuse opération montée en Grande-Bretagne. Il prétendait lire l'anglais et le parler, mais il n'avait aucune connaissance réelle du pays. Il avait dû s'appuyer sur les conseils d'une personne compétente dans ce domaine. Il y en avait beaucoup au ministère des Affaires étrangères, au Département international du Comité central, au G.R.U. et au

K.G.B. Mais s'il avait évité le K.G.B., n'avait-il pas écarté également les autres services?

Donc un conseiller privé. Plus Karpov y songeait, plus un nom s'imposait à lui : celui de sa bête noire personnelle. Des années auparavant, tandis qu'il faisait ses premières armes dans le service, il avait admiré Philby. Tout le monde l'admirait à l'époque. Mais le temps avait passé, Karpov n'avait cessé de s'élever tandis que Philby s'enfonçait. Il avait été témoin de la dégradation progressive du renégat anglais, devenu ivrogne – une épave. En réalité, depuis 1951, Philby n'avait vu aucun document secret anglais (en dehors de ceux que lui avait transmis le K.G.B.). Il avait quitté l'Angleterre pour Beyrouth en 1955 et il ne s'était pas rendu en Occident depuis son départ final en 1963. Vingt-quatre ans!... Karpov estimait à juste titre qu'à l'heure actuelle, il connaissait mieux l'Angleterre que Philby.

Ce n'était pas tout. Il savait qu'au moment de son passage au K.G.B., le secrétaire général avait été pour ainsi dire « charmé » par Philby, par ses manières désuètes et ses goûts raffinés, ses attitudes de gentleman anglais, son dédain pour le monde moderne avec sa musique pop, ses motos bruyantes et ses blue-jeans – le secrétaire général éprouvait les mêmes sentiments. A plusieurs reprises, le secrétaire général avait sollicité l'opinion du transfuge anglais pour vérifier les avis qu'il recevait de la Première Direction générale. Pourquoi pas cette fois?

Enfin, Karpov n'ignorait pas qu'une fois, une fois seulement, Philby avait déclaré par mégarde qu'il avait envie de retourner « chez lui ». C'était extrêmement intéressant. Et même s'il n'existait aucune autre raison, cela suffisait pour que Karpov lui retirât sa confiance. Définitivement. Il se rappela le visage fripé qui lui souriait depuis l'autre côté de la table au dîner donné par Kryoutchkov à la veille du Nouvel An.

Qu'avait-il dit sur la Grande-Bretagne? Que le K.G.B. surestimait toujours sa stabilité politique?

Ce n'étaient que des éléments disparates mais ils commençaient à s'ajuster. Karpov décida de vérifier les activités de M. Harold Adrian Russell Philby. Il savait que même à son niveau, tout était signalé : les retraits des Archives, les demandes officielles d'information, les coups de téléphone, les notes de service. Il fallait que cela reste officieux, personnel et surtout verbal. Le secrétaire général devenait très dangereux quand on s'opposait à lui.

John Preston venait d'entrer dans sa rue, à cent mètres à peine de l'entrée de son immeuble, quand il entendit une voix le héler. Il se retourna : Barry Banks traversait la chaussée à sa rencontre.

« Barry! Comme le monde est petit! Que faites-vous ici? »

Il savait que l'homme de K-7 habitait au nord de Londres, du côté de Highgate. Peut-être se rendait-il à un concert de l'Albert Hall, tout proche.

« En fait, je vous attendais, lui répondit Banks avec un sourire amical. Ecoutez, un de mes collègues aimerait vous parler. Cela ne vous dérange pas? »

Preston fut intrigué mais ne conçut aucun soupçon. Il savait que Banks appartenait au « Six », mais qui pouvait bien avoir envie de le rencontrer? Il traversa la rue à la suite de Banks, qui s'arrêta au bout d'une centaine de pas devant une Ford Granada en stationnement. Banks ouvrit la portière et fit signe à Preston de se pencher à l'intérieur. Ce qu'il fit.

« Bonsoir, John. Pourrions-nous échanger quelques mots? »

Surpris, Preston monta à côté du personnage en manteau. Banks referma la portière et s'éloigna sur le trottoir.

« Ecoutez, je sais que c'est une manière curieuse de

vous rencontrer. Mais comment faire autrement? Nous ne voulons pas faire de vagues, n'est-ce pas? Je me suis dit que je n'avais pas eu une bonne occasion de vous remercier de votre travail en Afrique du Sud. De premier ordre. Une très forte impression sur Henry Pienaar. Et sur moi aussi.

– Merci, Sir Nigel. »

Que diable peut donc vouloir ce vieux renard matois? se dit-il. Me remercier? Il ne se serait pas donné tout ce mal... Mais « C » semblait perdu dans ses pensées.

« Il y a une autre question, dit-il comme s'il réfléchissait à haute voix. Le jeune Barry m'a signalé une chose curieuse : vous auriez déposé vers Noël dernier un rapport très intéressant sur l'extrême gauche. Je peux me tromper, mais il y a sans doute des ramifications internationales, notamment dans le financement des groupes politiques, si vous voyez ce que je veux dire. Or, votre rapport n'a pas été communiqué chez nous, à la Firme. C'est bien dommage.

– Il a été « classé », répondit Preston aussitôt.

– Oui, oui, c'est ce que Barry m'a expliqué. Vraiment dommage. J'aurais aimé jeter un coup d'œil. Aucune chance de mettre la main sur un exemplaire?

– Le dossier est aux Archives, dit Preston, surpris. Il est peut-être « classé », mais il est enregistré. Il suffit que Barry aille le retirer et vous l'envoie par le sac postal.

– En réalité, non, répondit Sir Nigel. Il a déjà été retiré. Par Swanton. Et il n'en a pas terminé. Il refuse de le rendre.

– Mais il travaille à la section Finances, protesta Preston.

– Oui, murmura Sir Nigel d'un ton désolé. Et auparavant, il avait été sorti par un sous-fifre de l'administration. On pourrait presque croire que quelqu'un veut maintenir ce rapport hors de portée. »

Preston resta sans voix. A travers le pare-brise, il aperçut Banks qui faisait les cent pas sur le trottoir.

« Il existe un autre exemplaire, dit-il. Le mien. Il se trouve dans mon coffre personnel. »

Banks prit le volant. Dans les embouteillages de la soirée, le trajet de Kensington à Gordon Street fut un calvaire. Une heure plus tard, Preston se pencha à la portière de la Granada et remit son exemplaire à Sir Nigel.

13

Le général Yevgeni Karpov monta la dernière volée de marches conduisant au troisième étage de l'immeuble résidentiel de l'avenue Mira et appuya sur la sonnette. La porte s'ouvrit au bout de plusieurs minutes et la femme de Philby parut sur le seuil. Karpov entendit à l'intérieur le bruit que font de jeunes enfants à la table du dîner. Il avait choisi six heures du soir en se disant qu'ils seraient revenus de l'école.

« Bonsoir, Erita. »

Elle releva la tête en un petit geste de défi. Une dame très protectrice! Peut-être savait-elle que Karpov ne portait pas son mari dans son cœur.

« Camarade général...

– Kim est à la maison?

– Non. Il est parti. »

Il est « parti » et non « sorti », remarqua Karpov. Il affecta la surprise.

« Oh! j'espérais le trouver au nid. Vous savez quand il rentrera?

– Non. Il rentrera quand il rentrera.

– Aucune idée de l'endroit où je pourrais le joindre?

– Non. »

Karpov plissa le front. Qu'avait donc raconté Philby à ce dîner chez Kryoutchkov... Qu'il ne pouvait plus conduire depuis sa crise cardiaque. Karpov avait vérifié le garage du sous-sol. La Volga de Philby s'y trouvait.

« Je croyais que vous conduisiez sa voiture, Erita. »

Elle esquissa un sourire. Sûrement pas la réaction d'une femme que son mari vient de plaquer. Plutôt le sourire d'une épouse dont l'époux vient de recevoir une promotion.

« Plus maintenant. Il a un chauffeur.

– Ah! bon? Ma foi... Désolé de l'avoir manqué. J'essaierai de le joindre à son retour. »

Il redescendit l'escalier, songeur. Les colonels à la retraite n'ont pas droit à un chauffeur personnel. Depuis son appartement, à deux pas de l'hôtel Ukraina, Karpov téléphona au garage du K.G.B. et insista pour parler au chef de service. Quand il donna son nom, la réaction fut aussi déférente qu'il pouvait le souhaiter. Il se montra aimable et enjoué.

« Je n'ai pas l'habitude de distribuer des bouquets d'œillets, mais je ne vois aucune raison de ne pas le faire quand du bon travail a été accompli.

– Merci, camarade général.

– Ce chauffeur qui conduit mon ami le camarade colonel Philby... J'en ai entendu dire grand bien. Un excellent chauffeur d'après mon ami. Si mon chauffeur tombe malade je compte le demander personnellement.

– Merci encore, camarade général. Je transmettrai personnellement vos paroles au chauffeur Gregoriev. »

Karpov raccrocha. Le chauffeur Gregoriev. Jamais entendu parler de lui. Mais une petite conversation avec cet homme serait sans doute utile.

Le lendemain matin, 8 avril, l'*Akademik Komarov* dépassa lentement Greenock et pénétra dans l'embouchure de la Clyde, qu'il remonterait jusqu'au port de

Glasgow. Il s'arrêta quelques instants à Greenock pour accueillir à son bord le pilote et deux douaniers.

Ils prirent comme d'habitude un verre dans la cabine du capitaine et vérifièrent que le cargo était parti de Leningrad sous ballast pour recevoir une cargaison de pompes grande puissance fabriquées par Weir of Cathart et compagnie. Les douaniers vérifièrent le rôle de l'équipage mais ne mémorisèrent aucun nom particulier. Plus tard, il serait prouvé que le matelot de pont Konstantin Semyonov se trouvait sur la liste.

En règle générale, quand un illégal soviétique entre dans un pays par bateau, il n'apparaît *pas* sur le rôle de l'équipage. Il arrive coincé dans une minuscule cachette, ou « oubliette », habilement découpée dans la structure du bateau et si bien dissimulée qu'aucune équipe de visite, même la plus expérimentée, ne saurait la découvrir. De cette manière, si l'homme ne ressort pas du pays sur le même bateau, pour des raisons opérationnelles ou accidentelles, rien ne se remarque sur le rôle de l'équipage. Mais cette opération avait été précipitée. On n'avait pas eu le temps d'effectuer les modifications nécessaires dans la structure du bateau.

Le matelot supplémentaire n'était arrivé avec les hommes de Moscou que deux ou trois heures avant l'appareillage du *Komarov* de Leningrad à destination de Glasgow pour une traversée prévue depuis longtemps. Le capitaine et l'officier politique du bord s'étaient résignés à l'inscrire sur le rôle. Son livret matricule de marin était en règle et il retournerait avec le bateau, leur avait-on affirmé.

Néanmoins, l'homme avait pris une cabine pour lui seul et ne l'avait pas quittée de toute la traversée. Les deux matelots qui logeaient normalement dans la cabine commençaient à en avoir assez de dormir dans des sacs de couchage sur le parquet de la salle de garde. Bien entendu, on avait fait disparaître les lits de fortune avant l'arrivée du pilote écossais à bord. Dans sa cabine, nerveux pour des raisons évidentes, le courrier nº 2 attendait minuit.

Tandis que le pilote de la Clyde montait sur la dunette du *Komarov* et que les champs du Strathclyde se déroulaient sous ses yeux (il venait d'attaquer les sandwichs de son petit déjeuner) il était déjà midi à Moscou. Karpov rappela le garage du K.G.B. Le responsable de permanence, comme il l'avait prévu, n'était pas le même homme.

« Mon chauffeur vient d'attraper la grippe, dit-il. Il terminera sa journée, mais je suis obligé de lui donner congé demain.

– Je vous enverrai un remplaçant, camarade général.

– Je préférerais le chauffeur Gregoriev. Est-il disponible? J'ai reçu d'excellents échos sur lui. »

Il entendit un bruit de papier froissé. L'homme vérifiait ses dossiers.

« Oui. Ce sera parfait. Il était détaché mais il vient de retourner au garage.

– Merci. Dites-lui de se présenter à mon appartement de Moscou demain matin huit heures. J'aurai les clefs et la Chaïka sera au sous-sol. »

De plus en plus étrange, se dit-il en raccrochant. Gregoriev avait été détaché au service de Philby. Pourquoi? Parce qu'il y avait de grandes distances à parcourir, trop pour qu'Erita le conduise? Ou bien parce qu'Erita ne devait pas savoir où son mari se rendait? Et le chauffeur venait de rentrer au garage. Ce qui signifiait sans doute que Philby était ailleurs et n'avait plus besoin de chauffeur. En tout cas jusqu'à la fin de l'opération dans laquelle il était impliqué...

Ce soir-là, Karpov dit à son chauffeur habituel, manifestement ravi, de prendre sa journée du lendemain et de sortir avec ses enfants.

Le même mercredi soir, Sir Nigel Irvine dîna avec un de ses amis, à Oxford.

L'un des paradoxes du Saint Anthony College d'Oxford c'est qu'à l'instar de nombreuses institutions anglaises influentes, il n'existe pas – en tout cas pour le grand public.

En fait, il existe, mais il est très petit et très discret. Toute personne promenant ses regards sur les jardins d'Académos des îles Britanniques le manquerait sans doute si elle clignait des yeux un instant. Son foyer est petit, élégant et bien dissimulé aux yeux de tous; il n'offre aucun cours, n'éduque aucun étudiant, n'a aucun candidat et donc aucun diplômé, et ne distribue aucun parchemin. Il possède cependant quelques professeurs et maîtres, qui dînent parfois ensemble au foyer, mais qui logent en ville. D'autres collaborateurs n'habitent pas Oxford, mais viennent en visite. De temps en temps le collège invite des personnalités de l'extérieur à faire une conférence à ses membres – c'est un honneur extraordinaire – et les professeurs et les maîtres présentent parfois des « dossiers » aux plus hauts échelons de l'administration britannique, où on les prend très au sérieux. Son financement est aussi discret que le profil qu'il adopte.

En réalité, c'est un « think tank », une banque de cerveaux, où les sages qui s'y réunissent (ils possèdent souvent une vaste expérience non académique) poursuivent l'étude d'une seule matière : le monde d'aujourd'hui.

Ce soir-là donc, Sir Nigel dîna au foyer avec son hôte le professeur Jeremy Sweeting, et après un excellent repas le professeur conduisit « C » dans sa « turne », une maison agréable des environs d'Oxford. Ils y prirent le porto et le café.

« Eh bien, Nigel, dit le professeur Sweeting après la

première gorgée d'un Taylor de grand âge, que puis-je faire pour vous? »

Ils s'installèrent confortablement devant la cheminée du bureau.

« Avez-vous par hasard, Jeremy, entendu parler d'une chose que l'on désigne par les initiales M.B.R.? »

Le verre du professeur Sweeting se figea à dix centimètres de ses lèvres. Il regarda le liquide ambré pendant un long moment.

« Nigel, vous avez vraiment le chic pour gâcher une bonne soirée, quand l'idée vous en prend. Où avez-vous entendu ces trois lettres? »

Pour toute réponse, Sir Nigel Irvine lui remit le Rapport Preston. Le professeur Sweeting le lut attentivement et cela lui prit une heure. Irvine savait qu'à l'inverse de John Preston, le professeur n'était pas un homme de terrain. Il ne sortait jamais de sa coquille universitaire. Mais il possédait une connaissance encyclopédique de la théorie marxiste et de sa pratique, du matérialisme dialectique et des enseignements de Lénine sur l'application de la théorie à la conquête du pouvoir. Son métier et sa passion étaient de lire, étudier, comparer, analyser.

« Remarquable, dit Sweeting en rendant le rapport à Sir Nigel. Un point de départ différent, une attitude évidemment différente, et une méthodologie sans aucun point commun. Mais nous sommes parvenus aux mêmes réponses.

– Voudriez-vous me dire lesquelles? demanda Sir Nigel doucement.

– Ce n'est que théorie bien sûr, s'excusa le professeur Sweeting. Mille brins d'herbe dans le vent, qui peuvent – mais je n'en suis pas certain – former une meule de foin. De toute façon, c'est sur ce problème que je me penche depuis juin 1983... »

Il parla pendant deux heures, et quand Sir Nigel

repartit vers Londres, aux premières heures du matin, il était perdu dans ses réflexions.

L'*Akademik Komarov* accosta au quai Finnieston, au cœur de Glasgow, pour que la grue géante puisse charger les pompes à bord dans la matinée. Il n'y a aucune vérification des douanes ou de l'immigration; les marins étrangers peuvent quitter leur bateau sans formalités, traverser le quai et s'enfoncer dans les rues de la ville.

A minuit, tandis que le professeur Sweeting discutait encore à Oxford, le matelot Semyonov descendit la passerelle, suivit le quai sur une centaine de mètres, évita le Betty's Bar devant lequel plusieurs marins ivres affirmaient encore hautement leur droit à un verre de plus, et tourna dans Finnieston Street.

Il n'avait rien de remarquable. Il portait des chaussures usées, un pantalon de toile, un chandail à col roulé et un anorak. Sous son bras, il serrait un sac de toile grossière, fermé par une corde. Il passa sous l'autoroute qui longe la Clyde, atteignit Argyle Street, tourna à gauche et continua vers Partick Cross. Sans consulter de carte, il prit Hyndland Road. A un kilomètre et demi de là, il rencontra une autre grande artère, la Great Western Road. Il avait mémorisé son itinéraire depuis des jours.

Au croisement, il consulta sa montre. Elle lui apprit qu'il avait encore une demi-heure, alors que le rendez-vous n'était pas à plus de dix minutes de marche. Il tourna à gauche en direction de l'hôtel du Lac, près de l'embarcadère des bateaux de plaisance, cent mètres au-delà de la station-service BP dont il apercevait les lumières au loin. Il arrivait presque à l'arrêt d'autobus, à l'angle de Great Western Road et de Hughenden Road, lorsqu'il les vit. Ils étaient avachis dans le petit abri de l'arrêt d'autobus. Une heure et demie du matin. Il les compta : cinq.

Dans certaines parties de la Grande-Bretagne on les appelle « skinheads », en France ce sont des « punks », mais à Glasgow, on dit des « Neds ». Il songea à traverser la route, mais c'était trop tard. L'un d'eux lui cria quelque chose, et ils jaillirent tous de l'abri. Le matelot Semyonov parlait un peu anglais, mais leur argot aviné ou drogué de Glasgow demeura impénétrable. Ils bloquaient le trottoir : Semyonov descendit donc sur la chaussée. L'un d'eux lui prit le bras et lui cria quelque chose.

« Kès t'as là dans ton truc? »

Le Russe ne pouvait pas comprendre. Il secoua la tête et essaya de passer. Ils tombèrent tous sur lui et il s'écroula sous une pluie de coups. Quand il roula dans le caniveau, les coups de pied se mirent à pleuvoir. Il sentit vaguement des mains tirer sur son sac de sport et il l'enfouit aussitôt contre son ventre, à l'abri de ses deux bras. Les coups tombèrent sur sa tête et ses reins.

Devonshire Terrace, rangée de solides maisons de quatre étages en grès brun et gris, habitées par des membres de la classe moyenne, domine le croisement de Great Western et d'Hughenden. Au dernier étage d'une de ces bâtisses, Mme Sylvester, veuve déjà âgée, seule et handicapée par l'arthrite, ne parvenait pas à s'endormir. Elle entendit les cris dans la rue, descendit aussitôt de son lit et trottina vers la fenêtre. Ce qu'elle vit l'incita à traverser la pièce en clopinant pour décrocher son téléphone. Elle composa le 999 et demanda la police. Elle dit au standardiste à quel carrefour envoyer la voiture de ronde, mais raccrocha quand il lui demanda son nom et son adresse. Les gens respectables (et les habitants de Devonshire Terrace étaient très respectables) n'aiment pas être personnellement impliqués dans des « histoires ».

Quand l'appel leur parvint, les agents de police Alistair Craig et Hugh McBain se trouvaient dans leur voiture à moins de deux kilomètres de là, sur Great

Western Road, du côté d'Hillend. La circulation était presque nulle, et ils atteignirent l'arrêt d'autobus en quatre-vingt-dix secondes. Les Neds virent arriver les phares et entendirent la sirène. Ils cessèrent de tirer sur le sac de sport et filèrent à toutes jambes sur la bande de pelouse qui sépare Hughenden Road de la Great Western, pour que la police ne puisse pas les suivre. Lorsque l'agent Craig sauta de la voiture de ronde, ils n'étaient plus que des ombres fugitives. Toute poursuite aurait été vaine. De toute façon, la victime passait en premier.

« Une ambulance, Hughie », cria-t-il à l'agent McBain, au volant.

McBain avait déjà décroché la radio.

L'ambulance arriva de la Western Infirmary six minutes plus tard. Les deux agents n'avaient pas touché au blessé, selon le règlement. Ils l'avaient simplement recouvert d'une couverture.

Les ambulanciers firent glisser la forme inerte sur une civière roulante qu'ils placèrent à l'arrière de leur véhicule. Tandis qu'ils arrangeaient la couverture autour du corps, Craig ramassa le sac de toile et le posa à côté de la civière.

« Reste avec lui, je vous suis avec la voiture », lui cria McBain.

Craig monta donc dans l'ambulance à son tour. Ils arrivèrent au service des urgences moins de cinq minutes plus tard. Les ambulanciers firent entrer aussitôt la civière du blessé par les portes battantes, descendirent le couloir, tournèrent deux fois et arrivèrent au fond de l'infirmerie. Comme il s'agissait d'une urgence, il était inutile de traverser la salle d'attente publique, où la collection habituelle d'ivrognes faisait soigner à cette heure indue les plaies et les bosses récoltées au contact d'objets résistants.

Craig attendit que McBain garât la voiture de ronde et le rejoignît dans l'entrée.

« Occupe-toi des formules d'admission, Hughie. Je

vais voir si je peux te trouver un nom et une adresse. »

McBain soupira. Des formules d'admission, à n'en plus finir! Craig prit le sac de toile qu'il avait posé à terre et suivit le couloir dans lequel s'était engagée la civière. Le service des urgences de la Western Infirmary se compose d'un couloir fermé à chaque bout par des portes battantes et de douze salles d'examen isolées par des rideaux, six de chaque côté du couloir central. Onze salles sont utilisées pour les examens; la douzième est le bureau de l'infirmière – c'est la plus proche de l'entrée du fond par laquelle arrivent les chariots. Les portes à l'autre bout du couloir ont des miroirs semi-réfléchissants et donnent sur la salle d'attente publique où les blessés capables de marcher s'assoient en attendant leur tour.

Craig laissa McBain au bureau de réception avec une poignée de formules d'admission à remplir, franchit les portes à miroir et rejoignit l'homme inconscient sur sa civière, à l'autre bout. L'infirmière de service procéda à l'examen sommaire habituel – de toute manière il était vivant – et ordonna aux brancardiers de le poser sur la table d'une des salles d'examen, pour que l'on puisse retourner la civière à l'ambulance. Ils choisirent la salle juste en face du réduit de l'infirmière.

On avait déjà prévenu l'interne de service, un Indien du nom de Mehta. Il demanda aux brancardiers de mettre le blessé torse nu – il n'y avait aucune tache de sang sur le pantalon – et il procéda à une auscultation prolongée avant d'ordonner une radiographie. Il partit aussitôt s'occuper d'une autre urgence – un accident de la circulation.

L'infirmière téléphona à la radiographie, mais la salle était occupée. Ils préviendraient quand ils seraient libres. Elle brancha sa bouilloire électrique pour préparer une tasse de thé. L'agent Craig s'assura que son « client » anonyme était encore inconscient, allongé sur le dos dans la salle d'examen d'en face, prit l'anorak de l'homme et le posa sur la table du bureau de l'infirmière, à côté du sac de sport.

« Vous n'auriez pas une petite tasse de trop? demanda-t-il à l'infirmière avec cette familiarité joviale des gens de la nuit, qui passent leur temps à réparer les pots cassés d'une grande ville.

– Peut-être, dit-elle. Mais je ne vois pas pourquoi je la gaspillerais pour un type comme vous. »

Craig sourit jusqu'aux oreilles. Il fouilla les poches de poitrine de l'anorak et en sortit un livret matricule de marin. Il portait la photographie de l'homme évanoui de l'autre côté du couloir, et il était rédigé en deux langues : russe et français. Craig ne comprenait ni l'une ni l'autre. Il ne pouvait pas lire les caractères cyrilliques, mais le nom était répété en lettres latines, dans la partie en langue française.

« Qui est Jimmy? demanda l'infirmière en préparant deux tasses de thé.

– Un marin, on dirait. Un Russe en plus », répondit Craig, ennuyé.

Qu'un citoyen de Glasgow se fasse tabasser par une bande de Neds était une chose. Mais un étranger, et surtout un Russe, pouvait susciter des problèmes. Espérant découvrir de quel bateau le marin avait débarqué, Craig vida le sac de toile.

Il contenait simplement un gros chandail de laine roulé autour d'une boîte à tabac métallique dont le couvercle était vissé. A l'intérieur de la boîte, il n'y avait pas de tabac mais du coton hydrophile, protégeant deux disques d'aluminium et un troisième disque de cinq centimètres de diamètre, en métal gris terne. Craig examina les trois disques sans intérêt particulier, les replaça dans leur lit de coton hydrophile, revissa la boîte et la posa sur la table à côté du livret matricule. Il ne s'aperçut pas que de l'autre côté du couloir, la victime de l'agression avait retrouvé ses esprits et le regardait à travers les rideaux. L'agent

Craig ne songeait qu'à une chose : prévenir le commissariat central qu'il avait un Russe blessé sur les bras.

« Peux m' servir de vot' téléphone, mon chou? demanda-t-il à l'infirmière en tendant le bras pour décrocher.

– Je ne suis pas votre chou! lança l'infirmière, sensiblement plus âgée que les vingt-quatre ans de l'agent Craig. Bon Dieu, ils les prennent de plus en plus jeunes tous les jours. »

L'agent Craig composa le numéro. Que se passa-t-il à ce moment-là dans la tête de Konstantin Semyonov? Nul ne le saura jamais. Etourdi et troublé, souffrant sans doute encore des coups de pied qu'il avait reçus sur le crâne, il reconnut cependant l'uniforme noir caractéristique d'un *policeman* anglais, qui lui tournait le dos de l'autre côté du couloir. Il aperçut sur la table, à côté de la main du policeman son propre livret matricule et le colis qu'on lui avait ordonné d'apporter en Angleterre et de remettre à l'agent qui se trouverait près de l'embarcadère des plaisanciers. Il avait vu le policeman anglais examiner le colis – lui-même n'avait pas osé ouvrir la boîte à tabac – et maintenant l'homme téléphonait... Peut-être le matelot Konstantin Semyonov eut-il des visions de troisième degré à n'en plus finir dans une cellule puante du commissariat de Strathclyde...

L'agent Craig n'eut pas le temps de comprendre ce qu'il lui arrivait. Un coup de coude le bouscula, le prenant complètement à l'improviste. Un bras nu passa devant lui, se tendit vers la boîte à tabac et s'en empara. Craig réagit très vite : il lâcha le téléphone et saisit le bras tendu.

« Nom de Dieu, Jimmy!... » cria-t-il.

Puis, supposant que le pauvre type avait des hallucinations, il le prit à bras-le-corps et tenta de le retenir. La boîte à tabac tomba des mains du Russe et roula par terre. Pendant un instant, Semyonov fixa le flic écossais, puis se mit à courir, pris de panique.

« Jimmy, merde! Reviens!... » lui lança l'agent Craig en s'élançant derrière lui dans le corridor.

Bébé Patterson était un ivrogne. Toute une vie consacrée à goûter la production du quartier des distilleries avait fait de lui un chômeur aussi inemployable qu'inemployé. Mais ce n'était pas un ivrogne ordinaire : il avait élevé l'ivrognerie au niveau d'un des beaux-arts. Il avait touché ses allocations la veille et il s'était rendu aussitôt dans le premier débit de tord-boyaux. A minuit, il était cuit à point. Un peu plus tard, il s'était offusqué de l'attitude méprisante d'un réverbère qui refusait de répondre à ses prières de lui avancer le prix d'un dernier petit verre, et il avait cogné la créature.

Il venait de faire radiographier sa main cassée et il retournait dans sa cabine d'examen lorsqu'un homme torse nu, la poitrine couverte de bleus et le visage en sang, avait jailli en courant d'une cabine voisine, poursuivi par un agent de police. Bébé savait quel était son devoir envers un compagnon d'infortune. Il n'aimait pas les flics, qui semblaient n'avoir rien de mieux à faire que de le ramasser dans des caniveaux parfaitement confortables pour le remettre entre les mains de types qui l'obligeaient à se laver. Il laissa passer l'homme qui courait puis allongea la jambe.

« Espèce d'enfoiré! » cria Craig en s'étalant sur le carrelage.

Le temps qu'il se relève, il avait perdu dix mètres sur le Russe.

Semyonov franchit les portes à miroir et se retrouva dans la salle d'attente publique. Sans voir, sur sa gauche, la porte étroite donnant sur l'extérieur, il s'élança vers les doubles portes qui s'ouvraient à sa droite. Cela le ramena dans le couloir qu'il avait remonté sur la civière une demi-heure plus tôt. Il tourna de nouveau à droite et tomba sur un chariot qui avançait vers lui, entouré d'un docteur et de deux infirmières soulevant à bras tendu des bouteilles de plasma : la victime de l'accident de la route soignée par le docteur Mehta. Le chariot bloquait tout le passage; derrière lui, le bruit des bottes se rapprochait.

Sur sa gauche se trouvait un vestibule carré avec deux portes d'ascenseur. Une porte était en train de se refermer sur une cabine vide. Semyonov se jeta dans la cabine juste au moment où la porte allait claquer. Tandis que l'ascenseur montait, il entendit l'agent de police marteler le métal de ses poings impuissants. Il s'adossa à la paroi de la cabine et ferma les yeux, incapable de penser.

L'agent de police Craig s'élança dans la cage de l'escalier et grimpa quatre à quatre. A chaque étage, il vérifiait les petites lumières au-dessus des portes de l'ascenseur; la cabine montait toujours. Au dixième étage, il était en sueur, furieux et à bout de souffle.

Semyonov était sorti de l'ascenseur au dixième. Il avait entrebâillé une des portes du palier : un dortoir plein de malades endormis. Une autre porte, ouverte, donnait sur un escalier. Il continua de monter. Il se retrouva dans un autre corridor : des douches, une lingerie, un placard, des pièces servant de réserve. A l'autre bout du couloir, une dernière porte, ouverte sur la nuit tiède et humide, donnait sur le toit en terrasse de l'hôpital.

L'agent Craig avait perdu beaucoup de terrain, mais il parvint tout de même à cette dernière porte et sortit. Dès que ses yeux s'habituèrent à l'obscurité il distingua la silhouette d'un homme près du garde-fou. Toute sa colère disparut soudain. Je serais sans doute pris de panique, se dit-il, si je me réveillais brusquement dans un hôpital de Moscou... Il s'avança lentement vers l'homme, mains tendues pour bien montrer qu'elles étaient vides.

« Allons, Jimmy, ou Ivan, ou je ne sais quoi. Tout

va bien. Tu as reçu un coup sur la tête, c'est tout. Descends avec moi. »

Ses yeux s'étaient habitués. Il distingua très nettement le visage du Russe dans les lueurs qui montaient de la ville en contrebas. L'homme le laissa s'avancer jusqu'à six ou sept mètres, puis regarda vers le bas, respira à fond, ferma les yeux et sauta.

L'agent Craig n'en crut pas ses yeux pendant plusieurs secondes, même après avoir entendu le bruit mou du corps s'écrasant trente mètres plus bas, dans le parc de stationnement du personnel.

« Nom de Dieu, murmura-t-il. J'y suis jusqu'au cou. »

Ses doigts tremblants cherchèrent son émetteur radio personnel et il appela le commissariat central.

Cent mètres après la station-service BP, à huit cents mètres de l'arrêt d'autobus, se trouve l'embarcadère des plaisanciers, dans l'ombre de l'hôtel du Lac. Quelques marches de pierre permettent de descendre du trottoir jusqu'au sentier de la berge. Et juste en bas des marches, il y a deux bancs de bois.

La silhouette silencieuse, en tenue de motocycliste de cuir noir, regarda sa montre. Trois heures. Le rendez-vous était à deux heures. Une heure de retard était le maximum autorisé. Il y avait un second rendez-vous prévu, en cas de difficultés : un endroit différent, vingt-quatre heures plus tard. Il y serait. Si le contact ne se présentait pas, il serait obligé d'utiliser de nouveau l'émetteur clandestin. Il se leva et partit.

L'agent Hugh McBain n'était pas près du bureau de la réception quand la course poursuite avait traversé la salle d'attente des urgences. Il était revenu à la voiture de ronde vérifier l'heure exacte de l'agression, de l'appel de police et de l'appel de l'ambulance – tout était noté. Il tombait donc des nues quand son « voisin » (son camarade d'équipe dans l'argot de la police de Glasgow) entra dans la salle d'attente, visiblement retourné, le visage blême.

« Alors, Alistair, tu ne les as pas encore ce nom et cette adresse? lança-t-il.

– C'est... C'était... Un marin russe, dit Craig.

– Oh! merde! Comme si on avait besoin de ça. Comment tu l'appelles?

– Hugh, il vient de... de se jeter du haut du toit. »

McBain posa son stylo et fixa son « voisin » d'un air incrédule. Puis la formation reprit le dessus. Tout agent de police le sait : quand les choses tournent mal, il faut sortir le parapluie et appliquer le règlement à la lettre. Pas de tactiques de cow-boy, pas d'initiatives futées.

« Tu as appelé le commissariat central? demanda-t-il.

– Ouais. Quelqu'un arrive.

– Allons chercher le docteur », dit McBain.

Ils trouvèrent le docteur Mehta, complètement épuisé par les admissions de la nuit. Il les suivit jusqu'au parc à voitures, examina pendant moins de deux minutes le tas de chairs écrasées, le déclara mort (et donc plus de son ressort) puis retourna vaquer à ses devoirs. Deux garçons de salle apportèrent un plaid pour le recouvrir et trente minutes plus tard une ambulance emmena la chose à la morgue municipale, Jocelyn Square, près du Salt Market. Là-bas, d'autres mains ôteraient ce qu'il lui restait de vêtements : chaussures, chaussettes, pantalon, caleçon, ceinture et montre-bracelet. Chaque article serait enfermé dans un sac de plastique et étiqueté.

A l'intérieur de l'hôpital, il y eut d'autres formules à remplir. Les formules d'admission seraient gardées comme preuve, mais elles n'avaient plus évidemment aucune utilité pratique. Les deux agents de police rangèrent dans des sacs de plastique et étiquetèrent les autres effets personnels du mort. Ils en firent la liste comme suit : anorak 1, chandail à col roulé 1, sac de sport en toile 1, gros chandail de laine (roulé) 1, boîte métallique à tabac (ronde) 1.

Avant même qu'ils aient terminé, environ quinze minutes après le premier appel de Craig, un inspecteur et un sergent, en uniforme l'un et l'autre, arrivèrent du commissariat central et demandèrent un bureau. On leur prêta une pièce vide des services administratifs, et ils se mirent à relever les dépositions des deux agents. Au bout de dix minutes, l'inspecteur envoya le sergent à sa voiture pour demander au commissaire divisionnaire de permanence de venir les rejoindre. Il était quatre heures du matin, le jeudi 9 avril – déjà huit heures à Moscou.

Le général Yevgeni Karpov attendit qu'ils soient sortis du flot de voitures de Moscou-Sud et sur la route libre de Yasyenevo avant d'adresser la parole au chauffeur Gregoriev. Apparemment, le chauffeur, âgé de trente ans, savait qu'il avait été remarqué par le général. Il ne songeait qu'à lui plaire.

« Vous aimez conduire pour nous?

– Beaucoup, monsieur.

– Oui, cela permet de voir du pays, je suppose. C'est mieux que de rester enfermé dans un bureau.

– Oui, monsieur.

– Vous avez servi de chauffeur récemment à mon ami le colonel Philby, m'a-t-on dit. »

Un léger temps d'hésitation. Zut, on lui a recommandé de ne pas en parler, se dit Karpov.

« Euh... Oui, monsieur.

– Il conduisait lui-même, avant sa crise cardiaque.

– C'est ce qu'il m'a dit, monsieur. »

Mieux valait en finir.

« Où l'avez-vous conduit? »

Un silence plus long. Karpov pouvait voir le visage du chauffeur dans le rétroviseur. Il était troublé, ne sachant quelle décision prendre.

« Oh! à Moscou et dans les environs, monsieur.

– Un endroit précis dans les environs de Moscou, Gregoriev?

– Non, monsieur. Ici et là.

– Arrêtez-vous, Gregoriev. »

La Chaïka sortit de l'allée centrale réservée aux privilégiés, traversa les files de voitures se dirigeant vers le sud et s'arrêta sur le bas-côté. Karpov se pencha en avant.

« Vous savez qui je suis, chauffeur?

– Oui, monsieur.

– Et vous connaissez mon rang au K.G.B.?

– Oui, monsieur. Lieutenant général.

– Alors ne jouez pas les imbéciles avec moi, jeune homme. Où l'avez-vous conduit? »

Gregoriev avala sa salive. Karpov le vit qui luttait avec lui-même. La question était : qui lui avait dit de garder le silence sur les endroits où il avait conduit Philby? Si c'était Philby, Karpov avait un grade supérieur. Mais s'il s'agissait d'un personnage de plus haut rang... En fait, c'était le major Pavlov et cela avait flanqué à Gregoriev une peur bleue. Il n'était que major, mais pour un Russe, un général de la Première Direction générale demeure une entité abstraite, une inconnue, tandis qu'un major des Gardes du Kremlin... Tout de même! Un général demeurait un général.

« Surtout à une série de conférences, camarade général. Certaines dans des appartements du centre de Moscou, mais je ne suis jamais entré, et je ne sais donc pas dans quel appartement au juste il s'est rendu.

– Certaines au centre de Moscou... Et les autres?

– Surtout... Non, monsieur... Toujours, je crois... Dans une datcha du côté de Joukovo. »

Le territoire du Comité central, se dit Karpov, ou du Soviet suprême.

« La datcha de qui?

– Je ne le sais pas, monsieur. En toute sincérité. Il m'indiquait l'itinéraire, c'est tout. Ensuite, j'attendais dans la voiture.

– Qui d'autre assistait à ces conférences?

– Une fois monsieur, deux voitures sont arrivées en même temps. J'ai vu l'homme de l'autre véhicule descendre et entrer dans la datcha...

– Et vous l'avez reconnu?

– Oui, monsieur. Avant d'entrer au garage du K.G.B., j'étais chauffeur dans l'armée. En 1985, j'ai été détaché à un colonel du G.R.U. Nous nous trouvions à Kandahar en Afghanistan. Un jour, cet homme est monté à l'arrière avec mon colonel. C'était le général Marchenko. »

Tiens, tiens, tiens, se dit Karpov, mon vieil ami Pyotr Marchenko, le spécialiste de la déstabilisation.

« Personne d'autre à ces conférences?

– Une autre voiture, monsieur, c'est tout. Nous bavardons toujours un peu, entre chauffeurs, pendant les heures d'attente, n'est-ce pas? Mais ce type-là était un vrai ours. Tout ce que j'ai appris, c'est que son patron appartenait à l'Académie des Sciences. Franchement, monsieur, je ne sais rien d'autre.

– Repartez, Gregoriev. »

Karpov se pencha en arrière et regarda défiler les arbres. Ils étaient donc quatre et ils se rencontraient pour préparer quelque chose sur l'ordre du secrétaire général. Celui qui les recevait appartenait au Comité central ou peut-être au Soviet suprême, et les trois autres étaient Philby, Marchenko et un académicien sans nom.

Le lendemain, vendredi, les *vlasti* se hâteraient de terminer leur journée pour filer dans leurs datchas... Il savait que Marchenko avait sa maison de campagne dans les environs de Peredelkino, non loin de la sienne.

Il connaissait aussi le point faible du général, et il poussa un soupir. Il avait intérêt à emporter beaucoup d'eau-de-vie. Ce serait une soirée difficile.

Le commissaire divisionnaire Charlie Forbes écouta attentivement et sans impatience les agents Craig et McBain, ne les interrompant que pour poser de temps à autre une question à mi-voix. Ils disaient la vérité, à n'en pas douter, mais Forbes était depuis assez longtemps dans la police pour savoir que la vérité ne suffit pas toujours à sauver la tête d'un homme.

C'était une sale affaire. Sur le plan technique, le Russe était sous la garde de la police, quoique en cours de traitement dans un hôpital. Il n'y avait personne sur le toit en dehors de l'agent Craig. Il n'existait aucune raison apparente expliquant le saut de l'homme dans le vide. D'ailleurs, peu importaient, à son avis, les motifs du Russe : Forbes supposait comme tous les autres que l'homme avait reçu un choc grave et se trouvait dans un état de panique à la suite d'hallucinations temporaires. Le commissaire divisionnaire concentrait toute son attention sur les perspectives possibles pour la police de Strathclyde.

Il faudrait repérer le bateau, interroger le capitaine, procéder à l'identification formelle du cadavre, informer le consul soviétique et bien entendu la presse – ces salauds de journalistes dont certains enfourcheraient aussitôt leur cheval de bataille favori : les brutalités policières. L'ennui, c'était que lorsqu'ils poseraient leurs questions, Forbes n'aurait aucune réponse. Pourquoi cet imbécile avait-il sauté?

A quatre heures et demie, il n'y avait plus rien à faire à l'hôpital. La machine se mettrait en branle à l'aurore. Forbes ordonna à tout son monde de rentrer au commissariat.

A six heures, les deux agents de police avaient terminé leurs longues dépositions. Charlie Forbes, dans son bureau, essayait de faire face aux exigences du règlement. On rechercherait, sans doute en vain, la dame qui avait appelé le 999. On avait relevé les dépositions des deux ambulanciers qui avaient répondu à l'appel de McBain relayé par le standard du commissariat central. En tout cas, personne ne mettrait en doute le fait que les Neds avaient tabassé le bonhomme.

L'infirmière des urgences avait raconté sa version; le docteur Mehta épuisé avait déposé à son tour; l'employé des admissions avait déclaré sous serment qu'il avait vu l'homme torse nu traverser la salle d'attente en courant, poursuivi par Craig. Personne n'avait assisté à la fin de la poursuite, sur le toit.

Forbes avait découvert que le seul bateau soviétique dans le port était l'*Akademik Komarov,* et il avait envoyé une voiture de ronde demander au capitaine de venir identifier le corps; il avait réveillé le consul soviétique, qui passerait au commissariat à neuf heures, sans doute prêt à protester. Enfin, il avait prévenu son *Chief Constable* et le *Procurator Fiscal* – l'équivalent, dans le système judiciaire écossais, du préfet de police et du juge d'instruction.

Les effets personnels du mort, les « pièces à conviction », avaient tous été mis sous plastique et envoyés au poste de police de Partick (l'agression avait eu lieu dans le secteur de Partick) où ils seraient placés sous clef, sur l'ordre du juge d'instruction, qui avait promis d'autoriser l'autopsie pour dix heures.

Charlie Forbes s'étira et commanda à la cantine du café et des petits pains.

Tandis que le commissaire divisionnaire Forbes réglait les paperasses dans son bureau du Q.G. de Strathclyde, sur Pitt Street, les agents Craig et McBain, au commissariat, signaient leurs dépositions et descendaient à la cantine prendre leur petit déjeuner. Ils étaient tous les deux inquiets et ils firent part de leurs tracas à un sergent-détective chevronné, blanchi sous le harnois, qui s'était assis à leur table. Après le petit déjeuner, ils demandèrent et obtinrent la permission de rentrer chez eux prendre un peu de repos.

Une chose qu'ils avaient dite poussa le vieux détective – de la section « en bourgeois » – à se diriger vers le téléphone public du couloir de la cantine et à composer un numéro. L'homme qu'il dérangea au moment où il enduisait son visage de mousse à raser était l'inspecteur-détective Carmichael. Il écouta attentivement, raccrocha et termina de se raser, perdu dans ses pensées. L'inspecteur Carmichael appartenait à la Brigade spéciale.

A sept heures et demie, Carmichael découvrit quel inspecteur-chef des « uniformes » assisterait à l'examen post mortem, et demanda la permission de l'accompagner. « Je vous invite, répondit l'inspecteur-chef. A la morgue municipale à dix heures. »

A la même morgue, à huit heures, le capitaine de l'*Akademik Komarov,* accompagné par son inséparable officier politique, fixait un écran vidéo, sur lequel apparut bientôt le visage tuméfié du matelot Semyonov. Il hocha la tête et murmura quelques mots en russe.

« C'est lui, dit l'officier politique. Nous désirons voir notre consul.

– Il sera Pitt Street à neuf heures », répondit le sergent en uniforme qui les accompagnait.

Les deux Russes semblaient secoués, accablés. Ce devait être dur de perdre un camarade de bord, se dit le sergent.

A neuf heures, le consul soviétique entra dans le bureau du commissaire divisionnaire Forbes, Pitt Street. Il parlait anglais couramment. Forbes l'invita à s'asseoir et se lança dans l'exposé des événements de la nuit. Avant qu'il ait terminé, le consul s'insurgea :

« C'est scandaleux, commença-t-il. Il faut que je

prenne contact avec l'ambassade, à Londres, sans délai. »

On frappa à la porte, et le capitaine de l'*Akademik Komarov* entra, toujours avec son officier politique. Le sergent en uniforme les escortait, mais un autre homme s'était joint au groupe. Il salua Forbes d'un signe de tête.

« Bonjour, commissaire. Me permettez-vous de rester?

– Je vous en prie, Carmichael. Je crois que ça va être dur. »

Mais non. Dix secondes à peine après son entrée dans la pièce, l'officier politique prit le consul à part et lui murmura quelques mots à l'oreille. Le consul s'excusa et les deux hommes se retirèrent dans le couloir. Trois minutes plus tard, ils revinrent. Le consul se montra distant et correct. Il était évidemment obligé de prendre contact avec son ambassade. La police de Strathclyde, il n'en doutait pas, ferait tout ce qui était en son pouvoir pour appréhender les voyous. Le cadavre du marin et tous ses effets pourraient-ils repartir à Leningrad sur l'*Akademik Komarov,* qui devait appareiller le jour même?

Forbes se montra poli mais catégorique. La police continuerait son enquête pour arrêter les agresseurs. Pendant ce temps, le cadavre devait rester à la morgue et tous ses effets personnels sous clef au poste de police de Partick. Le consul se résigna. Il connaissait le règlement...

A dix heures, Carmichael entra dans la salle d'autopsie où le professeur Harland commençait la toilette. Ils bavardèrent comme d'habitude de la pluie et du beau temps, de golf, des petits ennuis de la vie quotidienne. A quelques dizaines de centimètres, sur une dalle penchée, au-dessus de l'écoulement, gisait le corps brisé, informe, de Semyonov.

« Je peux jeter un coup d'œil? » demanda Carmichael.

Le médecin légiste acquiesça.

Carmichael passa dix bonnes minutes à examiner les restes du matelot russe. Quand il partit – au moment où le professeur commençait à trancher –, il se rendit aussitôt dans son bureau de Pitt Street et appela un numéro à Edimbourg – exactement le ministère de l'Intérieur et de la Santé d'Ecosse, connu sous le nom de Scottish Office, à St. Andrew's House.

Il parla à un commissaire adjoint à la retraite dont la seule raison d'être au Scottish Office était d'assurer la liaison avec le MI-5 à Londres.

A midi, le téléphone sonna dans le bureau du C-4 (C) à Gordon. Bright décrocha, écouta un instant, puis tendit l'appareil à Preston.

« Pour vous. Il refuse de parler à quelqu'un d'autre.

– Qui est-ce?

– Le Scottish Office, Edimbourg. »

Preston prit l'appareil.

« John Preston... Oui, bonjour... »

Il écouta plusieurs minutes, sourcils froncés, puis nota sur son bloc le nom de « Carmichael ».

« Oui, je crois que je ferais aussi bien de monter là-haut. Prévenez l'inspecteur Carmichael que je serai dans la navette de quinze heures. Pourra-t-il passer me prendre à l'aéroport de Glasgow? Merci.

– Glasgow? demanda Bright. Qu'est-ce qu'ils ont découvert?

– Oh! un marin russe qui s'est jeté du haut d'un toit, et qui n'était peut-être pas ce qu'il prétendait. Je rentrerai demain. Ce n'est sans doute rien... Mais n'importe quoi plutôt que de rester enfermé ici. »

14

L'AÉROPORT de Glasgow se trouve à treize kilomètres au sud-ouest de la ville, à laquelle le relie l'autoroute M-8. L'avion de Londres se posa vers quatre heures et demie; n'ayant qu'un bagage à main, Preston se trouva dans le hall dix minutes plus tard. Il se rendit au guichet des renseignements et fit appeler « M. Carmichael » par les haut-parleurs.

L'inspecteur-détective de la Brigade spéciale apparut et les deux hommes firent connaissance. Cinq minutes plus tard, ils s'installaient dans la voiture de l'inspecteur et s'engageaient sur l'autoroute en direction de la ville. La nuit tombait.

« Parlons pendant le trajet, proposa Preston. Commençons par le commencement et racontez-moi ce qui s'est passé. »

Carmichael se montra bref et précis. Il y avait beaucoup de vides qu'il était incapable de combler, mais il avait eu le temps de lire les dépositions des deux agents de police, notamment celle de Craig, et son récit fut donc assez complet. Preston l'écouta sans l'interrompre.

« Et pourquoi avez-vous téléphoné au Scottish Office pour demander quelqu'un de Londres? dit-il enfin.

– Je peux me tromper, mais j'ai eu l'impression que l'homme n'était pas un marin, dit Carmichael.

– Continuez.

– C'est une chose que Craig a dite à la cantine du commissariat ce matin, expliqua Carmichael. Je n'y étais pas, mais un de nos hommes l'a entendue et m'a téléphoné. Et McBain était du même avis que Craig, quoique ni l'un ni l'autre n'y ait fait allusion dans leurs dépositions écrites. Vous le savez, dans une déposition on s'en tient aux faits; or cela relevait du domaine des conjectures. Mais cela méritait qu'on vérifie.

– Je vous écoute.

– Ils ont dit qu'au moment où ils ont découvert le marin, il était pelotonné sur lui-même en position d'embryon avec les mains crispées autour du sac de sport, coincé contre son ventre. Craig a dit textuellement : on aurait dit qu'il le protégeait comme un bébé. »

Preston comprit aussitôt à quel point c'était étrange. Un homme attaqué à coups de pied se roule en boule instinctivement, comme Semyonov, mais se sert de ses bras pour protéger sa tête. Pourquoi le Russe avait-il offert aux coups son crâne sans protection, s'il n'avait à défendre qu'un sac de toile sans valeur?

« Ensuite, reprit Carmichael, j'ai commencé à me poser des questions sur l'heure et le lieu. Les marins qui font escale à Glasgow vont chez Betty ou au Bar des Ecuries. Cet homme se trouvait à presque sept kilomètres des docks, sur une route nationale ne conduisant nulle part en particulier, longtemps après les heures de fermeture, sans un bar à l'horizon. Que diable faisait-il là-bas à une heure pareille?

– Bonne question, dit Preston. Et ensuite?

– A dix heures ce matin, je suis allé assister à l'autopsie. Le corps n'était pas joli à voir après la chute, mais le visage demeurait presque intact, en dehors de quelques ecchymoses. Les Neds avaient surtout frappé l'arrière de la tête et le corps. J'ai déjà vu des visages de matelots de la marine marchande. Ils sont tannés par le soleil, hâlés par le vent, bruns et ridés. Cet homme avait un visage pâle et lisse, la peau d'une personne qui n'a jamais vécu sur le pont d'un cargo.

« Ensuite, ses mains, continua Carmichael. Elles auraient dû avoir le dos bronzé et la paume calleuse. Elles étaient douces et blanches, des mains d'employé de bureau. Enfin ses dents. Je m'attendais à ce qu'un matelot arrivant de Leningrad ait des prothèses dentaires ordinaires : des plombages en plomb et d'éventuelles fausses dents en acier, comme tous les Russes. Cet homme avait des plombages en or et deux couronnes d'or. »

Preston hocha la tête, approbateur. Carmichael avait l'esprit vif. Ils venaient d'arriver sur le parc de stationnement de l'hôtel où Carmichael avait réservé une chambre pour Preston.

« Un dernier détail. Infime mais peut-être révélateur, dit l'Ecossais. Avant l'autopsie, le consul soviétique est allé voir notre divisionnaire, aux bureaux de Pitt Street. J'y étais. Il avait l'air sur le point de déposer une protestation violente. Puis le capitaine du bateau est arrivé avec son officier politique. Ce dernier a entraîné le consul dans le couloir pour une conversation confidentielle. Quand le consul est revenu, il était tout miel et tout sucre. Comme si l'officier politique lui avait appris quelque chose sur le mort. J'ai eu l'impression qu'ils voulaient éviter de faire des vagues avant d'avoir vérifié auprès de l'ambassade.

– Avez-vous parlé de ma venue à vos collègues en uniforme? demanda Preston.

– Pas encore, répondit Carmichael. Vous voulez que je le fasse? »

Preston secoua la tête.

« Attendons demain matin. Nous déciderons à ce moment-là. Ce n'est peut-être rien.

– Que désirez-vous d'autre?

– Des copies des dépositions. Toutes, si vous pouvez. Et la liste des effets de l'homme. A propos où sont-ils?

– Sous clef au poste de police de Partick. Je vais faire des copies et je vous les déposerai dans la soirée. »

Le général Karpov téléphona à un de ses amis du G.R.U. et lui raconta qu'un de ses courriers lui avait ramené de Paris deux bouteilles de cognac français. Il ne touchait jamais personnellement à ce genre de chose, mais Pyotr Marchenko lui avait rendu service et il voulait lui faire une surprise. Il apporterait le cognac à la datcha de Marchenko pendant le week-end. Il désirait seulement s'assurer qu'il trouverait quelqu'un. Est-ce que le collègue avait le numéro de la maison de campagne de Marchenko à Peredelkino? L'homme du G.R.U. l'avait. Il le donna à Karpov et n'y pensa plus.

La plupart des datchas de l'élite soviétique ont des femmes de ménage ou des gardiens qui y séjournent tout l'hiver. Ils maintiennent les feux allumés pour que les week-ends du maître ne commencent pas dans une maison glacée. Ce fut la femme de ménage de Marchenko qui répondit. Oui, elle attendait le général le lendemain, vendredi; il arrivait presque toujours à six heures du soir. Karpov la remercia et raccrocha. Il décida qu'il renverrait son chauffeur, prendrait le volant lui-même, et rendrait une visite surprise au général du G.R.U. à sept heures.

Preston, allongé sur son lit, réfléchissait. Carmichael lui avait apporté toutes les dépositions relevées à l'hôpital et au commissariat. Comme dans toutes les déclarations rédigées par la police, le ton était guindé, officiel, très différent de la façon dont les gens racontent en réalité ce qu'ils ont vu et entendu. Les faits étaient là, bien entendu, mais non les impressions.

Ce que Preston ne pouvait pas savoir, parce que Craig n'en avait pas parlé et que l'infirmière ne l'avait pas vu, c'était qu'avant de s'enfuir en courant dans le couloir entre les cabines d'examen, Semyonov avait tenté de s'emparer de la boîte à tabac. Craig avait simplement écrit : « Le blessé m'a bousculé. »

La liste d'effets personnels, les « pièces à conviction », n'était guère plus explicite. Elle disait : une boîte à tabac métallique « et son contenu », ce qui pouvait aussi bien être trente grammes de tabac gris.

Preston passa en revue dans sa tête toutes les possibilités. Numéro un : Semyonov était un illégal débarqué en Grande-Bretagne. Conclusion : très improbable. Il se trouvait sur le rôle d'équipage et son absence aurait été remarquée quand le bateau serait reparti à destination de Leningrad.

Soit... Donc : il devait venir à Glasgow avec le bateau et repartir avec lui le jeudi soir. Que faisait-il au milieu de la nuit du côté de Great Western Road? Il allait déposer un « colis » ou il se rendait à un rendez-vous. Bien. Ou bien recueillir un paquet qu'il rapporterait à Leningrad. Encore mieux. Mais les options s'arrêtaient là.

Si le Russe avait livré ce qu'il apportait, pourquoi essayer de protéger son sac de toile comme si sa vie en dépendait? Il aurait été vide.

Et s'il était venu prendre livraison de quelque chose mais ne l'avait pas encore fait, le même raisonnement s'appliquait. S'il avait déjà effectué le « ramassage » pourquoi n'avait-on rien trouvé d'intéressant sur sa personne – des documents par exemple?

Si ce qu'il était venu livrer ou recueillir pouvait être dissimulé sur un être humain, pourquoi s'était-il encombré d'un sac de sport? S'il y avait quelque chose de cousu dans l'anorak ou le pantalon, ou dissimulé dans le talon d'une chaussure, pourquoi n'avait-il pas laissé les Neds prendre le sac – ce qu'ils voulaient? Il se serait épargné un passage à tabac et serait allé à son rendez-vous ou retourné au bateau (selon le cas) avec deux ou trois bleus, sans plus.

Preston jeta quelques autres « possibles » dans la machine à penser. L'homme était un courrier chargé d'effectuer un rendez-vous personnel avec un illégal soviétique résidant déjà en Grande-Bretagne. Pour lui transmettre un message verbal? Peu probable, il y avait des vingtaines de moyens plus efficaces de passer des messages codés. Recevoir un rapport verbal? Même objection. Permuter avec un illégal, remplacer l'homme et lui donner sa propre place sur le bateau? Non. La photographie sur le livret matricule était la sienne. S'il avait dû permuter avec un illégal, Moscou lui aurait remis un double du livret matricule, avec la photo qu'il fallait pour que le rapatrié puisse passer pour le matelot Semyonov à bord de l'*Akademik Komarov.* Il aurait eu ce livret matricule sur lui. A moins qu'il soit cousu dans la doublure... de quoi?

La doublure de sa veste? Alors pourquoi se laisser tabasser pour protéger le sac? Entre deux épaisseurs de toile, au fond du sac? Beaucoup plus probable.

On en revenait toujours à ce maudit sac. Juste avant minuit, Preston appela Carmichael chez lui.

« Pouvez-vous passer me prendre à huit heures? demanda-t-il. J'aimerais aller à Partick jeter un coup d'œil sur les pièces à conviction. Vous pourrez vous porter garant pour moi? »

Le vendredi matin au petit déjeuner, Yevgeni Karpov dit à sa femme Ludmilla :

« Tu pourras emmener les enfants à la datcha avec la Volga, cet après-midi?

– Bien sûr. Tu nous rejoindras en rentrant du bureau? »

Il hocha la tête d'un air absent.

« J'arriverai tard. Il faut que je voie un collègue du G.R.U. »

Ludmilla Karpova soupira intérieurement. Elle savait que son mari entretenait une jolie secrétaire, dodue comme une caille, dans un petit appartement du quartier de l'Arbat. Elle le savait parce que les épouses bavardent entre elles et que dans une société aussi stratifiée que la leur, ses amies étaient les épouses d'officiers de même rang.

Elle avait cinquante ans et ils étaient mariés depuis dix-huit ans. Un bon mariage, compte tenu du métier de Karpov, et Ludmilla était une bonne épouse. Comme les autres femmes mariées à des officiers de la Première Direction générale, elle ne comptait plus depuis longtemps les soirées d'attente, tandis que Yevgeni était enfermé dans la salle du chiffre d'une légation à l'étranger. Elle avait supporté l'ennui mortel d'innombrables cocktails d'ambassade – elle ne parlait aucune langue étrangère – tandis que son mari papillonnait, élégant, affable, conversant sans problème en anglais, français et allemand, faisant son travail sous couverture diplomatique.

Elle avait connu la panique, la terreur sans nom qu'éprouvent même les innocents quand, en poste à l'étranger, un des collègues était passé à l'Ouest et que les gens du K.R. (le contre-espionnage) l'avaient cuisinée pendant des heures sur tout ce que l'homme ou sa femme avaient pu dire en sa présence. Elle avait vu, prise de pitié, l'épouse du transfuge, une femme qu'elle avait peut-être appréciée mais qu'elle n'aurait plus osé toucher avec des pincettes stérilisées, escortée jusqu'à l'avion d'Aéroflot. Cela faisait partie du métier, lui avait dit Yevgeni pour la consoler.

C'était le passé. Maintenant son Génia avait le grade de général, l'appartement de Moscou était spacieux et ensoleillé, elle avait décoré la datcha comme elle savait qu'il l'aimait : meubles de pin et tapis, confortable mais rustique. Leurs deux fils ne leur donnaient que des satisfactions. Ils finissaient leurs études : l'un serait médecin, l'autre physicien. Il n'y aurait plus de ces horribles appartements d'ambassade, et dans trois ans Génia pourrait prendre sa retraite avec les honneurs et une bonne pension. Donc s'il avait envie de trousser un jupon un soir par semaine... Après tout, plus d'un général de son âge ne s'en privait pas. Mieux valait encore cela que d'avoir épousé une brute avinée, comme il y en avait tant, ou bien un major oublié au tableau d'avancement, finissant sa carrière dans un trou perdu d'une des républiques d'Asie. Et pourtant... Pourtant elle eut du mal à réprimer un soupir.

Le poste de police de Partick n'est pas l'immeuble le plus étincelant de la belle ville de Glasgow, et les pièces à conviction de l'agression/suicide de la nuit précédente faisaient partie de la routine quotidienne. Le sergent de service de la réception demanda à un agent de le relever et conduisit Carmichael et Preston vers l'arrière, où il ouvrit une pièce nue en dehors des armoires de classement, le long des murs. Il accepta sans la moindre surprise la carte de Carmichael et son explication : il devait vérifier les pièces à conviction avec son collègue, pour terminer leurs rapports personnels du fait que le décédé était un marin étranger, n'est-ce pas? Le sergent savait ce qu'est un rapport, il avait passé la moitié de sa vie à en rédiger. Mais il refusa de quitter la pièce pendant qu'ils ouvraient les sacs et en examinaient le contenu.

Preston commença par les chaussures; il vérifia qu'il n'y avait ni faux talons, ni semelles détachables, ni cavités au bout de l'empeigne. Rien. Les chaussettes prirent moins de temps, ainsi que le slip. Il ouvrit le boîtier de la montre-bracelet, mais ce n'était qu'une montre-bracelet. Pour le pantalon, ce fut plus long : il palpa toutes les coutures et tous les ourlets, à la recherche d'une reprise récente ou d'un bourrelet ne s'expliquant pas par une double épaisseur de tissu. Rien.

Le chandail à col roulé que portait l'homme fut facile : ni coutures, ni papiers cachés, ni bosses dures. Preston passa plus longtemps sur l'anorak molletonné, mais sans le moindre résultat. Quand il en vint au sac de sport, il était plus que jamais persuadé que si le mystérieux camarade Semyonov transportait quoi que ce fût, la réponse se trouvait là.

Il commença par le gros chandail roulé, davantage pour l'éliminer que par conviction. Toujours rien. Ensuite, il passa au sac lui-même. Il lui fallut une demi-heure pour se résigner à l'évidence : le fond était un simple rond de toile fixé par une couture double, les côtés de toile ordinaire ne dissimulaient rien, les œillets métalliques du haut n'étaient pas des émetteurs miniatures, ni le cordon une antenne secrète.

Restait la boîte ronde. Elle était d'origine russe, une boîte métallique ordinaire à couvercle vissé, qui dégageait encore un vague parfum de tabac. Le coton hydrophile était du coton hydrophile et cela ne laissait donc que trois disques de métal : deux brillants et légers comme de l'aluminium, l'autre terne et lourd comme du plomb. Il les aligna sur la table et les fixa pendant un certain temps. Carmichael le regardait et le sergent regardait par terre.

Qu'est-ce qui pouvait l'intriguer dans ces disques? Sûrement pas ce qu'ils étaient... Plutôt ce qu'ils n'étaient pas. En effet, ils n'étaient rien. Les disques d'aluminium se trouvaient sans doute au-dessus et au-dessous du disque lourd. Le disque lourd avait cinq centimètres de diamètre, les disques légers au moins sept centimètres. Preston essaya d'imaginer à quoi ils pourraient bien servir : liaisons radio, codage et décodage, photographie? La réponse était : à rien. C'étaient de simples disques de métal. Et pourtant, il était convaincu plus que jamais qu'un homme avait préféré mourir plutôt que de les abandonner aux Neds (qui les auraient jetés au caniveau de toute manière) ou de se laisser interroger à leur sujet.

Il se leva et proposa d'aller déjeuner. Le sergent, qui avait l'impression d'avoir perdu une matinée, rangea les pièces à conviction dans leurs sacs, les enferma dans leur amoire, puis raccompagna ses deux collègues.

Ils déjeunèrent à l'hôtel du Lac. Preston avait proposé de passer devant le lieu de l'agression. A la fin du repas, il se leva pour aller téléphoner.

« J'en ai peut-être pour longtemps, dit-il à Carmichael. Prenez donc une eau-de-vie sur mon compte. »

Carmichael sourit.

« Je n'y manquerai pas. »

Sans qu'on puisse le remarquer de la salle à manger, Preston sortit de l'hôtel et se rendit à la station-service B.P., où il fit plusieurs petits achats – il y avait une boutique d'accessoires. Puis il retourna à l'hôtel passer son coup de fil à Londres : il indiqua le numéro du poste de police de Partick et demanda à Bright, son adjoint, de le rappeler à une heure très précise.

Une demi-heure plus tard, ils étaient de nouveau au poste de police, et le sergent, visiblement écœuré, les reconduisit dans la salle des pièces à conviction. Preston s'assit derrière la table, tourné vers le téléphone mural, à l'autre bout de la pièce. Il édifia devant lui une sorte de rempart avec les vêtements sortis des sacs de plastique. A trois heures le téléphone sonna, le standard venait de recevoir l'appel de Londres. Le sergent décrocha.

« C'est pour vous, monsieur. Londres en ligne, dit-il à Preston.

– Voulez-vous le prendre? demanda Preston à Carmichael. Voyez si c'est urgent. »

Carmichael se leva et traversa la pièce jusqu'au sergent qui attendait, l'appareil à la main. Pendant une seconde, les deux Ecossais restèrent tournés vers le mur.

Dix minutes plus tard, Preston avait enfin terminé. Carmichael le ramena à l'aéroport.

« Je ferai un rapport, bien sûr, lui dit Preston. Mais je ne vois vraiment pas pourquoi ce Russe a réagi comme ça. Combien de temps ces pièces à conviction vont-elles rester bouclées à Partick?

– Oh! des semaines. Le consul soviétique est prévenu. La police va continuer de chercher les Neds, mais il y a des chances que ça traîne. Sauf si nous arrêtons l'un d'eux sous une autre inculpation, et qu'il se mette à « jaser ». Pas évident, vous savez. »

Preston présenta son billet. L'embarquement avait commencé.

« Le plus bête, dit Carmichael en prenant congé, c'est que si ce Russe n'avait pas perdu les pédales, nous l'aurions raccompagné à son bateau avec toutes nos excuses – et bien sûr ses trois petits bidules. »

Après le décollage, Preston se rendit aux toilettes pour être tranquille et examina les trois disques enveloppés dans son mouchoir. Ils n'avaient toujours aucun sens pour lui.

Les trois rondelles qu'il avait achetées au garage et substituées aux « bidules » du Russe suffiraient pendant un bout de temps. En attendant il voulait montrer ces disques à quelqu'un. L'homme en question travaillait hors de Londres, et Bright lui avait sans doute déjà demandé de ne pas quitter son bureau, ce vendredi-là, avant l'arrivée de Preston.

Karpov arriva à la datcha du général Marchenko à la nuit tombée, peu après sept heures. L'ordonnance du général, en uniforme, répondit à la porte et fit entrer Karpov dans le salon. Marchenko s'était déjà levé, manifestement surpris et ravi de voir son ami de l'autre service de renseignements.

« Yevgeni Sergeïevitch, s'écria-t-il rayonnant. Qu'est-ce qui vous amène dans ma modeste cabane? »

Karpov avait un petit sac de toile à la main. Il le souleva et plongea la main à l'intérieur.

« Un de mes hommes vient de rentrer de Turquie, en passant par l'Arménie, dit-il. Un garçon brillant : il sait qu'il vaut mieux ne pas rentrer les mains vides. Comme il n'y a rien de bien en Anatolie, il s'est arrêté à Erivan, et il a mis ça dans son bagage à main... »

Il sortit l'une des quatre bouteilles que le sac contenait, la meilleure des eaux-de-vie arméniennes. Le regard de Marchenko s'éclaira.

« De l'Akhtamar! s'écria-t-il. Toujours le meilleur pour la Première Direction générale.

– Je me rendais à ma datcha, continua Karpov d'un ton léger et je me suis dit : Qui va prendre un verre d'Akhtamar avec moi pour m'aider à le finir? Et la réponse est venue tout de suite : ce vieux Pyotr Marchenko. J'ai donc fait un petit détour. On regarde quel goût elle a? »

Marchenko éclata de rire.

« Sacha, des verres! » rugit-il.

Preston atterrit juste avant cinq heures, récupéra sa voiture au garage « stationnement temporaire » et prit l'autoroute M-4. Au lieu de tourner à l'est vers Londres, il descendit sur les voies ouest, en direction du Berkshire. Trente minutes de trajet le conduisirent à destination : un établissement situé non loin du village d'Aldermaston.

Connu simplement sous le nom d'« Aldermaston », le Centre de Recherches des Armements nucléaires, si apprécié des « défenseurs de la Paix » à la recherche d'un endroit où manifester, est en réalité un établissement multidisciplinaire. On y conçoit et on y construit des engins nucléaires mais l'on y effectue également des recherches en matière de chimie, physique, explosifs conventionnels, ingénierie, mathématiques pures et appliquées, radiobiologie, médecine, santé et normes de sécurité, électronique... Entre autres, il existe un excellent service de métallographie.

Des années auparavant, en Ulster, un des savants d'Aldermaston avait donné à un groupe d'officiers de renseignements une conférence sur les métaux que les fabricants de bombes de l'I.R.A. utilisaient de préférence dans leurs engins. Preston se trouvait dans la salle et il n'avait pas oublié le nom du savant, d'origine galloise.

Le professeur Dafydd Wynne-Evans l'attendait dans le hall de la réception. Preston se présenta et rappela à Wynne-Evans sa conférence de Belfast.

« Ma foi, vous avez bonne mémoire, lui répondit le professeur avec son accent chantant du pays de Galles. Eh bien, monsieur Preston, que puis-je faire pour vous? »

Preston sortit son mouchoir de sa poche et le déplia pour montrer les trois disques qu'il contenait.

« Nous les avons trouvés sur quelqu'un à Glasgow. Je m'avoue battu. J'aimerais savoir ce que c'est et à quoi cela peut servir. »

Le professeur les examina longuement.

« Vous croyez à des intentions criminelles?

– Peut-être.

– Difficile à dire sans analyses, répondit le métallographe. Ecoutez, j'ai un dîner ce soir et je marie ma fille demain. Je ferai des analyses lundi et je vous téléphonerai les résultats. Cela vous convient?

– Lundi? Parfait, dit Preston. En fait, je prends quelques jours de congé. Je serai chez moi. Puis-je vous donner mon numéro personnel? »

Le professeur Wynne-Evans courut à son bureau, enferma les disques dans son coffre, souhaita le bonsoir à Preston et s'en fut à son dîner. Preston reprit la route de Londres.

A peine avait-il pris le volant que la station d'écoute de Menwith Hill, dans le Yorkshire, enregistra un « squirt » isolé provenant d'un émetteur clandestin. Menwith le repéra en premier, mais Brawdy, au pays de Galles, et Chicksands dans le Bedfordshire relevèrent également le signal et déterminèrent l'origine de son émission : quelque part dans les collines du nord de Sheffield.

Quand la police de Sheffield arriva sur les lieux, elle se trouva en face d'une petite aire de repos, près d'une route déserte, entre Barnley et Pontefract. Il n'y avait personne.

Plus tard dans la soirée, l'un des officiers de service au Q.G. des Communications, à Cheltenham, alla prendre un verre dans le bureau de permanence de la direction.

« C'est le même bougre, dit-il. Il est en voiture et il a un excellent émetteur. Il n'a émis que pendant cinq secondes et le signal a l'air indéchiffrable. D'abord le Derbyshire, maintenant les collines du Yorkshire. On dirait qu'il niche quelque part dans le nord des Midlands.

– Continuez de le traquer, dit le directeur. Nous n'avons eu aucun émetteur dormant réactivé soudain comme celui-ci depuis des siècles. Je me demande ce qu'il raconte. »

Ce que le major Valéri Petrofsky racontait – par l'intermédiaire de son opérateur car il était reparti depuis longtemps – n'était autre que ceci :

« Courrier deux manqué. Informez aussitôt arrivée remplaçant. »

La première bouteille d'Akhtamar était vide sur la table et la deuxième déjà bien malade. Marchenko avait les joues en feu, mais c'était un homme qui résistait à plus de deux bouteilles quand il était d'humeur, et il conservait encore l'esprit très clair.

Karpov buvait rarement par plaisir et encore plus rarement tout seul, mais ses années dans le milieu des diplomates avaient formé son estomac et il avait la tête solide quand il le fallait. Surtout, il s'était forcé à avaler une demi-livre de saindoux avant de quitter Yasyenevo. Il avait failli étouffer, mais la matière grasse recouvrait maintenant les parois de son tube digestif et retardait le déclenchement des effets de l'alcool.

« Qu'est-ce que vous fabriquez, ces temps-ci, Pyotr? »

Marchenko plissa les yeux.

« Pourquoi cette question?

– Allons, allons, Peter, dit-il en passant au diminutif familier. Nous avons fait du chemin ensemble, non? Vous vous souvenez du jour où je vous ai sauvé la face en Afghanistan, il y a trois ans? Vous me devez bien une petite faveur. Que se passe-t-il? »

Marchenko se souvenait. Il hocha la tête, le visage grave. En 1984, il dirigeait une grosse opération du G.R.U. contre les rebelles musulmans dans les montagnes près de la Passe de Kyber. Un chef de partisans particulièrement remarquable lançait des raids en Afghanistan à partir de camps de réfugiés situés au Pakistan. Marchenko avait envoyé un commando d'élite au-delà de la frontière pour s'emparer du guérillero. Et ils avaient eu des problèmes. Les Afghans prosoviétiques, démasqués sur les Pathans, avaient connu une mort horrible. L'unique Russe qui les accompagnait avait eu la chance de survivre, et les Pathans l'avaient remis aux autorités pakistanaises du district de la frontière du Nord-Ouest, espérant obtenir des armes en échange.

Marchenko ne savait plus à quel saint se vouer. Il s'était tourné vers Karpov, qui se trouvait à la tête de la Direction des Illégaux, et celui-ci avait risqué un de ses meilleurs agents pakistanais sous couverture à Islamabad pour faire évader le Russe et l'escorter au-delà de la frontière. La présence du Russe au Pakistan, si elle avait transpiré, aurait provoqué un incident international grave, et Marchenko aurait été cassé – il aurait rejoint la longue cohorte des officiers soviétiques ayant brisé leur carrière en Afghanistan.

« Oui, d'accord, je sais ce que je vous dois, Génia, mais ne me demandez pas sur quelle affaire j'ai travaillé ces dernières semaines. Mission spéciale, plus que secrète. Vous comprenez ce que je veux dire : pas de noms, pas de problèmes. »

Il tapota sur le côté de son nez avec son index gros comme une saucisse et inclina la tête d'un air grave. Karpov se pencha en avant et ouvrit la troisième bouteille pour remplir le verre du général.

« Si je comprends!... dit-il pour le rassurer. Désolé de vous l'avoir demandé. N'en parlons plus. Nous ne ferons aucune allusion à cette opération désormais. »

Marchenko agita un doigt accusateur. Il avait les yeux injectés de sang. En le regardant, Karpov songea à un sanglier blessé dans un fourré – le cerveau obscurci par l'alcool (au lieu de la douleur et de la perte de sang) mais encore dangereux.

« Pas d'opération, aucune opération, tout a été annulé. J'ai juré le secret... Nous avons tous juré. Très haut niveau... Plus haut que ce que vous pouvez imaginer. N'en parlez plus, d'accord?

– Je n'y songe pas », répondit Karpov en remplissant de nouveau les verres.

Il profitait de l'ivresse de Marchenko pour lui remplir son verre plus souvent que le sien, mais il commençait à avoir du mal à se concentrer pour voir clair.

Deux heures plus tard, le tiers de la quatrième bouteille d'Akhtamar avait été bu. Marchenko s'était tassé dans son fauteuil, le menton contre la poitrine. Karpov leva son verre pour la millième fois.

« A l'oubli...

– A l'oubli? »

Marchenko secoua la tête, surpris.

« L'oubli? Mais je n'ai rien oublié. Je suis capable de faire rouler sous la table n'importe quel tordu de la Première Direction générale. Pas à l'oubli!

– Non, corrigea Karpov. A l'oubli du Plan. On l'a laissé tomber, non?

– Aurore? Laissé tomber, oui... Mais c'était quand même une sacrée bonne idée. »

Ils burent. Karpov remplit de nouveau les verres.

« Qu'ils aillent tous se faire foutre! proposa-t-il. Au cul Philby... Au cul l'académicien. »

Marchenko hocha la tête, parfaitement d'accord. L'eau-de-vie qui avait manqué sa bouche glissa sur ses bajoues.

« Krilov? Ce con! Tous au diable. »

Il était minuit quand Karpov regagna sa voiture d'un pas chancelant. Il se pencha contre un arbre, glissa deux doigts au fond de sa gorge, vomit tout ce qu'il put dans la neige, puis respira à grands coups l'air glacé de la nuit. Ce fut efficace mais le trajet jusqu'à la datcha fut un cauchemar. Il y parvint – avec une aile enfoncée et deux vilaines rayures sur les portières. Ludmilla l'attendait, en robe de chambre. Elle le mit au lit, terrifiée à l'idée qu'il était rentré de Moscou dans cet état.

Le samedi matin, John Preston descendit en voiture à Tonbridge. Comme d'habitude quand son papa venait le chercher à la pension, Tommy était un torrent de paroles, souvenirs du trimestre terminé, projets pour le trimestre suivant, plans pour les vacances qui commençaient, louanges pour ses meilleurs amis et leurs vertus, mépris pour les infamies de ceux qu'il n'aimait pas.

La cantine et la boîte à sandwichs étaient dans le coffre, et le retour à Londres fut pour John Preston une joie sans mélange. Il parla des sorties qu'il avait prévues pour leur semaine ensemble, et il se félicita de voir l'enfant approuver son choix. Le visage de Tommy ne se rembrunit qu'à la pensée de retourner, à la fin de la semaine, à l'appartement de Mayfair, élégant, fragile et sans prix, où Julia vivait avec son ami marchand de robes. Le bonhomme avait l'âge d'être son grand-père, et Preston était sûr que le moindre objet brisé dans l'appartement devait geler aussitôt l'atmosphère.

« Papa, dit Tommy quand ils traversèrent le Vauxhall Bridge, pourquoi ne puis-je pas rester avec toi tout le temps? »

Preston soupira. Expliquer à un enfant de douze ans pourquoi un mariage se brise et quelles en sont les conséquences n'est jamais très facile.

« Parce que ta maman et Archie ne sont pas vraiment mariés, répondit-il prudemment. Si j'insistais pour que maman divorce officiellement, elle pourrait demander, et obtenir, une « pension alimentaire », de l'argent que j'aurais à lui verser tous les mois. Seulement voilà, avec mon salaire, je ne peux pas me le permettre. En tout cas, je ne gagne pas assez pour me nourrir, payer tes études et une pension alimentaire pour maman. Je n'y arriverais pas. Et si je n'ai pas les moyens de payer cette pension, le tribunal décidera sans doute que tu auras de meilleures chances dans la vie si tu vas avec elle. Dans ce cas, nous nous verrions encore moins souvent...

– Je ne savais pas que cela se réduisait à une question d'argent, dit l'enfant déçu.

– Au bout du compte, presque tout se réduit à des questions d'argent. Triste mais vrai. Il y a des années, si j'avais pu nous offrir une plus belle vie à tous les trois, maman et moi ne nous serions peut-être pas séparés. Je n'étais qu'un officier de l'armée, et même quand j'ai quitté l'armée pour le ministère de l'Intérieur, mon salaire n'était pas suffisant.

– Qu'est-ce que tu fais, exactement, au ministère de l'Intérieur? » demanda l'enfant.

Il abandonnait le sujet de la séparation de ses parents, comme on essaie d'oublier quelque chose qui vous fait mal.

« Oh! je suis une sorte de petit fonctionnaire, répondit Preston.

– Bon sang, ça ne doit pas être très gai.

– Non, avoua Preston. Pas très gai. »

Yevgeni Karpov s'éveilla à midi avec une gueule de bois impériale, qu'une demi-douzaine d'aspirines eurent du mal à contenir. Après le déjeuner, il se sentit un petit peu mieux et décida d'aller faire un tour.

Un souvenir, très vague, refusait de quitter sa mémoire : il avait entendu quelque part, dans un passé récent, le nom de Krilov. Cela le tracassait. Un des ouvrages de référence à circulation limitée qu'il possédait à la datcha lui indiqua qui était ce professeur Krilov, Vladimir Ilitch : un historien, enseignant à l'université de Moscou, membre du Parti depuis son enfance, membre de l'Académie des Sciences, membre du Soviet suprême, etc. Tout cela, il le savait. Mais il y avait autre chose.

Il pataugeait dans la neige, tête penchée, perdu dans ses réflexions. Les enfants étaient partis avec leurs skis profiter de la dernière belle neige poudreuse, avant que le dégel ne gâche tout. Ludmilla Karpova trottinait derrière son mari. Elle connaissait son humeur et évitait d'interrompre le cours de ses pensées.

La veille au soir, l'état de son mari l'avait surprise – agréablement d'ailleurs. Elle savait qu'il buvait rarement et jamais à ce point, ce qui excluait toute visite à sa petite amie. Peut-être avait-il vraiment passé la soirée avec un collègue du G.R.U., un de leurs « voisins »... Quelque chose lui avait fait perdre son bon sens, mais ce n'était pas, en tout cas, la petite caille de l'Arbat.

Peu après trois heures, l'éclair jaillit soudain dans sa tête. Karpov s'arrêta à quelques mètres devant son épouse et s'écria :

« Bon Dieu! C'est évident. »

Il releva le menton, prit le bras de Ludmilla en souriant et rebroussa chemin avec elle vers la datcha.

Le général Karpov savait qu'il aurait de petites recherches à effectuer dans son bureau le lendemain matin, et qu'il rendrait visite au professeur Krilov à son appartement de Moscou dans la soirée.

15

LE lundi matin le téléphone sonna juste au moment où John Preston allait sortir avec son fils.

« Monsieur Preston? Dafydd Wynne-Evans à l'appareil. »

Pendant un instant, le nom n'eut pour lui aucun sens, puis il se rappela sa requête du vendredi soir.

« J'ai jeté un coup d'œil sur votre petit bout de métal. Très intéressant. Pouvez-vous venir ici? J'aimerais en bavarder avec vous.

– C'est-à-dire, je... j'ai pris quelques jours de congé, répondit Preston. Est-ce que la fin de la semaine vous conviendrait? »

A Aldermaston, le professeur parut hésiter.

« Je crois qu'il vaudrait mieux que ce soit avant, dit-il enfin. Vous êtes vraiment pris?

– Euh, oh!... Ne pourriez-vous pas me résumer l'essentiel au téléphone?

– Je préférerais vous en parler de vive voix », dit le professeur Wynne-Evans.

Preston réfléchit un instant. Il emmenait Tommy au safari-parc de Windsor, qui se trouve également dans le Berkshire.

« Je peux éventuellement passer cet après-midi. Disons, vers cinq heures? proposa-t-il.

– Va pour cinq heures, répondit le savant. Demandez-moi à la réception. Je vous ferai accompagner à mon bureau. »

Le professeur Krilov habitait au dernier étage d'un immeuble de l'avenue du Komsomol, avec vue panoramique sur la Moskova, à peu de distance de l'université, sur la rive sud. Le général Karpov sonna à sa porte peu après six heures, et ce fut l'académicien en personne qui lui ouvrit. Il dévisagea le visiteur sans le reconnaître.

« Camarade professeur Krilov?

– Oui.

– Je suis le général Karpov. Pouvez-vous m'accorder un entretien? »

Il tendit sa carte personnelle. Le professeur Krilov l'examina, nota le rang de son visiteur et le fait qu'il appartenait à la Première Direction générale du K.G.B. Il la rendit à Karpov et lui fit signe d'entrer. Il le précéda dans un salon bien meublé, prit le manteau du général et l'invita à s'asseoir.

« Que me vaut cet honneur? » demanda-t-il en s'installant en face de Karpov.

C'était un homme éminent dans sa partie, qui ne s'en laissait pas imposer par un général du K.G.B.

Karpov comprit aussitôt que le professeur était différent. Il avait pu jouer Erita Philby et lui faire révéler l'existence du chauffeur; il avait pu intimider Gregoriev par son rang; et Marchenko était un vieux collègue qui buvait beaucoup trop. Krilov, en revanche, occupait un rang élevé dans le Parti, au Soviet suprême, à l'Académie, et dans l'élite de l'Etat. Karpov décida de ne pas perdre de temps : il jouerait ses cartes vite et sans merci. C'était le seul moyen.

« Professeur Krilov, dans l'intérêt de l'Etat, je désire que vous me disiez quelque chose. Je désire que vous m'appreniez ce que vous savez du Plan Aurore. »

Le professeur Krilov se figea comme s'il venait de recevoir une gifle. Puis il rougit de colère.

« Général Karpov, vous dépassez les bornes, lança-t-il. Je ne sais pas de quoi vous parlez.

– Je crois que vous le savez, répondit Karpov d'une voix égale. Et je crois que vous devriez me dire en quoi consiste ce plan.

– De quel droit?

– Mon rang et ma fonction m'en donnent le droit.

– Sans une requête signée par le secrétaire général en personne, vous n'avez aucun droit du tout, répliqua Krilov d'un ton glacé en se levant pour décrocher le téléphone. Je crois qu'il est grand temps d'attirer sur votre attitude et vos questions l'attention d'un responsable beaucoup plus élevé que vous. »

Il prit l'appareil et se prépara à composer un numéro.

« Ce n'est peut-être pas une très bonne idée, dit Karpov. Savez-vous que l'un de vos collègues conseillers, le colonel à la retraite Philby, du K.G.B., est déjà porté disparu? »

Krilov s'arrêta au milieu de son geste.

« Porté disparu? Que voulez-vous dire? »

Il restait encore maître de lui, mais Karpov devina les premiers signes d'hésitation.

« Assoyez-vous, je vous prie, et écoutez-moi jusqu'au bout. »

Le professeur s'y résigna. Au fond de l'appartement, une porte s'ouvrit et se referma. Pendant la seconde où elle resta ouverte on entendit des échos de musique de jazz occidentale, aussitôt assourdis par la fermeture.

« Je veux dire « porté disparu », reprit Karpov. Disparu de son appartement. Son chauffeur a été renvoyé, sa femme n'a aucune idée de l'endroit où il se trouve ni du moment où il reviendra, s'il revient. »

C'était un pari, et un pari très audacieux; mais le regard du professeur exprima une certaine inquiétude. Très vite, il se ressaisit.

« Il ne saurait être question que je discute d'affaires d'Etat avec vous, camarade général. Je suis obligé de vous demander de partir.

– Ce n'est pas si simple, insista Karpov. Dites-moi, professeur, vous avez un fils. Léonide, n'est-ce pas? »

Le changement brusque de sujet déconcerta profondément le professeur.

« Oui, reconnut-il. J'ai un fils. Et après?

– Laissez-moi vous expliquer... », commença Karpov.

A l'autre bout de l'Europe, John Preston et son fils quittaient le safari-parc de Windsor à la fin d'une belle journée de printemps.

« J'ai une petite visite à faire avant de rentrer, dit le père. Ce n'est pas loin et je n'en aurai pas pour longtemps. Tu es déjà allé à Aldermaston? »

Les yeux de l'enfant s'ouvrirent tout grands.

« L'usine à bombes? demanda-t-il.

– Ce n'est pas tout à fait ça, corrigea Preston. C'est un centre de recherches.

– Bon sang, non. On y va? On nous laissera entrer?

– Moi, oui... Tu seras obligé d'attendre dans la voiture. Mais je ne serai pas long. »

Il tourna vers le nord pour prendre l'autoroute M-4.

« Votre fils est rentré il y a neuf semaines d'un séjour au Canada, où il a servi d'interprète à une délégation commerciale », dit le général Karpov d'une voix douce.

Krilov acquiesça.

« Ensuite?

– Pendant qu'il était là-bas, mes agents K.R. ont

remarqué qu'une certaine personne, d'ailleurs jeune et pleine de séduction, passait beaucoup de temps – trop de temps, avons-nous jugé – à essayer de nouer conversation avec les membres de la délégation, notamment les plus jeunes, secrétaires, interprètes, etc. La personne en question a été photographiée et identifiée comme un agent racoleur, américain et non canadien, employé presque certainement par la C.I.A.

« Aussitôt, ce jeune agent a été placé sous surveillance et on l'a vu organiser un rendez-vous avec votre fils Léonide, dans une chambre d'hôtel. Pour tout dire, ils ont eu ensemble une aventure brève mais passionnée. »

Le visage du professeur Krilov se couvrit de plaques rouges. Il était dans une telle rage qu'il semblait avoir du mal à trouver ses mots.

« Comment osez-vous? Comment osez-vous avoir l'impertinence de venir ici, pour tenter de me soumettre, moi, membre de l'Académie des Sciences et du Soviet suprême à un chantage aussi grossier. Le Parti en entendra parler. Vous connaissez la règle : seul le Parti peut juger le Parti. Vous êtes peut-être un général du K.G.B., mais vous avez outrepassé vos pouvoirs, général Karpov, et de beaucoup. »

Yevgeni Karpov demeura immobile, jouant l'humilité, les yeux fixés sur la table basse, tandis que le professeur poursuivait.

« Mon fils a couché avec une étrangère pendant son séjour au Canada? La belle affaire! Cette fille était une Américaine? Et après? Mon fils l'ignorait, sans aucun doute. Un peu léger, soit. Mais a-t-il été recruté par cette fille de la C.I.A.?

– Non, reconnut Karpov.

– A-t-il trahi des secrets d'Etat?

– Non.

– Donc, vous n'avez rien contre lui, camarade général. Une brève erreur de jeunesse. Il sera réprimandé.

Mais la réprimande sera beaucoup plus sévère, croyez-moi, pour vos hommes du contre-espionnage. Ils auraient dû le prévenir. Quant à l'affaire de chambre à coucher, nous ne sommes pas aussi pudibonds, en Union soviétique, que vous semblez le croire. Les jeunes hommes vigoureux ont culbuté des filles depuis l'origine des temps. »

Karpov avait ouvert son attaché-case et sortit une grande photographie, la première d'une liasse. Il la posa sur la table. Le professeur Krilov la regarda et il demeura sans voix. Le rouge disparut soudain de ses joues et son visage vieilli parut gris à la lueur de la lampe. Il secoua plusieurs fois la tête.

« Je suis désolé, dit Karpov très doucement. Sincèrement désolé. C'était le jeune Américain que nous surveillions, non votre fils. Nous ne savions pas que cela irait jusque-là.

– Je ne le crois pas, lança le professeur d'une voix brisée.

– J'ai des fils moi aussi, murmura Karpov. Je comprends, oui... En tout cas, j'essaie de comprendre ce que vous ressentez. »

L'académicien serra les dents, se leva soudain, murmura « Excusez-moi » et quitta la pièce. Karpov soupira et rangea la photo dans sa serviette. Il entendit, venant du fond du couloir, une bouffée de jazz quand la porte s'ouvrit. Puis la musique se tut brusquement et des voix s'élevèrent : deux voix, pleines de colère. L'une était le grondement du père, l'autre les accents haut perchés d'un jeune homme. L'altercation s'acheva par le bruit d'une gifle. Quelques secondes plus tard, le professeur Krilov rentra dans le salon. Il s'assit, les yeux voilés, les épaules basses.

« Qu'allez-vous faire ? » murmura-t-il.

Karpov soupira.

« Mon devoir est très clair. Comme vous l'avez dit : « Seul le Parti peut juger le Parti. » Je devrais remettre le rapport et les photographies au Comité central.

« Vous connaissez la loi. Vous savez ce qu'ils font aux mignons. Cinq ans, sans rémission, et au régime le plus strict. Or j'ai bien peur que dans ces camps, les nouvelles se répandent vite. Le jeune homme devient bientôt – comment dirais-je? – l'amie de chacun. Un adolescent élevé dans un milieu protégé a peu de chances de survivre à ce genre d'épreuve.

– Mais..., lança le professeur.

– Mais je peux décider qu'il existe une chance pour que la C.I.A. essaie de poursuivre l'affaire. J'en ai le droit. Je peux décider que les Américains, impatients, enverront sans doute leur agent en Union soviétique pour reprendre contact avec Léonide. J'ai le droit de décider que le piège tendu à votre fils pourrait être retourné et devenir une opération du K.G.B. permettant de mettre la main sur l'agent de la C.I.A. En attendant, je serais en mesure de conserver le dossier dans mon coffre personnel, et l'attente pourrait être très longue. J'en ai le pouvoir. Oui, pour les questions opérationnelles, j'ai ce pouvoir.

– Et le prix à payer?

– Je crois que vous le savez déjà.

– Que voulez-vous savoir du Plan Aurore?

– Commencez simplement par le commencement. »

Preston franchit la grille principale d'Aldermaston, trouva une place dans le parc à voitures « visiteurs » et descendit.

« Désolé, Tommy, pas plus loin. Attends-moi ici. J'espère que je n'en aurai pas pour longtemps. »

Il traversa la cour de gravier jusqu'à la double porte d'entrée et se présenta aux deux hommes de la réception. Ils examinèrent sa carte et téléphonèrent au professeur Wynne-Evans, qui autorisa le visiteur à monter à son bureau, au troisième étage.

Preston entra. Le savant lui fit signe de s'asseoir en face de lui et le dévisagea par-dessus ses lunettes.

« Puis-je vous demander où vous avez trouvé ce petit objet? lança-t-il en montrant le disque de métal lourd, pareil à du plomb, qui se trouvait maintenant dans une éprouvette de verre scellée.

– On l'a saisi sur un mort à Glasgow, dans la nuit de mercredi à jeudi. Et les deux autres disques?

– Oh! de l'aluminium ordinaire. Rien de particulier. Ils ne servaient qu'à protéger celui-ci. C'est le seul qui m'intéresse.

– Vous savez ce que c'est? » demanda Preston.

Le professeur Wynne-Evans parut déconcerté par la naïveté de la question.

« Bien sûr, je sais ce que c'est, dit-il. C'est mon métier de savoir ce que c'est. Il s'agit d'un disque de polonium pur. »

Preston fronça les sourcils. Il n'était pas plus avancé : jamais il n'avait entendu parler d'un métal de ce nom.

« Eh bien, tout a commencé début janvier par le mémorandum soumis au secrétaire général par le colonel Philby. Philby affirmait qu'il existe au sein du Parti travailliste britannique une aile d'extrême gauche devenue assez forte pour contrôler entièrement l'appareil du Parti, plus ou moins quand elle le désirerait. Cela correspond à mon opinion personnelle.

– A la mienne aussi, murmura Karpov.

– Philby allait plus loin. Il prétendait qu'il existe au sein de la Gauche Dure, un noyau central de marxistes-léninistes convaincus qui ont bien la ferme intention de réaliser ce coup d'Etat, non *avant* les prochaines élections générales mais juste après, au lendemain même de la victoire électorale travailliste. En deux mots, ils ont décidé d'attendre la victoire de M. Neil Kinnock aux urnes pour le renverser de son poste de leader du Parti. Son remplaçant serait le Premier Ministre marxiste-léniniste de Grande-Bretagne, et il instituerait une série de mesures parfaitement conforme aux intérêts de l'Union soviétique en matière de politique étrangère et de défense, notamment dans le domaine du désarmement nucléaire unilatéral et de l'expulsion de toutes les forces américaines.

– C'est réalisable, acquiesça le général Karpov. Et un comité de quatre spécialistes s'est donc réuni pour définir le meilleur moyen de provoquer cette victoire électorale des travaillistes. »

Le professeur Krilov leva les yeux, surpris.

« Oui. Philby, le général Marchenko, moi-même et le docteur Rogov.

– Le grand maître des échecs?

– Et physicien, ajouta Krilov. Nous avons conçu le Plan Aurore, qui aurait pu provoquer la déstabilisation en masse de l'électorat anglais en poussant des millions d'électeurs vers le désarmement unilatéral.

– Vous dites « aurait pu »?

– Oui. Le plan était en fait l'idée de Rogov. Il l'a soutenu avec force. Marchenko s'est rangé de son côté avec des réserves. Philby?... Personne n'aurait su dire ce que Philby pensait en réalité. Il ne cessait de hocher la tête et de sourire, en attendant de voir dans quel sens le vent soufflerait.

– C'est bien Philby, reconnut Karpov. Ensuite, vous avez présenté le plan...

– Oui. Le 12 mars. Je m'y suis opposé. Le secrétaire général s'y est opposé comme moi. Il l'a répudié carrément, a ordonné que toutes les notes et tous les dossiers soient détruits et nous a fait jurer à tous les quatre de ne jamais y faire allusion, en aucune circonstance.

– Dites-moi... Pourquoi étiez-vous contre?

– Il m'a paru aventureux, plein de dangers. Surtout,

il contrevenait absolument aux dispositions du Quatrième Protocole. Si jamais ce protocole est battu en brèche un jour, Dieu sait où le monde finira.

– Le Quatrième Protocole?

– Oui. Du traité international de non-prolifération nucléaire. Vous vous en souvenez, bien sûr?

– Il faudrait se souvenir de tant de choses, répondit Karpov doucement. Rappelez-moi de quoi il s'agit. »

« Je n'ai jamais entendu parler de ce polonium, dit Preston.

– Cela ne m'étonne pas, lui répondit le professeur Wynne-Evans. Je veux dire, ce n'est pas un métal qui traîne sur les établis des garages. Il est très rare.

– Et à quoi sert-il, professeur?

– Parfois, mais très rarement, on l'utilise en médecine curative. Est-ce que votre homme de Glasgow se rendait à une conférence ou une exposition médicale?

– Non, dit Preston sans hésiter. Il ne se rendait pas à une conférence médicale.

– Cela aurait expliqué une possibilité de dix pour cent sur ses intentions au moment où vous l'avez soulagé de son colis. S'il n'allait pas à une conférence médicale, j'ai bien peur que cela laisse la probabilité de quatre-vingt-dix pour cent. En dehors de ces deux fonctions, le polonium n'a aucune utilisation connue sur cette planète.

– Et l'autre utilisation?

– Un disque de polonium de cette taille n'est d'aucune utilité à lui tout seul. Mais juxtaposé à un disque d'un autre métal, le lithium, il forme avec lui un initiateur.

– Un quoi?

– Un initiateur.

– Et qu'est-ce que c'est, je vous prie? »

« Le 1er juillet 1968, reprit le professeur Krilov, les trois puissances nucléaires mondiales de l'époque, les Etats-Unis, la Grande-Bretagne et l'Union soviétique, ont signé le Traité de Non-Prolifération Nucléaire.

« Par ce traité, les trois nations signataires se sont engagées à ne fournir aucune technologie ou matériel capables d'aboutir à la construction d'armes nucléaires, aux pays ne possédant pas, à l'époque, cette technologie ou ce matériel. Vous vous en souvenez?

– Oui, dit Karpov, très bien.

– Les cérémonies de signature à Washington, Londres et Moscou se sont accompagnées d'une énorme publicité à l'échelle mondiale. Au contraire, c'est dans la discrétion la plus totale qu'ont été signés ultérieurement les quatre protocoles secrets de ce traité.

« Chaque protocole anticipait l'apparition d'un danger éventuel dans l'avenir, encore techniquement impossible mais susceptible, pensait-on, de le devenir un jour.

« Avec les années, les trois premiers protocoles sont entrés dans l'histoire, soit parce que l'on a démontré l'impossibilité de réaliser le danger en question, soit parce que l'on a découvert un antidote en même temps que la menace devenait une réalité. Mais dès le début des années 80, le Quatrième Protocole, le plus secret de tous, devint un cauchemar permanent.

– Que prévoyait exactement le Quatrième Protocole? » demanda Karpov.

Le professeur Krilov soupira.

« C'est le docteur Rogov qui nous a fourni cette information. Vous savez que son domaine de recherches est la physique nucléaire. Le Quatrième Protocole anticipait les progrès techniques de la fabrication des bombes atomiques sur les plans de la miniaturisation et de la simplification. C'est apparemment ce qui s'est produit. D'une part, les armes sont devenues infiniment plus puissantes mais plus complexes à construire et de taille plus importante, mais une autre branche de la technique a évolué dans l'autre sens. La bombe atomique rudimentaire, dont le transport au-dessus du Japon avait exigé en 1945 un énorme bombardier, peut aujourd'hui être construite à une échelle si réduite qu'elle entrerait dans une valise. De plus, sa conception est devenue si simple qu'on est en mesure de l'assembler à partir d'une douzaine d'éléments préfabriqués et usinés, comme un jeu de construction pour enfants.

– Et c'est ce qu'interdisait le Quatrième Protocole? »

Le professeur Krilov secoua la tête.

« Le protocole allait plus loin. Il interdisait aux nations signataires d'introduire clandestinement sur le territoire d'un autre pays, quel qu'il soit, un engin nucléaire assemblé ou non assemblé. Un tel engin pourrait être placé, par exemple, dans une maison ou un appartement loué au cœur d'une ville...

– Pas de délai d'intervention, rêva Karpov à haute voix. Pas de détection du missile par radar. Pas de contre-attaque. Impossible d'identifier l'agresseur. Une simple explosion d'une mégatonne dans un meublé en sous-sol.

– Exactement, acquiesça le professeur. C'est pour cela que je parle de cauchemar permanent. Les sociétés ouvertes de l'Ouest sont plus vulnérables, mais aucun pays n'est à l'abri d'un engin introduit en contrebande. Si l'on cesse de respecter le Quatrième Protocole, toutes les batteries de fusées, tous les systèmes électroniques de défense – en fait l'essentiel du complexe militaire-industriel – deviennent caducs.

– Et c'était ce que le Plan Aurore se proposait de faire? »

Krilov hocha la tête. Il parut se refermer.

« Mais depuis, poursuivit Karpov, tout a été arrêté

et interdit? Le plan entier a été, comme on dit dans nos services, « archivé »?

Krilov saisit le mot au vol.

« C'est exact. Archivé...

– Dites-moi exactement ce qui se serait produit, insista Karpov.

– Oh!... le Plan Aurore aurait infiltré en Angleterre un agent soviétique de premier ordre, qui aurait loué une villa de province et serait devenu l'officier d'exécution du projet.

« Plusieurs courriers différents lui auraient remis les dix éléments constitutifs d'une petite bombe atomique d'environ une kilotonne et demie.

– Si petite? Hiroshima était de dix kilotonnes.

– L'objectif n'était pas de provoquer des dégâts, car les élections générales auraient été annulées. Il s'agissait de susciter un « accident » nucléaire pour que dix pour cent de l'électorat hésitant, saisis de panique, optent pour le désarmement unilatéral et votent pour le seul parti défendant l'unilatéralisme, le Parti travaillliste.

– Excusez-moi, dit Karpov. Continuez, je vous prie.

– L'engin aurait été déclenché six jours avant les élections, dit le professeur. Le choix de l'endroit avait une importance vitale. Nous avions opté pour la base aérienne américaine de Bentwaters dans le Suffolk. Il paraît que certains avions F-5 y sont stationnés et qu'ils sont équipés de petits engins nucléaires tactiques pour contrer les divisions blindées que nous avons déployées en vue d'une invasion éventuelle de l'Europe occidentale. »

Karpov acquiesça. Il connaissait l'existence de Bentwaters et les renseignements de Krilov étaient exacts.

« L'agent d'exécution, continua Krilov, aurait reçu l'ordre d'apporter en voiture l'engin assemblé jusqu'au périmètre de clôture de la base, pendant la nuit. Toute la base se trouve, paraît-il, au cœur de la forêt de Rendlesham. L'explosion aurait eu lieu juste avant l'aurore.

« En raison de la petitesse de l'engin, les dégâts se seraient limités à la base aérienne, vaporisée par l'explosion, en même temps que la forêt de Rendlesham, trois hameaux, un village, les bords de mer et une réserve d'oiseaux. Comme la base se trouve sur la côte du Suffolk, le nuage de poussière radioactive aurait dérivé sur la mer du Nord, poussé par les vents d'ouest, dominants dans la région. Le temps d'atteindre la côte hollandaise, quatre-vingt-quinze pour cent des particules seraient devenues inertes ou seraient retombées dans la mer. L'intention n'était pas de provoquer une catastrophe écologique, mais une crise de panique et une vague de haine violente contre l'Amérique.

– Les Anglais ne l'auraient peut-être pas avalé, dit Karpov. Beaucoup de choses auraient pu dérailler. L'agent d'exécution risquait d'être pris vivant. »

Le professeur Krilov secoua la tête.

« Rogov avait pensé à tout. Il avait réglé l'opération comme une partie d'échecs. On aurait dit à l'agent d'exécution qu'après avoir appuyé sur le bouton du minuteur il disposerait de deux heures pour fuir le plus loin possible. En fait, le minuteur aurait été intégré et scellé, réglé une fois pour toutes pour détonation instantanée. »

Pauvre Petrofsky, songea Karpov.

« Et le problème de crédibilité? demanda-t-il.

– Le soir de l'explosion, dit Krilov, un physicien nucléaire israélien du nom de Nahum Wisser, qui est en réalité un agent soviétique sous couverture, se serait rendu à Prague pour une conférence de presse internationale. »

Le général Karpov demeura impassible.

« Vous me stupéfiez », dit-il.

Il connaissait bien le dossier du docteur Wisser : le

physicien avait un fils qu'il adorait, mais le jeune homme s'était trouvé à Beyrouth en 1982, avec l'armée israélienne. Quand les Phalangistes libanais avaient saccagé les camps de réfugiés palestiniens de Sabra et de Chatila, le jeune lieutenant Wisser avait tenté de s'interposer. Une balle l'avait fauché.

On avait présenté au père en deuil, déjà fermement opposé au parti du Likoud, la preuve remarquablement bien fabriquée que son fils avait été tué par une balle israélienne. Dans sa rage et son amertume, le docteur Wisser avait glissé un peu plus à gauche et accepté de travailler pour la Russie.

« Bref, le docteur Wisser aurait affirmé au monde qu'il avait collaboré pendant des années avec les Américains, pendant ses séjours aux Etats-Unis, à la mise au point d'ogives nucléaires miniatures. C'est exact, paraît-il. Il aurait prétendu ensuite qu'il avait averti les Américains à plusieurs reprises que ces ogives miniatures n'étaient pas assez stables pour qu'on en autorise la fabrication en série. Mais les Américains s'étaient montrés impatients de déployer les nouvelles ogives pour pouvoir accroître le rayon d'action de leurs F-5 en emportant à bord davantage de carburant...

« Nous avions calculé que ces déclarations, le lendemain de l'explosion et cinq jours avant les élections anglaises, transformeraient la vague d'antiaméricanisme latent en Angleterre en un raz de marée qu'aucun gouvernement conservateur n'aurait pu contenir. »

Karpov acquiesça.

« Oui, je le crois volontiers. Et le cerveau fertile du professeur Rogov s'était arrêté là?

– Pas du tout, dit Krilov d'un ton sombre. Il estimait que la réaction américaine serait un démenti violent, voire forcené. Quatre jours avant les élections, notre secrétaire général aurait annoncé au monde entier que si les Américains avaient l'intention de se livrer à une crise de folie, c'était leur affaire. Pour sa part, il n'avait pas le choix : la protection du peuple soviétique exigeait qu'il mette toutes nos forces armées en état d'alerte.

« Le soir même, un de nos amis très proches de M. Kinnock aurait pressé le leader travailliste de se rendre à Moscou pour rencontrer le secrétaire général et intervenir en faveur de la paix. En cas d'hésitation, notre ambassadeur l'aurait invité à l'ambassade pour discuter à bâtons rompus de la crise. Ayant toutes les caméras braquées sur lui, Neil Kinnock n'aurait pas résisté.

« On lui aurait délivré un visa en quelques minutes et on l'aurait embarqué sur un vol Aéroflot le lendemain à l'aube. Le secrétaire général l'aurait reçu sous les projecteurs de la presse mondiale, et quelques heures plus tard, ils se seraient séparés, l'air extrêmement préoccupé tous les deux.

– On lui aurait donné de bonnes raisons de s'inquiéter..., suggéra Karpov.

– Précisément. Mais avant même qu'il atterrisse à Londres dans la soirée, le secrétaire général aurait publié une déclaration au monde : à la suite de ses entretiens avec le leader travailliste anglais, il avait décidé d'annuler l'état d'alerte des forces armées soviétiques. M. Kinnock aurait débarqué à Londres avec l'auréole d'un homme d'Etat d'envergure mondiale.

« La veille du scrutin, il aurait prononcé un discours retentissant à la nation britannique sur la nécessité de renoncer une fois pour toutes à la folie nucléaire. Le Plan Aurore estimait que les événements des six jours précédents auraient anéanti l'alliance traditionnelle de la Grande-Bretagne avec les Etats-Unis, isolé l'Amérique de toutes ses sympathies en Europe, et poussé dix pour cent d'hésitants – les dix pour cent cruciaux de l'électorat britannique – à voter pour les travaillistes. Aussitôt après, la Gauche Dure aurait renversé Neil Kinnock et pris le pouvoir. Tel était le Plan Aurore, général. »

Karpov se leva.

« Vous vous êtes montré très aimable, professeur. Et très avisé. Gardez le silence et je ferai de même. Comme vous l'avez dit vous-même, le projet est archivé. Et le dossier de votre fils restera dans mon coffre personnel très longtemps. Au revoir. Je ne vous dérangerai plus. »

Il s'adossa à la banquette arrière tandis que la Chaïka descendait l'avenue du Komsomol. Oh! oui... Un projet brillant, songea-t-il, mais sera-t-il réalisable à temps?

Comme le secrétaire général, il savait que les élections anglaises auraient lieu en juin, soixante jours plus tard. Le secrétaire général avait appris la nouvelle par l'intermédiaire de la rezidentura du K.G.B. à l'ambassade de Londres.

Il passa en revue plusieurs fois de suite les différentes étapes du plan, à la recherche de ses points faibles. Il est excellent, se dit-il enfin, vraiment excellent. A condition qu'il fonctionne... Dans le cas contraire, ce serait une catastrophe.

« Un initiateur, mon cher monsieur, est une sorte de détonateur pour une bombe, expliqua le professeur Wynne-Evans.

– Ah! » dit Preston.

Il se sentit vaguement déçu. Il y avait déjà eu des bombes en Angleterre. Mauvais, mais localisé. Lui-même en avait vu un certain nombre en Irlande. Il avait entendu parler de détonateurs, de déclencheurs, de percuteurs, mais jamais d'initiateurs. Il semblait donc que le Russe Semyonov avait pour mission de livrer un élément de bombe à un groupe de terroristes, quelque part en Ecosse. Quel groupe? Des séparatistes écossais de la Tartan Army? Des anarchistes? Ou bien une unité clandestine de l'I.R.A. provisoire? L'intervention d'un Russe dans ce circuit était étrange. Son voyage à Glasgow n'avait tout de même pas été vain.

« Ce, euh... cet initiateur de polonium et lithium pourrait-il être utilisé dans une bombe pour attenter à des vies humaines? demanda-t-il.

– Oh! oui, mon vieux, vous pouvez le dire, lui répondit le Gallois. Un initiateur, voyez-vous, c'est ce qui déclenche une bombe atomique. »

TROISIÈME PARTIE

16

BRIAN HARCOURT-SMITH écouta attentivement, penché en arrière, les yeux au plafond tandis que ses doigts jouaient avec un élégant stylomine en or.

« C'est tout? demanda-t-il quand Preston eut terminé son rapport verbal.

– Oui, dit Preston.

– Ce professeur Wynne-Evans est-il prêt à formuler ses déductions par écrit?

– Il ne s'agit guère de déductions, Brian. C'est l'analyse scientifique du métal, associée à ses deux seules utilisations connues. Oui, il a accepté de rédiger un rapport écrit. Je le joindrai au mien.

– Et vos propres déductions? Ou bien devrais-je dire « analyse scientifique »?

Preston ne releva pas l'ironie condescendante.

« Je crois que tout est très clair : le matelot Semyonov est venu à Glasgow déposer la boîte à tabac et son contenu dans une « boîte aux lettres » ou les remettre à une personne qu'il devait rencontrer. D'une façon comme de l'autre, cela signifie qu'il y a un illégal ici, en liberté. Je pense que nous pourrions essayer de le démasquer.

– Charmante idée. L'ennui c'est que nous n'avons pas un seul indice pour nous lancer. Ecoutez, John, permettez-moi d'être franc avec vous. Vous me placez, comme très souvent, dans une position extrêmement délicate. Je ne vois pas comment je pourrais porter cette affaire à un niveau plus élevé si vous n'êtes pas en mesure de fournir d'autres preuves qu'un simple disque de métal rare trouvé sur un marin russe, malheureusement défunt.

– Ce disque a été identifié comme une moitié d'initiateur d'engin nucléaire, fit observer Preston. Ce n'est pas un simple bout de métal.

– Soit. Une moitié d'un hypothétique détonateur, pour un hypothétique engin, hypothétiquement destiné à un illégal soviétique supposé actuellement en Grande-Bretagne. Croyez-moi, John, quand vous me soumettrez votre rapport complet, je l'étudierai comme toujours avec la plus grande attention.

– Pour le classer aussitôt? » demanda Preston.

Le sourire d'Harcourt-Smith ne se voila pas. Il n'en était que plus dangereux.

« Pas forcément. Tout rapport venant de vous sera traité selon ses mérites, comme ceux des autres chefs de section. Mais je vous suggère d'essayer de découvrir au moins l'ombre d'une preuve corroborant votre prédilection manifeste pour la théorie de la conspiration. Que ce soit votre premier souci.

– Merci, répondit Preston en se levant. Je n'y manquerai pas.

– Je l'espère », dit Harcourt-Smith.

Après le départ de Preston, le directeur général adjoint consulta la liste des téléphones intérieurs et appela le chef du personnel.

Le lendemain, mercredi 15, un avion des British Midland Airways en provenance de Paris atterrit vers midi à l'aéroport West Midlands de Birmingham. Parmi les passagers se trouvait un jeune homme voyageant avec un passeport danois.

Le nom sur le passeport était également danois, et si quelqu'un avait eu la curiosité de s'adresser à lui en danois, le jeune homme aurait répondu dans cette langue. En fait, il était né de mère danoise et celle-ci lui avait enseigné les rudiments, qu'il avait complétés ensuite grâce à plusieurs cours de langues et des séjours prolongés au Danemark.

Mais son père était allemand et le jeune homme, né bien après la Seconde Guerre mondiale, était originaire d'Erfurt, où il avait grandi – ce qui faisait de lui un Allemand de l'Est. Il appartenait au service d'espionnage de la République Démocratique d'Allemagne.

Il n'avait aucune idée de l'objet réel de sa mission en Angleterre, et aucun désir de le découvrir. Ses instructions étaient simples et il les suivit à la lettre. Il franchit sans difficulté les douanes et l'immigration, héla un taxi et demanda qu'on le conduise New Street, au Midland Hotel. Pendant le trajet et au cours des formalités d'inscription à la réception, il soutint dans sa main droite son bras gauche dans le plâtre. On l'avait prévenu – mais était-ce bien nécessaire? – de n'essayer en aucune circonstance de porter sa valise avec son bras « cassé ».

Dans sa chambre, il ferma la porte à clef et s'attaqua à son plâtre avec les grosses cisailles qui se trouvaient au fond de sa trousse de toilette. Il glissa une lame entre le plâtre et la peau de son avant-bras et se mit à découper en suivant le pointillé des minuscules perforations.

Quand il eut coupé sur toute la longueur, il écarta les deux bords d'un ou deux centimètres et retira son bras, son poignet puis sa main. Il plaça le plâtre vide dans un sac de voyage qu'il avait apporté.

Il passa tout l'après-midi dans sa chambre pour que l'équipe de jour de la réception ne le voie pas sans plâtre. Il quitta l'hôtel tard le soir, après la permutation du personnel.

On lui avait dit que cela se passerait près du kiosque à journaux de la gare de New Street, et à l'heure prévue, une silhouette en tenue de motocycliste s'avança vers lui. L'échange des formules d'identification ne prit que quelques secondes, le sac de voyage changea de main et l'homme vêtu de cuir noir disparut. Leur rencontre n'avait attiré l'attention de personne.

A l'aurore, avant le retour du personnel de jour de l'hôtel, le Danois régla sa note, prit le premier train pour Manchester, et quitta l'Angleterre par l'aéroport de cette ville, où personne ne l'avait jamais vu, avec ou sans plâtre à son bras. Dans la soirée, via Hambourg, il était retourné à Berlin, où il franchit le Mur avec ses papiers de Danois au fameux « Checkpoint Charlie ». Ses supérieurs l'attendaient de l'autre côté. Ils écoutèrent son rapport puis le firent disparaître de la circulation. Le courrier Trois avait effectué sa livraison.

John Preston était contrarié et plutôt de mauvaise humeur. La semaine qu'il se proposait de passer avec Tommy était gâchée. Il avait consacré une partie du mardi à son rapport verbal à Harcourt-Smith, et Tommy avait passé la journée à lire ou à regarder la télévision.

Preston avait insisté pour qu'ils aillent comme prévu au musée de figures de cire de Mme Tussaud le mercredi matin, mais il était bien obligé de retourner au bureau l'après-midi pour terminer son rapport écrit. La note de service de Crichton, du Personnel, l'attendait sur son sous-main. Il la lut, sans parvenir à en croire un seul mot.

Elle était rédigée, comme toujours, dans les termes les plus courtois. Un coup d'œil aux dossiers avait montré que l'administration devait à Preston quatre semaines de congé. Preston connaissait, bien entendu, le règlement du service : on n'encourageait pas l'accumulation des journées de congé, pour des raisons évidentes. D'où la nécessité de rattraper les congés en retard, bla-bla-bla... En bref, on lui demandait de prendre ses congés accumulés au plus tôt, c'est-à-dire à partir du lendemain matin.

« Bande d'idiots, lança-t-il dans le vide. La plupart seraient incapables de trouver de l'eau dans la mer. »

Il appela le service du Personnel et insista pour parler à Crichton lui-même.

« Tim, c'est moi, John Preston. Ecoutez, qu'est-ce que cette note fabrique sur mon bureau? Je ne peux pas prendre de congés maintenant. Je suis une affaire, en plein milieu... Oui, je sais qu'il est important de ne pas accumuler de congés en retard, mais cette affaire est également importante, infiniment plus, en réalité... »

Il écouta jusqu'au bout l'explication bureaucratique – ce qu'il adviendrait du système si le personnel se mettait à accumuler les congés en retard – puis coupa Crichton.

« Ecoutez, Tim, ne perdons pas de temps. Il vous suffit d'appeler Brian Harcourt-Smith. Il vous confirmera l'importance de l'affaire sur laquelle je suis en ce moment. Je prendrai mes congés cet été.

– John, lui répondit Tim Crichton aimablement, j'ai écrit cette note sur l'ordre exprès de Brian. »

Preston fixa le combiné du téléphone pendant plusieurs secondes.

« Je vois », dit-il enfin.

Il raccrocha.

« Où allez-vous? lui lança Bright au moment où il franchissait la porte.

– M'offrir un coup de raide. »

Le déjeuner était terminé depuis longtemps et le bar se trouvait presque vide. La foule des déjeune-tard n'avait pas encore été remplacée par les gosiers assoiffés du début de soirée. Un couple de Charles Street discutait en tête-à-tête dans un coin. Preston se hissa sur un tabouret du bar. Il avait envie de rester seul.

« Whisky, dit-il. Un grand.

– La même chose, lança une voix près de son coude. Et c'est ma tournée. »

Il reconnut aussitôt le ton enjoué de Barry Banks, de K-7.

« Salut, John, lui dit Banks. Je vous ai vu vous faufiler ici au moment où je traversais le hall. Je voulais vous dire que j'ai quelque chose à vous rendre. Le Patron vous en est très reconnaissant.

– Ah! oui... Ça... Il n'y a pas de quoi.

– Je le rapporterai à votre bureau demain, dit Banks.

– Ne vous donnez pas cette peine, répliqua Preston d'un ton rageur. Nous sommes en train de fêter mes quatre semaines de congé. A partir de demain. Congé forcé. A la vôtre.

– De quoi vous plaignez-vous? répondit Banks gentiment. La plupart des gens ne songent qu'à filer d'ici. »

Il avait déjà remarqué que Preston broyait du noir et il avait bien l'intention d'en faire avouer la raison à son collègue du MI-5. Ce qu'il ne pouvait pas dire à Preston, c'est que Sir Nigel Irvine lui avait demandé de fréquenter assidûment la bête noire de M. Harcourt-Smith et de lui rendre compte de ce qu'il apprendrait.

Une heure et trois scotches plus tard, Preston restait encore plongé dans son humeur morose.

« J'ai bien envie de démissionner », dit-il soudain.

Banks, qui savait écouter en n'ajoutant qu'un mot de temps en temps pour provoquer d'autres confidences, parut intrigué.

« Plutôt radical, dit-il. Ça va si mal que ça?

– Ecoutez, Barry, peu m'importe de plonger en chute libre de sept mille mètres. Peu m'importe même que l'on me prenne pour cible dès que mon parachute s'ouvre. Mais quand les bastos viennent de mon propre camp, je me fous en rogne. C'est logique, non?

– Ça me paraît parfaitement justifié, répondit Banks. Et qui est-ce qui tire?

– Le petit prodige, là-haut, grogna Preston. Je viens de déposer un autre rapport qui n'a pas l'air de lui plaire.

– Encore classé? »

Preston haussa les épaules.

« Il le sera. »

La porte s'ouvrit devant un groupe venant des étages supérieurs. Brian Harcourt-Smith au milieu de sa cour de chefs de section. Preston vida son verre.

« Je vous aime bien, mais je vous quitte, dit-il. J'emmène mon gosse au cinéma ce soir. »

Après son départ, Barry Banks termina son verre, refusa une invitation à se joindre au groupe du bar et monta dans son bureau. Il échangea aussitôt une longue communication téléphonique avec « C », dans son bureau de Sentinel House.

Le major Petrofsky ne retourna allée des Cerisiers que très tard dans la nuit du mercredi au jeudi. L'ensemble de cuir noir et le casque à visière se trouvaient avec la BMW dans le garage de Thetford. Il arrêta sa petite Ford sans bruit sur la rampe de terre battue devant le garage, puis se glissa dans la maison. Il portait un costume discret et un imperméable léger. Personne ne le remarqua, ni ne remarqua le sac de plastique qu'il avait à la main.

Il referma la porte à clef derrière lui, monta au premier et ouvrit le tiroir du bas de la commode. Il y avait à l'intérieur un poste de radio Sony. Il posa à côté le plâtre vide.

Il ne toucha pas à ces objets. Il ne savait pas ce qu'ils contenaient, ni n'avait envie de le découvrir. Ce serait le travail de l'assembleur, qui viendrait accomplir sa mission uniquement après l'arrivée de tous les éléments nécessaires.

Avant de s'endormir, il se prépara une tasse de thé. Il y avait neuf courriers en tout. Ce qui signifiait neuf rendez-vous et neuf « points de chute » au cas où la première rencontre serait manquée. Il les avait mémorisés tous, plus six autres qui représentaient les trois courriers supplémentaires, au cas où il serait nécessaire d'effectuer un remplacement.

On allait faire appel au premier de ces courriers de secours, puisque la livraison Deux n'avait pas été réalisée. Petrofsky ignorait totalement la raison de l'échec du courrier Deux. Mais à Moscou le major Volkov devait la connaître. Moscou avait reçu un rapport complet du consul soviétique à Glasgow; il informait son gouvernement que les effets du marin décédé étaient enfermés au poste de police de Partick et y resteraient jusqu'à nouvel ordre.

Petrofsky vérifia mentalement sa liste. Le courrier Quatre devait arriver dans quatre jours, et la rencontre se ferait dans le West End de Londres. Quand le major s'endormit, le soleil était sur le point de se lever sur la journée du 16. En perdant conscience, il perçut vaguement la plainte des freins du camion de lait entrant dans l'allée, puis le cliquetis des bouteilles : les premières livraisons du matin.

Cette fois, Bank fit moins de mystère. Il attendait Preston dans le vestibule de son immeuble quand l'homme du MI-5 rentra avec Tommy le vendredi en fin d'après-midi.

Ils avaient passé la journée au Musée aéronautique de Hendon, où l'enfant, captivé par les avions de chasse d'un autre âge, avait annoncé qu'il deviendrait pilote quand il serait grand. Son père savait qu'il s'était déjà fermement décidé pour au moins six carrières différentes, et qu'il changerait encore d'avis plusieurs fois avant la fin de l'année. Dans l'ensemble, un excellent après-midi.

Banks parut surpris de voir l'enfant; il ne s'attendait manifestement pas à sa présence. Il salua d'un signe de tête en souriant, et Preston le présenta comme « quelqu'un du bureau ».

« Qu'y a-t-il encore? demanda Preston.

– Un de mes collègues désire de nouveau échanger quelques mots avec vous, dit Banks doucement.

– Lundi? » demanda Preston.

La semaine avec Tommy s'achevait le dimanche et il accompagnerait l'enfant à Mayfair pour le « rendre » à Julia.

« En fait, il vous attend en ce moment.

– Encore sur la banquette arrière d'une voiture? demanda Preston.

– Euh... non. Un petit appartement que nous louons à Chelsea. »

Preston soupira.

« Donnez-moi l'adresse. Je vais y aller pendant que vous offrirez une glace à Tommy, au bout de la rue.

– Il faut que je vérifie », dit Banks.

Il passa son coup de fil depuis une cabine publique voisine, tandis que Preston et son fils attendaient sur le trottoir. Banks revint et hocha la tête.

« C'est parfait », dit-il en remettant à Preston une feuille de papier.

Preston monta en voiture tandis que Tommy indiquait à Banks où se trouvait son marchand de glaces préféré.

L'appartement, petit et discret, se trouvait dans un immeuble moderne au coin de Chelsea Manor Street. Sir Nigel ouvrit la porte lui-même. Comme à l'accoutumée, il se montra d'une courtoisie extrême.

« Mon cher John, merci d'être venu. »

Si quelqu'un avait été admis en sa présence troussé

comme un poulet et porté par quatre gros bras, il lui aurait tout de même dit : « Merci d'être venu. »

Ils s'installèrent dans le petit salon et le chef de MI-6 tendit à Preston l'original de son rapport.

« Mes sincères remerciements. Extrêmement intéressant.

– Mais apparemment incroyable. »

Sir Nigel lança à Preston un regard pénétrant, mais répondit en choisissant ses mots.

« Je ne suis pas nécessairement d'accord sur ce point. »

Il esquissa un sourire et changea de sujet.

« Ecoutez, je vous prie de ne pas mal juger Barry, mais je lui ai demandé de jeter un œil de votre côté de temps en temps. Il semble que vous n'êtes pas très heureux dans votre travail en ce moment?

– En ce moment je ne travaille pas, monsieur. Je suis en congé obligatoire.

– C'est ce que j'ai appris. Une chose survenue à Glasgow n'est-ce pas?

– Vous n'avez pas encore reçu de rapport sur l'incident de Glasgow de la semaine dernière? Le suicide du marin russe, l'homme que je considère comme un courrier? Le « Six » est manifestement concerné.

– Je le recevrai sans doute sous peu, répondit Nigel prudemment. Auriez-vous la gentillesse de me raconter ce qui s'est produit? »

Preston commença par le commencement et raconta jusqu'au bout ce qu'il savait de l'histoire. Sir Nigel écoutait, comme perdu dans ses pensées – ce qu'il était en fait : une partie de son esprit absorbait chaque mot de Preston, le reste calculait...

Ils n'oseraient pas... Non, se disait-il, ils n'oseraient pas enfreindre le Quatrième Protocole. Et s'ils osaient? Des hommes désespérés prennent parfois des mesures désespérées. Et il avait de bonnes raisons de penser que dans plus d'un domaine – production alimentaire, économie générale et Afghanistan, notamment – l'U.R.S.S. se trouvait au bord du désespoir. Il remarqua que Preston avait cessé de parler.

« Pardonnez-moi, dit Sir Nigel. Que déduisez-vous de tout cela?

– Je crois que Semyonov n'était pas un matelot de la marine marchande mais un courrier. Cela saute aux yeux. Je crois qu'il ne se serait pas laissé tabasser pour protéger ce qu'il portait, et qu'il ne se serait pas donné la mort pour éviter d'être interrogé, si on ne lui avait pas précisé que sa mission était d'une importance cruciale.

– Très juste, concéda Sir Nigel. Et ensuite.

– Je crois aussi que ce disque de polonium devait être reçu par quelqu'un, à un rendez-vous ou une « boîte aux lettres ». Cela signifie que cet homme est ici, chez nous. »

Sir Nigel fit la moue.

« Si c'est un illégal de premier ordre, le trouver relève du problème de l'aiguille dans la botte de foin, murmura-t-il.

– Oui, je le sais.

– Si l'on ne vous avait pas envoyé en congé obligatoire, qu'auriez-vous entrepris au juste?

– Je me suis dit, Sir Nigel, qu'un disque de polonium n'est d'aucune utilité pour quiconque. Quel que soit l'objectif final de l'illégal, il y a forcément d'autres éléments. Or il semble bien que la personne ayant monté l'opération Semyonov a pris la décision de principe de ne pas utiliser la valise diplomatique de l'ambassade soviétique. Je ne sais pas pourquoi. Mais il aurait été beaucoup plus facile d'envoyer un petit paquet bardé de plomb en Angleterre par la valise de l'ambassade et de demander à l'un de leurs hommes de la Ligne N de le déposer dans une « boîte aux lettres » où l'homme de terrain l'aurait récupéré. Je me demande donc pour quelle raison ils ne l'ont pas fait. Et la réponse est que je n'en sais rien.

– Soit, répondit Sir Nigel. Et ensuite?

– Ensuite? S'il y a eu une livraison inutilisable à elle seule, il y en aura forcément d'autres. Certaines sont peut-être déjà arrivées. La loi du hasard veut qu'il en reste encore à venir. Et apparemment, elles arriveront avec des « mules », des courriers jouant le rôle de marins inoffensifs ou de Dieu sait quoi d'autre.

– Et vous voudriez faire quoi? demanda Sir Nigel.

– J'aurais voulu, commença-t-il en soulignant le conditionnel passé, vérifier toutes les entrées en provenance d'Union soviétique au cours des quarante, cinquante et même cent derniers jours. On ne peut pas compter sur un autre incident. J'aurais voulu que l'on renforce les contrôles sur toutes les personnes arrivant d'U.R.S.S. et même de tout le bloc soviétique, pour essayer d'intercepter un autre objet. En tant que chef de la section C-5 (C) j'aurais pu le faire.

– Et vous croyez maintenant que vous n'en aurez pas la possibilité? »

Preston secoua la tête.

« Même si l'on me permettait de reprendre le travail demain je suis certain qu'on me retirerait l'affaire. Apparemment, je suis un alarmiste qui prend plaisir à faire des vagues. »

Sir Nigel hocha la tête d'un air pensif.

« Le braconnage entre les services n'est jamais vu d'un très bon œil, dit-il comme s'il réfléchissait à haute voix. Quand j'ai demandé que vous vous rendiez en Afrique du Sud pour moi, Sir Bernard a donné sa bénédiction. Plus tard j'ai appris que votre détachement, quoique très temporaire, a provoqué – comment dirais-je? – une certaine hostilité dans les bureaux de Charles Street.

« Je n'ai ni envie ni besoin de me lancer dans une guerre ouverte avec un service frère. D'un autre côté j'estime comme vous-même que cet iceberg ne se réduit pas à sa partie visible... Bref, vous avez trois semaines de congé. Etes-vous prêt à les passer à travailler sur cette affaire?

– Pour qui? demanda Preston surpris.
– Pour moi, dit Sir Nigel. Vous ne pourrez pas venir à Sentinel. On vous verrait, le bruit se répandrait.
– Et je travaillerais où?
– Ici, répondit « C ». C'est petit mais confortable. J'ai le pouvoir de demander exactement les mêmes dossiers, les mêmes renseignements que vous, si vous étiez à votre bureau. Tout incident impliquant un arrivant d'Union soviétique ou du bloc soviétique aura été archivé, sur papier ou sur ordinateur. Comme vous ne pouvez pas vous rendre au fichier ou à l'ordinateur, je ferai en sorte que les dossiers vous soient remis ici. Qu'en dites-vous?
– Si Charles Street le découvre, ma carrière au " Cinq " est finie », fit Preston.
Il songeait à son salaire, à sa retraite, à ses faibles chances de trouver un autre emploi à son âge, à Tommy.
« De combien de temps croyez-vous encore disposer à Charles sous la direction actuelle? » lui demanda Sir Nigel.
Preston ne put retenir un rire amer.
« Pas beaucoup, avoua-t-il. D'accord, monsieur. Je le ferai. J'ai envie de rester sur cette affaire. Je sais qu'elle cache quelque chose. »
Sir Nigel approuva.
« Vous êtes tenace, John. J'aime beaucoup la ténacité. En général, elle aboutit à des résultats. Soyez ici lundi à neuf heures. Deux de mes hommes vous attendront. Demandez-leur ce que vous voudrez, ils vous l'obtiendront. »

Le lundi matin, au moment où Preston se mettait au travail dans l'appartement de Chelsea, un pianiste tchèque de renommée internationale arriva à l'aéroport d'Heathrow en provenance de Prague. Il avait un concert à Wigmore Hall le lendemain soir.

Les autorités de l'aéroport avaient été prévenues, et par égard pour le célèbre musicien, les formalités de passage de la douane et de l'immigration furent aussi sommaires que possible. Le vieux pianiste fut accueilli après la salle des douanes par un représentant de l'organisation Victor Hochhauser, qui l'escorta, ainsi que son « petit personnel », jusqu'à sa suite du Cumberland Hotel.

Le « petit personnel » se composait de trois collaborateurs : l'habilleuse, qui veillait sur les costumes et les autres effets personnels du Maître avec une dévotion jalouse; une secrétaire qui répondait à ses admirateurs et rédigeait toute sa correspondance; et un homme lugubre du nom de Lichka qui s'occupait des finances et des négociations avec les sociétés de concerts. Il semblait ne se nourrir que de cachets contre les aigreurs d'estomac.

Ce lundi-là, M. Lichka avala une quantité anormale de pilules. Il se serait bien passé de faire ce qu'on lui avait demandé, mais les hommes du St. B. s'étaient montrés extrêmement convaincants. Aucun être humain de bon sens n'aurait envisagé de s'opposer aux hommes du St. B., l'organisation de police secrète et d'espionnage de la Tchécoslovaquie. Personne ne désirait être invité pour plus amples discussions à leur quartier général, le redoutable Monastère. Les deux hommes lui avaient expliqué que l'inscription de sa petite-fille à l'université serait beaucoup plus facile à obtenir si Lichka était prêt à les aider – manière polie de lui signifier que la jeune fille n'avait aucune chance de faire des études supérieures si son grand-père refusait.

Quand ils lui avaient rendu ses chaussures, il n'avait remarqué aucune trace de modification. Selon les instructions reçues, il les avait aux pieds pendant le vol et à l'aéroport d'Heathrow.

Ce soir-là, un homme traversa le hall de la réception et demanda poliment le numéro de la chambre de

M. Lichka. Avec la même politesse, on le lui donna. Cinq minutes plus tard, à l'heure exacte qu'on lui avait indiquée, M. Lichka entendit frapper doucement à sa porte. Une feuille de papier glissa sur la moquette. M. Lichka vérifia le code d'identification, ouvrit la porte de quinze centimètres et fit glisser dans le couloir un sac de plastique contenant sa paire de chaussures. Des mains invisibles prirent le sac et M. Lichka referma la porte. Il jeta le bout de papier dans les toilettes et quand il eut tiré la chasse, il poussa un soupir de soulagement. Plus facile qu'il ne s'y attendait... Maintenant, nous pouvons continuer à ne nous occuper que de musique.

Juste avant minuit, dans une banlieue d'Ipswich, les chaussures de M. Lichka rejoignirent le plâtre vide et la radio, dans le tiroir de la commode. La livraison Quatre était faite.

Sir Nigel Irvine rendit visite à Preston, dans l'appartement de Chelsea le vendredi après-midi. L'homme du MI-5 avait l'air épuisé, et l'appartement était envahi de dossiers et de feuilles d'ordinateur.

Cinq jours entiers et aucun résultat! Il avait commencé par toutes les entrées en provenance d'U.R.S.S. au cours des quarante jours précédents. Il y en avait des centaines. Des délégués, des agents commerciaux, des journalistes, des responsables syndicaux, un groupe de choristes de Géorgie, une troupe de danseurs cosaques, dix athlètes et leurs accompagnateurs, plus une équipe de docteurs pour une conférence médicale à Manchester. Et il s'agissait uniquement des Russes.

Etaient également arrivés d'Union soviétique les touristes anglais de retour au pays : maniaques de la culture qui avaient admiré le musée de l'Ermitage de Leningrad, groupe scolaire qui avait chanté de vieilles chansons anglaises à Kiev, jusqu'à la délégation « pour la Paix » qui avait généreusement alimenté l'appareil de propagande soviétique en condamnant son propre pays au cours de conférences de presse à Moscou et à Kharkov.

Cette liste ne comprenait pas les équipages d'Aéroflot qui faisaient sans cesse la navette dans le cadre de la circulation aérienne normale. Le premier officier Romanov n'était donc même pas mentionné.

Et il n'y avait manifestement aucune allusion à un Danois arrivé à Birmingham en provenance de Paris et reparti par Manchester.

Le mercredi, Preston avait eu le choix : se limiter aux entrants en provenance d'U.R.S.S. mais remonter en arrière de soixante jours, ou bien élargir le filet pour incorporer tous les entrants en provenance du bloc soviétique. Cela supposerait l'examen de plusieurs milliers d'arrivées. Il décida de s'en tenir à sa limite de quarante jours, mais d'inclure tous les Etats communistes. Il sombra dans les paperasses jusqu'au cou.

Les douanes avaient collaboré volontiers. Il y avait eu plusieurs confiscations, mais toujours pour un excès d'importations détaxées. Rien d'inexplicable n'avait été saisi. Il fallait s'y attendre, l'immigration ne signala aucun passeport « trafiqué ». Jamais les personnes venant du bloc communiste ne présentent les étranges et merveilleuses œuvres d'art qui arrivent parfois aux guichets de contrôle entre les mains de « touristes » du tiers monde. Aucun passeport expiré – la raison usuelle pour laquelle un officier d'immigration empêche un voyageur d'entrer. Dans les pays communistes, les passeports sont si soigneusement vérifiés au départ des passagers, que les chances d' « arrêt » à l'entrée en Angleterre sont à peu près nulles.

« Et cela nous laisse encore les invérifiables, expliqua Preston d'un ton sombre. Les autres marins des navires marchands qui entrent sans contrôle dans plus de vingt ports commerciaux : les équipages des flottilles de pêche et les bateaux-usines au large de l'Ecosse;

les équipages des avions de fret, dont on ne vérifie l'identité pour ainsi dire jamais, et toutes les personnes sous couverture diplomatique.

– C'est bien ce que je pensais, répondit Sir Nigel. Pas facile. Avez-vous une idée de ce que vous cherchez?

– Oui, monsieur. J'ai envoyé un de vos hommes passer la journée de lundi à Aldermaston avec les spécialistes de l'ingénierie nucléaire. Le disque de polonium correspondrait à une bombe de petite taille, grossière, de conception primaire et pas très puissante – dans la mesure où l'expression " pas très puissante " peut s'appliquer à une bombe atomique. »

Il tendit à Sir Nigel une liste d'objets.

« Voici en première analyse, ce que nous recherchons. »

« C » étudia la liste.

« Il ne faut rien d'autre? demanda-t-il enfin.

– Apparemment non. Je n'aurais jamais cru que ce puisse être aussi rudimentaire. En dehors du noyau fissile et du réflecteur à neutrons en acier, tous ces machins peuvent se dissimuler n'importe où et n'attirer l'attention de personne.

– Très bien, John... Et qu'allez-vous faire maintenant?

– Je recherche une structure répétitive, Sir Nigel. C'est tout ce que je peux chercher. Plusieurs entrées et sorties avec le même numéro de passeport. S'ils utilisent un ou deux courriers, ces hommes doivent entrer et sortir fréquemment, en changeant chaque fois de point d'entrée et de sortie, et sans doute à partir de points de départ différents à l'étranger. Si je trouve quelque chose de précis, une répétition, une " structure ", nous pourrons lancer une alerte générale pour un groupe limité de numéros de passeport. Ce n'est pas grand-chose mais c'est tout ce que je vois... »

Sir Nigel se leva.

« Continuez, John. Je vous fournirai tout ce que

vous me demanderez. Faisons une prière pour que notre adversaire commette l'erreur d'utiliser le même courrier deux ou trois fois. »

Mais le major Volkov connaissait son métier. Il ne fit aucune erreur. Il ignorait entièrement la nature et l'utilisation des objets qu'il expédiait. Il savait seulement qu'il devait assurer leur entrée en Angleterre à temps pour une série de rendez-vous dans le pays, que chaque courrier devait mémoriser son rendez-vous primaire et son « point de chute », et que rien ne devait passer par la rezidentura du K.G.B. à l'ambassade de Londres.

Il avait neuf colis à livrer et douze courriers prêts à fonctionner. Certains, il le savait, ne seraient pas des professionnels, mais comme leur couverture était impeccable et leur voyage organisé depuis des semaines ou des mois (comme dans le cas de Lichka, le Tchèque) il avait sauté sur l'aubaine.

Pour ne pas éveiller les soupçons du major général Borisov en le dépouillant encore de douze illégaux et de leurs « légendes », il avait jeté ses filets au-delà des frontières soviétiques et fait appel à trois services « frères » : le St. B. de Tchécoslovaquie, le service SB de Pologne et surtout la très obéissante et très fidèle Haupt Verwaltung Aufklärung (H.V.A.) d'Allemagne de l'Est.

Les Allemands de l'Est sont, dans ce domaine, particulièrement efficaces. Bien qu'il existe des communautés polonaises et tchèques en Allemagne de l'Ouest, en France et en Angleterre, les Allemands de l'Est ont un avantage énorme. En raison de l'origine ethnique commune des citoyens des deux Allemagnes, et du fait que des millions d'anciens Allemands de l'Est ont fui en Allemagne de l'Ouest, la H.V.A. peut contrôler depuis sa base de Berlin-Est un nombre d'illégaux en place beaucoup plus important que tout autre service d'espionnage du bloc soviétique.

Volkov avait décidé de n'utiliser que deux Russes, et ce seraient les premiers à partir. Il ne pouvait pas se douter que l'un d'eux serait attaqué par une bande de voyous, et il ignorait également que l'élément transporté par le faux matelot ne se trouvait plus enfermé dans un poste de police de Glasgow. Il prenait de telles précautions, simplement parce que telle était sa nature et la règle de sa profession.

Pour les sept autres « colis », il utiliserait un courrier fourni par les Polonais, deux fournis par les Tchèques (y compris Lichka) et quatre par les Allemands de l'Est. Le dixième courrier, qui remplacerait le courrier Deux décédé, serait également un Polonais. Pour les modifications de carrosserie qu'il fallait effectuer sur deux véhicules automobiles, il avait choisi un garage appartenant à la H.V.A., à Brunswick en Allemagne de l'Ouest.

Seuls les deux Russes et le Tchèque Lichka partiraient du bloc soviétique. Plus le dixième, à présent, qui arriverait par la ligne aérienne polonaise L.O.T.

Volkov s'efforçait simplement d'éviter à tout prix l'apparition d'une des « structures » que Preston recherchait à présent dans sa mer de paperasses de Chelsea.

Sir Nigel Irvine, comme la plupart des personnes contraintes à travailler dans le centre de Londres, essayait de s'échapper chaque week-end pour respirer un peu d'air pur. Il demeurait à Londres avec Lady Irvine pendant la semaine, mais possédait une fermette rustique dans le sud-ouest du Dorset, sur l'île de Purbeck, près d'un village du nom de Langton Matravers.

Ce dimanche-là, « C » choisit un manteau de tweed et un chapeau, prit un gros bâton de frêne et se dirigea par les chemins et les sentiers de chèvres vers les falaises dominant la Fosse de Chapman, près du cap St. Alban. Le soleil brillait mais le vent demeurait glacial. Les mèches argentées échappées de son chapeau semblaient voleter autour de ses oreilles comme de petites ailes. Il longea la falaise, perdu dans ses réflexions, s'arrêtant parfois pour regarder au loin les moutons d'écume qui semblaient fuir sur les eaux de la Manche.

Il réfléchissait aux conclusions du premier rapport de Preston, qui correspondait curieusement à celles de Sweeting, dans sa tour d'ivoire d'Oxford. Coïncidence? Des brins de paille dans le vent? Des preuves convaincantes? Ou bien un tas de sottises issues des cerveaux d'un fonctionnaire à l'imagination trop fertile et d'un universitaire songe-creux?

Et si c'était exact, existait-il un lien avec un petit disque de polonium en provenance de Leningrad, arrivé sans y être invité dans un poste de police de Glasgow?

Si le disque de métal était ce que Wynne-Evans affirmait, qu'est-ce que cela signifiait? Etait-il possible qu'une personne, par-delà ces vagues écumantes, fût vraiment en train d'enfreindre le Protocole Quatre?

Et si c'était le cas, qui pouvait bien être cette personne? Chebrikov et Kryoutchkov du K.G.B.? Jamais ils n'auraient osé agir sans l'ordre du secrétaire général. Et si c'était le secrétaire général, pourquoi?

Et pourquoi ne pas utiliser la valise diplomatique? Tellement plus simple, plus facile, plus sûr. Mais pour cette dernière question il croyait deviner une réponse. Utiliser la valise diplomatique, c'était faire appel à la rezidentura au sein de l'ambassade. Et mieux encore que Chebrikov, Kryoutchkov ou le secrétaire général, il savait que la rezidentura était « pénétrée ». Il y possédait sa « source » : Andreïev.

C'était logique. Le secrétaire général, se dit-il, devait être troublé par la récente vague de transfuges du

K.G.B. Tout prouvait qu'en Russie la désillusion à tous les niveaux était devenue si profonde, que même l'élite de l'élite était contaminée. Outre les transfuges, dès la fin des années 70 et de plus en plus pendant la décennie 80, il s'était produit un peu partout dans le monde des expulsions en série de diplomates soviétiques, provoquées en partie par leur acharnement à recruter des agents, et aboutissant à une crise de plus en plus grave chaque fois que le départ d'un contrôleur de la rezidentura laissait les réseaux en plein désarroi. Même des pays du tiers monde qui, dix ans plus tôt, dansaient au son de la musique russe, commençaient à prendre leurs distances et à expulser des agents soviétiques pour manquement grossier au code de conduite diplomatique.

Oui, il était logique de monter une opération d'importance majeure en dehors du cadre du K.G.B. Sir Nigel avait appris de source sûre que le secrétaire général, en particulier, redoutait de façon maladive l'infiltration d'agents de l'Ouest au sein du K.G.B. Pour chaque traître qui fuit dans l'autre camp, selon l'adage en faveur dans tous les services de renseignements, il faut en compter au moins deux encore « dans le fruit ».

Donc il existait quelqu'un, là-bas, qui organisait le passage de courriers et de leurs « colis » en Grande-Bretagne. Des colis dangereux, susceptibles de provoquer l'anarchie et le chaos, d'une manière que Sir Nigel ne parvenait pas encore à discerner. Et cet homme travaillait pour un autre homme, très haut placé, qui n'éprouvait aucune sympathie pour cette petite île.

La promenade lui avait fait du bien. Il avait cessé de douter.

« Seulement, mon cher John, vous ne les trouverez pas, murmura-t-il dans le vent qui soufflait en rafales. Vous êtes excellent, mais ils sont meilleurs. Et ils détiennent tous les atouts. »

Sir Nigel Irvine était un des derniers grands commis de la vieille école, un homme comme on n'en fait plus, et que remplacent maintenant des individus d'un autre genre, à tous les niveaux de la société et même dans les plus hautes sphères de la Fonction publique, où la continuité de style avait été érigée en divinité intouchable.

Il fixa l'horizon de la Manche, comme tant d'Anglais avant lui, et prit sa décision. Il n'était pas convaincu de l'existence *réelle* d'une menace pour le pays de ses ancêtres, seulement de la *possibilité* d'une menace. C'était suffisant à ses yeux.

Plus à l'est, sur les falaises dominant la côte du Sussex et le petit port de Newhaven, un autre homme regardait les vagues agitées de la Manche.

Il portait une tenue de motocycliste de cuir noir et son casque se trouvait sur la selle de son engin, une grosse BMW. Quelques promeneurs du dimanche traversèrent la lande avec leurs enfants, mais ils ne le remarquèrent pas.

Il regardait l'arrivée du ferry-boat de Dieppe, déjà très au-dessus de l'horizon et s'avançant lentement vers l'abri des jetées. Le *Cornouailles* accosterait dans trente minutes. Quelque part à son bord devait se trouver le courrier Cinq.

En fait, le courrier Cinq se tenait sur l'avant-pont et regardait la côte anglaise qui se rapprochait. Il faisait partie des passagers sans voiture mais avait une place retenue dans le train de Londres.

Anton Zelewski, disait son passeport, ce qui était parfaitement exact. Un passeport ouest-allemand, remarqua l'officier de l'immigration, mais cela n'avait rien d'étrange. Des centaines de milliers d'Allemands de l'Ouest ont des noms à consonance polonaise. Il le laissa passer.

La douane examina sa valise et le sac contenant les

marchandises hors taxe qu'il avait achetées à bord du bateau. La bouteille de gin et la boîte non entamée de vingt-cinq cigares ne dépassaient pas la limite autorisée. Le douanier lui fit signe d'avancer et accorda son attention au voyageur suivant.

Zelewski avait effectivement acheté une boîte de vingt-cinq bons cigares au comptoir hors taxe du *Cornouailles*. Ensuite, il s'était enfermé dans les toilettes et avait décollé les étiquettes « duty free » de la boîte pour les coller sur une boîte identique qu'il avait apportée. Il avait jeté la boîte qu'il venait d'acheter par-dessus bord et la mer l'avait engloutie.

Dans le train de Londres, il chercha le premier wagon de première classe, à partir de la locomotive, choisit le siège prévu, près de la fenêtre, et attendit. Juste avant Lewes, la porte s'ouvrit et un homme en tenue de cuir noir entra. Le compartiment était vide, en dehors de l'Allemand.

« Est-ce que ce train est direct pour Londres? demanda l'homme dans un anglais sans accent.

– Je crois qu'il s'arrête également à Lewes », répondit Zelewski.

L'homme tendit la main. Zelewski lui tendit la boîte de cigares. L'homme la glissa dans son blouson, remonta la fermeture Eclair, salua d'un signe de tête et s'en fut. Quand le train repartit de Lewes, Zelewski revit l'homme, sur l'autre quai, attendant le train en direction de Newhaven.

Avant minuit, les cigares rejoignirent la radio, le plâtre et les souliers à Ipswich. La livraison Cinq était arrivée à bon port.

17

Sir Nigel avait raison. Le jeudi, dernier jour d'avril, la masse de documents des ordinateurs ne révéla aucune répétition particulière dans les allées et venues des ressortissants du bloc soviétique, quel que fût leur point de départ ou d'arrivée en Angleterre au cours des quarante jours précédents.

Aucune répétition particulière non plus dans les listes de personnes de toute nationalité entrant dans le pays en provenance de l'Est, au cours de la même période.

On avait évidemment découvert un certain nombre de passeports contenant des irrégularités, mais c'était dans la norme. Chaque document avait été vérifié, la personne fouillée à fond, et la réponse demeurait un énorme zéro. Trois passeports avaient été « arrêtés » : deux correspondaient à d'anciens expulsés cherchant à retourner en Angleterre; le troisième homme était une célébrité de la pègre américaine, liée aux milieux du jeu et de la drogue. Ils avaient été fouillés tous les trois avant d'être réexpédiés par l'avion suivant, mais l'on n'avait rien trouvé qui permît de supposer qu'il s'agissait de courriers de Moscou.

« S'ils utilisent des ressortissants de pays de l'Ouest ou des illégaux en place possédant des documents d'identité de citoyens de l'Ouest, jamais je ne les trouverai », dit Preston.

Sir Nigel avait de nouveau mis à contribution sa longue amitié avec Sir Bernard Hemmings pour s'assurer de la coopération du « Cinq ».

« J'ai de bonnes raisons de croire que le Centre va essayer d'infiltrer un illégal important dans le pays au cours des semaines qui viennent, avait-il déclaré. L'ennui, Bernard, c'est que j'ignore son identité, son signalement, et son point d'entrée. Mais j'apprécierais toute aide que vos contacts aux points d'entrée pourraient nous fournir. »

Sir Bernard avait fait de cette requête une opération « Cinq », et les autres services de l'Etat, douanes, immigration, Brigade spéciale et police navigation, avaient accepté d'examiner avec plus d'attention que de coutume tout étranger essayant de passer les contrôles ou d'introduire dans ses bagages un objet insolite ou inexplicable.

Le motif invoqué par Sir Nigel était plausible et personne, même pas Brian Harcourt-Smith, ne l'associa au rapport de John Preston sur le disque de polonium (encore dans le casier « en attente » tandis que le D.G.A. réfléchissait à ce qu'il en ferait).

Le camping-car arriva le 1er mai. Il était immatriculé en Allemagne de l'Ouest et il entra en Angleterre par le ferry-boat Calais-Douvres. Le propriétaire et conducteur, dont les papiers étaient parfaitement en règle, se nommait Helmut Dorn. Il était accompagné par son épouse Lisa et leurs deux jeunes enfants, Uwe, garçon aux cheveux platine âgé de dix ans, et Brigitte qui allait sur ses sept ans.

Après l'immigration, la camionnette se dirigea vers la zone verte des douanes (« rien à déclarer ») mais un des douaniers de service lui fit signe de s'arrêter. Après avoir examiné les papiers du véhicule, le douanier demanda de jeter un coup d'œil à l'arrière. Herr Dorn s'exécuta. Les deux enfants qui jouaient dans le « coin salon » se figèrent à l'entrée du douanier en uniforme. Il leur fit un signe de la main et leur sourit : ils rirent. Il parcourut du regard l'intérieur propre et net, puis se mit à ouvrir les placards. Si Herr Dorn était nerveux, il le cachait bien.

La plupart des placards contenaient l'habituel bric-à-brac d'une famille en vacances : vêtements, ustensiles de cuisine, etc. Le douanier fit basculer les sièges, dont les socles servaient de rangement supplémentaire. L'un d'eux était apparemment le coffre à jouets des enfants. Il contenait deux poupées, un ours en peluche et une collection de balles en caoutchouc lisse décorées de grands ronds de couleurs criardes.

La fillette, surmontant sa timidité, se pencha au-dessus du coffre et prit une des poupées. Elle adressa au douanier quelques phrases en allemand, sur un ton enjoué. Il ne comprit pas mais hocha la tête en souriant.

« Très gentil, mon chou », dit-il.

Puis il se tourna vers Herr Dorn et descendit par la porte de l'arrière.

« Très bien, monsieur. Et bonnes vacances. »

Le camping-car sortit des bâtiments de la douane avec le reste de la colonne de voitures et prit la route conduisant à Douvres et aux nationales desservant le reste du Kent et Londres.

« *Gott sei dank*, murmura Dorn à sa femme, *Wir sind durch.* »

La carte sur les genoux, elle lui indiquait la route. C'était assez simple : la M-20 qui mène à Londres est si clairement signalée qu'on ne saurait la manquer. Dorn consulta plusieurs fois sa montre. Il était légèrement en retard mais il avait reçu l'ordre de ne dépasser en aucune circonstance la limite de vitesse.

Ils trouvèrent sans difficulté le village de Charing, à l'écart de la route principale, et, juste à la sortie de la déviation, au nord sur la gauche, la cafétéria du Joyeux Glouton. Dorn tourna dans le parc à voitures et s'arrêta. Lisa fit sortir les enfants de l'arrière et les emmena dans la salle prendre une collation. Dorn, selon les ordres reçus, souleva le capot du moteur et pencha la tête à l'intérieur. Quelques secondes plus tard, sentant une présence à ses côtés, il leva les yeux. C'était un jeune Anglais en tenue de motocycliste de cuir noir.

« Un petit ennui? demanda ce dernier.

– Ce doit être simplement le carburateur, répondit Dorn.

– Non, dit le motocycliste gravement. Je pense que cela vient de la tête de Delco... Et vous êtes en retard.

– Désolé. Le ferry-boat n'était pas à l'heure. Et puis la douane. Le paquet est à l'arrière. »

Une fois dans le camping-car, le motocycliste sortit un sac de toile de son blouson pendant que Dorn, suant et soufflant, soulevait l'une des balles d'enfants se trouvant dans le coffre à jouets.

Elle ne faisait que douze à treize centimètres de diamètre, mais elle pesait un peu plus de vingt kilogrammes. Après tout, l'uranium 235 pur est deux fois plus lourd que le plomb.

Pour traverser le parc à voitures avec son sac de toile au bout du bras comme s'il ne contenait rien de remarquable, Valéri Petrofsky dut faire appel à toute sa force musculaire. De toute façon, personne ne le remarqua. Dorn referma le capot de son véhicule et rejoignit sa femme et ses enfants dans la salle. La motocyclette, avec son précieux colis dans le caisson derrière la selle, s'éloigna vers Londres, le tunnel de Dartford et le Suffolk. Le courrier Six avait rempli sa mission.

Le 4 mai, Preston comprit qu'il se trouvait dans une impasse. Trois semaines s'étaient écoulées et malgré toutes ses recherches, il n'avait à montrer qu'un seul disque de polonium tombé entre ses mains par pur hasard. Il savait qu'il était hors de question de demander une fouille complète de tout voyageur entrant en Grande-Bretagne. La seule chose qu'il pouvait encore solliciter était une surveillance accrue de tous les ressortissants du bloc de l'Est à leur entrée. On promit de l'avertir personnellement dans tous les cas de passeport suspect.

Il existait une autre chance, la dernière. D'après ce que les spécialistes de l'ingénierie nucléaire d'Aldermaston avaient expliqué, trois des éléments constitutifs d'une bombe atomique, même la plus rudimentaire, seraient forcément très lourds. L'un d'eux serait un bloc d'uranium 235 pur; le deuxième serait un réflecteur, de forme cylindrique ou sphérique, fabriqué en acier durci à haute limite élastique de deux centimètres et demi d'épaisseur; et le troisième un tube d'acier, durci et à haute limite élastique également, d'une épaisseur de deux centimètres et demi, d'environ quarante-cinq centimètres de longueur et pesant environ quinze kilos.

Preston estimait qu'au moins ces trois éléments devraient entrer dans le pays dans des véhicules et il demanda d'intensifier les fouilles des véhicules étrangers, en songeant particulièrement à des objets anormalement lourds ressemblant à une balle, un globe et un tube.

Il savait que le flux à contrôler était énorme. Chaque jour d'immenses files de motos, de voitures, de camionnettes, de camions et de semi-remorques entrent dans le pays et en sortent. Si chaque camion était arrêté et fouillé, le retard des échanges commerciaux paralyserait presque le pays. Oui, il cherchait la proverbiale aiguille dans la meule de foin, et il n'avait même pas d'aimant à sa disposition.

La tension commençait à laisser des traces sur George Berenson. Sa femme l'avait quitté pour retourner au manoir de son frère dans le Yorkshire. Il avait subi douze séances avec l'équipe du ministère et identifié chaque document qu'il avait remis à Jan Maartens. Il savait qu'il se trouvait sous surveillance, ce qui ne contribuait pas à lui calmer les nerfs.

La routine quotidienne d'aller au ministère en sachant que son chef de cabinet, Sir Peregrine Jones, était au courant de sa trahison n'arrangeait pas non plus les choses. Et pour couronner le tout, il devait continuer de transmettre de temps en temps à Maartens, pour envoi à Moscou, des paquets de documents apparemment dérobés au ministère. Il avait réussi à éviter toute rencontre personnelle avec Maartens depuis qu'il avait appris que le Sud-Africain était un agent soviétique. Mais on l'obligeait à lire les documents qu'il passait à Moscou par l'entremise de Maartens, au cas où celui-ci lui aurait demandé par téléphone des éclaircissements sur le matériel déjà envoyé.

Chaque fois qu'il lisait les documents qu'il devait transmettre, l'habileté des faussaires l'émerveillait. Chaque texte se basait sur un document réel qu'il avait eu entre les mains, et les changements étaient si subtils qu'aucun détail particulier ne pouvait attirer les soupçons. Et pourtant l'ensemble parvenait à donner une idée très fausse de la force et du degré de préparation de la Grande-Bretagne et de l'O.T.A.N.

Le mercredi 6 mai, il reçut et lut une série de sept mémorandums : les décisions, propositions, exposés et requêtes supposés transmis à son bureau au cours des deux semaines précédentes. Ils portaient le cachet « Top secret » ou « Cosmic » et l'un d'eux le frappa littéralement de stupeur. Il les apporta au salon de thé de Benotti le soir même et reçut vingt-quatre heures plus tard son accusé de bonne réception codé.

Le dimanche 10 mai, isolé dans sa chambre à coucher, allée des Cerisiers, Valéri Petrofsky, penché au-dessus d'un récepteur radio portatif extrêmement puissant, écoutait le flot de signaux morse émis sur la longueur d'onde de Radio Moscou qu'on lui avait allouée.

Son appareil n'était pas un émetteur. Jamais Moscou n'aurait permis à un illégal aussi précieux que Petrofsky de se mettre en danger en émettant lui-même ses messages; les systèmes de repérage des Anglais et des Américains étaient trop efficaces. Il avait simplement entre les mains un gros Braun, en vente dans n'importe quel bon magasin d'électronique, capable d'écouter à peu près n'importe quel émetteur du monde.

Petrofsky était nerveux. Cela faisait un mois que par l'entremise de l'émetteur « Poplar » il avait signalé à Moscou la disparition d'un courrier avec son « colis », et demandé un courrier de remplacement. Tous les deux soirs, et le matin du jour intermédiaire, quand il n'était pas sorti avec sa moto assurer une réception, il se mettait à l'écoute, attendant sa réponse. Elle n'était pas encore venue.

Et à dix heures dix ce soir-là, il entendit son indicatif personnel sur les ondes. Son carnet et son crayon étaient déjà prêts. Après un silence bref, le message commença. Petrofsky inscrivit les lettres morse directement en lettres latines – une série de groupes dénués de sens, indéchiffrables. Dans leurs divers postes d'écoute, les Allemands, les Anglais, les Américains et sans doute bien d'autres devaient noter les mêmes lettres mystérieuses.

A la fin du message, il coupa le récepteur, s'assit devant la coiffeuse, choisit le bloc de grilles à usage unique qui correspondait et commença le décodage. Il lui fallut quinze minutes. « Oiseau de feu Dix remplace Deux, rendez-vous T », répété trois fois.

Il connaissait le rendez-vous T. C'était l'un des rendez-vous « de secours » à utiliser seulement en cas de nécessité – ce qui était le cas. Un hôtel d'aéroport. Il préférait les cafés isolés ou les gares, mais il savait que certains courriers, pour des raisons professionnelles, ne disposaient que de quelques heures à Londres et ne pouvaient pas quitter la ville.

Il y avait un autre problème. Ils avaient glissé le courrier Dix entre deux autres rendez-vous fixés auparavant, et dangereusement près de la rencontre avec le courrier Sept.

Petrofsky devait recueillir le colis n° 10 au Post House d'Heathrow à l'heure du petit déjeuner, et « Sept » l'attendrait dans le parc à voitures d'un hôtel à la sortie de Colchester le même jour à onze heures du matin. Il faudrait qu'il roule vite, mais c'était faisable.

Tard dans la soirée du 12 mai, les lumières étaient encore allumées au 10, Downing Street, bureau et résidence du Premier Ministre de Grande-Bretagne. Mme Margaret Thatcher avait réuni pour une conférence de stratégie ses conseillers les plus proches et les membres du cabinet restreint. Le seul problème à l'ordre du jour était celui des prochaines élections générales : annoncer la décision officielle et déterminer le calendrier exact.

Comme d'habitude, Mme Thatcher exposa son opinion dès le départ. Elle croyait nécessaire de solliciter dès maintenant une troisième législature de quatre ans, bien que la Constitution lui permît de gouverner jusqu'en juin 1988. Au début, plusieurs conseillers avaient exprimé des doutes : était-il sage de se présenter à l'électorat si tôt? Mais leur expérience passée leur soufflait qu'ils n'avaient guère de chances de faire triompher leur point de vue. Quand le Premier Ministre avait une intuition profonde sur un sujet, il fallait des contre-arguments très puissants pour la dissuader. Sur la question du jour, les statistiques semblaient corroborer son opinion.

Le président du Parti conservateur avait sous les yeux les résultats des derniers sondages d'opinion. L'alliance libéraux-démocrates sociaux, fit-il remarquer, semblait encore avoir les faveurs de vingt pour cent de l'électorat.

En Angleterre, où il n'y a pas deuxième tour en cas de « ballottage » comme en France, le candidat arrivant en tête est élu. Ce mode de scrutin donnerait à l'Alliance entre quinze et vingt sièges. Les dix-sept sièges d'Irlande du Nord se répartiraient sans doute entre douze unionistes de diverses tendances qui soutiendraient les conservateurs au Parlement, et cinq nationalistes qui boycotteraient Londres ou voteraient avec la Gauche Dure. Restaient donc six cent treize circonscriptions, où se jouerait le combat traditionnel des conservateurs et des travaillistes. Pour obtenir une majorité indiscutable, Mme Thatcher aurait besoin de trois cent vingt-cinq sièges.

Les sondages montraient en outre, déclara le président du parti, que les travaillistes se trouvaient seulement à quatre pour cent des conservateurs. Depuis juin 1983, avec sa nouvelle image d'unité, de modération et de tolérance, le Parti travailliste avait regagné dix pour cent de l'opinion publique. La Gauche Dure était presque muette, la Gauche Molle répudiée, le programme de réformes modéré, et depuis des années les membres du Shadow Cabinet (le futur ministère en cas de victoire travailliste) interviewés à la télévision appartenaient presque toujours au groupe centriste. L'électorat avait presque entièrement repris confiance dans le Parti travailliste comme une « alternative valable » de gouvernement.

Le président fit observer à ses collègues, un peu

crispés, que l'avance des conservateurs avait diminué de deux pour cent au cours des six derniers mois et d'un pour cent au cours des trois derniers mois. La tendance était nette. Les cadres du parti au niveau des circonscriptions l'avaient constaté eux aussi.

Les indicateurs économiques montraient que si pour le moment l'économie était à flot et le temps excellent, avec des facteurs saisonniers rognant de façon sensible le nombre des chômeurs, il fallait s'attendre à des grèves du secteur public au cours de l'automne, à la suite de revendications salariales. Si ces grèves se prolongeaient, la popularité des conservateurs risquait de tomber brusquement pendant l'hiver et de demeurer à l'étiage jusqu'au printemps.

A minuit, tout le monde convint qu'il fallait que ce soit en été 1987 ou après juin 1988. Ni en automne ni au début du printemps. Deux heures plus tard, le Premier Ministre avait rallié le Cabinet à son sentiment. Un seul point demeurait controversé : la durée de la campagne électorale.

En Grande-Bretagne, les élections générales ont lieu traditionnellement un jeudi, après une campagne de quatre semaines. Il est rare mais non anticonstitutionnel que l'on réduise la campagne à trois semaines. L'instinct du Premier Ministre la faisait pencher en faveur d'une campagne de trois semaines – une élection surprise qui prendrait à l'improviste une opposition mal préparée.

On en convint enfin. Elle solliciterait une audience de la reine le jeudi 28 mai et demanderait la dissolution du Parlement. Selon la tradition, elle reviendrait aussitôt 10, Downing Street faire une déclaration publique. Dès cet instant, la campagne électorale serait lancée. Jour du scrutin : jeudi 18 juin.

Une heure avant l'aurore, tandis que les ministres dormaient, la grosse BMW, partie du nord-est de l'Angleterre roulait vers Londres. Petrofsky s'arrêta au parc à voitures du Post House Hotel, à l'aéroport d'Heathrow, bloqua le guidon de son engin et glissa son casque dans le caisson, derrière la selle.

Il ôta son blouson de cuir noir et son pantalon à fermeture Eclair latérale. Sous le pantalon de cuir, il portait un pantalon ordinaire de laine peignée grise, froissé mais acceptable. Il glissa ses bottes dans une des sacoches, dont il avait sorti une paire de chaussures. Le blouson et le pantalon de cuir entrèrent dans l'autre sacoche, où il avait pris une veste de twed passe-partout et un imperméable beige. Lorsqu'il se dirigea vers la réception de l'hôtel, il n'était qu'un homme ordinaire dans un imperméable ordinaire.

Karel Wosniak n'avait pas bien dormi. Tout d'abord, il avait reçu la veille au soir le plus grand choc de sa vie. Normalement, les équipages de la compagnie aérienne polonaise L.O.T., dont il faisait partie en tant que premier steward, passaient les douanes et l'immigration comme une simple formalité. Cette fois on les avait fouillés, vraiment fouillés. Quand le douanier anglais qui s'était occupé de lui s'était mis à farfouiller dans sa trousse de toilette son estomac s'était soulevé d'inquiétude. Le douanier en avait extrait le rasoir électrique que les hommes du SB lui avaient remis à Varsovie avant le décollage et il avait cru s'évanouir. Par bonheur, ce n'était pas un modèle à piles ou rechargeable. Et il n'y avait aucune prise électrique à portée de la main pour le brancher. Le douanier l'avait remis en place et continué sa fouille, sans rien trouver. Wosniak supposait que s'il avait branché le rasoir il n'aurait pas marché. Après tout, il fallait bien qu'il contienne *autre chose* que le moteur habituel, sinon pourquoi lui aurait-on ordonné de l'apporter à Londres?

A huit heures précises, il entra dans les toilettes

publiques voisines de la réception, au rez-de-chaussée. Un homme quelconque en imperméable beige était en train de se laver les mains. Bon sang! se dit Wosniak, quand le contact arrivera, il faudra encore attendre que cet Anglais s'en aille. Puis l'homme se mit à lui parler en anglais.

« Bonjour. Est-ce l'uniforme des lignes yougoslaves? »

Wosniak poussa un soupir de soulagement.

« Non, je travaille pour la compagnie aérienne polonaise.

– Un beau pays, la Pologne », dit l'inconnu en s'essuyant les mains, parfaitement à l'aise.

Wosniak débutait. La première et la dernière fois, s'était-il juré. Il demeura figé sur le carrelage, son rasoir à la main.

« J'ai passé de nombreux jours heureux dans votre pays », poursuivit l'homme.

C'est bien ça, songea Wosniak. « De nombreux jours heureux... » La phrase d'identification.

Il tendit le rasoir. L'Anglais lui lança un regard menaçant et tourna légèrement la tête vers l'une des portes des toilettes. Wosniak sursauta : la porte était fermée; il y avait une personne à l'intérieur. L'inconnu lui indiqua d'un signe l'étagère au-dessus des lavabos. Wosniak y posa le rasoir.

« Merci, balbutia-t-il, je trouve la Pologne très belle moi aussi. »

L'Anglais lui montra les urinoirs. Wosniak se hâta d'ouvrir sa braguette et s'installa devant l'un d'eux.

L'homme à l'imperméable beige empocha le rasoir, écarta quatre doigts pour indiquer à Wosniak qu'il devait rester aux toilettes quatre minutes, et sortit.

Une heure plus tard, Petrofsky et sa motocyclette quittèrent la banlieue du nord-est de Londres, qui touche au comté d'Essex. L'autoroute M-12 s'ouvrit devant lui. Il était neuf heures.

A la même heure, le ferry-boat *Tor Britannia* de la compagnie D.F.D.S., en provenance de Göteborg accostait doucement au Parkstone Quay de Harwich, cent trente kilomètres plus loin sur la côte de l'Essex. Les passagers, quand ils descendirent, étaient la foule habituelle de touristes, d'étudiants et de voyageurs de commerce. Parmi ces derniers se trouvait M. Stig Lundqvist, au volant de sa grosse conduite intérieure Saab.

Les papiers le présentaient comme un homme d'affaires suédois, et ils ne mentaient pas. Il était bien suédois de naissance. Mais les papiers ne précisaient pas qu'il était agent communiste de longue date, travaillant, comme Herr Helmut Dorn, pour le redoutable général Marcus Wolf, le directeur (juif) des Opérations étrangères à la H.V.A., le service de renseignements est-allemand.

On lui demanda néanmoins de descendre de voiture et d'apporter ses valises au comptoir d'examen. Il s'exécuta avec un sourire courtois.

Un autre douanier souleva le capot et examina le moteur. Il cherchait une sphère de la taille d'un petit ballon, ou un tube droit, caché dans le coffre béant. Il soupira. Ces consignes de Londres étaient vraiment casse-pieds. Le coffre ne contenant que la trousse à outils habituelle, un cric fixé avec des courroies de caoutchouc sur un côté et l'extincteur de l'autre. Le Suédois attendait près de lui, ses valises à la main.

« S'il vous plaît, dit le Suédois, ça est fini?

– Oui. Merci, monsieur. Et bon séjour... »

Une heure plus tard, juste avant onze heures, la Saab entra dans le parking du Kings Ford Park Hotel, dans le village de Layer de La Haye, juste au sud de Colchester. M. Lundqvist en descendit et s'étira. C'était l'heure de la pause café du milieu de la matinée et il y avait plusieurs voitures sur le terre-plein, toutes vides. Il regarda sa montre. Cinq minutes d'avance. De justesse, mais il savait qu'en cas de retard, l'homme aurait attendu une heure, puis se serait présenté au rendez-vous de secours, à un autre endroit. Il se demanda si le contact allait arriver et quand. Il n'y avait personne en vue, en dehors d'un jeune homme qui bricolait le moteur de sa moto BMW. Lundqvist n'avait aucune idée de l'allure qu'aurait son contact. Il alluma une cigarette, revint dans sa voiture et n'en bougea plus.

A onze heures juste, un doigt frappa à la portière. Le motocycliste. Lundqvist appuya sur le bouton et la glace se baissa avec un bruit doux.

« Oui?

– La lettre S, sur votre plaque minéralogique, signifie Suède ou Suisse? » demanda l'Anglais.

Lundqvist sourit, soulagé. Il s'était arrêté en chemin pour détacher l'extincteur, qui se trouvait à présent dans un sac de toile sur le siège voisin.

« Suède, répondit-il. Je viens d'arriver de Göteborg.

– Je n'y suis jamais allé, répondit l'homme, ajoutant aussitôt, exactement sur le même ton : vous avez quelque chose pour moi?

– Oui, dit le Suédois. Dans le sac, à côté de moi.

– On voit très bien le parc à voitures depuis les fenêtres. Faites le tour par là-bas, en passant près de la moto, posez le sac à terre par votre portière. Il faut que votre voiture me masque par rapport aux fenêtres. Dans cinq minutes. »

Il retourna à son engin d'un pas léger et se remit à bricoler le moteur. Cinq minutes plus tard, la Saab passa à sa hauteur et le sac glissa par terre. Il l'avait ramassé et glissé dans sa sacoche ouverte avant que la Saab n'ait dégagé la vue des fenêtres de l'hôtel. Jamais il ne revit la Saab, et il n'en avait nulle envie.

Une heure plus tard, il se trouvait dans son garage de Thetford. Il sortit sa voiture et rentra la moto, puis il plaça ses deux colis dans le coffre arrière. Il n'avait aucune idée de ce qu'ils contenaient. Ce n'était pas son affaire.

En début d'après-midi, il rentra à Ipswich et rangea les deux objets dans sa chambre. Les livraisons Dix et Sept étaient arrivées.

John Preston devait retourner à son bureau de Gordon Street le 13 mai.

« Je sais que c'est décourageant, mais j'aimerais que vous restiez encore, lui dit Sir Nigel Irvine au cours d'une de ses visites. Vous invoquerez une mauvaise grippe. Si vous avez besoin d'un certificat médical, faites-moi signe. Je connais deux ou trois docteurs complaisants. »

Le 16, Preston comprit qu'il n'aboutirait à rien. Les douanes et l'immigration avaient fait tout ce qui était possible sans déclencher une alerte générale. Le volume même des échanges empêchait une fouille intensive de tous les voyageurs. Cela faisait cinq semaines que le marin russe avait été tabassé par les voyous de Glasgow, et Preston était persuadé qu'il avait manqué le reste des courriers. Peut-être étaient-ils tous entrés dans le pays avant Semyonov – le marin était le dernier... Peut-être...

De plus en plus désespéré, il s'aperçut qu'il ignorait s'il existait une échéance précise. Et s'il en existait une, quelle était cette date.

Le jeudi 21 mai, le ferry-boat en provenance d'Ostende accosta à Folkestone et déchargea son contingent habituel de touristes, à pied et en voiture, ainsi que la flottille bruyante des semi-remorques en T.I.R. qui livrent le fret de la Communauté économique européenne d'un bout du continent à l'autre.

Sept de ces énormes camions étaient immatriculés en Allemagne – Ostende est un des ports favoris des compagnies du nord de l'Allemagne exportant en Angleterre. Le tracteur Hanomag tirant le semi-remorque et son fret en conteneurs ne différait en rien des autres véhicules. La grosse liasse de documents (il fallut une heure pour en venir à bout) était en règle, et rien ne permettait de penser que le chauffeur travaillait pour un autre employeur que la société de transports dont le nom était peint sur la portière de la cabine. Rien ne permettait non plus de penser que le semi-remorque contenait autre chose que les cafetières électriques allemandes portées sur le connaissement.

Derrière la cabine, deux gros tuyaux d'échappement verticaux se dressaient vers le ciel. Il était déjà tard, l'équipe de jour terminait sa journée : le douanier fit signe au camion de passer directement sur la route d'Ashford et de Londres.

Personne à Folkestone ne pouvait soupçonner que l'un de ces tuyaux d'échappement verticaux, crachant de la fumée grise lorsque le semi sortit du hangar de la douane, avait à l'intérieur un tuyau plus mince autour duquel passaient les gaz. Et au milieu du rugissement des moteurs, personne ne remarqua non plus que l'on avait enlevé les silencieux pour gagner de la place.

Après la tombée de la nuit, sur le parc à voitures d'un café-restaurant de routiers près de Lenham, dans le Kent, le chauffeur grimpa sur le toit de la cabine, dévissa ce tuyau d'échappement et en retira un paquet de quarante-cinq centimètres de longueur enveloppé dans un emballage résistant à la chaleur. Il ne l'ouvrit pas; il le tendit à un motocycliste vêtu de noir qui disparut aussitôt dans la nuit. Le courrier Huit avait terminé sa mission.

« Cela ne me plaît pas, Sir Nigel, dit John Preston au chef du S.I.S. le vendredi soir. Je ne sais pas ce qui se passe. Je redoute le pire mais je ne peux rien prouver. J'ai essayé de trouver un autre de ces courriers, un seul, et j'ai échoué. Pourtant, je suis certain qu'ils sont entrés dans le pays. Je crois que je ferais mieux de retourner à Gordon lundi.

– Je sais ce que vous ressentez, John, lui répondit Sir Nigel. J'éprouve la même chose. Je vous en prie, accordez-moi encore une semaine, pas plus.

– Je ne vois pas pourquoi, dit Preston. Que pouvons-nous faire de nous?

– Prier, je suppose, dit « C » doucement.

– Une piste, lança Preston d'un ton rageur. Je ne demande qu'une petite piste... »

18

JOHN PRESTON tomba sur sa piste le lundi suivant dans l'après-midi.

Vers quatre heures, un avion autrichien atterrit à Londres-Heathrow en provenance de Vienne. L'un des passagers à son bord, qui passa au guichet des passeports réservé aux ressortissants des pays autres que le Royaume-Uni et la C.E.E., présenta un passeport autrichien parfaitement authentique affirmant que le porteur était un nommé Franz Winkler.

L'officier d'immigration examina avec l'indifférence apparente de sa profession le *Reisepass* vert, recouvert de plastique et décoré de l'aigle d'or, emblème de l'Autriche. Il était en cours de validité, portait une demi-douzaine de tampons d'entrée et de sortie d'autres pays européens, et un visa Royaume-Uni en règle.

Sous son bureau, la main gauche de l'officier tapa le numéro du passeport, perforé sur chaque page. Il regarda l'écran, referma le passeport et le rendit en esquissant un sourire.

« Merci, monsieur. Au suivant, s'il vous plaît. »

Au moment où Herr Winkler ramassa son bagage à main pour s'éloigner, l'officier leva les yeux vers une petite fenêtre en face de lui, à six ou sept mètres. Au même instant, son pied droit appuya sur le bouton « alerte ». Derrière la fenêtre du bureau, l'un des agents de la Brigade spéciale croisa son regard. L'homme de l'immigration regarda dans la direction de Herr Winkler et hocha la tête. Le visage du détective de la Brigade spéciale se retira de la fenêtre et quelques secondes plus tard, deux de ses collègues se glissèrent discrètement derrière l'Autrichien. Un troisième agent astiquait une voiture à la sortie du hall.

Winkler n'avait que son bagage à main : il traversa sans ralentir la salle de distribution des bagages de soute et sortit d'un pas léger par le passage Vert de la douane. Dans la salle des pas perdus, il s'attarda quelques minutes au guichet de la Midland Bank pour changer des chèques de voyage en livres sterling – ce qui permit à l'un des hommes de la Brigade spéciale de faire une excellente photo de lui depuis un balcon en surplomb.

Quand l'Autrichien prit un des taxis qui faisaient la queue devant le Bâtiment II, les agents de la Brigade spéciale s'entassèrent dans leur voiture banalisée et commencèrent la filature. Le chauffeur se concentra sur la circulation, mais le détective à ses côtés décrocha la radio et prévint Scotland Yard. De là, selon la règle, l'information gagna Charles Street. Comme « Cinq » savait que « Six » s'intéressait à tout voyageur muni d'un passeport « trafiqué », Charles Street avertit aussitôt Sentinel House.

Winkler garda son taxi jusqu'à Bayswater, et régla la course à l'angle d'Edgware Road et de Sussex Gardens. Puis il descendit à pied, bagage à la main, la petite rue dont un côté est presque entièrement occupé par de modestes pensions de famille offrant la chambre et le petit déjeuner, le genre de logement que fréquentent les voyageurs de commerce ou les personnes aux moyens limités qui arrivent en fin d'après-midi à la gare de Paddington toute proche.

Les hommes de la Brigade spéciale, dans leur voiture près de l'autre trottoir, eurent l'impression qu'il n'avait pas réservé car il descendit la rue jusqu'à la première pension ayant un écriteau « chambre à louer » derrière la fenêtre. Il entra. La chambre dut lui convenir car il ne ressortit pas.

Il y avait une heure que le taxi de Winkler avait quitté Heathrow quand le téléphone sonna dans l'appartement de Preston, à Chelsea. Son contact à Sentinel, l'homme que Sir Nigel avait chargé de la liaison avec Chelsea, était à l'appareil.

« Nous avons un Pote qui vient d'arriver à Heathrow, dit l'homme du MI-6. Ce n'est peut-être rien, mais le numéro de son passeport a fait clignoter les petites lumières rouges de l'ordinateur. Un nommé Franz Winkler, Autrichien, arrivé par le vol de Vienne.

– Ils ne l'ont pas ramassé, j'espère? » dit Preston.

Il réfléchit. L'Autriche touche la Tchécoslovaquie et la Hongrie. Etant neutre, elle constitue une bonne étape pour des illégaux du bloc soviétique.

« Non, dit l'homme de Sentinel. Ils l'ont filé, comme nous en avons donné l'ordre... Ne quittez pas... »

Il reprit l'appareil quelques secondes plus tard.

« Ils viennent juste de le « loger ». Dans une petite pension de famille de Paddington.

– Pouvez-vous me passer « C »? demanda Preston.

Sir Nigel se trouvait en conférence. Il s'interrompit et retourna dans son bureau personnel.

« Oui, John? »

Preston raconta les faits au chef du S.I.S – il n'était pas encore au courant.

« Vous croyez que c'est l'homme que vous attendez?

– C'est peut-être un courrier, dit Preston. Et nous n'avons rien eu de mieux depuis six semaines.

– Que voulez-vous, John?

– J'aimerais que Six demande aux guetteurs de prendre la relève. Que tous les rapports parvenant au contrôleur des guetteurs à Cork soient aussitôt analysés par un de vos hommes, transmis sans délai à Sentinel, puis à moi. S'il rencontre quelqu'un, j'aimerais que les deux hommes soient filés.

– Très bien, dit Sir Nigel. Je vais demander aux guetteurs d'intervenir. Barry Banks assurera la permanence à la salle de radio de Cork et vous transmettra tous les éléments nouveaux au fur et à mesure. »

« C » appela personnellement le directeur de la division K et présenta sa requête. L'homme de K contacta son collègue de la division A et une équipe de guetteurs partit vers Sussex Gardens, à Paddington. Son chef n'était autre qu'Harry Burkinshaw.

Preston se mit à arpenter le petit appartement comme un tigre en cage. Il aurait voulu être dehors, dans les rues, ou au moins au centre de l'opération et non enfermé à l'écart comme un agent sous couverture dans son propre pays, simple pion d'une partie d'échecs se jouant loin au-dessus de sa tête.

A sept heures ce soir-là, les hommes d'Harry Burkinshaw assurèrent la relève des agents de la Brigade spéciale, ravis de pouvoir filer. La soirée était tiède, agréable; les quatre guetteurs qui formaient la « boîte » prirent leurs postes discrètement autour de la pension de famille. Un homme plus haut dans la rue, un homme plus bas, le troisième sur le trottoir d'en face et le dernier à l'arrière. Les deux voitures se garèrent au milieu des vingtaines d'autres véhicules en stationnement dans la rue, prêtes à intervenir si le Pote prenait son envol. Les six hommes restaient en contact au moyen de leurs émetteurs-récepteurs personnels et Burkinshaw assurait la liaison avec le Centre – la salle radio du sous-sol de Cork.

Barry Banks se trouvait également à Cork, ce qui était normal puisque l'opération avait été lancée à l'initiative du Six. Ils attendaient tous que Winkler assure un contact.

Seulement voilà, il ne rencontra personne. Il ne fit

rien. Il resta dans sa chambre derrière ses rideaux tirés et se fit oublier. A huit heures trente, il sortit, se dirigea vers un restaurant d'Edgware Road, prit un dîner tout simple et rentra. Il ne livra rien, ne ramassa rien, ne laissa rien sur sa table, ne parla à personne dans la rue.

Mais il fit deux choses intéressantes. En allant au restaurant, il s'arrêta brusquement dans Edgware Road, regarda dans une vitrine pendant plusieurs secondes puis rebroussa chemin. C'est l'un des plus vieux trucs utilisés pour repérer une filature – d'ailleurs pas très efficace.

En quittant le restaurant, il s'arrêta sur le bord du trottoir, attendit un trou dans la circulation, puis traversa en courant. Sur l'autre trottoir, il s'arrêta de nouveau et parcourut la rue des yeux pour vérifier que personne ne traversait à sa suite. Personne ne traversa. Winkler avait simplement rejoint le quatrième guetteur de Burkinshaw, qui se trouvait déjà sur l'autre trottoir. Tandis que Winkler cherchait des yeux un homme en train de risquer un accident pour le suivre, le guetteur, à quelques mètres de lui, faisait semblant d'attendre un taxi.

« Il n'est pas franc du collier, dit Burkinshaw à Cork. Il a peur d'être filé, et il se débrouille plutôt mal. »

Le jugement de Burkinshaw parvint aussitôt à Preston, dans sa « planque » de Chelsea. Il poussa un soupir de soulagement. Les choses commençaient à prendre meilleure tournure.

Après ses tours et détours dans Edgware Road, Winkler retourna à sa pension de famille, où il resta toute la nuit.

Entre-temps, une autre petite opération suivait discrètement son cours dans le sous-sol de Sentinel House. Les photos de Winkler réalisées par les hommes de la Brigade spéciale à l'aéroport d'Heathrow, et plusieurs autres prises dans la rue à Bayswater avaient été développées et placées respectueusement sous les yeux de la légendaire Miss Blodwyn.

L'identification d'agents étrangers, ou d'étrangers susceptibles d'être des agents, constitue une partie importante de la mission de toute organisation de renseignements. Dans le cadre de cette tâche, toutes les agences prennent chaque année des centaines de milliers de clichés de personnes qui travaillent, peut-être ou peut-être pas, pour les agences rivales. Même les alliés ne sont pas exclus de ces albums de portraits. Les diplomates étrangers, les membres des délégations commerciales, scientifiques et culturelles, sont tous photographiés systématiquement, surtout s'ils viennent de pays communistes ou sympathisants.

Le volume des archives ne cesse d'augmenter. Elles contiennent souvent vingt clichés du même homme ou de la même femme, pris à des moments et dans des endroits différents. On n'en jette jamais. On les utilise pour reconnaître une « gueule ».

Si un Russe du nom d'Ivanov apparaît au milieu d'une délégation commerciale soviétique au Canada, la police montée canadienne transmettra presque certainement son portrait à ses amis de Washington et de Londres, ainsi qu'aux autres alliés de l'O.T.A.N. Le même visage aura peut-être été photographié cinq ans plus tôt, mais sous l'identité d'un journaliste nommé Kozlov qui assistait aux cérémonies anniversaires de l'indépendance d'un pays africain. S'il existe des doutes sur la profession réelle du M. Ivanov en train d'admirer les beautés d'Ottawa, l'identification de sa « gueule » les dissipera aussitôt : il s'agit bien d'un membre à part entière du K.G.B.

L'échange de ces photos entre les services de renseignements alliés, y compris le Mossad israélien, particulièrement brillant, est continuel et ne souffre aucune exception. Il existe très peu de voyageurs du bloc soviétique ayant séjourné à l'Ouest qui ne finissent pas dans les albums de portraits d'au moins vingt capitales du monde libre. Et toute personne entrant en Union soviétique prend place automatiquement dans la joyeuse galerie d'instantanés du Centre.

Détail amusant mais parfaitement exact, alors que la C.I.A. utilise des banques de données bourrées de millions et de millions de caractéristiques faciales pour essayer d'effectuer des rapprochements entre ses photos d'archives et le flot quotidien continuel des clichés, la Grande-Bretagne utilise Blodwyn.

Dame âgée et souvent exploitée, toujours harcelée par ses jeunes collègues pour identifier rapidement une « gueule », Blodwyn est dans le métier depuis quarante ans. Elle travaille au sous-sol de Sentinel House, où elle préside aux énormes archives photographiques qui constituent le « trombinoscope » du MI-6. En réalité une sorte de grotte où s'entassent des rangées et des rangées d'albums, dont Blodwyn est la seule à posséder une connaissance encyclopédique.

Son cerveau ressemble sans doute aux circuits tortueux des ordinateurs de la C.I.A. – sauf qu'il lui arrive parfois de les battre. Blodwyn n'a pas accumulé dans sa tête les moindres détails de la guerre de Trente Ans ou les cotes de la bourse de Wall Street mais des visages. Des formes de nez, des rides, des mâchoires, des regards. Une joue molle, une lèvre pleine, une façon de tenir un verre ou une cigarette, le reflet d'une fausse dent sur un sourire photographié dans un bar d'Australie et que l'on retrouve des années plus tard dans un supermarché de Londres – tout cela est du bon grain pour le moulin de sa remarquable mémoire.

Cette nuit-là, tandis que Bayswater dormait et que les hommes de Burkinshaw se pelotonnaient dans les ombres, Blodwyn se pencha sur le visage de Franz Winkler. Deux jeunes agents de Six attendaient sans mot dire. Au bout d'une heure elle lança simplement :

« Extrême-Orient » et se dirigea vers ses rangées d'albums. Elle retrouva la « gueule » aux petites heures du mardi 26 mai.

Ce n'était pas un bon cliché et il datait de cinq ans. Les cheveux étaient plus sombres, la taille plus mince. Il assistait à une réception à l'ambassade d'Inde, debout près de son ambassadeur, un sourire aimable sur les lèvres.

L'un des deux jeunes agents regarda les deux photos, peu convaincu.

« Vous êtes sûre, Blodwyn? »

Si un regard avait été capable de briser les membres d'un homme, le jeune agent aurait sans doute dû acheter un fauteuil roulant. Il se hâta de téléphoner.

« Une « gueule », dit-il à l'appareil. Un Tchèque. Il y a cinq ans, c'était un sous-fifre de l'ambassade de Tchécoslovaquie à Tokyo. Nom : Jiri Hayek. »

Le téléphone réveilla Preston à trois heures du matin. Il écouta, remercia son correspondant et raccrocha. Il sourit, satisfait.

« Je te tiens! » dit-il à mi-voix.

A dix heures du matin, Winkler n'avait pas encore quitté sa chambre. La direction de l'opération, à Cork Street, avait été prise en main par Simon Margery, de K-2 (B), la section Satellites soviétiques/Tchécoslovaquie (opérations). Après tout, un Tchèque relevait de ses fonctions. Barry Banks, qui avait dormi au bureau, ne quittait pas Margery d'un pas et transmettait à Sentinel House tout ce qui survenait à Cork.

A la même heure, John Preston passa un coup de fil personnel à une de ses relations, le conseiller juridique de l'ambassade des Etats-Unis, Grosvenor Square. Le conseiller juridique est toujours le représentant à Londres du F.B.I. Il présenta sa requête et on lui promit de le rappeler dès que la réponse arriverait d'Amérique, probablement dans cinq ou six heures avec le décalage horaire.

A onze heures, Winkler sortit de la pension de famille. Il se dirigea de nouveau vers Edgware Road, arrêta un taxi et partit vers Park Lane. A Hyde Park Corner, le taxi, filé par deux voitures contenant l'équipe de guetteurs, tourna dans Piccadilly. Winkler s'arrêta près de Piccadilly Circus et procéda à plusieurs manœuvres primaires pour semer une filature qu'il n'avait même pas remarquée.

« Ça recommence! » murmura Len Stewart.

Il avait lu le rapport de Burkinshaw et s'attendait à ce genre de réaction. Winkler s'élança soudain dans un passage commercial, le traversa au pas de course, sortit de l'autre côté, s'arrêta sur le trottoir et se retourna pour observer l'entrée du passage qu'il venait de quitter. Personne n'en sortit. C'était inutile. Il y avait déjà un guetteur en place.

Les guetteurs connaissent Londres mieux que n'importe quel agent de police ou chauffeur de taxi. Ils connaissent le nombre de sorties de tous les grands immeubles, ils savent où débouchent les arcades commerciales et les passages souterrains, où s'ouvrent les ruelles et où elles aboutissent. Chaque fois qu'un Joe essaie de s'esquiver, il y a toujours un guetteur devant lui, un qui s'avance lentement de l'arrière et un sur chaque flanc. La « boîte » ne se brise jamais, et il faut être un Joe très malin pour la repérer.

Persuadé qu'il n'était pas suivi, Winkler entra à l'agence de voyages des chemins de fer britanniques, dans Lower Regent Street. Il demanda l'heure des trains à destination de Sheffield. L'Ecossais arborant le foulard de son club de football qui se trouvait à ses côtés pour s'informer de la correspondance pour Motherwell était l'un des guetteurs. Winkler paya en espèces un billet aller et retour de deuxième classe à destination de Sheffield, nota que le train du soir quittait la gare St. Pancras à 21 h 25, remercia l'employé et sortit.

Il déjeuna dans un bar du quartier, retourna Sussex Gardens et y resta tout l'après-midi.

Preston apprit l'achat du billet de train pour Sheffield vers une heure. Il appela Sir Nigel Irvine au moment où celui-ci partait déjeuner à son club.

« Il est possible que ce soit une fausse piste, mais on dirait qu'il va quitter Londres. Peut-être se rend-il à son rendez-vous. Dans le train, ou à Sheffield. Peut-être a-t-il attendu si longtemps parce qu'il s'était réservé une marge d'avance. S'il quitte Londres, monsieur, nous aurons besoin d'un contrôleur sur le terrain, avec l'équipe de guetteurs. J'aimerais être cet homme.

– Oui, je vois ce que vous voulez dire. Pas facile. Mais je verrai ce que je peux faire. »

Sir Nigel soupira. Adieu mon déjeuner, se dit-il. Il appela son assistant personnel.

« Annulez mon déjeuner au White's. Faites préparer ma voiture. Et prenez un télégramme. Dans cet ordre. »

Pendant que l'assistant s'occupait des deux premières instructions, Sir Nigel appela Sir Bernard Hemmings chez lui, près de Farnham dans le Surrey.

« Excusez-moi de vous déranger, Bernard. J'aimerais avoir votre avis sur un incident qui vient de se produire... Non, je préférerais de vive voix. Cela ne vous ennuie pas trop que je passe vous voir? Après tout, c'est une belle journée... Oui, d'accord. Vers trois heures.

– Le télégramme? demanda son assistant.

– Oui.

– A qui?

– Moi-même.

– Ah! bon. Adressé par qui?

– Le chef de station de Vienne.

– Dois-je le prévenir, monsieur?

– Pourquoi l'importuner? Arrangez-vous simplement avec la salle du Chiffre pour que je reçoive ce télégramme dans trois minutes.

– Bien entendu. Et le texte? »

Sir Nigel le dicta. S'adresser un message urgent pour justifier ce que l'on a envie de faire est un vieux truc que Sir Nigel tenait de son ancien mentor, Sir Maurice Oldfield. Quand le Chiffre renvoya le télégramme sous la forme qu'il aurait eue s'il arrivait de Vienne, le vieux maître espion le glissa dans sa poche et descendit prendre sa voiture.

Il trouva Sir Bernard dans son jardin, à Tilford, en train de prendre le chaud soleil de mai, une couverture autour des genoux.

« J'avais l'intention de rentrer au bureau ce matin, lui dit le directeur général de Cinq avec une jovialité bien jouée. J'y serai demain sans faute.

– Bien sûr, bien sûr.

– Que puis-je faire pour vous?

– C'est délicat, répondit Sir Nigel. Un homme vient d'arriver de Vienne. En principe, un homme d'affaires autrichien. Mais c'est une façade. Nous avons reconnu sa « gueule » la nuit dernière. Un agent tchèque du St. B. Petit personnel. Nous croyons qu'il s'agit d'un courrier. »

Sir Bernard acquiesça.

« Oui, je garde le contact, même depuis ici. Je suis au courant. Mes hommes le filent, n'est-ce pas?

– Absolument. Le problème c'est qu'il va sans doute quitter Londres ce soir. Pour le nord. « Cinq » devra envoyer un contrôleur avec l'équipe de guetteurs.

– Bien entendu. Nous en enverrons un. Brian s'en occupera.

– Oui. C'est votre opération, bien sûr. Seulement... Vous vous rappelez l'affaire Berenson? Nous n'avons jamais découvert deux choses. Est-ce que Maartens communique par l'intermédiaire de la rezidentura ici à Londres, ou bien utilise-t-il des courriers venant de l'extérieur? Et Berenson est-il le seul homme du réseau contrôlé par Maartens, ou y en a-t-il d'autres?

– Je me souviens. Nous avons laissé ces questions en suspens jusqu'au jour où nous pourrons les poser directement à Maartens.

– C'est cela. Mais je viens de recevoir ce câble de mon chef d'antenne à Vienne. »

Il tendit le télégramme. Sir Bernard le lut et haussa les sourcils.

« Un lien? Comment est-ce possible?

– Rien n'est moins certain. Winkler, de son vrai nom Hayek, semble être une sorte de courrier. Vienne confirme qu'il appartient en principe au St. B. mais qu'il travaille en réalité directement pour le K.G.B. Nous savons que Maartens s'est rendu deux fois à Vienne l'an dernier, pendant qu'il contrôlait Berenson. Chaque fois, à l'occasion d'échanges culturels, mais...

– Le chaînon manquant? »

Sir Nigel haussa les épaules. Ne jamais forcer la note.

« Mais pourquoi irait-il à Sheffield? insista Sir Bernard.

– Qui sait? Existe-t-il un autre réseau dans le Yorkshire? Winkler voyage-t-il pour plusieurs réseaux?

– Et que désirez-vous obtenir de Cinq? Davantage de guetteurs?

– Non... John Preston. Vous vous rappelez qu'il a démasqué d'abord Berenson, puis Maartens. Son style m'a plu. Il est en congé depuis quelque temps, puis il a attrapé une grippe, m'a-t-on dit. Mais il doit retourner à son bureau demain. Il est absent depuis si longtemps qu'il n'a probablement aucune affaire en cours. Techniquement, il est C-5 (C) Ports et Aéroports. Mais vous savez que la section K a toujours du travail par-dessus les oreilles. S'il était détaché temporairement à K-2 (B) vous pourriez le désigner comme contrôleur de terrain sur cette opération...

– Je ne sais vraiment pas, Nigel. C'est en réalité du ressort de Brian...

– Je vous en serais extrêmement reconnaissant, Bernard. Regardons les choses en face : Preston est sur l'affaire Berenson depuis le début. Si Winkler en fait partie, Preston risque de reconnaître un visage...

– Soit, dit Sir Bernard. Il est à vous. Je vais donner les instructions d'ici.

– Je peux les ramener à Londres, dit « C », cela vous évitera le dérangement. J'enverrai mon chauffeur à Charles Street avec le « papier »...

Il quitta Tilford avec son « papier », un ordre écrit de Sir Bernard Hemmings détachant John Preston à la division K à titre temporaire et le nommant contrôleur de terrain de l'opération Winkler dès que ce dernier quitterait la capitale.

Sir Nigel fit faire deux photocopies : une pour lui et une pour Preston. L'original partit à Charles Street. Comme Brian Harcourt-Smith était à l'extérieur, on déposa l'ordre sur son bureau.

A dix-neuf heures, John Preston quitta l'appartement de Chelsea pour n'y plus revenir. Il était de nouveau à l'air libre, et cela le comblait de joie.

En arrivant Sussex Gardens, il se glissa derrière Harry Burkinshaw.

« Salut, Harry.

– Mon Dieu, John Preston! Que faites-vous là?

– Je prends un bol d'air.

– Alors ne vous faites pas remarquer. Nous avons un Joe de l'autre côté de la rue.

– Je sais. Et je vous parie qu'il va prendre le 21 h 25 de Sheffield.

– Comment le savez-vous? »

Preston présenta sa copie des instructions de Sir Bernard. Burkinshaw l'examina.

« Oh? oh! Du D.G. en personne. Soyez donc le bienvenu. Mais planquez-vous.

– Vous avez un émetteur supplémentaire? »

Burkinshaw acquiesça.

« Au coin de Radnor Place. La Cortina marron. L'appareil est dans la boîte à gants.

– J'attendrai dans la voiture », dit Preston.

Burkinshaw était extrêmement surpris. Personne ne lui avait annoncé que Preston serait contrôleur de terrain. Il ne savait même pas que Preston était dans la section des Tchèques. Mais la signature du D.G. avait force de loi. Pour sa part, il continuerait de faire son boulot. Il haussa les épaules, avala une autre pastille à la menthe et continua de guetter.

A huit heures et demie, Winkler quitta la pension de famille avec son sac de voyage à la main. Il arrêta un taxi en maraude et donna ses instructions au chauffeur.

A l'instant où le Tchèque était apparu sur le seuil, Burkinshaw avait prévenu son équipe et ses deux voitures. Il monta dans la première. Au coin d'Edgware Road ils étaient à cent mètres derrière le taxi. Dix minutes plus tard, ils savaient qu'ils se dirigeaient vers la gare. Burkinshaw le signala aussitôt. La voix de Simon Margery lui répondit.

« D'accord, Harry. Nous vous envoyons un contrôleur.

– Nous en avons déjà un, répondit Burkinshaw. Il est avec nous. »

Margery l'ignorait. Il demanda le nom de l'homme en question. Lorsqu'il l'apprit, il crut à une erreur.

« Mais il n'appartient même pas à K-2 (B), protesta-t-il.

– Vous vous trompez. Depuis cet après-midi, répondit Buckinshaw sans se démonter. J'ai vu le “ papier ”. Signé par le D.G. »

Margery, du sous-sol de Cork Street, appela « Charles ». Tandis que les trois voitures traversaient Londres dans la nuit tombante, Charles Street se mit en effervescence. On retrouva et confirma la note de service de Sir Bernard. Margery leva les bras au ciel.

« Jamais ces bougres de Charles ne seront capables de mettre de l'ordre dans leurs dossiers ! » se plaignit-il à un monde qui se moquait bien de ses plaintes.

Il annula le collègue qu'il avait désigné pour prendre le relais de la gare de St. Pancras, puis essaya de joindre Brian Harcourt-Smith pour protester.

Winkler paya son taxi dans la cour de la gare, franchit la grande arche de brique, pénétra dans la vaste salle des pas perdus, de style Belle Epoque, et consulta le tableau des départs. Autour de lui, les quatre guetteurs et Preston s'évaporèrent dans la foule des passagers, sous la voûte de brique et de fer forgé.

Le 21 h 25 partait sur le quai n° 2 et s'arrêtait à Leicester, Derby, Chesterfield et Sheffield. Ayant trouvé son train, Winkler s'avança le long des wagons. Il dépassa les trois voitures de première classe et le wagon-restaurant puis s'arrêta à la hauteur des trois voitures de deuxième classe, en tête du train. Il choisit celle du milieu, posa son sac de voyage sur le râtelier et attendit paisiblement le départ.

C'était un wagon sans compartiments et au bout de quelques minutes un jeune Noir avec un lecteur de cassette autour du cou et des écouteurs sur les oreilles entra et s'assit trois rangées plus loin. Il hochait la tête au rythme du reggae qui semblait exploser dans ses oreilles : les yeux clos, il était tout à sa musique. L'un des hommes de l'équipe de Burkinshaw venait de prendre son poste : les écouteurs ne jouaient pas de reggae mais recevaient les instructions d'Harry cinq sur cinq.

Un autre guetteur prit le wagon de l'avant, Harry et Preston la troisième voiture de deuxième classe, pour fermer la « boîte », et le quatrième homme de l'équipe monta en première à l'arrière du train, au cas où Winkler s'éclipserait brusquement vers la queue pour échapper à la filature qu'il semblait craindre.

A neuf heures vingt-cinq exactement, l'Intercity 125 quitta St. Pancras en direction du nord. A neuf heures trente, Brian Harcourt-Smith qui dînait à son club fut appelé au téléphone. C'était Simon Margery. Ce qu'apprit le directeur général adjoint du Cinq lui coupa sans doute l'appétit, car il sortit aussitôt, héla un taxi et traversa au plus vite le West End jusqu'à Charles Street.

Il trouva sur son bureau l'ordre rédigé dans l'après-midi par Sir Bernard Hemmings. Il devint blême de rage.

C'était un homme de sang-froid. Après avoir réfléchi à la question, pendant plusieurs minutes, il décrocha et demanda à la standardiste, sur un ton courtois habituel, de lui passer le conseiller juridique du service, à son domicile.

Le conseiller juridique est la personne qui assure en général toutes les liaisons entre le service et la Brigade spéciale. En attendant qu'on le rappelle, il vérifia les horaires des trains à destination de Sheffield. Le conseiller juridique, arraché à son fauteuil devant la télévision à Camberley, répondit au téléphone.

« J'ai besoin de la Brigade spéciale pour opérer une arrestation, lui dit Harcourt-Smith. J'ai de bonnes raisons de croire qu'un immigrant illégal, soupçonné d'être un agent soviétique, risque d'échapper à notre surveillance. Nom : Franz Winkler, supposé de nationalité autrichienne. Charge retenue : faux passeport. Il arrivera à Sheffield par le train de Londres à vingt-trois heures cinquante-neuf. Oui, je sais que le délai est bref.

C'est d'autant plus urgent. Oui, entrez en rapport, je vous prie, avec le commandant de la Brigade spéciale, à Scotland Yard, et demandez-lui de lancer son unité de Sheffield pour procéder à l'arrestation quand le train arrivera en gare. »

Il raccrocha, lèvres pincées. John Preston avait peut-être réussi à se faire nommer contrôleur de terrain en passant par-dessus sa tête, mais l'arrestation d'un suspect était une affaire de police, et les affaires de police relevaient de son autorité.

Le train était presque vide. Deux wagons, au lieu de dix, auraient amplement suffi à transporter les soixante et quelques voyageurs. Barney, le guetteur du wagon de l'avant, partageait l'espace avec dix autres personnes. Il tournait le dos à la locomotive et pouvait voir le haut du crâne de Winkler à travers les portes de verre séparant les deux voitures.

Ginger, le jeune Noir aux écouteurs qui se trouvait avec Winkler dans le deuxième wagon, n'avait que cinq autres voyageurs avec lui. Une douzaine de personnes partageaient avec Preston et Burkinshaw les soixante places de la troisième voiture. Pendant une heure et quart Winkler ne fit rien; il n'avait ni livres ni journaux; il fixait simplement la campagne endormie, de l'autre côté de la fenêtre.

A 22 h 45, le train ralentit pour entrer en gare de Leicester. Winkler se leva, prit son bagage à main sur le râtelier, remonta vers la tête du wagon, sortit dans la partie où s'ouvrent les toilettes, et baissa la glace de la porte donnant sur le quai. Ginger le signala aux autres, qui se préparèrent à intervenir sans retard s'il le fallait.

Un autre voyageur s'avança à côté de Winkler au moment où le train s'arrêtait.

« Excusez-moi, je vous prie. Nous sommes à Sheffield? lui demanda Winkler.

– Non, c'est Leicester, répondit l'homme, qui descendit sur le quai.

– Ah! bon. Merci », dit Winkler.

Il posa son sac de voyage à terre, mais resta près de la glace ouverte et regarda le quai, à gauche et à droite, pendant le bref arrêt. Au moment où le train repartit, il retourna à sa place et reposa son sac sur le râtelier.

A 23 h 12, le même manège se reproduisit à Derby. Cette fois, il posa la question à un porteur sur le quai de la voûte caverneuse de béton qui constitue la gare de Derby.

« Derby, lança le portier d'une voix chantante. Sheffield est le deuxième arrêt. »

De nouveau, Winkler resta derrière la glace baissée de la portière, puis retourna à sa place et reposa son sac de voyage sur le râtelier. Preston l'observait à travers les portes séparant les deux wagons.

A 23 h 43, ils arrivèrent à Chesterfield, dans une gare vieillotte mais entretenue avec goût – peinture de couleur claire et corbeilles de fleurs. Cette fois, Winkler laissa son sac de voyage où il se trouvait, mais alla se pencher à la glace de la portière. Deux ou trois voyageurs descendirent du train et se dirigèrent d'un pas vif vers le contrôle des billets. Le quai était entièrement vide avant que le train ne s'ébranle. Quand il le fit, Winkler ouvrit la porte brusquement, sauta sur le béton et claqua la porte derrière lui dans le même mouvement.

Burkinshaw se laissait très rarement prendre à contre-pied par un Joe, mais il avoua plus tard que Winkler l'avait bel et bien « possédé ». Les quatre guetteurs auraient pu facilement sauter sur le quai, mais il n'y avait pas la moindre couverture sur cette dalle de béton, et leur présence aurait paru à peu près aussi naturelle que celle d'une truie dans une synagogue. Winkler les aurait vus et aurait annulé son rendez-vous, quel qu'il fût.

Preston et Burkinshaw coururent vers la portière, où Ginger les rejoignit. La glace était encore baissée. Preston passa la tête et regarda vers l'arrière. Winkler, enfin certain de ne pas être filé, traversait le quai d'un pas vif, le dos tourné au train.

« Harry, revenez ici en voiture avec l'équipe, cria Preston. Appelez-moi par radio dès que vous serez à distance. Ginger, refermez la porte derrière moi. »

Il ouvrit la porte, descendit sur le marchepied, se mit dans la position « atterrissage » des parachutistes et sauta.

Les parachutistes touchent le sol à environ dix-huit kilomètres-heure. La vitesse latérale dépend du vent. Le train devait déjà rouler à quarante-cinq à l'heure quand Preston sauta sur la voie, en priant de ne pas tomber sur un poteau de béton ou une grosse pierre. Il eut de la chance. L'herbe épaisse de mai amortit le choc et il se mit à rouler, genoux joints et coudes rentrés, le menton contre la poitrine. Harry lui avoua plus tard qu'il avait tourné la tête pour ne pas voir. Ginger raconta qu'il rebondissait comme une balle le long de la voie, de plus en plus près des roues. Quand Preston s'arrêta enfin, il gisait dans le creux séparant l'herbe du ballast. Il se releva, tourna le dos au train et se mit à courir vers les lumières de la gare.

Quand il arriva au contrôle des billets, le cheminot était en train de fermer pour la nuit. Il regarda, bouche bée, l'apparition en manteau déchiré, couverte de terre et d'herbe.

« Le dernier homme qui est sorti, dit Preston. Petit, trapu, imperméable gris. Où est-il allé? »

Le cheminot tourna la tête vers la sortie de la gare et Preston se mit à courir. Trop tard, le contrôleur s'aperçut qu'il avait oublié de demander le billet. Sur la place de la gare, Preston aperçut les feux de position d'un taxi qui s'éloignait vers la ville. Il n'y en avait pas d'autre. Il pouvait, bien entendu, demander à la police locale de retrouver le chauffeur et savoir où il avait déposé son client, mais il était certain que Winkler descendrait du taxi avant d'arriver à sa destination et finirait le chemin à pied. A quelques mètres de lui, un porteur de la gare faisait démarrer sa mobylette.

« Il faut que vous me prêtiez votre machine, dit Preston.

– Vous voulez rire! » lança le porteur.

Ce n'était pas le moment de se présenter dans les règles ou de discuter. Les feux arrière du taxi passaient déjà sous le nouveau périphérique et allaient disparaître. Preston serra le poing et frappa, un seul coup sec, à la mâchoire. Le porteur s'écroula. Preston rattrapa au vol la mobylette qui tombait, écarta les jambes du bonhomme, se mit en selle et partit.

Il eut de la chance avec les feux rouges. Le taxi avait remonté Corporation Street et Preston ne l'aurait jamais rattrapé avec son espèce de teuf-teuf si les feux en face de la bibliothèque municipale n'avaient pas été au rouge. Quand le taxi descendit Holywell Street puis Saltergate, Preston était à cent mètres derrière lui. Il perdit aussitôt du terrain car le moteur plus puissant le distança aisément sur les huit cents mètres de ligne droite. Si Winkler allait dans la campagne à l'ouest de Chesterfield, jamais Preston ne pourrait le suivre.

Heureusement, alors que le taxi n'était plus qu'un point dans le lointain, les lumières rouges des freins s'allumèrent. Winkler s'était arrêté à l'endroit où Saltergate devient Ashgate Road et payait sa course. Preston aperçut bientôt Winkler près de la voiture, qui regardait à gauche et à droite. Il n'y avait aucune autre circulation. La seule solution était de continuer. Il passa à la hauteur du taxi arrêté, tel un paisible citoyen rentrant tard chez lui. Il obliqua dans Foljambe Road et s'arrêta.

Winkler passa à pied au bout de la rue. Preston le suivit. Winkler ne tourna pas une seule fois la tête. Il contourna à pied la clôture du terrain de football de Chesterfield et entra dans Compton Street. Il s'avança vers une maison et frappa à la porte. Sautant d'ombre en ombre, Preston était arrivé au coin de la rue et s'était dissimulé derrière un buisson dans le jardin de la maison qui faisait l'angle.

Plus loin dans la rue, il vit des lumières s'allumer dans une maison sombre. La porte s'ouvrit. Il y eut une brève conversation sur le seuil, puis Winkler entra. Preston poussa un soupir de soulagement et s'installa derrière son buisson pour une longue nuit de guet. Il ne pouvait pas lire le numéro de la maison dans laquelle Winkler était entré, ni ne pouvait surveiller l'arrière. Mais le mur du terrain de football s'élevait, semblait-il, à quelques mètres derrière les villas et toute fuite devait être impossible de ce côté-là.

A deux heures du matin, il commença à entendre un faible bruit dans son récepteur radio : Burkinshaw se rapprochait. Preston signala sa présence et indiqua sa position. A deux heures et demie, il entendit un bruit de pas amortis et il siffla entre ses dents pour que le guetteur le repère. Burkinshaw s'accroupit près de lui.

« Tout va bien, John?

– Oui. Il est « logé » là-bas. La deuxième maison après l'arbre : la lumière derrière les rideaux.

– Vu. John, il y avait une réception organisée à Sheffield. Deux « Brigade spéciale » et trois « uniformes ». Ameutés par Londres. Vous vouliez procéder à une arrestation?

– Absolument pas. Winkler est un courrier. Je veux le gros gibier. Il est peut-être dans cette maison. Que s'est-il passé avec le comité de réception? »

Burkinshaw sourit.

« Vive la police britannique! dit-il. Sheffield est dans le Yorkshire, nous sommes dans le Derbyshire. Cela se réglera au niveau des huiles des deux comtés dans la matinée. Cela nous laisse du temps.

– Oui... Où sont les autres?

– Au coin de l'autre rue. Nous sommes venus en

taxi mais je l'ai renvoyé. John, nous sommes à pied. Et dès que le jour se lèvera, cette rue n'a pas de couverture.

– Mettez deux hommes en haut de la rue et deux autres ici, dit Preston. Je vais retourner au centre ville chercher le commissariat de police et demander de l'aide. Si le Pote s'en va, prévenez-moi aussitôt par radio, mais faites-le suivre par deux hommes et maintenez deux hommes ici, pour la maison. »

Il sortit du jardin et retourna au centre de Chesterfield. Il trouva le commissariat de police, Beetwell Street. Tout en marchant, une phrase ne cessait de tourner dans sa tête. Quelque chose dans cette affaire Winkler n'était pas naturel.

19

Le commissaire Robin King se serait passé volontiers d'être réveillé à trois heures du matin, mais quand il apprit qu'un agent du MI-5 venu de Londres se trouvait dans son commissariat et demandait de l'aide, il préféra passer au bureau. Il arriva vingt minutes plus tard, sans s'être rasé ni coiffé.

Il écouta attentivement Preston lui raconter l'essentiel de l'affaire : un étranger suspect, probablement un agent soviétique, avait été filé depuis Londres, avait sauté du train à Chesterfield et se trouvait dans une maison de Compton Street, numéro encore inconnu.

« Je ne sais pas qui habite cette villa, ni pourquoi notre suspect s'y est rendu. J'ai l'intention de le découvrir mais pour le moment, je ne veux pas d'arrestation. Une simple filature. Dans la matinée, nous solliciterons les autorisations en règle. Pour le moment, nous sommes en difficulté. J'ai quatre hommes de notre service de surveillance dans cette rue, mais dès le point du jour, ils seront facilement repérables. J'ai besoin d'aide.

– Que pourrais-je faire pour vous, monsieur Preston? demanda le commissaire.

– Avez-vous une fourgonnette banalisée, par exemple?

– Non. Plusieurs voitures de ronde banalisées. Mais

nos deux fourgonnettes ont le macaron de la police sur le côté.

– Pourrions-nous trouver une fourgonnette sans signes distinctifs et la mettre en stationnement dans cette rue avec mes hommes à l'intérieur, à titre provisoire? »

Le commissaire téléphona au sergent de service, lui posa la même question et écouta un instant.

« Réveillez-le et demandez-lui de me rappeler tout de suite, dit-il avant de raccrocher. Un de nos hommes a une fourgonnette, expliqua-t-il à Preston. Plutôt en mauvais état, tout le monde le charrie à ce sujet... »

Trente minutes plus tard, l'agent de police, encore à moitié endormi, rejoignait l'équipe de guetteurs devant l'entrée principale du stade de football. Burkinshaw et ses hommes s'entassèrent à l'intérieur et la fourgonnette descendit Compton Street et se gara en face de la maison suspecte. Ainsi qu'il en avait reçu l'ordre, l'agent (en civil) descendit, s'étira et s'éloigna comme un homme retournant chez lui après son travail de nuit.

Burkinshaw jeta un coup d'œil par les glaces arrière et appela Preston à la radio.

« C'est pas mal, dit-il. Nous avons une vue imprenable sur la maison, de l'autre côté de la rue. A propos, c'est le numéro 59.

– Ne bougez pas pour le moment, dit Preston. Je vais essayer d'arranger quelque chose de mieux. En attendant, même principe : si Winkler part à pied, deux hommes le filent et deux autres restent pour la maison. S'il part en voiture, suivez avec la fourgonnette. »

Preston se tourna vers le commissaire.

« Nous risquons de rester planqués devant cette maison pendant un bout de temps. Il nous faudrait une pièce au premier étage et en façade dans une maison du côté pair de la rue. Pouvez-vous nous trouver dans

Compton Street un propriétaire qui nous accorde l'autorisation? »

Le commissaire King réfléchit un instant.

« Je connais bien quelqu'un qui habite Compton Street, dit-il. Nous sommes francs-maçons tous les deux, membres de la même loge. C'est comme cela que je l'ai connu. Un ancien premier maître de la marine, à la retraite depuis deux ou trois ans. Il habite au numéro 68, mais je ne sais pas où cela se trouve dans la rue. »

Burkinshaw vérifia. Le 68 était deux maisons au-delà de sa fourgonnette. La fenêtre du premier étage offrirait un poste d'observation parfait sur la maison suspecte. Le commissaire King téléphona aussitôt à son ami.

Preston lui suggéra de dire à ce M. Sam Royston, réveillé en plein sommeil, qu'il s'agissait d'une opération de simple police : ils désiraient surveiller un suspect éventuel qui s'était réfugié dans une des maisons d'en face. Dès qu'il eut les idées plus claires, M. Royston sauta sur l'occasion à pieds joints. Citoyen respectant la loi, il autoriserait volontiers la police à utiliser sa chambre.

On conduisit aussitôt la fourgonnette dans West Street, parallèle à Compton Street derrière la maison de M. Royston; Burkinshaw et son équipe se faufilèrent entre les maisons, enjambèrent les clôtures des jardins et entrèrent chez M. Royston par la porte de la cuisine, donnant sur l'arrière-cour. Juste avant que les premiers rayons du soleil printanier n'envahissent la rue, l'équipe de guetteurs prit place dans la chambre à coucher des Royston. Le lit n'était pas fait mais à travers les rideaux de dentelle ils pouvaient voir le numéro 59, de l'autre côté de la rue.

M. Royston, raide comme une baguette dans sa robe de chambre en poil de chameau, imbu de sa propre importance de patriote à qui l'on a demandé d'assister les émissaires de la reine, s'approcha de la fenêtre et regarda la maison presque en face de la sienne.

« Des cambrioleurs de banque? Des trafiquants de drogue!

– C'est bien le genre, acquiesça Burkinshaw.

– Ces étrangers..., ronchonna Royston. M'ont jamais plu. Jamais dû laisser entrer tout ça dans le pays. »

Ginger, dont les parents avaient émigré de la Jamaïque, continua de regarder sans broncher la maison d'en face. Mungo, l'Ecossais, apporta deux chaises du rez-de-chaussée. Mme Royston sortit, comme une souris, d'une cachette secrète, après avoir ôté ses épingles et ses bigoudis.

« Quelqu'un désire-t-il une bonne petite tasse de thé? » demanda-t-elle.

Barney, qui était jeune et beau garçon, lui lança son plus beau sourire conquérant.

« Ce serait tellement gentil, maman. »

La journée de Mme Royston en fut embellie. Elle se mit à préparer la première de ce qui allait être une succession interminable de tasses de thé, breuvage qui semblait constituer la base de son alimentation sans qu'elle ait besoin de recourir, apparemment, à de la nourriture solide.

Au commissariat de police, le sergent de service avait établi l'identité des habitants du 59, Compton Street.

« Deux Cypriotes grecs, commissaire, expliqua-t-il à King. Deux frères, célibataires : Andréas et Spiridon Stéphanidès. Ils habitent là depuis environ quatre ans, d'après l'agent du secteur. Il paraît qu'ils font marcher un “ doner-kebab ” avec plats grecs à emporter, du côté d'Holywell Cross. »

Preston avait passé une demi-heure au téléphone avec Londres. Il avait d'abord réveillé l'officier de permanence à Sentinel, et celui-ci lui avait passé Barry Banks.

« Barry, j'aimerais que vous preniez contact avec “ C ” où qu'il soit, pour lui demander de me rappeler. »

Sir Nigel Irvine téléphona cinq minutes plus tard, calme et lucide comme s'il n'avait pas été réveillé en plein sommeil. Preston le mit au courant des événements de la nuit.

« Il y avait un comité de réception à la gare de Sheffield. Deux “ Brigade spéciale ” et trois “ uniformes ”, autorisés à procéder à une arrestation.

– Cela n'était pas prévu dans nos accords, John.

– C'est bien ce que je pensais.

– D'accord, John. Je m'en occuperai ici, ce matin. Vous avez trouvé la maison? Avez-vous l'intention d'intervenir?

– J'ai trouvé *une* maison, corrigea Preston. Je n'ai pas envie d'intervenir parce que je crois que ce n'est pas la fin de la piste. Autre chose, monsieur. Si Winkler repart chez lui, j'aimerais qu'on le laisse s'en aller en paix. Si c'est bien un courrier, s'il apporte un message ou s'il vient faire une vérification quelconque, ses supérieurs s'attendent à ce qu'il retourne à Vienne. S'il n'y revient pas, ils risquent de court-circuiter tous les réseaux du haut en bas de l'échelle.

– Oui, répondit Sir Nigel, pensif. J'en parlerai à Sir Bernard. Désirez-vous rester avec l'opération ou rentrer à Londres?

– J'aimerais rester sur place, si c'est possible?

– Parfait. Je présenterai une requête du “ Six ”, au plus haut niveau, pour que vous obteniez ce que vous désirez. Mais n'oubliez pas de vous couvrir : rédigez tout de suite votre rapport d'opération à Charles Street. »

Aussitôt après avoir raccroché, Sir Nigel appela Sir Bernard Hemmings à son domicile. Le directeur général du « Cinq » accepta de prendre le petit déjeuner avec lui au Guards Club, à huit heures.

« Le Centre semble vraiment en train de monter une vaste opération dans ce pays, Bernard », dit « C » en étalant du beurre sur sa deuxième tartine.

Sir Bernard Hemmings, profondément troublé, ne touchait pas au petit déjeuner servi.

« Brian aurait dû me tenir au courant de l'incident de Glasgow, dit-il. Pourquoi ce rapport est-il encore en souffrance sur son bureau?

– Nous commettons tous des erreurs de jugement de temps en temps. *Errare humanum est*, etc., n'est-ce pas? murmura Sir Nigel en souriant. Après tout, mes hommes de Vienne ont pris Winkler pour le " voyageur " d'un réseau d'agents en place depuis longtemps et j'en ai déduit qu'il s'agissait de la filière Jan Maartens. Mais j'ai bien l'impression à présent qu'il s'agit, tout compte fait, de deux opérations séparées. »

Il se garda bien d'avouer qu'il avait rédigé lui-même, la veille, le télégramme de Vienne pour obtenir de Sir Bernard la nomination de Preston comme contrôleur de terrain de l'opération Winkler. Pour « C », à chaque heure suffisait sa morale. Il y a des moments de sincérité et d'autres où un silence discret est préférable.

« Et la deuxième opération, celle qui est liée au marin de Glasgow? » demanda Sir Bernard.

Sir Nigel haussa les épaules.

« Je ne sais rien de certain, Bernard. Nous avançons à tâtons dans le noir. De toute évidence, Brian n'y croit pas. Il a peut-être raison. Dans ce cas, c'est moi qui me retrouverai les quatre fers en l'air. Mais tout de même... L'affaire de Glasgow, l'émetteur mystérieux des Midlands, l'arrivée de Winkler... Ce Winkler est pour nous un vrai coup de chance. Peut-être le dernier que nous aurons.

– Et quelles conclusions tirez-vous, Nigel? »

Sir Nigel sourit, comme pour s'excuser. C'était la question qu'il attendait.

« Pas de conclusions, Bernard. Quelques déductions hypothétiques. Si Winkler est un courrier, je pense qu'il assurera son contact et remettra son colis, ou bien prendra le colis qu'il est venu chercher. Sans doute dans un lieu public. Parking, bord de rivière, banc de jardin public, rive d'un étang. Si une grosse opération est en préparation ici, il y a forcément un illégal de haut niveau sur le terrain. L'homme qui dirige l'orchestre. Si vous étiez à sa place, désireriez-vous que les courriers se présentent à votre porte? Evidemment non. Vous auriez un coupe-circuit, peut-être deux... Prenez un peu de café.

– D'accord, je vous suis. »

Sir Bernard ne bougea pas et son collègue lui servit une tasse.

« Il me semble donc logique, Bernard, de supposer que Winkler n'est pas le gros poisson. C'est un sous-fifre, un voyageur, un courrier ou je ne sais quoi du même genre. Même observation pour les deux Cypriotes de la petite maison de Chesterfield. Des dormants, c'est votre avis?

– Oui, acquiesça Sir Bernard. Des dormants de seconde zone.

– Tout a l'air d'indiquer que la maison de Chesterfield est un dépôt pour l'arrivée des colis, une boîte aux lettres, une planque ou peut-être l'endroit où ils gardent leur émetteur. Après tout, c'est bien la région. Les deux « squirts » interceptés par les Communications venaient du district de Derbyshire Peak et des collines au nord de Sheffield – donc à distance de voiture de Chesterfield.

– Et Winkler?

– Qu'est-ce que j'en sais, Bernard? Un technicien envoyé pour réparer l'émetteur s'il a eu des problèmes, un contrôleur qui vérifie l'évolution du projet... De toute manière, nous devrions le laisser rentrer pour qu'il rende compte que tout marche à merveille.

– Et le gros poisson? Vous croyez qu'il risque de venir en personne? »

Sir Nigel haussa de nouveau les épaules. Il craignait surtout que Brian Harcourt-Smith, n'ayant pu procéder à son arrestation à Sheffield, essaie d'organiser un assaut en règle de la maison de Chesterfield. Pour Sir Nigel, ce serait tout à fait prématuré.

« J'aurais dû y penser. Il y a forcément un contact qui s'établira quelque part. Soit notre homme viendra chez les Grecs, soit ils iront à lui.

– Vous savez, Nigel, je pense que nous devrions mettre cette maison de Chesterfield sous surveillance. Au moins pour quelque temps. »

Le chef du S.I.S. prit un air grave.

« Je suis bien de cet avis, cher ami. Mais votre jeune Brian paraît tout feu tout flamme. Il ne rêve que d'arrestations. Il a essayé, hier soir, à Sheffield. Bien entendu, les arrestations font très bon effet sur le moment, mais...

– Je me charge de Brian Harcourt-Smith, Nigel, répondit Sir Bernard d'un ton sombre. Le vieux chien perd peut-être son poil mais garde toute sa voix. Je vais prendre la direction de cette opération en personne. »

Sir Nigel se pencha en avant et posa la main sur l'avant-bras de Sir Bernard.

« C'est tout ce que j'espérais, mon ami. »

Winkler quitta la maison de Compton Street à pied vers neuf heures et demie. Mungo et Barney sortirent par l'arrière de la villa des Royston, traversèrent les jardins et retrouvèrent le Tchèque au coin d'Ashgate Road. Il revint à la gare et prit le train de Londres, où une autre équipe assura la filature à partir de St. Pancras tandis que Mungo et Barney retournaient à Chesterfield.

Winkler ne repassa pas à sa pension de famille. Il abandonna ce qu'il y avait laissé, comme il avait abandonné dans le train son sac de voyage, avec son pyjama et une chemise. Il se rendit directement à Heathrow où il prit le vol de l'après-midi à destination de Vienne. Le chef d'antenne de Sir Irvine à Vienne signala plus tard que deux hommes de l'ambassade soviétique l'attendaient à l'avion.

Preston passa le reste de la journée enfermé au commissariat pour régler la montagne de démarches administratives impliquées par une surveillance en province.

L'appareil bureaucratique entra en action. Charles Street sollicita le ministère de l'Intérieur, qui autorisa le préfet de police du Derbyshire à ordonner au commissaire King d'offrir à Preston et à ses hommes toute la coopération possible. M. King était ravi de le faire, mais encore fallait-il que les paperasses fussent en règle.

Len Stewart arriva de Londres en voiture avec une deuxième équipe, que l'on logea à la caserne de police. On prit au téléobjectif des photos des deux frères grecs d'Holywell Cross, en fin de matinée. Un motard apporta aussitôt les négatifs à Londres. Des spécialistes venus de Manchester se rendirent au standard téléphonique de la ville et placèrent sur table d'écoute les deux lignes des Grecs, chez eux et au restaurant. On dissimula un émetteur de signaux dans leur voiture.

En fin d'après-midi, Londres reconnut la « gueule » des Grecs. Ce n'étaient pas de vrais Cypriotes mais ils étaient frères. Communistes de longue date, anciens membres du mouvement E.L.L.A.S., ils avaient quitté la Grèce continentale pour Chypre vingt ans auparavant. Athènes avait donc aussitôt informé Londres par courtoisie. Leur vrai nom était Costapopoulos. Ils avaient disparu de Chypre huit ans plus tôt – d'après les dossiers de Nicosie.

Les archives de l'Immigration, à Croydon, indiquèrent que les frères Stéphanidès étaient entrés en Grande-Bretagne cinq ans auparavant en tant que ressortissants de Chypre. Ils avaient reçu des permis de séjour. Les dossiers de Chesterfield montraient qu'ils étaient arrivés de Londres trois ans et demi plus tôt. Ils avaient pris un bail de longue durée sur le petit restaurant servant du mouton à la broche, et ils avaient acheté la petite villa de Compton Street. Depuis lors, ils avaient mené la vie paisible de citoyens respectueux des lois. Six jours par semaine, ils offraient leur doner-kebab à l'heure du déjeuner, où la clientèle était peu nombreuse, et ils demeuraient ouverts très tard le soir, car leurs plats à emporter avaient beaucoup de succès.

Au commissariat de police, personne en dehors du commissaire King n'apprit la vraie raison de la surveillance, et six agents seulement furent au courant de son existence. On raconta aux autres que l'opération faisait partie d'une rafle de trafiquants de drogue. Les hommes de Londres étaient venus pour la seule raison qu'ils connaissaient les visages.

Peu après le crépuscule, Preston quitta le commissariat pour rejoindre Burkinshaw et son équipe.

En prenant congé du commissaire King, il se confondit en remerciements pour toute l'aide que celui-ci lui avait apportée.

« Vous allez vous installer là-bas pendant la durée de la surveillance? lui demanda King.

– Oui, je resterai à Compton Street. Pourquoi cette question? »

Le commissaire King esquissa un sourire.

« Au milieu de la nuit, un porteur des chemins de fer est venu déposer une plainte au poste. Quelqu'un l'avait assommé pour lui prendre sa mobylette devant la gare, puis avait filé avec l'engin. Nous avons retrouvé la mobylette dans Foljambe Road, intacte. Mais l'homme nous a fourni un signalement très précis de son agresseur. Vous ne sortirez pas beaucoup, n'est-ce pas?

– Non, je ne crois pas.

– Ce serait plus sage », conseilla le commissaire King.

Compton Street, les guetteurs avaient suggéré à M. Royston de ne rien changer à ses habitudes. Il faisait ses courses le matin et jouait aux boules l'après-midi. On apporterait des provisions et de la boisson après la tombée de la nuit, au cas où les voisins se demanderaient pourquoi les Royston avaient soudain un appétit gigantesque. On fit monter un appareil de télévision pour « les petits gars d'en haut » (comme disait M. Royston) et tout le monde s'installa pour la longue attente.

Les Royston avaient déménagé dans la chambre de l'arrière, et le lit à une place qui s'y trouvait serait donc à la disposition des guetteurs, en façade. Ils l'utiliseraient à tour de rôle. On apporta également une paire de jumelles puissantes, montées sur pied, plus un appareil de photo avec un téléobjectif pour les prises de vue de jour, et un objectif à infrarouge pour les photos de nuit. Deux voitures étaient en stationnement non loin, réservoirs pleins, et les hommes de Len Stewart avaient pris en main la salle des transmissions du commissariat de police, pour assurer la liaison avec Londres des petits émetteurs portatifs de l'équipe Burkinshaw dans la maison des Royston.

Quand Preston arriva, il trouva les quatre guetteurs installés comme des coqs en pâte. Barney et Mungo, rentrés de Londres, s'étaient endormis, l'un sur le lit, l'autre sur le tapis. Ginger, affalé sur une banquette, sirotait une tasse de thé. Harry Burkinshaw, assis comme un bouddha sur un fauteuil, derrière les rideaux de dentelle, ne quittait pas des yeux la maison vide.

Ayant passé la moitié de sa vie debout sous la pluie il s'estimait heureux : il était au chaud, au sec, avec une provision de pastilles à la menthe, et il pouvait ôter ses souliers. Le métier n'était pas toujours aussi rose; il était payé pour le savoir. La maison sous surveillance s'adossait à un mur de béton de plus de quatre mètres de haut – la clôture du terrain de football – ce qui signifiait que personne ne serait obligé de passer la nuit au milieu des buissons. Preston prit la chaise libre à côté de Burkinshaw, derrière l'appareil photographique braqué, et accepta la tasse de thé que lui tendit Ginger.

« Allez-vous faire intervenir l'équipe de « pénétration discrète? » demanda Harry.

Il songeait aux cambrioleurs expérimentés que les Services techniques envoyaient pour pénétrer discrètement dans des maisons, sans mandat de perquisition.

« Non, répondit Preston. Tout d'abord, nous ne savons même pas si la maison est vide ou s'il y a encore quelqu'un à l'intérieur. Ensuite, il y a peut-être plusieurs systèmes d'alarme pour signaler aux propriétaires qu'une effraction a eu lieu, et nous pourrions ne pas les repérer tous. Enfin, ce que j'attends, c'est que le Pote montre son nez. Quand il le fera, nous sauterons dans les voitures et nous le filerons. Len prendra la relève ici. »

Ils continuèrent de veiller en silence, puis Barry s'éveilla.

« Il n'y a rien à la télé? demanda-t-il.

– Pas grand-chose, répondit Ginger. Le journal. Toujours les mêmes salades. »

Vingt-quatre heures plus tard, le jeudi soir à la même heure, le journal télévisé fut beaucoup plus intéressant. Sur leur petit écran, ils virent le Premier Ministre debout sur le seuil du 10, Downing Street, en tailleur bleu impeccable, affronter les hordes de la presse et les caméras de télévision.

Elle annonça qu'elle revenait de Buckingham Palace, où elle avait demandé la dissolution du Parlement. En conséquence, le pays devait se préparer à aller aux urnes pour des élections générales le 18 juin suivant.

La nouvelle sensationnelle occupa le reste du programme. Les dirigeants et les personnalités influentes de chaque parti annoncèrent leur confiance absolue en leur victoire prochaine.

« Elle cherche à les prendre de court, hein? » fit observer Burkinshaw à Preston.

Il n'obtint pas de réponse. Preston fixait l'écran, perdu dans ses pensées.

« Je crois que je l'ai..., dit-il enfin.

– Dans ce cas n'allez pas dans nos chiottes, lança Mungo.

– Vous avez quoi, John? demanda Harry quand les gros rires se turent.

– Ma date limite. »

Mais il refusa de s'expliquer davantage.

En 1987, très peu de voitures de fabrication européenne conservaient les gros phares ronds d'autrefois, mais la toujours jeune Mini Austin en avait encore – et l'une d'elles se trouvait parmi les nombreux véhicules qui débarquèrent du ferry-boat en provenance de Cherbourg, le soir du 2 juin, sur les quais de Southampton.

La voiture avait été achetée en Autriche quatre semaines auparavant, conduite dans le garage clandestin d'Allemagne, où on l'avait modifiée, puis renvoyée à Salzbourg. Les papiers autrichiens de la voiture étaient en règle, de même que ceux de son propriétaire, bien que celui-ci fût en réalité un Tchèque, le deuxième et dernier des services du St. B. au plan du major Volkov pour importer en Angleterre les éléments de base dont Valéri Petrofsky avait besoin.

Les douaniers fouillèrent la Mini et ne découvrirent rien d'anormal. Le touriste quitta les quais de Southampton et suivit les flèches indiquant la direction de

Londres, jusque dans la banlieue nord du grand port, où il s'arrêta sur un vaste parking. Il faisait déjà sombre, il se gara au fond, où personne ne pourrait le voir depuis la nationale. Il descendit, prit une trousse à outils dans le coffre et se mit à dévisser les phares.

Il dévissa d'abord l'anneau chromé qui recouvre l'espace entre le phare proprement dit et le métal de l'aile. Avec un tournevis plus gros, il enleva ensuite les vis qui maintiennent le phare dans son logement. Quand ce fut fait, il dégagea le phare de son orbite et débrancha les fils électriques souples reliant le phare à l'installation électrique de la voiture. Il posa le globe du phare, qui semblait exceptionnellement lourd, dans un sac de toile à côté de lui.

Il lui fallut presque une heure pour extraire les deux globes. Quand il eut terminé, la petite voiture fixait la nuit avec ses orbites vides. Le lendemain matin, l'agent reviendrait avec deux phares neufs, achetés à Southampton, les installerait et repartirait.

Mais pour le moment, il souleva le sac pesant, retourna sur la route et rebroussa chemin vers le port. L'arrêt d'autobus se trouvait à trois cents mètres du parking, comme on le lui avait annoncé. Il consulta sa montre. Il avait dix minutes d'avance.

Dix minutes plus tard exactement, un homme en blouson noir de motocycliste s'avança vers l'arrêt d'autobus. Il n'y avait personne d'autre. Le nouveau venu regarda vers le tournant où apparaîtrait l'autobus et fit observer :

« Il faut toujours attendre longtemps le dernier autobus du soir. »

Le Tchèque poussa un soupir de soulagement.

« Oui, répondit-il. Mais, Dieu merci, je serai rentré chez moi à minuit. »

Ils attendirent en silence l'arrivée de l'autobus de Southampton. Le Tchèque monta sans prendre le sac de toile qu'il avait posé par terre à ses pieds. Quand les feux de position de l'autobus disparurent en direction de la ville, le motocycliste prit le sac de toile et s'éloigna vers le café non loin, où il avait laissé sa motocyclette.

A l'aube, après s'être arrêté à Thetford pour changer de costume et de véhicule, il rentra chez lui, allée des Cerisiers, à Ipswich, avec la dernière pièce détachée de sa liste. La livraison du courrier Neuf était arrivée.

Deux jours plus tard, la surveillance de la maison de Compton Street, à Chesterfield, datait déjà d'une semaine et absolument rien ne s'était produit.

Les deux Grecs menaient l'existence la plus banale du monde. Ils se levaient vers neuf heures, s'occupaient de leur maison – ils faisaient eux-mêmes le ménage – et partaient pour leur restaurant en fin de matinée, dans leur conduite intérieure. Ils y restaient presque jusqu'à minuit et retournaient dormir chez eux. Aucun visiteur, et très peu d'appels téléphoniques – toujours pour des commandes de viande, de légumes, rien d'extraordinaire.

Len Stewart et ses hommes, qui s'occupaient de la taverne d'Holywell Cross, signalaient à peu près la même chose. Le téléphone servait plus souvent, mais pour commander des plats, retenir une table ou se faire livrer du vin. Il n'était pas possible qu'un guetteur dîne là-bas chaque soir. Les Grecs étaient apparemment des professionnels ayant vécu des années d'existence clandestine; ils auraient repéré un client venant trop fréquemment ou traînant trop longtemps. Mais Stewart et son équipe faisaient de leur mieux.

Pour les hommes de la maison des Royston, le principal problème était l'ennui. Même M. et Mme Royston commençaient à se lasser du dérangement occasionné par la présence des guetteurs : l'enthousiasme des premiers jours s'effritait. M. Royston avait accepté de faire un peu de propagande pour le Parti conservateur – il aurait refusé d'aider toute autre formation politique – et les fenêtres de la façade s'ornaient maintenant d'affichettes en faveur du candidat Tory de la circonscription.

Cela permettait davantage d'allées et venues qu'à l'accoutumée : il suffisait de porter la cocarde des conservateurs pour entrer et sortir de la maison sans attirer l'attention des voisins. La ruse permit à Burkinshaw et à ses hommes, pourvus de cocardes voyantes, d'aller faire un tour de temps en temps pendant que les Grecs étaient à leur restaurant. Cela rompait la monotonie. Le seul qui parût imperméable à l'ennui était Burkinshaw lui-même.

Pour le reste, la principale distraction était la télévision, en laissant le son très bas, surtout quand les Royston étaient sortis. Du matin au soir, le principal sujet demeurait la campagne électorale. Au bout d'une semaine, trois facteurs semblaient de plus en plus clairs.

L'alliance libéraux-démocrates sociaux n'avait pas encore percé dans les sondages d'opinion et la lutte se réduisait de plus en plus à l'affrontement traditionnel entre conservateurs et travaillistes. En deuxième lieu, tous les sondages situaient les deux principaux partis beaucoup plus proches l'un de l'autre que l'on n'aurait pu le prévoir quatre ans auparavant, lors du raz de marée conservateur de 1983. En outre, les sondages au niveau des circonscriptions indiquaient que le résultat des quatre-vingts sièges les plus disputés déciderait presque certainement de quelle couleur serait le prochain gouvernement du pays. Dans toute élection, c'est l' « électorat flottant », les dix à vingt pour cent de la population les plus enclins à changer leur vote, qui s'avère déterminant.

Troisième constatation, malgré toutes les questions économiques et idéologiques soulevées, malgré les efforts de tous les partis pour exploiter ces problèmes au mieux de leurs intérêts, la campagne était de plus en plus dominée par le sujet, beaucoup plus sensible pour le public, du désarmement nucléaire unilatéral. Dans les sondages récents, la course aux armements nucléaires figurait en tête ou en deuxième place des préoccupations de l'électorat.

Les mouvements pacifistes, en majorité de gauche et pour une fois unis, organisaient ce qui revenait en fait à une campagne parallèle. D'énormes manifestations, qui se répétaient presque chaque jour, bénéficiaient d'autant d'heures d'antenne de télévision et de colonnes dans la presse écrite que la campagne électorale elle-même. Ces mouvements, qui n'avaient apparemment aucun moyen de réunir des fonds, semblaient capables, grâce à leurs ressources associées, de louer des centaines d'autobus au tarif normal pour transporter leurs manifestants d'un bout à l'autre du pays.

Les personnalités de la Gauche Dure du Parti travailliste, agnostiques ou athées jusqu'au dernier homme, se montraient en toute occasion, à la télévision et en public, avec des pontifes de l'aile « dans le vent » de l'Eglise anglicane, et les membres de chaque coterie passaient leur temps d'antenne à hocher la tête gravement aux arguments présentés par l'autre groupe.

Inévitablement, la principale cible des partisans du désarmement était le Parti conservateur – et donc leur premier allié le Parti travailliste. Le leader travailliste, soutenu par son Exécutif national, voyant de quel côté soufflait le vent, s'aligna publiquement, ainsi que son parti, sur toutes les revendications des partisans d'un désarmement unilatéral.

L'autre thème qui animait la campagne de la Gauche était bien entendu l'antiaméricanisme. Sur cent interviews de partisans du désarmement, il devint bientôt impossible, pour un journaliste de la presse écrite ou radiotélévisée, d'extraire une seule parole condamnant la Russie soviétique. Le thème constamment répété était la haine de l'Amérique, qualifiée de militariste, d'impérialiste et de menace pour la paix.

Le jeudi 4 juin, la campagne prit une autre dimension : les Soviétiques offrirent soudain à l'ensemble de l'Europe occidentale, pays neutres et pays de l'O.T.A.N., la « garantie » d'une zone « dénucléarisée » à perpétuité, si l'Amérique faisait de même.

Le ministre de la Défense de Grande-Bretagne tenta aussitôt d'expliquer :

a – que le démantèlement des défenses européennes et américaines était vérifiable, alors que celui des ogives soviétiques ne l'était pas,

et b – que le Pacte de Varsovie bénéficiait d'une supériorité de quatre contre un sur l'O.T.A.N. en matière d'armement conventionnel.

Il fut hué à deux reprises et ses gardes du corps durent l'arracher aux mains des « pacifistes ».

« On croirait que cette élection est un référendum national sur le désarmement nucléaire, grogna Harry Burkinshaw en avalant une autre pastille à la menthe.

– Tout juste », répondit Preston, amer.

Le vendredi, le major Petrofsky fit quelques achats dans le centre ville d'Ipswich. Dans une quincaillerie, il acheta un de ces chariots légers à deux roues dont on se sert pour transporter les sacs, les poubelles ou les grosses valises. Un marchand de matériel de construction lui céda deux madriers de trois mètres.

Dans un magasin de fournitures de bureau, il acheta un petit classeur métallique de soixante-quinze centimètres de haut, quarante-cinq centimètres de large et trente centimètres de profondeur, avec une porte pourvue d'une serrure de sécurité.

Un marchand de bois lui fournit des voliges, des baguettes et des traverses courtes, et une boutique de bricolage lui vendit une boîte à outils complète comprenant une perceuse à grande vitesse avec un choix de forets pour le bois et le métal, des clous, des vis, des boulons, des écrous et une paire de gants de protection très résistants.

Dans un entrepôt d'emballage, il acheta de la mousse synthétique isolante, et il termina sa matinée par l'acquisition, chez un électricien, de quatre piles cubiques de neuf volts et de fil électrique souple monoconducteur à gaine plastique de plusieurs couleurs. Il fit deux voyages avec sa voiture pour rapporter ses achats allée des Cerisiers, où il les laissa dans le garage. Le soir venu, il transporta presque tout son matériel dans la maison.

Cette nuit-là, son récepteur radio lui apprit en morse les détails de l'arrivée de l'assembleur – la seule partie du plan qu'on ne lui avait pas demandé de mémoriser. Ce serait le rendez-vous X et la date, lundi 8 juin. Juste se dit-il, très juste. Mais tout se passerait dans les temps.

Tandis que Petrofsky se penchait sur ses grilles à usage unique pour décoder le message, et que les Grecs servaient moussaka et kebab à la queue de traînards qui venaient de quitter les bars voisins à l'heure de la fermeture, Preston, au commissariat de police, répondait au téléphone.

« La question, John, disait Sir Bernard Hemmings, c'est combien de temps pouvons-nous continuer la surveillance à Chesterfield sans le moindre résultat?

– Cela ne fait qu'une semaine. Il nous est arrivé de rester à l'affût beaucoup plus longtemps.

– Certes, je le sais bien. Mais en général, nous avions beaucoup plus d'éléments concrets au départ. Il y a ici un mouvement d'opinion qui propose de tomber sur les Grecs pour voir ce qu'ils cachent dans cette maison, à supposer qu'ils cachent quelque chose. Pourquoi refusez-vous une pénétration clandestine pendant qu'ils sont dans leur restaurant?

– Parce que je crois que ce sont des professionnels de premier ordre : ils s'apercevront aussitôt qu'ils sont « faits ». Et dans ce cas ils ont probablement un moyen à toute épreuve d'avertir leur contrôleur de ne plus leur rendre visite.

– Oui, vous avez sans doute raison. Vous guettez

devant cette maison comme une chèvre entravée attend l'arrivée du tigre. Mais supposez que le tigre ne vienne pas?

– Je crois qu'il viendra tôt ou tard, Sir Bernard, répondit Preston. Accordez-moi un peu plus de temps.

– Soit, concéda Hemmings après un silence pour consulter quelqu'un à l'autre bout du fil. Une semaine, John. Vendredi prochain je ferai intervenir les hommes de la Brigade spéciale pour passer cette maison au peigne fin. Regardons les choses en face, l'homme que vous recherchez est peut-être à l'intérieur depuis le début.

– Je n'en crois rien. Jamais Winkler ne serait rendu dans l'antre du tigre lui-même. Non, l'homme est encore en liberté quelque part, et il viendra.

– Très bien. Une semaine, John. Jusqu'à vendredi prochain. »

Sir Bernard raccrocha. Preston fixa l'appareil. Les élections étaient dans treize jours. Il commençait à se sentir déprimé. Ne s'était-il pas trompé sur toute la ligne? Personne, à l'exception peut-être de Sir Nigel, ne croyait en son intuition. Un petit disque de polonium et un « voyageur » tchèque de deuxième zone n'étaient pas un point de départ très solide – les deux incidents risquaient même de ne pas être liés.

« D'accord, Sir Bernard, dit-il à l'appareil muet : une semaine. Après quoi, je force la baraque de toute façon. »

L'avion Finnair arriva d'Helsinki le lundi suivant dans l'après-midi, à l'heure comme d'habitude, et tous ses passagers sortirent d'Heathrow sans problème particulier. L'un d'eux était un grand barbu entre deux âges, que son passeport finlandais présentait sous le nom d'Urho Nuutila. Sa connaissance parfaite de la langue finnoise venait de son origine carélienne. En réalité, c'était un Russe nommé Vassiliev, physicien de profession, spécialisé dans l'ingénierie nucléaire et affecté à l'artillerie de l'armée de terre soviétique, direction des Recherches balistiques. Comme beaucoup de Finlandais, il parlait un anglais acceptable.

Après avoir franchi la douane, il prit l'autobus gratuit conduisant au Penta Hotel d'Heathrow. Il entra d'un bon pas, passa sans ralentir devant la réception et sortit par la porte de derrière sans que personne ne le remarque. Il attendit dans le parking, en plein soleil, jusqu'à ce qu'un petit break Ford s'arrête à sa hauteur. Le conducteur avait baissé sa glace.

« Est-ce l'endroit où les autobus de l'aéroport déposent les voyageurs? demanda-t-il.

– Non, répondit le Finlandais. Je crois que c'est de l'autre côté.

– D'où venez-vous? demanda le jeune homme.

– De Finlande, en fait, répondit le barbu.

– Il doit faire froid là-bas.

– Non, à cette époque de l'année il fait très chaud. Le principal problème, ce sont les moustiques. »

Le jeune homme hocha la tête. Vassiliev fit le tour de la voiture et monta. Ils s'éloignèrent.

« Votre nom? demanda Petrofsky.

– Vassiliev.

– Ça suffira. Rien d'autre. Je suis Ross.

– C'est loin? demanda Vassiliev.

– Environ deux heures. »

Ils firent le reste du trajet sans un mot. Petrofsky effectua trois manœuvres successives pour repérer une filature éventuelle, mais il n'y en avait pas. Ils arrivèrent allée des Cerisiers à la tombée de la nuit. Devant la porte de la maison voisine, M. Armitage tondait sa pelouse.

« De la compagnie? » lança celui-ci tandis que Vassiliev descendait de voiture et se dirigeait vers l'entrée.

Petrofsky prit la petite valise du Finlandais à l'arrière et lança un clin d'œil à M. Armitage.

« L'inspecteur de ma boîte, répondit-il entre ses dents. Ils ont l'air contents. Je vais recevoir une promotion.

– Oh! félicitations », sourit M. Armitage.

Il adressa à Petrofsky un signe de tête encourageant et continua de pousser sa tondeuse.

Dans le salon, Petrofsky ferma les rideaux comme il faisait toujours avant d'allumer la lumière. Vassiliev attendait, immobile dans le noir.

« Parfait, dit-il quand la lumière s'alluma. Au travail. Vous avez les neuf colis qui vous ont été livrés?

– Oui. Tous les neuf.

– Vérifions. Un ballon d'enfant pesant une vingtaine de kilos?

– Oui.

– Une paire de chaussures, une boîte de cigares, un plâtre de bras cassé?

– Oui.

– Un appareil radio, un rasoir électrique, un tuyau d'acier extrêmement lourd?

– Ce doit être ceci. »

Petrofsky prit dans un placard un morceau de métal enveloppé dans un revêtement résistant à la chaleur.

« Oui, répondit Vassiliev. Enfin, un extincteur à main, anormalement lourd et une paire de phares de voiture très lourds eux aussi.

– C'est bien ça.

– Tout est là. Si vous avez réuni le reste – les petits achats de quincaillerie – je commencerai l'assemblage demain matin.

– Pourquoi pas tout de suite?

– Ecoutez, jeune homme. Tout d'abord les coups de scie et le bruit de la perceuse ne feraient pas plaisir aux voisins à cette heure. Ensuite, je suis fatigué. Avec ce genre de jouet, il n'est pas question de commettre d'erreurs. Je commencerai demain matin à la première heure et j'aurai terminé au coucher du soleil. »

Petrofsky acquiesça.

« Prenez la chambre de l'arrière. Je vous conduirai à Heathrow mercredi pour le vol du matin. »

20

VASSILIEV préféra travailler dans le salon, rideaux fermés, à la lumière électrique. Il demanda d'abord à Petrofsky de réunir les neuf colis.

« Nous aurons besoin d'un sac poubelle », dit-il.

Petrofsky alla lui en chercher un dans la cuisine.

« Faites-moi passer les objets à mesure que je vous les demande, dit l'assembleur. En premier, la boîte de cigares. »

Il déchira les sceaux et ouvrit le couvercle. La boîte contenait deux couches de cigares, treize au-dessus et douze au-dessous, chacun protégé par un tube d'aluminium.

« Ce devrait être le troisième à partir de la gauche dans la rangée du bas. »

Exact. Il ôta le cigare de son tube et le fendit sur toute la longueur avec une lame de rasoir. Il put extraire du tabac une mince fiole de verre dont un bout était scellé. Deux fils électriques tordus ensemble en sortaient. Un détonateur électrique. Le reste alla dans le sac poubelle.

« Le plâtre, s'il vous plaît. »

Le plâtre avait été posé en deux fois : on avait laissé durcir la première couche avant d'appliquer la deuxième. Entre les deux couches, on avait placé, bien à plat, une feuille de substance grise ressemblant à du mastic, entre deux feuilles de cellophane pour l'empêcher d'adhérer au plâtre. Vassiliev sépara les deux couches de plâtre, enleva la pâte à modeler grise de sa cavité, jeta les feuilles protectrices de cellophane et roula la pâte en boule. Deux cent cinquante grammes de plastic.

Quand Petrofsky lui donna les chaussures de M. Lichka, il découpa les deux talons. Il sortit de l'un un disque d'acier de cinq centimètres de diamètre sur deux et demi d'épaisseur. Le bord du disque était fileté, pour constituer une sorte de gros boulon plat. La surface supérieure avait une entaille profonde pour adapter un gros tournevis. De l'autre talon, il sortit un disque de métal gris plus plat, de cinq centimètres de large. C'était du lithium, métal inerte qui, associé au polonium au moment de l'explosion, formerait l'initiateur permettant à la réaction atomique d'atteindre sa pleine puissance.

Le disque de polonium vint du rasoir électrique qui avait tellement inquiété Karel Wosniak – il remplaçait le disque perdu à Glasgow.

Restaient encore cinq colis.

L'assembleur arracha le revêtement isolant du tuyau d'échappement du camion Hanomag pour révéler un tube d'acier pesant vingt kilos. Le diamètre intérieur était de cinq centimètres, le diamètre extérieur de dix centimètres. En effet le métal avait deux centimètres et demi d'épaisseur : de l'acier durci. Une extrémité portait une collerette et était filetée à l'intérieur. L'autre était fermée par une plaque d'acier. Cette plaque avait en son centre un petit trou juste de la taille du détonateur électrique.

Du poste de radio du premier lieutenant Romanov, Vassiliev sortit le minuteur, boîte d'acier plate, entièrement scellée, de la taille de deux paquets de cigarettes mis bout à bout. D'un côté, deux gros boutons ronds, un rouge et un jaune. De l'autre deux fils de couleur, le négatif et le positif. A chaque angle, une sorte d'oreille percée d'un trou, pour pouvoir visser l'appareil sur le classeur métallique qui contiendrait la bombe.

L'assembleur prit l'extincteur de la Saab de M. Lundqvist, dévissa la base, que l'équipe de préparation avait découpée puis réassemblée et repeinte pour dissimuler la modification. Il sortit de l'intérieur, non de la mousse liquide mais de la mousse plastique d'emballage, et enfin une lourde tige dc métal semblable à du plomb, de douze centimètres et demi de longueur sur cinq centimètres de section. Si petite qu'elle fût, cette tige pesait quatre kilos cinq cents. Vassiliev enfila les gros gants pour la manipuler. C'était de l'uranium 235 pur.

« Ce truc-là n'est pas radioactif? demanda Petrofsky qui suivait tous ces gestes, fasciné.

– Si, mais ce n'est pas dangereux. Les gens se figurent que tous les matériaux radioactifs sont dangereux de la même façon. C'est une erreur. Les montres lumineuses sont radioactives, mais nous en portons. L'uranium émet des rayons alpha à bas niveau. Le plutonium, oui, est vraiment mortel. Comme ce truc-là quand il atteint le point critique, juste avant la détonation. Mais pas maintenant. »

Il fallut du temps pour démonter les deux phares de la Mini Austin. Vassiliev enleva le verre, les lampes et le réflecteur intérieur. Il resta deux demi-sphères extrêmement lourdes, en acier durci de deux centimètres et demi d'épaisseur. Chaque élément avait un bourrelet tout le tour, percé de seize trous pour recevoir les boulons et les écrous. Une fois réunis, ils formeraient un globe parfait.

L'une des demi-sphères avait à la base un trou de cinq centimètres de diamètre, fileté à l'intérieur pour recevoir le boulon d'acier qui avait voyagé dans la chaussure gauche de Lichka. De l'autre demi-sphère dépassait un bout de tube court, de cinq centimètres de diamètre, fileté à l'extérieur pour pouvoir se visser sur le « canon » d'acier – le tube provenant du tuyau d'échappement de l'Hanomag.

Le dernier objet était le ballon d'enfant, apporté par le camping-car. Vassiliev découpa et jeta la couche caoutchoutée de couleur claire. Une sphère de métal brilla sous la lampe.

« C'est l'enveloppe de plomb, dit-il. La boule d'uranium, le cœur fissile de la bombe, se trouve à l'intérieur. Je le sortirai plus tard. Il est radioactif lui aussi, comme l'autre bout, là-bas. »

Ayant vérifié les neuf livraisons, il se mit au travail sur le classeur métallique. Il le retourna sur le dos, souleva le couvercle et, avec les tasseaux et les baguettes, prépara un cadre intérieur en forme de berceau qui reposerait sur le fond du classeur. Il recouvrit le berceau d'une couche épaisse de mousse plastique.

« J'en mettrai d'autre sur les côtés et au-dessus, quand la bombe sera en place », expliqua-t-il.

Il prit les quatre piles et les monta en série, puis il les fixa en un bloc avec du chatterton. Il perça quatre petits trous dans le couvercle du classeur métallique et fixa le bloc de piles à l'intérieur du couvercle avec du fil de fer. Il était midi.

« Parfait, dit-il. Montons maintenant notre engin. A propos, vous avez déjà vu une bombe atomique?

– Non », répondit Petrofsky, la gorge nouée.

Il était spécialiste du combat rapproché. Il n'avait peur ni des poings, ni des poignards, ni des revolvers. Mais le sang-froid de Vassiliev et sa jovialité tandis qu'il manipulait une puissance destructrice capable de pulvériser une ville entière le mettaient extrêmement mal à l'aise. Comme la plupart des gens, il considérait la science nucléaire comme un art occulte.

« Autrefois, elles étaient très compliquées, lui dit l'assembleur. Très grosses, même les plus faibles. On ne pouvait les réaliser que dans des conditions de laboratoire extrêmement complexes. Aujourd'hui, les bombes vraiment sophistiquées, celles à hydrogène de plusieurs mégatonnes, exigent encore les mêmes conditions. Mais pour une bombe rudimentaire, tout s'est tellement simplifié qu'on peut la construire dans n'importe quel atelier de bricoleur. Si l'on a les éléments qu'il faut, bien entendu. Il suffit de quelques précautions et d'un peu de savoir-faire.

– Magnifique », dit Petrofsky.

Vassiliev découpait déjà la mince feuille de plomb entourant la boule d'uranium 235. Le plomb avait été posé à froid, comme du papier d'emballage, et les joints abrasés à la lampe à souder. Il se détacha très facilement. La boule à l'intérieur avait douze centimètres et demi de diamètre, avec un trou de cinq centimètres de section percé au beau milieu.

« Vous voulez savoir comment ça marche? demanda Vassiliev.

– Oui.

– Cette boule est de l'uranium. Poids : quinze kilos cinq cents. Pas assez pour atteindre le niveau critique. L'uranium devient « critique » quand sa masse dépasse le point critique.

– Il devient « critique »?

– Il se met en effervescence. Pas au sens littéral, comme de la limonade. En effervescence radioactive. Il franchit le seuil de détonation. Cette boule n'est pas encore à ce stade. Vous voyez cette sorte de tige, là?

– Oui. »

C'était la barre d'uranium que Vassiliev avait retirée de l'extincteur.

« Elle s'adapte exactement au trou de cinq centimètres qui se trouve au centre de la boule. Quand elle se mettra en place, la masse totale deviendra critique. Le tube d'acier, là, est comme le canon d'un fusil, avec la tige d'uranium en guise de balle. La détonation de la charge de plastic fera glisser la tige dans le tube, puis au cœur de la boule.

– Et bang!

– Pas tout à fait. Il faut un initiateur. Abandonné à

lui-même, l'uranium se désintégrerait jusqu'à extinction, en provoquant une quantité énorme de radioactivité mais pas d'explosion. Pour provoquer le « bang », il faut bombarder l'uranium critique avec un ouragan de neutrons. Ces deux disques, de lithium et le polonium, forment l'initiateur. Séparés, ils sont inoffensifs : le polonium est un faible émetteur de rayons alpha et le lithium est inerte. Si on les joint, ils font aussitôt quelque chose d'étrange. Ils démarrent une réaction. Ils émettent l'ouragan de neutrons dont nous avons besoin. Soumis à ce traitement, l'uranium se désintègre en libérant une énergie gigantesque. C'est la destruction de la matière. Cela ne dure qu'un cent millionième de seconde. La sphère-réflecteur d'acier a pour but de maintenir le tout ensemble pendant cette infime durée.

– Qui va mettre en place l'initiateur? » demanda Petrofsky en une tentative d'humour noir.

Vassiliev sourit.

« Personne. Les deux disques seront en place mais séparés. Nous mettrons le polonium au fond du trou de la boule d'uranium et le lithium au bout de la tige d'uranium lancée par notre « canon ». Cette « balle » descendra dans le tube, entrera au cœur de la boule, et le lithium sera projeté sur le disque de polonium en attente au fond du tunnel. Voilà. »

Avec une goutte de colle spéciale, Vassiliev fixa le disque de polonium sur la face lisse du bouchon fileté d'acier transporté dans l'un des talons de Lichka. Il vissa ensuite ce bouchon à la base d'une des demi-sphères du réflecteur. Enfin, il plaça la boule d'uranium dans le « bol ». Quatre « tétons » avaient été usinés à l'intérieur du bol, correspondant à quatre évidements dans la boule d'uranium. Une fois engagés, les tétons maintenaient la boule en position. Vassiliev prit un crayon-torche et regarda dans le trou de l'uranium.

« Voilà, dit-il. Le disque attend au fond du trou. »

Il plaça ensuite la deuxième demi-sphère au-dessus, pour former un globe parfait. Il mit presque une heure à bloquer les seize boulons dans la collerette, pour maintenir les deux moitiés ensemble.

« Maintenant, le canon », dit-il.

Il enfonça la boule de plastic au fond du tube d'acier de quarante-cinq centimètres et le tassa fermement mais en douceur, avec le manche du balai de la cuisine. Une petite boule de plastic dépassa par un petit trou percé au fond du tube. Avec la même colle, Vassiliev fixa le disque de lithium à un bout de la tige d'uranium, l'enveloppa dans un mouchoir de papier pour s'assurer que la tige ne pourrait pas glisser d'elle-même dans le tube sous l'effet de vibrations et enfonça le tout contre l'explosif au fond du canon. Ensuite, il vissa le tube sur le globe. On aurait dit un melon gris de dix-sept centimètres et demi de diamètre, avec un manche de quarante-cinq centimètres sortant d'un côté, une sorte de grenade à manche de taille surprenante.

« Presque terminé, dit Vassiliev. Le reste relève de la technique des bombes conventionnelles. »

Il prit le détonateur, sépara les fils et les isola avec du chatterton. S'ils entraient en contact il se produirait une détonation prématurée. Il brancha un mètre de fil souple de cinq ampères à chaque fil du détonateur, puis enfonça celui-ci dans le petit trou du canon jusqu'à ce que le tube de verre soit noyé dans le plastic.

Il posa la bombe, comme un bébé, sur son berceau de mousse et glissa de la mousse autour et au-dessus. Seuls les deux fils dépassaient. Il fixa l'un d'eux à la borne positive du bloc de piles.

Un troisième fil était déjà fixé à la borne négative des piles, et Vassiliev tenait donc encore un fil dans chaque main. Il isola l'extrémité dénudée de chacun d'eux.

« Au cas où ils entreraient en contact, dit-il en

souriant. Parce que ce serait vraiment une catastrophe. »

Le seul élément encore inutilisé était le minuteur. Vassiliev perça cinq trous sur le côté du classeur métallique, vers le haut. Le trou central était celui des fils qui sortaient au dos du minuteur. Il les fit passer à l'intérieur. Les quatre autres servirent à fixer le minuteur à l'extérieur du classeur métallique, avec de petits boulons. Cela fait, il relia les fils des piles et du détonateur à ceux du minuteur, en fonction de leur couleur. Petrofsky retint son souffle.

« Ne vous en faites donc pas, dit Vassiliev qui le remarqua. Ce minuteur a été essayé peut-être vingt fois chez nous. Le coupe-circuit est à l'intérieur, et il marche. »

Il fixa le dernier fil, isola abondamment les épissures et abaissa le couvercle du classeur métallique, qu'il ferma à clef.

« Voilà, camarade Ross, dit-il en remettant la clef à Petrofsky. Vous pourrez la transporter sur votre chariot et la charger à l'arrière de votre break sans aucun problème. Vous pouvez l'emmener où vous voudrez, elle ne craint pas les vibrations. Une dernière chose : le bouton jaune, ici, lance le minuteur mais n'établit pas le contact électrique. Vous le pousserez à fond. Le contact se produira automatiquement deux heures plus tard. Appuyez sur le bouton, et il vous reste deux heures pour ficher le camp... Quant au bouton rouge, c'est un interrupteur manuel. Si vous appuyez, le circuit se ferme et la détonation est instantanée. »

Il ne savait pas que c'était faux. Il croyait vraiment ce qu'on lui avait dit. Quatre hommes seulement, à Moscou, savaient que les deux boutons provoqueraient une détonation immédiate. Le soir tombait.

« Maintenant, mon ami Ross, j'ai envie de manger, de boire un peu, de bien dormir et de rentrer demain matin à Moscou. Si ce programme vous convient...

– Tout à fait, répondit Petrofsky. Mettons le classeur métallique dans le coin, entre la desserte et la table à thé. Servez-vous un whisky. Je vais préparer le dîner. »

Ils prirent la route d'Heathrow à dix heures du matin dans la petite Ford de Petrofsky. Au sud-ouest de Colchester, où la route traverse une forêt dense, Petrofsky s'arrêta pour un besoin naturel. Quelques secondes plus tard, Vassiliev l'entendit pousser des cris d'alarme et courut voir ce qu'il lui arrivait. Il termina ses jours avec la nuque brisée, derrière un rideau d'arbres. Petrofsky enleva du cadavre tout ce qui aurait pu permettre de l'identifier, le porta jusqu'à un fossé et le recouvrit de branchages. On le trouverait sans doute dans deux ou trois jours, peut-être plus tard. La police enquêterait, les journaux locaux publieraient ou ne publieraient pas une photographie, que son voisin Armitage verrait ou ne verrait pas, reconnaîtrait ou ne reconnaîtrait pas. De toute façon, ce serait trop tard. Petrofsky retourna à Ipswich.

Il n'avait aucun scrupule de conscience. Ses ordres étaient très clairs en ce qui concernait l'assembleur. Petrofsky ne parvenait pas à comprendre que Vassiliev ait cru qu'il retournerait en Russie. Et de toute façon, il avait maintenant d'autres problèmes. Tout était prêt mais le temps manquait. Il s'était rendu à Rendlesham Forest et il avait choisi l'endroit, dans un fourré mais à cent mètres à peine de la clôture de la base aérienne américaine de Bentwaters. Il n'y aurait personne là-bas, à quatre heures du matin, quand il appuierait sur le bouton jaune pour provoquer la détonation à six heures. Des branches dissimuleraient le classeur métallique pendant que les minutes s'égrèneraient et qu'il filerait sur la route de Londres.

La seule chose qu'il ignorait encore était le matin choisi. Il recevrait l'ordre la veille au soir, sur Radio Moscou, aux informations en langue anglaise de vingt-deux heures. Au cours du premier sujet d'actualité traité, le journaliste ferait un lapsus volontaire. Mais comme Vassiliev ne pourrait pas annoncer à Moscou que tout était prêt, il fallait encore que Petrofsky envoie le dernier message radio. Ensuite, les Grecs deviendraient inutiles.

Au crépuscule, par une chaude soirée de juin, il quitta l'allée des Cerisiers et roula paisiblement vers le nord, en direction de Thetford et de sa moto. A neuf heures, il enfourcha son engin et prit la route du Nord-Ouest, vers les Midlands.

L'ennui d'une soirée ordinaire, pour les guetteurs de la chambre en façade de la villa des Royston, se dissipa soudain peu après dix heures, quand Len Stewart appela à la radio, depuis le commissariat de police.

« John, un de mes hommes vient de finir de dîner à la taverne. Le téléphone a sonné deux coups, puis la personne qui appelait a dû raccrocher. Cela a recommencé presque aussitôt, deux sonneries, puis plus rien. Quelques secondes plus tard, même manège une troisième fois. La table d'écoute le confirme.

– Est-ce que les Grecs ont essayé de décrocher?

– Ils ne sont pas arrivés à temps la première fois. Après, ils n'ont même pas essayé. Ils ont continué de servir... Ne quittez pas... John, vous êtes là?

– Oui, bien sûr.

– Mes hommes à l'extérieur signalent qu'un des Grecs vient de sortir. Par l'arrière. Il va chercher sa voiture.

– Deux voitures et quatre hommes derrière lui, ordonna Preston. Les deux autres au restaurant. Celui qui est sorti quittera peut-être la ville. »

Mais ce n'était pas le cas. Andréas Stéphanidès retourna simplement Compton Street, gara sa voiture et entra. Des lumières s'allumèrent derrière les rideaux. Rien d'autre ne se produisit. A 23 h 20, plus tôt que de coutume, Spiridon ferma la taverne et rentra chez lui à pied. Il arriva à minuit moins le quart.

Le tigre de Preston arriva juste avant minuit. La rue semblait très calme. Presque toutes les lumières étaient éteintes. Preston avait dispersé ses quatre voitures et leurs équipages : personne ne vit l'homme approcher. Soudain, un des guetteurs de Stewart murmura :

« Un type en haut de Compton Street, angle dc Cross Street.

– Il fait quoi? demanda Preston.

– Rien. Debout, immobile dans l'ombre.

– On attend. »

Dans la chambre des Royston il faisait un noir d'encre. Les rideaux étaient ouverts et les hommes loin des fenêtres. Mungo était accroupi derrière l'appareil photo équipé de son objectif à infrarouge. Preston tenait le récepteur radio contre une oreille. Les six hommes de Stewart et les deux chauffeurs de Burkinshaw avec leurs voitures étaient quelque part dehors, tous reliés à Preston par radio. Une porte s'ouvrit en bas de la rue, quelqu'un jeta un chat dehors. La porte se referma.

« Il bouge, murmura la radio. Vers vous. Lentement.

– Je l'ai, lança Ginger entre ses dents, depuis l'une des fenêtres latérales de la baie vitrée. Taille et corpulence moyennes. Long imperméable sombre.

– Mungo, est-ce que tu peux le prendre sous le réverbère, juste avant la maison des Grecs? » demanda Burkinshaw.

Mungo fit pivoter légèrement l'objectif.

« Je fais le point sur la tache de lumière, dit-il.

– Il est à dix mètres », dit Ginger.

Sans un bruit, la forme en imperméable entra dans le cône de lumière faible. L'appareil de Mungo prit cinq clichés en succession rapide. L'homme ressortit de la lumière et arriva devant la grille des Stéphanidès.

Il remonta l'allée et frappa au lieu de sonner. La porte s'ouvrit aussitôt. Pas de lumière dans le vestibule. L'imperméable noir passa à l'intérieur. La porte se referma.

De l'autre côté de la rue, l'atmosphère se détendit.

« Mungo, filez avec la pellicule au laboratoire de la police. Je veux ces photos développées et envoyées directement à Scotland Yard. Transmission immédiate à « Charles » et à Sentinel. Je les préviendrai : ils seront prêts à identifier la « gueule ».

Un détail troublait Preston. Quelque chose dans la démarche de cet homme... Et la nuit était chaude, pourquoi un imperméable? En cas de pluie? Il avait fait soleil toute la journée. Pour dissimuler quelque chose? Un costume clair, des vêtements particuliers?

« Mungo, qu'est-ce qu'il avait sur le dos? Vous l'avez vu en gros plan. »

Mungo avait déjà la main sur la poignée de la porte.

« Un imperméable, dit-il. Sombre. Long.

– Et dessous? »

Ginger sifflota, indécis.

« Des bottes. Je m'en souviens à présent. Vingt-cinq centimètres de bottes de cuir.

– Merde, il est venu à moto! dit Preston en reprenant sa radio. Tout le monde sort dans les rues. A pied seulement. Pas de bruit de moteur. Toutes les rues du quartier sauf Compton Street. Vous cherchez une moto avec le moteur encore chaud. »

Le problème, se dit-il, c'est que je ne sais pas combien de temps il va rester dans la maison. Cinq minutes, dix minutes, une heure? Il appela Len Stewart.

« Len? Ici, John. Si nous trouvons cette moto, placez un émetteur de signaux où vous pourrez. En attendant, réveillez le commissaire King. Quand le Pote ressortira, nous le filerons, l'équipe d'Harry et moi. Vous resterez avec vos hommes sur les Grecs.

Une heure après notre départ, la police pourra investir la maison. »

Len Stewart, toujours au commissariat, acquiesça et composa aussitôt le numéro personnel du commissaire King.

Vingt minutes plus tard, l'un des hommes en maraude trouva la moto. Il rendit compte à Preston.

« Une grosse BMW, en haut de Queen Street. Une mallette derrière la selle, fermée à clef. Deux sacoches, une de chaque côté de la roue arrière, ouvertes. Moteur et tuyau d'échappement encore chauds.

– Numéro d'immatriculation? »

On lui donna le numéro, qu'il transmit aussitôt à Len Stewart, au commissariat. Stewart demanda une identification immédiate. Il s'agissait d'un numéro du Suffolk, et la carte grise était au nom d'un certain James Duncan Ross, de Dorchester.

« Véhicule volé, des fausses plaques ou une adresse bidon », murmura Preston.

Quelques heures plus tard, la police de Dorchester établit qu'il s'agissait du troisième cas.

L'homme qui avait trouvé la moto reçut l'ordre de fixer l'émetteur dans l'une des sacoches, de le mettre en marche et de s'éloigner du véhicule. C'était l'un des deux chauffeurs de Burkinshaw. Il regagna sa voiture, s'effaça derrière le volant et confirma que l'appareil fonctionnait.

« Parfait, dit Preston. Changement de tactique. Tous les chauffeurs à leur voiture. Les trois hommes de Len Stewart descendent vers West Street, où se trouve l'entrée de derrière de notre poste d'observation. Vous allez nous relever. L'un après l'autre, à partir de maintenant. »

Il se tourna vers les hommes qui l'entouraient.

« Harry, on plie bagages. Vous sortez le premier. Prenez la voiture de tête, je vous rejoindrai. Barney et Ginger, dans la voiture de soutien. Si Mungo revient à temps, il monte avec moi. »

L'un après l'autre, les hommes de Stewart arrivèrent par les jardins pour remplacer l'équipe de Burkinshaw. Preston se mit à prier pour que le « tigre », dans la maison des Grecs, ne sorte pas avant la fin de la relève. Il partit le dernier. Il passa la tête par la porte de la chambre des Royston pour les remercier de leur aide et leur promettre que tout serait terminé à l'aube. Les murmures qu'il reçut en réponse lui parurent très inquiets.

Preston se glissa à travers les jardins et déboucha dans West Street. Cinq minutes plus tard, il montait avec Burkinshaw et Joe, le chauffeur, dans la voiture de tête en stationnement, Foljambe Road. Ginger et Barney signalèrent qu'ils étaient prêts dans la deuxième voiture, en haut de Marsden Street, au coin de Saltergate.

« Bien entendu, dit Burkinshaw d'un ton sombre, si ce n'est pas cette moto, on se retrouve dans un torrent de merde sans pagaie... »

Preston était assis à l'arrière. A côté du chauffeur, Burkinshaw regardait l'écran de la console. Comme sur un tube cathodique de radar, un point lumineux s'allumait à intervalles réguliers. La position du point par rapport à un système de coordonnées indiquait la situation de l'appareil émetteur par rapport à l'axe de la voiture, ainsi que la distance approximative – huit cents mètres pour l'instant. La deuxième voiture était équipée du même appareil, ce qui permettait aux deux opérateurs de « trianguler ».

« Il faut que ce soit cette moto, dit Preston, d'une voix nouée. De toute façon, nous n'aurions pas pu le filer dans ces rues. Elles sont trop vides et il connaît trop bien son métier.

– Il sort! » aboya la radio soudain.

Cela coupa court à toute conversation. Les hommes de Stewart, dans la maison des Royston, signalèrent que l'homme à l'imperméable descendait l'allée, puis remontait Compton Street vers Cross Street, en direction de la BMW. Bientôt, il fut hors de vue. Deux minutes plus tard, l'un des chauffeurs de Stewart, derrière son pare-brise dans St. Margaret's Drive, indiqua que l'homme venait de traverser la rue, toujours en direction de Cross Street. Ensuite, plus rien. Cinq minutes passèrent. Preston priait.

« Il bouge. »

Burkinshaw sautait de joie sur le siège de devant – tout à fait surprenant de la part de ce guetteur flegmatique. Le point lumineux se déplaçait lentement sur l'écran : l'angle entre la motocyclette et la voiture changeait.

« L'objectif se déplace, confirma la deuxième voiture.

– On lui laisse un kilomètre et demi de marge et on décolle, ordonna Preston. Lancez le moteur. »

Le point lumineux se dirigea vers le sud, puis vers l'est, à travers le centre de Chesterfield. Un peu avant le carrefour de Lordsmill, les deux voitures se mirent à le suivre. Au carrefour, il n'y eut plus de doute. Le signal émis par la moto était régulier et rapide : il descendait l'A-617 vers Mansfield et Newark. Distance, presque deux kilomètres. Même leurs phares seraient invisibles du motocycliste, devant eux. Au volant, Joe sourit.

« Essaie de nous lâcher, maintenant, salopard... », dit-il.

Preston aurait préféré que l'homme devant eux fût en voiture. Les motocyclettes sont difficiles à filer. Rapides et maniables, elles peuvent se faufiler au milieu d'un embouteillage bloquant la voiture suiveuse, plonger dans des ruelles étroites ou entre des bornes interdisant le passage d'une voiture. Même en pleine campagne, elles peuvent quitter la route et rouler sur de la prairie où une voiture aurait du mal à les suivre. Il était essentiel que l'homme devant eux ne découvre pas qu'il était filé.

Le motocycliste conduisait bien. Il ne dépassait jamais la vitesse limite mais tombait rarement en dessous car il prenait les virages sans ralentir. Il resta sur l'A-617, passa sous le pont de l'autoroute M-1, traversa Mansfield endormi aux petites heures du matin, et continua vers Newark. Le Derbyshire céda la place aux terres fertiles et riches du Nottinghamshire, et l'homme ne ralentit pas.

Juste avant l'entrée de Newark, il s'arrêta.

« L'objectif se rapproche très vite, dit Joe soudain.

– En veilleuse et sur le bas-côté », lança Preston.

En fait, Petrofsky s'était engagé sur une route latérale, avait coupé son moteur et ses phares, puis s'était posté au coin de la nationale pour regarder dans la direction d'où il était venu. Un gros camion passa dans un bruit de tonnerre et disparut du côté de Newark. Rien d'autre. A un kilomètre cinq cents de là, les deux voitures des guetteurs attendaient sur le bord de la route. Petrofsky resta en place pendant cinq bonnes minutes, puis lança son moteur et partit sur la nationale en direction du sud-est. Dès qu'ils virent bouger le point lumineux sur le tube cathodique, les guetteurs suivirent, toujours à un kilomètre et demi de distance.

La poursuite continua. Ils traversèrent la Trent, où les lumières d'une énorme raffinerie de sucre éclairaient le ciel sur la droite, puis entrèrent dans Newark. Il était presque trois heures. A l'intérieur de la ville, le signal ne cessa d'osciller d'un côté et de l'autre tandis que les voitures des guetteurs s'engageaient dans le dédale des rues. Puis le point parut se stabiliser sur l'A-46 en direction de Lincoln. Les voitures avaient parcouru huit cents mètres sur cette route quand Joe freina brusquement.

« Il file sur notre droite, dit-il. La distance augmente.

– Demi-tour », ordonna Preston.

Ils trouvèrent l'embranchement à l'intérieur de

Newark; la moto avait pris l'A-17, toujours en direction du sud-est, vers Sleaford.

A Chesterfield, l'opération de police sur la maison Stéphanidès démarra à deux heures cinquante-cinq. Il y avait dix agents en uniforme dirigés par deux hommes de la Brigade Spéciale en civil. Dix minutes plus tôt, ils auraient pu prendre les deux espions soviétiques au dépourvu. Un coup de malchance. Juste au moment où les hommes de la Brigade spéciale s'avancèrent vers la porte, celle-ci s'ouvrit.

Les frères grecs étaient sur le point de partir en voiture avec leur radio pour émettre le message codé, déjà enregistré dans l'appareil. Andréas Stéphanidès sortait pour se mettre au volant de la voiture et Spiridon, derrière lui, portait l'émetteur. En voyant la police, Andréas poussa un cri, recula et claqua la porte. Les agents chargèrent, l'épaule en avant.

Quand la porte céda, Andréas était derrière et dessous. Il se releva et se mit à combattre dans le vestibule étroit avec l'ardeur d'un chien enragé. Il fallut deux hommes pour en venir à bout.

Les hommes de la Brigade spéciale passèrent par-dessus la mêlée, jetèrent un coup d'œil rapide dans les pièces du rez-de-chaussée, appelèrent les deux hommes en position dans le jardin de derrière – ils n'avaient vu sortir personne – et s'élancèrent dans l'escalier. Les chambres étaient vides. Ils trouvèrent Spiridon dans le minuscule grenier sous les solives. L'émetteur était à ses pieds. Un fil électrique pendait d'une prise murale, et une petite lumière rouge était allumée sur la console de l'appareil. Le Grec se rendit sans résistance.

A Menwith Hill, le poste d'écoute du Q.G. des Communications intercepta un « squirt » isolé de l'émetteur clandestin, et le signala. Il était 2 h 58 du matin, le jeudi 11 juin. La triangulation instantanée indiqua un endroit précis dans les quartiers de l'ouest de Chesterfield. On alerta aussitôt le commissariat local et l'appel fut transmis à la voiture du commissaire Rôbin King. Il prit la communication lui-même et répondit à Menwith Hill :

« Je sais. Nous les tenons. »

A Moscou, l'adjudant radio ôta son casque et se tourna vers le téléscripteur.

« Faible mais clair », dit-il.

Le téléscripteur se mit à crépiter et une série de lettres dépourvue de sens s'inscrivit sur la feuille de papier. Quand l'appareil se tut, l'officier qui attendait à côté du radio déchira la feuille et la fit passer dans le décodeur, déjà réglé sur la formule de la grille à usage unique convenue. Le décodeur avala la feuille, son ordinateur analysa les permutations et donna le message en clair. L'officier lut le texte et sourit. Il composa un numéro de téléphone, se présenta, vérifia l'identité de l'homme à qui il parlait et dit :

« Aurore est « prêt ».

Après Newark, la campagne devint soudain plus plate et le vent augmenta. La moto et les deux voitures qui la filaient pénétrèrent dans les douces collines crayeuses du Lincolnshire, sur les routes droites comme des flèches du pays des Fens, les plaines marécageuses de l'East Anglia. Le point lumineux, à une allure vive et régulière, entraîna les deux voitures de Preston sur l'A-17 au-delà de Sleaford, vers le Wash et le comté de Norfolk.

Au sud-est de Sleaford, Petrofsky s'arrêta de nouveau. Il étudia l'horizon derrière lui, à la recherche de phares. Il n'y en avait pas. A presque deux kilomètres, les poursuivants attendaient, tous feux éteints, moteurs coupés. Quand le point lumineux repartit sur l'écran de l'oscilloscope, ils reprirent la poursuite.

Au village de Sutterton, il y eut un autre moment de confusion. Deux routes quittaient la bourgade endormie : l'A-16 plein sud vers Spalding, et l'A-17, en direction du sud-est, vers Long Sutton et King's Lynn, dans le Norfolk. Il leur fallut deux minutes pour s'apercevoir que le point lumineux s'était engagé sur cette dernière route. L'intervalle entre la moto et les deux voitures avait augmenté : presque cinq kilomètres.

« Resserrez! » ordonna Preston.

Joe maintint l'aiguille du compteur à 140 jusqu'à ce que la distance se réduise à deux kilomètres.

Au sud de King's Lynn, ils traversèrent le bras de l'Ouse, et quelques secondes plus tard le point lumineux s'engagea dans la route du sud qui conduit à Downham Market et Thetford.

« Où est-ce qu'il va, merde? grogna Joe.

– Il a une base quelque part par là, répondit Preston derrière lui. Continuez de le suivre. »

Sur leur gauche, à l'est, l'horizon se teintait déjà de traînées roses et les silhouettes des arbres se détachaient, de plus en plus nettes sur le ciel. Joe coupa ses phares et se mit en veilleuse.

Plus au sud, les chauffeurs éteignirent également leurs phares dans les autocars roulant en colonnes serrées dans les rues embouteillées de la petite ville agricole de Bury St. Edmunds, dans le Suffolk. Il y en avait plus de deux cents, venus des quatre coins du pays, bourrés à craquer de contestataires. D'autres manifestants arrivaient en voiture, à moto, à bicyclette et même à pied. Bientôt la colonne, avec ses banderoles et ses pancartes, quitta la ville par l'A-143 en direction du croisement d'Ixworth où elle s'arrêterait.

Les autocars ne pourraient pas avancer plus loin sur les chemins étroits. Ils stationneraient sur le bord de la nationale, près du croisement, et déchargeraient leurs cargaisons à moitié endormies dans l'aube naissante de la campagne du Suffolk. Les organisateurs commenceraient à inviter la foule à former des rangs, sous le regard indifférent des gardes mobiles du Suffolk.

A Londres, l'éclairage urbain était encore allumé. Sir Bernard Hemmings, prévenu à son domicile comme il l'avait demandé dès que les équipes de guetteurs de Chesterfield s'étaient mises à filer leur homme, se trouvait dans la salle radio de Cork Street, avec Brian Harcourt-Smith à ses côtés.

A l'autre bout de la ville, Sir Nigel Irvine, prévenu lui aussi à sa propre requête, venait de remonter dans son bureau. Au-dessous de lui, dans son antre du sous-sol, Blodwyn avait passé la moitié de la nuit devant le visage d'un homme en train de marcher sous un réverbère dans une petite ville du Derbyshire. Un chauffeur était allé la chercher dans sa maison de Camden Town aux petites heures du matin – elle n'avait accepté qu'à la requête personnelle de Sir Nigel. Il l'avait accueillie à Sentinel avec un bouquet de fleurs; pour lui, elle aurait marché sur du verre brisé, mais pour personne d'autre.

« Il n'a jamais été ici, dit-elle dès qu'elle posa les yeux sur la photographie. Et pourtant... »

Au bout d'une heure, elle s'orienta vers le Proche-Orient et à quatre heures du matin, elle trouva. C'était une photo un peu floue, envoyée six ans auparavant par le Mossad d'Israël. Rien de bien certain, le texte joint indiquait qu'il s'agissait d'un simple soupçon.

Le cliché avait été pris par un agent du Mossad dans les rues de Damas. L'homme était un certain Timothy Donnelly, représentant des Cristaux Waterford. Le Mossad l'avait photographié pour vérifier avec leurs hommes de Dublin. Timothy Donnelly existait mais n'était pas à Damas. Quand le Mossad l'apprit, l'homme de la photo avait déjà disparu. Il n'avait jamais refait surface.

« C'est lui, dit-elle. Les oreilles le prouvent. Il aurait dû mettre une casquette. »

Sir Nigel appela le sous-sol de Cork Street.

« Nous croyons avoir identifié sa « gueule », Bernard, dit-il. Nous faisons un tirage et nous vous l'envoyons tout de suite. »

Ils faillirent le perdre à dix kilomètres au sud de King's Lynn. Les voitures continuèrent vers le sud en direction de Downham Market et le point brumeux commença à dériver vers l'est, imperceptiblement au début, puis de plus en plus nettement. Preston consulta sa carte routière.

« Il a tourné à gauche sur l'A-134, dit-il. Vers Thetford. Prenez la première route à gauche. »

Ils se retrouvèrent derrière la moto à Stradsett, puis ce fut tout droit à travers les forêts de plus en plus touffues de hêtres, de chênes et de pins. Ils parvinrent en haut de la colline des Potences et purent voir la vieille ville-marché s'étaler à leurs pieds sous la lumière grise de l'aube. Joe ralentit et s'arrêta.

« Il ne bouge plus. »

Nouvelle vérification? Les deux fois précédentes il s'était arrêté en rase campagne.

« Où est-il? »

Joe étudia l'indicateur de distance et tendit le bras vers Thetford.

« En plein centre ville, John. »

Preston consulta la carte routière. Outre la route sur laquelle ils se trouvaient, cinq nationales quittaient Thetford. On aurait dit une étoile. Il faisait de plus en plus jour... Cinq heures. Preston bâilla.

« Accordons-lui dix minutes. »

Le point lumineux demeura immobile pendant les dix minutes. Et pendant cinq minutes de plus. Preston envoya sa deuxième voiture par la déviation entourant la ville. De quatre points différents, les deux voitures effectuèrent une triangulation. Le point lumineux était bien au milieu de Thetford. Preston prit le micro d'ordres.

« Parfait. Je crois que nous tenons sa base. Avançons. »

Les deux voitures convergèrent lentement vers Magdalen Street et, à 5 h 25, trouvèrent la petite cour entourée de garages. Joe manœuvra avec sa voiture jusqu'à ce que le signal indique sans ambiguïté l'une des portes. La tension augmenta.

« Il est là-dedans », dit Joe.

Preston descendit, aussitôt rejoint par Barney et Ginger, de l'autre voiture.

« Ginger, vous pouvez forcer cette serrure? »

Pour toute réponse, Ginger prit une clef à bougies dans la trousse à outils de la voiture, la glissa sous la poignée de la porte du garage et donna un coup sec. Le métal craqua à l'intérieur de la serrure. Ginger sc tourna vers Preston, qui hocha la tête. Ginger souleva brusquement la porte métallique et s'écarta.

La motocyclette était sur sa béquille au milieu du garage. Un blouson de cuir noir et un casque pendaient à un clou. A côté, contre le mur, une paire de bottes de cuir. Sur la poussière et le cambouis du sol, les traces des pneus d'une petite voiture.

« Merde, s'écria Harry Burkinshaw. Il a changé de véhicule. »

Joe se pencha par la portière.

« Cork vient d'appeler. Ils ont une photo de face. Où voulez-vous qu'ils l'envoient?

– A la gendarmerie de Thetford », dit Preston.

Il leva les yeux vers le ciel, déjà bleu clair, au-dessus de lui.

« Mais c'est trop tard », ajouta-t-il entre ses dents.

21

VERS cinq heures, la colonne des manifestants s'organisa enfin : sept personnes de front sur presque deux kilomètres de long. La tête de colonne s'engagea sur l'A-1088, chemin vicinal étroit qui part du croisement d'Ixworth pour desservir le hameau de Little Fakenham. De là, le cortège suivrait le chemin encore plus étroit qui conduit à la base aérienne d'Honington.

Par cette belle matinée ensoleillée, tout le monde était de bonne humeur, malgré l'heure indue choisie par les organisateurs pour pouvoir arriver en même temps que les premiers avions-cargos américains Galaxy qui transportaient les missiles Cruise. Dès que la tête de la colonne s'engagea entre les haies bordant le chemin, la masse de la foule se mit à psalmodier, selon le rituel : « Non à Cruise, Yankees go home. »

Quelques années auparavant, Honington servait de base aux bombardiers d'attaque Tornado de la R.A.F. et personne dans le pays ne semblait s'en soucier. Seuls les habitants des hameaux de Little Fakenham, Honington et Sapiston s'en souvenaient chaque fois qu'un Tornado passait avec un bruit d'enfer au-dessus de leur tête. La décision de créer à Honington une troisième base anglaise de missiles Cruise avait changé tout ça.

Les Tornado avaient déménagé en Ecosse mais la

paix n'était pas revenue pour autant dans les campagnes voisines, car les contestataires avaient pris le relais – surtout des femmes, d'ailleurs affligées d'habitudes d'hygiène et de mœurs fort étranges, qui avaient envahi les champs comme des sauterelles et établi des espèces de bidonvilles sur les terrains communaux. Cela durait depuis deux ans.

Il y avait déjà eu des manifestations, mais aucune de cette importance. La presse et la télévision s'étaient mobilisées en masse et les cameramen marchaient à reculons sur la route pour filmer les personnalités du premier rang – dont trois membres du Shadow Cabinet, deux évêques, un monsignor, plusieurs dignitaires des Eglises réformées, cinq dirigeants syndicaux et deux éminents professeurs.

Derrière suivait la masse des pacifistes, objecteurs de conscience, ecclésiastiques, quakers, étudiants, marxistes-léninistes prosoviétiques, trotskistes antisoviétiques, faiseurs de sermons et militants travaillistes, avec, en renfort, un mélange de chômeurs professionnels, de punks, d'homosexuels et d'écologistes barbus. Il y avait également plusieurs centaines de ménagères, d'ouvriers, d'instituteurs et d'enfants d'âge scolaire.

Les femmes contestataires résidant sur place s'égaillaient sur les bas-côtés de la route. La plupart brandissaient des calicots et des pancartes; certaines étaient en anorak kaki avec des coupes de cheveux militaires; d'autres se promenaient main dans la main avec leurs petites amies adolescentes ou applaudissaient à l'arrivée des manifestants. La colonne était précédée par deux motards de la police.

A cinq heures et quart, Valéri Petrofsky, après avoir quitté Thetford, roulait paisiblement comme à l'accoutumée sur l'A-1088 vers la grande nationale qui le conduirait à Ipswich, chez lui. Il n'avait pas fermé l'œil de la nuit et il était fatigué. Mais il était certain que son message avait été envoyé à trois heures et demie. Moscou savait déjà qu'il avait réussi.

Il entra dans le Suffolk près d'Euston Hall et remarqua un motard de la police arrêté sur l'accotement, à califourchon sur son engin. Le gendarme n'aurait pas dû se trouver sur cette route à cette heure-là. Petrofsky avait suivi cet itinéraire des dizaines de fois au cours des semaines précédentes et jamais il n'avait vu un seul motard en patrouille.

Deux kilomètres plus loin, à Little Fakenham, tous ses instincts de fauve se mirent en état d'alerte. Deux voitures de ronde étaient garées au nord du village. Non loin, plusieurs officiers de gendarmerie discutaient avec deux autres motards. Ils levèrent les yeux vers lui lorsqu'il passa, mais n'essayèrent pas de l'arrêter.

Cela se produisit un peu plus tard, à Ixworth Thorpe. Il venait de quitter le hameau proprement dit et s'avançait vers l'église, isolée sur la droite, lorsqu'il vit la moto de la police appuyée contre la haie et la silhouette du garde mobile au milieu de la route, bras levé pour l'arrêter. Il ralentit et sa main droite se posa sur le casier à cartes, à l'intérieur de la portière, où se trouvait l'automatique finlandais sous un chandail de laine roulé en boule.

Si c'était un piège, ses arrières étaient bloqués. Mais le garde mobile avait l'air seul. Personne dans les parages avec un micro collé aux lèvres. Petrofsky s'arrêta. La silhouette en imperméable de plastique noir se dirigea vers la portière et se pencha. Petrofsky se retrouva nez à nez avec un visage rubicond de paysan du Suffolk, n'exprimant pas la moindre malice.

« Puis-je vous demander de vous arrêter sur le bord de la route, monsieur? Là-bas, devant l'église. Comme ça, vous n'aurez pas d'ennuis. »

C'était donc un piège malgré tout. La menace était à

peine voilée. Mais pourquoi l'homme était-il tout seul?

« Que se passe-t-il donc?

– La route est bloquée un peu plus bas. Nous allons la faire dégager. »

La vérité ou un prétexte? Il y avait peut-être, effectivement, un tracteur renversé. Il songea à tuer le garde mobile et à prendre la fuite, mais se retint. Pas encore. Il hocha la tête, lâcha l'embrayage et rangea la voiture sur le terre-plein devant l'église.

Il attendit. Dans son rétroviseur, il vit que le garde mobile, sans se soucier davantage de lui, faisait signe à une autre voiture de se ranger au même endroit. Le contre-espionnage? Possible. Mais il n'y avait qu'une seule personne dans la voiture qui s'arrêta derrière lui. L'homme descendit.

« Que se passe-t-il? » cria-t-il au garde mobile.

Petrofsky les entendait très bien par sa vitre baissée.

« Vous n'êtes pas au courant? La manifestation. C'était dans tous les journaux. Et à la télé.

– Oh! merde! dit l'autre automobiliste. Si j'avais su que c'était sur cette route. Et à cette heure-ci...

– Ils ne mettront pas beaucoup de temps à passer, lança le motard pour le rassurer. Pas plus d'une heure. »

Au même instant, la tête de la colonne apparut à la sortie du virage. Petrofsky regarda les banderoles au loin et entendit les cris assourdis. Ecœuré, il descendit de voiture pour assister au spectacle.

Le petit carré de goudron s'ouvrant sur Magdalen Street et entouré de ses trente garages fermés commençait à être envahi. Quelques minutes après la découverte du garage abandonné, Preston avait envoyé Barney et la deuxième voiture demander de l'aide à la gendarmerie. A cette heure matinale, il y avait un gendarme au comptoir et un sous-officier en train de prendre le thé à l'arrière.

Simultanément, Preston avait appelé Londres par le réseau radio de la police. C'était une longueur d'onde non brouillée et il aurait dû normalement utiliser le code classique, inspiré du vocabulaire des compagnies de location de voitures, mais oubliant toute précaution, il parla en clair directement à Sir Bernard.

« J'ai besoin du soutien des forces de police du Norfolk et du Suffolk, dit-il. Et d'un hélicoptère, monsieur. Très vite. Sinon tout est perdu. »

Il avait passé les vingt minutes d'attente à étudier une carte routière à grande échelle de l'East Anglia, étalée sur le capot de la voiture de Joe.

Au bout de cinq minutes, un motard de Thetford, réveillé par son sergent-chef, arriva devant les garages, coupa son moteur et mit sa moto sur béquille. Il se dirigea vers Preston en enlevant son casque.

« Vous êtes les hommes de Londres? Que puis-je faire pour vous?

– Rien, à moins que vous ne soyez magicien », soupira Preston.

Barney revint de la gendarmerie.

« Voilà la photo, John. Elle est arrivée pendant que je discutais avec le sergent-chef de service. »

Preston scruta le beau visage jeune, photographié dans une rue de Damas.

« Salaud », dit-il entre ses dents.

Personne n'entendit car ses paroles furent noyées par le vacarme de deux bombardiers américains F-111 qui passèrent au-dessus de la ville en formation serrée, très bas et d'ouest en est. Le rugissement de leurs moteurs fracassa le silence du quartier qui s'éveillait. Le gendarme ne leva même pas les yeux. Barney, debout à côté de Preston, les suivit du regard jusqu'à ce qu'ils disparaissent.

« Bruyant, hein? dit-il.

– Oh! ils passent toujours au-dessus de Thetford,

répondit le gendarme local. Au bout d'un certain temps, on n'y fait plus attention. Ils viennent de Lakenheath.

– L'aéroport de Londres est déjà infernal, dit Barney qui habitait Hounslow, mais les avions de ligne ne volent jamais si bas. Je ne crois pas que je supporterais ça longtemps.

– Moi, ça m'est égal, du moment qu'ils restent en l'air, dit le gendarme en ouvrant une tablette de chocolat. Mais je n'aimerais pas que l'un d'eux se casse la gueule. Ils transportent des bombes atomiques, vous savez. Petites, d'accord, mais tout de même... »

Preston se retourna lentement.

« Qu'est-ce que vous racontez? »

A Cork Street, le MI-5 n'avait pas perdu du temps. Sans passer par la liaison habituelle du conseiller juridique, Sir Bernard Hemmings avait appelé personnellement les deux commissaires divisionnaires des comtés de Norfolk et du Suffolk. Le divisionnaire de Norwich était encore couché, mais son homologue d'Ipswich se trouvait déjà dans son bureau, à cause de la manifestation qui immobilisait la moitié des forces de l'ordre du comté de Suffolk.

Sir Bernard parvint à toucher le divisionnaire du Norfolk en même temps que la gendarmerie de Thetford l'appelait. Le divisionnaire autorisa une coopération complète. La paperasse suivrait.

Brian Harcourt-Smith s'était lancé à la recherche d'un hélicoptère. Les deux services de renseignements de Grande-Bretagne ont le droit d'utiliser une flottille spéciale d'hélicoptères dits « réservés », qui se trouve à Northolt, dans les environs de Londres. On peut toujours commander un hélicoptère d'urgence, mais normalement il faut présenter la demande à l'avance. Le directeur général adjoint s'entendit répondre qu'un hélicoptère pourrait décoller sous quarante minutes et se trouver à Thetford quarante minutes plus tard. Harcourt-Smith demanda à Northolt de rester en ligne.

« Quatre-vingts minutes », dit-il à Sir Bernard.

Le directeur général avait au bout du fil le divisionnaire du Suffolk dans son bureau d'Ipswich.

« N'auriez-vous pas un hélicoptère de la police disponible? Tout de suite? » demanda-t-il à l'appareil.

Il y eut un silence. Le divisionnaire consultait sans doute l'officier du contrôle de la circulation sur une ligne intérieure.

« Nous en avons un en opération au-dessus de Bury St. Edmunds, dit-il.

– Envoyez-le à Thetford, je vous prie, et qu'il prenne à bord l'un de nos agents, demanda Sir Bernard. C'est une question de sécurité nationale, je vous assure.

– Je donne l'ordre tout de suite », répondit le divisionnaire d'Ipswich.

Preston fit signe au gendarme de Thetford de se pencher sur la carte, posée sur le capot.

« Montrez-moi les bases aériennes américaines de la région. »

Le gendarme posa son gros doigt sur la carte.

« Eh bien... Il y en a un peu partout, monsieur. Sculthorpe, là, au nord du Norfolk, Lakenheath et Mildenhall, ici à l'ouest. Chicksands dans le Bedfordshire, mais je crois qu'il n'y a plus d'avions là-bas. Et Bentwaters, ici, sur la côte du Suffolk, à côté de Woodbridge. »

Six heures du matin. Les manifestants tournoyèrent autour des deux voitures arrêtées devant la façade de l'église de Tous les Saints, minuscule mais assez belle, aussi ancienne que le village, couverte de chaume du Norfolk et sans éclairage électrique, si bien que l'on y dit encore l'office du soir à la lueur des cierges.

Petrofsky les regarda passer, debout près de sa voiture, bras croisés, visage impassible – mais ses pensées étaient du venin. Au-dessus des champs auxquels il tournait le dos, un hélicoptère de la police de la route se dirigeait vers le nord, mais les cris des manifestants étouffèrent le bruit des rotors et le Russe ne l'entendit pas.

L'autre chauffeur, un représentant en biscuits qui rentrait chez lui après avoir suivi un séminaire sur les arguments de vente des petits-beurre, se dirigea vers lui. Il fit un signe de tête en direction des manifestants.

« Des trous-du-cul », dit-il par-dessus les cris : « Non à Cruise – Yankees go home ».

Le Russe acquiesça en souriant. Voyant qu'il ne réagissait pas, le voyageur de commerce se replia vers sa voiture, se mit au volant et entreprit la lecture de sa littérature « promotionnelle ».

Si Valéri Petrofsky avait eu un sens de l'humour un peu plus développé, la situation l'aurait fait sourire. Il se trouvait devant l'église d'un dieu en qui il ne croyait pas, dans un pays qu'il cherchait à détruire, immobilisé par des gens qu'il méprisait du fond de son cœur. Et pourtant, s'il menait sa mission à bien, toutes les revendications des manifestants seraient exaucées!...

Il soupira en songeant à la manière expéditive dont, dans son pays, les troupes du M.V.D. auraient dispersé cette chienlit, puis remis les meneurs aux mains de la Cinquième Direction générale, pour une séance prolongée de questions-réponses, à Lefortovo.

Preston regarda la carte sur laquelle il avait encerclé les cinq bases aériennes américaines. Si j'étais un illégal, se dit-il, vivant sous couverture dans un pays étranger pour remplir une mission spéciale, je me cacherais de préférence dans une grande ville.

Dans le Norfolk, il y avait King's Lynn, Norwich et Yarmouth. Dans le Suffolk, Lowestoft, Bury St. Edmunds, et Ipswich. S'il était revenu à King's Lynn, près de la base aérienne américaine de Sculthorpe, l'homme serait passé forcément devant Preston, pendant qu'il attendait sur la colline des Potences. Personne n'était passé. Cela laissait quatre bases, trois dans l'ouest et une au sud.

Il traça mentalement la ligne qu'ils avaient suivie de Chesterfield à Thetford. Toujours vers le sud-est. Il était logique de situer l'endroit du changement de véhicule quelque part sur l'itinéraire. De Lakenheath et de Mildenhall jusqu'à la planque de l'émetteur, à Chesterfield, il aurait été plus normal de louer un garage à Ely ou à Peterborough.

Il continua l'axe sud-est au-delà de Thetford. Il passait par Ipswich. A vingt kilomètres d'Ipswich, dans une forêt dense voisine de la côte, se trouvait la base de Bentwaters. Preston se rappela avoir lu quelque part qu'elle abritait des F-5, bombardiers modernes équipés de bombes nucléaires tactiques destinées à arrêter une attaque massive des vingt-neuf mille chars russes.

Derrière lui, le récepteur radio de la moto se mit à crépiter. Le gendarme se détourna pour répondre à l'appel.

« Un hélicoptère remonte du sud, dit-il.

– C'est pour moi, répondit Preston.

– Ah! bon? Où voulez-vous qu'il atterrisse?

– Le plus près d'ici. Il y a un endroit possible?

– Une esplanade que nous appelons le Pré, en bas de la rue du Château près du carrefour, dit le gendarme. C'est sans doute assez sec.

– Dites-lui de se poser là-bas, dit Preston. Je le rejoins. »

Plusieurs membres de l'équipe somnolaient dans les voitures.

« En route tout le monde. On va au Pré. »

Tandis que ses hommes prenaient place dans les deux véhicules, Preston montra sa carte au gendarme.

« Dites-moi. Si vous étiez ici, à Thetford, et que vous vouliez aller à Ipswich, quelle route prendriez-vous ? »

Sans hésitation, le motard posa l'index sur la carte.

« Je suivrais l'A-1088 directement jusqu'à Ixworth, je passerais le croisement et je continuerais au sud jusqu'au village d'Elmswell, pour tomber sur l'A-45, la nationale directe pour Ipswich. »

Preston acquiesça.

« Moi aussi. Espérons que le Pote aura la même idée... Vous allez rester ici et essayer de trouver un autre locataire de garage qui aurait vu la voiture de notre homme. Il me faut son numéro d'immatriculation. »

L'hélicoptère léger Bell attendait sur l'herbe, près du carrefour. Preston descendit de voiture en emportant son émetteur-récepteur personnel.

« Restez ici, dit-il à Harry Burkinshaw. C'est sans espoir. Il est probablement à des kilomètres. Il a au moins cinquante minutes d'avance. Je vais aller jusqu'à Ipswich, voir si je peux repérer quelque chose. Sinon, il ne reste plus que ce numéro d'immatriculation. Quelqu'un peut l'avoir vu. Si la police de Thetford obtient un résultat, je serait là-haut. »

Il baissa la tête pour passer sous les pales du rotor et monta dans la petite cabine. Il montra sa carte d'identification au pilote et salua d'un signe de tête l'agent du contrôle de la circulation qui s'était glissé à l'arrière.

« Vous avez fait vite, cria-t-il au pilote.

– J'étais déjà en l'air. »

L'hélicoptère décolla et s'éloigna de Thetford.

« Où voulez-vous aller?

– Le long de l'A-1088.

– Vous voulez voir la manif, hein?

– Quelle manif? »

Le pilote le regarda comme s'il venait de tomber de la planète Mars. L'hélicoptère baissa le nez et vira au sud-est, en maintenant la ligne sinueuse de l'A-1088 sur la gauche pour que Preston puisse bien la voir.

« La manif de la base d'Honington, dit le pilote. C'était dans tous les journaux. Et à la télé. »

Preston avait évidemment vu les reportages sur la grande manifestation projetée contre la base de la R.A.F. Il avait passé presque deux semaines à regarder la télévision, à Chesterfield. Mais il n'avait pas fait le rapprochement : Honington se trouvait justement sur l'A-1088, entre Thetford et Ixworth. Trente secondes plus tard, tout s'étalait sous ses yeux.

Sur sa droite, le soleil matinal lançait des reflets sur les pistes de la base aérienne. Un avion de transport géant, un Galaxy américain, roulait vers les hangars après avoir atterri. Devant chaque entrée de la base, des lignes noires : les gendarmes du Suffolk, par centaines, dos aux grilles et face aux manifestants.

Les premiers rangs se pressaient contre les cordons de police, mais à l'arrière, sur le chemin d'accès, puis sur l'A-1088, la foule continuait d'avancer en brandissant les calicots et les pancartes, scolopendre sombre dont la queue traînait encore du côté du croisement d'Ixworth.

Juste au-dessous de lui, Preston vit le hameau de Little Fakenham, puis le village d'Honington Hall et la brique rouge de Malting Row, de l'autre côté de la route. C'était là, qu'au moment de s'engager sur le chemin étroit donnant accès à la base, la masse des manifestants était le plus dense. Preston sentit son cœur battre plus vite.

Juste avant le centre du village d'Honington, une file

de voitures immobiles s'étirait sur plus de huit cents mètres : tous les usagers de la route qui n'avaient pas réalisé que l'itinéraire serait bloqué en ce début de matinée, ou qui avaient espéré passer à temps. Il y avait plus de cent véhicules.

Un peu plus bas, au cœur de la colonne des manifestants, Preston aperçut la tache brillante de deux ou trois toits de voitures prises au piège : les derniers chauffeurs qui s'étaient engagés avant le barrage mais qui n'avaient pas pu gagner le croisement d'Ixworth. Il y en avait d'autres au centre du village d'Ixworth Thorpe, et deux stationnées un peu plus loin, près d'une petite église.

« Je me demande... », murmura Preston.

Valéri Petrofsky vit le gendarme qui l'avait arrêté s'avancer dans sa direction. La colonne des manifestants semblait un peu moins dense. Ce devait être la queue qui passait.

« Désolé... C'était long, hein? J'ai l'impression qu'ils étaient plus nombreux que prévu. »

Petrofsky haussa les épaules avec un sourire aimable.

« On n'y peut rien. J'ai eu tort d'essayer. J'espérais passer avant le barrage.

– Oh! vous n'êtes pas le seul. Il y a des flopées de voitures bloquées. Mais ce ne sera plus long. Une dizaine de minutes pour les manifestants, puis quelques véhicules de la radio et de la télévision et la voiture-balai. Dès qu'ils seront passés, nous ouvrirons de nouveau la route. »

Au-dessus des champs, devant eux, un hélicoptère de la police traça un large cercle. Petrofsky aperçut par la portière ouverte un homme qui parlait dans son émetteur-récepteur portatif, sans doute le contrôleur de la circulation.

« Harry, vous m'entendez? Répondez-moi, Harry. C'est John. »

Preston, près de la portière ouverte de l'hélicoptère au-dessus d'Ixworth Thorpe, essayait de joindre Burkinshaw. La voix du guetteur lui parvint de Thetford, faible et brouillée.

« Ici Harry. Je vous entends mal, John.

– Harry, il y a une manif anti-Cruise au-dessous de moi. Nous avons une chance, une petite chance, que le Pote se soit fait prendre au piège. Ne quittez pas. »

Il se tourna vers la police.

« Depuis combien de temps ça dure?

– Une bonne heure.

– Quand a-t-on bloqué la route à Ixworth? »

De l'arrière, le contrôleur de la circulation répondit.

« Cinq heures vingt. »

Preston regarda sa montre. Six heures vingt-cinq.

« Harry, vite! Prenez l'A-134 jusqu'à Bury St. Edmunds, remontez l'A-45, et retrouvez-moi au croisement de la 1088 et de la 45 à Elmswell. Prenez le motard qui est au garage pour faire le vide devant vous. Et puis, Harry, demandez à Joe de conduire comme un dieu. »

Il posa la main sur l'épaule du pilote.

« Direction Elmswell. Vous me déposerez dans un champ à côté du croisement. »

L'hélicoptère ne mit que cinq minutes. Lorsqu'ils survolèrent le croisement d'Ixworth, il vit sur l'A-43 la longue colonne immobile des autobus qui avaient transporté la grosse majorité des manifestants dans ce beau paysage campagnard. Deux minutes plus tard, il aperçut la grande nationale à quatre voies reliant Bury St. Edmunds à Ipswich : l'A-45.

Le pilote vira, à la recherche d'un espace où se poser. Il y avait des prés à l'endroit où l'A-1088, aussi étroite qu'un chemin vicinal, débouchait sur la grande nationale.

« Ces prés risquent d'être marécageux, cria le pilote. Je resterai au point fixe presque au ras du sol. Vous pourrez sauter? »

Preston acquiesça. Il se tourna vers le sergent en uniforme, à l'arrière.

« Prenez votre casquette. Vous venez avec moi.

– Ce n'est pas mon boulot, protesta le gendarme. Je suis au contrôle de la circulation.

– C'est pour contrôler la circulation que j'ai besoin de vous. Allez, on saute. »

Le marchepied du Bell était à soixante centimètres de l'herbe haute. Preston sauta. Le sergent, tenant sa casquette pour que le remous des rotors ne l'emporte pas, le suivit aussitôt. Le pilote reprit de l'altitude et se dirigea vers Ipswich et sa base.

« Et maintenant? demanda le gendarme.

– Maintenant, vous vous mettez ici, au milieu de la route, et vous arrêtez toutes les voitures qui passent. Vous demandez aux chauffeurs s'ils arrivent d'Honington. S'ils ont pris l'A-1088 au sud du croisement d'Ixworth, ou à ce croisement, laissez-les passer. Vous me signalerez la première voiture qui a été bloquée par la manifestation. »

Il s'avança vers l'A-45 et regarda dans la direction de Bury St. Edmunds.

« Arrive, nom de Dieu, Harry! Arrive! »

Les voitures qui venaient sur l'A-1088 s'arrêtaient près du gendarme en uniforme. Toutes avaient pris cette route au sud de la manifestation antinucléaire. Vingt minutes plus tard, Preston vit le gendarme de Thetford, sirènes hurlant pour se frayer un passage, arriver enfin, suivi par les deux voitures des guetteurs. Ils s'arrêtèrent à l'entrée de l'A-1088. Le motard souleva le viseur de son casque.

« J'espère que vous savez ce que vous faites, monsieur. Impossible de venir plus vite. Mais il va y avoir des questions. »

Preston le remercia et ordonna à ses deux voitures de remonter de quelques mètres le long de la route secondaire. Il montra un talus, de l'autre côté du fossé.

« Joe, dit-il au chauffeur. Fonce dedans.

– Que je fasse quoi?

– Fonce dedans. N'esquinte pas trop la voiture, mais que ça fasse vrai. »

Les deux gendarmes ouvrirent de grands yeux. Joe percuta le talus avec l'avant de sa voiture, l'arrière bloquait la moitié du passage. Preston fit signe à l'autre voiture, qui attendait à une quinzaine de mètres.

« Descendez, ordonna-t-il au chauffeur. Venez, les gars. Tous ensemble. On la met sur le côté. »

Ils s'y reprirent à sept fois avant de pouvoir faire rouler la voiture du MI-5 sur son flanc. Preston ramassa une pierre dans le fossé, brisa les glaces latérales, puis éparpilla sur la chaussée des poignées de petits bouts de verre.

« Ginger, ordonna-t-il. Allongez-vous sur la route, ici, à côté de la voiture de Joe. Barney, prenez une couverture dans le coffre et étalez-la sur lui. Complètement. Visage et tout... Parfait. Les autres, par-dessus la haie et qu'on ne vous voie plus. »

Preston fit signe aux deux gendarmes de s'approcher.

« Sergent, il y a eu un accident. Vous allez rester près du corps et vous ferez passer les voitures au compte-gouttes. Vous, dit-il au motard, vous placez votre moto là-bas, vous remontez la route à pied et vous faites ralentir tous les véhicules qui arrivent. »

Les deux gendarmes avaient reçu leurs ordres, l'un d'Ipswich, l'autre de Norwich : coopérer avec les hommes de Londres – même s'ils étaient fous à lier.

Preston s'assit sur le bord du fossé avec un mouchoir

sur le visage comme s'il cherchait à arrêter le sang qui coulait de son nez cassé.

Pour ralentir la circulation, rien n'est plus efficace qu'un cadavre sur le bord de la route. Et, bien entendu, tous les conducteurs regardent par la portière en passant. Preston avait placé le « cadavre » de Ginger du côté du chauffeur pour les voitures venant d'Ixworth sur l'A-1088.

Le major Valéri Petrofsky était au volant de la dix-septième voiture. Comme les autres véhicules avant lui, le modeste break Ford ralentit au signal du gendarme puis roula au pas devant la scène de l'accident. Sur le bord du fossé, les yeux mi-clos, avec très net dans sa tête le souvenir de la photo qu'il avait toujours dans sa poche, Preston regarda le Russe passer lentement, à quatre mètres de lui, dans la chicane formée par les deux voitures du MI-5.

Du coin de l'œil Preston suivit la Ford. Elle tourna à gauche sur l'A-45, attendit un creux de la circulation puis se lança dans le flot des voitures en direction d'Ipswich. Preston bondit.

Sur son ordre, les deux chauffeurs et les deux guetteurs sortirent de derrière la haie. Un brave homme qui ralentissait près de l'accident vit le cadavre sauter de sous la couverture et aider les autres à remettre la voiture accidentée sur ses quatre roues.

Joe se mit au volant et revint en marche arrière sur la chaussée. Barney essuya la boue et l'herbe des phares avant de monter. Harry Burkinshaw ne prit pas une pastille à la menthe mais trois, qu'il avala d'un coup. Preston fit signe au motard.

« Vous pouvez rentrer à Thetford. Et mille mercis pour votre aide. »

Au contrôleur de la circulation, sans véhicule, il annonça :

« Je suis obligé de vous laisser ici. Votre uniforme est trop voyant pour que je vous emmène. Mais merci pour votre aide. »

Les deux voitures du MI-5 débouchèrent sur l'A-45 et tournèrent à gauche vers Ipswich. Le brave homme qui avait tout vu demanda au sergent abandonné.

« Ils font un film pour la télé?

– Ça ne m'étonnerait pas, dit le sergent. A propos, monsieur, pourriez-vous me prendre avec vous jusqu'à Ipswich? »

La circulation, camions et voitures de banlieusards, de plus en plus dense à l'entrée d'Ipswich, offrait une bonne couverture pour les deux voitures des guetteurs, qui changeaient constamment de position pour pouvoir conserver la petite Ford en vue.

Ils entrèrent en ville mais avant d'arriver dans le centre, la Ford devant eux tourna à droite dans Chevallier Street et prit le boulevard circulaire jusqu'au pont de Handford, où elle traversa l'Orwell. Au sud de la rivière, la Ford suivit la route de Ranelagh puis tourna encore à droite.

« Il sort de la ville », lança Joe, qui se trouvait cinq voitures derrière le Russe.

Ils s'engagèrent sur la route de Belstead, qui quitte Ipswich en direction du sud.

Brusquement, la voiture tourna à gauche et entra dans un petit lotissement privé.

« Du calme, lança Preston à Joe. Il ne faut pas qu'il nous voie maintenant. »

Il ordonna à la deuxième voiture de rester à l'angle de la route de Belstead, au cas où la Ford ferait demi-tour dans le lotissement pour repartir. Joe sillonna lentement l'ensemble de sept culs-de-sac qui constituait « les Allées ». Ils passèrent à l'entrée de l'allée des Cerisiers juste à temps pour voir l'homme qu'ils suivaient arrêter sa voiture devant le garage d'une petite maison au milieu de l'impasse. Il sortit de sa voiture. Preston ordonna à Joe de continuer de rouler.

« Harry, donnez-moi votre chapeau et regardez s'il ne reste pas une cocarde du Parti conservateur dans la boîte à gants. »

Il y en avait une; les guetteurs l'avaient utilisée pendant les deux semaines de leur attente chez les Royston pour entrer et sortir par la porte principale sans attirer les soupçons. Preston la fixa à sa veste, et enleva l'imperméable qu'il portait sur le bord du fossé, quand le Russe était passé près de lui. Il coiffa le chapeau rond de Harry et descendit.

Il entra dans l'allée des Cerisiers et suivit le trottoir du côté de la rue opposé à celui de la maison du Russe. En face du nº 12 se trouvait le nº 9. Preston vit une affichette du parti des démocrates sociaux derrière une fenêtre. Il se dirigea vers la porte d'entrée et frappa.

Une femme ouvrit. Jeune et jolie. Preston entendit, à l'intérieur, la voix d'un enfant puis celle d'un homme. Il était huit heures. La famille prenait son petit déjeuner. Preston souleva son chapeau.

« Bonjour, madame. »

Voyant sa cocarde, la femme lui dit :

« Je regrette, mais vous perdez votre temps. Nous votons démocrate.

– Je comprends parfaitement, madame. Mais j'aimerais tout de même que vous montriez ceci à votre mari. Je vous en remercie d'avance. »

Il lui tendit sa carte de plastique, qui prouvait son appartenance au MI-5. Elle ne la regarda pas.

« Très bien, dit-elle en soupirant. Mais je suis sûre que cela ne changera rien. »

Elle le laissa sur le seuil et rentra dans la maison. Quelques secondes plus tard, Preston les entendit chuchoter dans la cuisine. Un homme parut dans le vestibule, la carte de Preston à la main – un jeune cadre en pantalon gris, chemise blanche et cravate de club. Pas de veste : il la prendrait en partant à son travail. Il avait l'air contrarié.

« Qu'est-ce que c'est que cette carte? demanda-t-il.
– Ce qu'elle paraît être, monsieur. La carte d'identification d'un agent du MI-5.
– Vous plaisantez?
– Non. Elle est parfaitement authentique.
– Je vois. Que voulez-vous?
– J'aimerais que vous me laissiez entrer et refermer la porte. »

Le jeune homme réfléchit un instant, puis acquiesça. Preston remit son chapeau et franchit le seuil. Il referma la porte derrière lui.

De l'autre côté de la rue, Valéri Petrofsky venait d'entrer dans son salon. Il était fatigué, ses muscles lui faisaient mal après sa longue nuit de route. Il se servit un whisky.

Par l'entrebâillement des doubles rideaux, il vit l'un des innombrables et inlassables militants politiques parler aux gens du nº 9. Il en avait reçu trois lui-même au cours des dix jours précédents, et une autre pile de prospectus attendait sur son paillasson quand il était arrivé. Il regarda le jeune cadre du 9 faire entrer l'homme dans son vestibule. Un autre converti! se dit-il. Grand bien lui fasse.

Preston poussa un soupir de soulagement. Le jeune cadre le regarda sans y croire. Derrière lui, sa femme passa la tête par la porte de la cuisine, et le visage d'une fillette de trois ans se glissa entre le chambranle de la porte et le genou de sa mère.

« Vous appartenez vraiment au MI-5? demanda l'homme.
– Oui. Nous n'avons pas deux têtes et les oreilles vertes, vous savez. »

Pour la première fois, le jeune cadre sourit.

« Non, bien sûr. C'est une telle surprise. Mais que voulez-vous de moi?
– Rien, répondit Preston en souriant. Je ne sais même pas qui vous êtes. Je viens de filer avec mes

collègues un homme que nous soupçonnons d'être un agent étranger. Il est entré dans la maison d'en face. J'aimerais emprunter votre téléphone et vous demander de permettre à deux d'entre nous de surveiller la maison depuis une de vos fenêtres, à l'étage.

– Le numéro douze? dit le jeune cadre. Jim Ross? Ce n'est pas un étranger.

– Nous pensons qu'il l'est. Puis-je téléphoner?

– Euh, oui... Bien sûr... Allez, rentrez dans la cuisine », dit-il à sa femme et à sa fille.

Preston appela Charles Street et on lui passa Sir Bernard Hemmings qui était encore à Cork. Burkinshaw avait déjà signalé à mots couverts, par la radio de la police, que le « client » était chez lui à Ipswich, et que les « taxis » attendaient dans le voisinage.

« Preston? dit le directeur général à l'appareil. John? Où êtes-vous exactement?

– Un petit cul-de-sac résidentiel à Ipswich, l'allée des Cerisiers. Nous avons filé le Pote jusqu'à son terrier. Je suis certain qu'il s'agit de sa base.

– Vous croyez qu'il est temps d'intervenir?

– Oui, monsieur. J'en suis persuadé. J'ai peur qu'il ne soit armé. Vous devinez ce que je veux dire. J'estime que ce n'est pas du ressort de la Brigade spéciale ou de la police locale. »

Il expliqua au directeur général ce qu'il désirait, puis raccrocha et passa un coup de fil personnel à Sir Nigel Irvine, Sentinel House.

« Oui, John, je suis du même avis, lui répondit « C » quand Preston lui eut rendu compte. S'il a entre les mains ce que nous pensons, il vaut mieux faire comme vous le demandez. Cela relève du S.A.S. »

22

Faire intervenir le Special Air Service, régiment d'élite de spécialistes en infiltration, observation et (occasionnellement) guérilla urbaine, n'est pas aussi facile que le laissent entendre les feuilletons de la télévision.

Le S.A.S. n'opère jamais sur sa propre initiative. D'après ses statuts il ne peut, comme n'importe quelle unité des forces armées, opérer à l'intérieur des frontières du Royaume-Uni qu'en soutien et à la requête de l'autorité civile – c'est-à-dire de la police. Donc, sur le plan théorique, l'opération reste toujours sous le commandement de la police locale. Dans les faits, dès que les hommes du S.A.S. ont reçu le « feu vert », la police locale a tout intérêt à se retirer sur la pointe des pieds.

Selon la loi, lorsqu'il se produit une situation d'urgence que la police locale ne semble pas en mesure de résoudre sans une assistance extérieure, il appartient au *Chief Constable* (l'équivalent d'un préfet de police) d'adresser une requête officielle au ministère de l'Intérieur, en vue de faire intervenir le S.A.S. Le chef de cabinet du ministère de l'Intérieur transmet la requête à son homologue de la Défense, qui informe aussitôt le Directeur des Opérations militaires, lequel à son tour alerte le S.A.S. à sa base d'Hereford.

Si cette procédure peut ne prendre que quelques minutes, c'est en partie parce qu'elle a été maintes fois répétée et rodée à la perfection; mais en partie aussi parce qu'en Angleterre il existe parmi les grands commis de l'Etat des relations personnelles permettant de régler de vive voix une bonne partie des formalités, en laissant l'inévitable paperasserie rattraper les événements plus tard. Les Anglais trouvent parfois leur bureaucratie lente et encombrante, mais elle est souple et fulgurante comparée à ses homologues d'Europe continentale et d'Amérique.

De toute façon, la plupart des Chief Constables d'Angleterre sont allés à Hereford, où on leur a présenté l'unité (autrement dit « Le régiment ») et montré exactement les moyens d'assistance à leur disposition. Peu d'entre eux sont repartis déçus.

Ce matin-là, Londres avait informé le Chief Constable du Suffolk de la crise qui lui tombait sur les bras : un agent étranger suspect, supposé armé et possédant peut-être une bombe, avait établi son repaire à Ipswich, allée des Cerisiers. Il téléphona à Sir Hubert Villiers à Whitehall, qui attendait son appel. Sir Hubert prévint son ministre et son collègue le chef de cabinet du Conseil des ministres, qui informa Mme Thatcher. Après avoir reçu l'accord de Downing Street, Sir Hubert transmit la requête (désormais assortie du « feu vert » politique) à son collègue Sir Peregrine Jones de la Défense, déjà au courant de toute façon car Sir Martin Flannery lui en avait touché deux mots. Soixante minutes après la première prise de contact entre l'Intérieur et le bureau du Chief Constable du Suffolk, le Directeur des Opérations militaires parlait sur une ligne brouillée au commandant en chef du S.A.S. à Hereford.

Les unités de combat du S.A.S. sont organisées sur la base quatre. Quatre hommes constituent une patrouille, quatre patrouilles une troupe, quatre troupes un escadron. Les quatre escadrons « sabre » se nomment A, B, D et G. Ils sont affectés par rotation aux diverses missions du S.A.S. : Irlande du Nord,

Proche-Orient, Entraînement de Jungle et Projets spéciaux, outre les responsabilités permanentes au sein de l'O.T.A.N., et le maintien d'un escadron d'intervention à Hereford.

Les affectations durent en général six à neuf mois, et ce mois-là, c'était l'escadron B qui se trouvait à Hereford. Comme d'habitude, il y avait une troupe prête à intervenir dans un délai d'une demi-heure et une deuxième prête à intervenir dans un délai de deux heures. Les quatre troupes de chaque escadron sont toujours la Troupe Air (parachutistes « chute libre »), la Troupe Bateau (canots et hommes-grenouilles), la Troupe Montagne (alpinistes) et la Troupe Mobile (Land-Rover armées).

« Que faites-vous d'habitude à cette heure-ci? » demanda Preston au jeune cadre du n° 9, qui se nommait M. Adrian.

Celui-ci venait de terminer une conversation téléphonique avec l'inspecteur-chef de la police judiciaire, au quartier général de la police d'Ipswich, à l'angle de Civic Drive et d'Elm Street. Si M. Adrian conservait quelques doutes sur l'authenticité de son hôte inattendu d'une demi-heure plus tôt, l'inspecteur-chef les avait dissipés. C'était Preston lui-même qui lui avait suggéré de téléphoner, pour s'assurer que la police du Suffolk était bien au courant de la présence de l'officier du MI-5 dans son salon.

On lui avait également confirmé que l'homme d'en face était sans doute armé et dangereux; on procéderait probablement à une arrestation plus tard dans la journée.

« D'habitude, je vais à mon bureau en voiture vers neuf heures moins le quart, c'est-à-dire dans dix minutes. Vers dix heures, ma femme Lucinda conduit Samantha au jardin d'enfants. Ensuite, elle fait ses courses, reprend Samantha à midi et rentre à la maison. A pied. Je reviens de mon travail vers six heures et demie. En voiture, bien sûr.

– J'aimerais que vous preniez un jour de congé, lui dit Preston. Téléphonez à votre bureau pour les prévenir que vous êtes souffrant, mais quittez la maison à l'heure habituelle. Vous vous arrêterez près de la voiture de police qui se trouve à l'angle de la route de Belstead et de l'entrée des Allées.

– Mais ma femme et ma fille?

– Je préférerais que Mme Adrian attende ici jusqu'à l'heure habituelle, puis s'en aille avec Samantha, son panier à provisions à la main. Elle vous rejoindra là-bas à pied. Avez-vous un endroit où passer la journée?

– Chez ma mère à Felixstowe, dit Mme Adrian, nerveuse.

– Et notre maison?

– Il ne lui arrivera rien, monsieur Adrian, je vous assure », répondit Preston.

« Si tout va bien », songeait-il. Il aurait pu ajouter que si tout allait mal, elle se volatiliserait.

« Je suis obligé de vous demander, poursuivit-il à haute voix, de me laisser l'utiliser, avec mes collègues, comme poste d'observation. Nous entrerons et sortirons par l'arrière. Nous ne ferons absolument aucun dégât.

– Qu'en penses-tu, chérie? » demanda M. Adrian à son épouse.

Elle accepta.

« Je veux seulement que Samantha sorte d'ici, répondit-elle.

– Dans une heure, je vous le promets, répondit Preston. M. Ross, en face, n'a pas dormi de la nuit, je le sais puisque nous l'avons filé. Il s'est sans doute couché, et de toute façon, la police n'entrera pas en action contre le numéro 12 avant cet après-midi, peut-être même le début de soirée.

– Très bien, dit Adrian. Nous ferons ce que vous nous demandez. »

Il téléphona à son bureau pour s'excuser et il s'en alla en voiture à neuf heures moins le quart. Valéri Petrofsky le vit partir depuis la fenêtre de sa chambre, au premier. Le Russe se disposait à prendre quelques heures de sommeil. Il n'y avait rien d'inhabituel dans la rue. Adrian partait travailler tous les jours à cette heure-là.

Preston remarqua qu'il y avait un terrain vague derrière le numéro 9. Il appela Harry Burkinshaw et Barney, qui entrèrent par l'arrière, adressèrent un salut à Mme Adrian, gênée, et montèrent dans la chambre de l'étage pour exercer de nouveau leur profession : guetter. Ginger avait trouvé une petite colline à quatre cents mètres de là, d'où l'on voyait à la fois l'estuaire de l'Orwell, avec ses docks, et le petit lotissement résidentiel en contrebas. Avec des jumelles, il pouvait surveiller efficacement l'arrière du 12, allée des Cerisiers.

« L'arrière de la maison donne sur le jardin d'une autre villa, allée des Fougères, dit-il à Preston par radio. Aucun mouvement dans la maison ou le jardin. Toutes les fenêtres sont fermées. Etrange par ce beau temps.

– Continuez de surveiller, dit Preston. Je reste ici. Si je suis obligé de partir, Harry prendra le relais. »

Une heure plus tard, Mme Adrian et sa fille sortirent de la maison et s'éloignèrent à pied.

Cependant dans la ville même, une autre opération s'organisait. Le Chief Constable, qui avait fait ses débuts en uniforme et gravi les échelons à la force du poignet, avait exposé les détails de la manœuvre à son adjoint, le commissaire divisionnaire Peter Low.

Low envoya deux détectives à l'hôtel de ville. Ils découvrirent au service des impôts locaux que la maison « objectif » appartenait à un certain M. Johnson mais que les feuilles d'impôts devaient être envoyées à un agent immobilier : Oxborrow. On appela l'agent au téléphone, et il expliqua que M. Johnson se trouvait en Arabie Saoudite; la maison était louée à un M. James Duncan Ross. On envoya à Ipswich, par télex, une deuxième photo de Ross (alias Timothy Donnelly) dans les rues de Damas. Oxborrow l'identifia : c'était bien son locataire.

Le service du logement de l'hôtel de ville indiqua également le nom des architectes reponsables du lotissement « Les Allées ». Ils fournirent aussitôt les plans détaillés des deux niveaux du numéro 12. Ils rendirent un autre service : ils avaient construit à Ipswich plusieurs maisons exactement sur les mêmes plans, et l'une d'elles se trouvait vide. Elle serait très utile pour l'équipe d'assaut du S.A.S. : ils connaîtraient la géographie exacte des lieux avant d'entrer dans la maison.

Peter Low était également chargé de trouver un « local de base » pour les hommes du S.A.S., quand ils arriveraient – un endroit discret, couvert, bien situé, facilement accessible aux véhicules et pourvu de lignes téléphoniques. On repéra un entrepôt vide sur l'Eagle Wharf, et le propriétaire accepta de le louer à la police pour un « exercice d'entraînement ».

Il possédait de lourdes portes coulissantes qui s'ouvriraient à l'arrivée du convoi de véhicules et se refermerait pour éviter les regards curieux. L'espace libre était assez vaste pour construire une réplique de la maison de l'allée des Cerisiers avec des traverses de bois et de la toile de jute en guise de murs. Le petit bureau vitré servirait de poste de commandement.

Juste avant midi, un hélicoptère Scout de l'armée se posa dans un coin de l'aéroport d'Ipswich et trois hommes en descendirent : le commandant en chef du régiment S.A.S., le général de brigade Cripps; l'officier d'opération, un commandant du régiment; et le chef de détachement, le capitaine Julian Lyndhurst. Ils étaient en civil, avec leurs uniformes dans leurs sacs de voyage. Une voiture de police banalisée les conduisit directement au local de base où la police était en train d'installer leur centre d'opération.

Le commissaire Low apprit aux trois officiers tout ce qu'il savait – c'est-à-dire ce que lui avait expliqué Londres. Il avait parlé à John Preston par téléphone mais ne l'avait pas rencontré.

« Si je comprends bien, dit le général Cripps, ce John Preston est le contrôleur de terrain du MI-5. Où se trouve-t-il?

– Sans doute au poste d'observation, dit Low, la maison qu'il a occupée en face de l'objectif. Je peux lui téléphoner. Il sortira par l'arrière et viendra nous rejoindre ici.

– Je me demande, mon général, dit le capitaine Lyndhurst à son supérieur, si je ne ferais pas aussi bien d'aller là-bas tout de suite. Je jetterais un coup d'œil sur l'objectif et je reviendrais avec ce Preston.

– D'accord, répondit Cripps. De toute façon, il faut envoyer une voiture. »

Quinze minutes plus tard, depuis la colline de l'autre rive de l'estuaire par rapport à l'Eagle Wharf, la police montra au capitaine l'arrière du numéro 9. Toujours en civil, le capitaine de vingt-neuf ans traversa le terrain vague, sauta par-dessus la clôture du jardin et entra par la porte de derrière. Il trouva Barney dans la cuisine, en train de préparer le thé sur la plaque chauffante de Mme Adrian.

« Lyndhurst, dit l'officier. Du régiment. M. Preston est ici?

– John, lança Barney dans l'escalier sans élever la voix car la maison était supposée vide. On vous demande. Un « Spécial ».

Lyndhurst monta dans la chambre de la façade et se présenta à John Preston. Harry Burkinshaw grommela quelque chose à propos d'une tasse de thé et sortit. Le capitaine regarda le numéro 12, de l'autre côté de la rue.

« Il y a encore des blancs dans le tableau que l'on nous a peint, dit Lyndhurst d'un ton chantant. Qui exactement se trouve dans cette maison?

– Je crois qu'il s'agit d'un agent soviétique, répondit Preston. Un illégal installé ici sous le nom de James Duncan Ross. Trente-cinq ans environ, taille et corpulence moyennes, probablement très en forme. Un professionnel de premier ordre. »

Il tendit à Lyndhurst la photographie prise dans une rue de Damas. Le capitaine l'examina avec intérêt.

« Quelqu'un d'autre à l'intérieur?

– Possible. Nous ne le savons pas. Ross, c'est certain. Il a peut-être un assistant. Nous ne pouvons pas parler aux voisins. Dans ce genre de quartier, ils sortiraient tous dans leurs jardins pour assister au spectacle. Les gens qui habitent ici m'ont dit avant de partir que Ross vivait seul. Ils étaient catégoriques. Mais cela ne prouve rien.

– D'après ce que l'on nous a dit, vous le croyez armé, peut-être dangereux. Trop dangereux pour la police locale, n'est-ce pas?

– Oui, nous croyons qu'il y a une bombe dans la maison. Il faudrait se rendre maître de lui avant qu'il ne puisse l'atteindre.

– Une bombe, hein? dit Lyndhurst sans intérêt particulier (il avait servi à deux reprises en Irlande du Nord). Assez grosse pour raser la maison ou toute la rue?

– Un peu plus grosse que ça, dit Preston. Si nous ne nous trompons pas, il s'agit d'une petite bombe atomique. »

L'officier du S.A.S. détourna la tête de la maison d'en face et ses yeux bleu clair fixèrent Preston.

« Nom de Dieu! s'écria-t-il. Là, vous me soufflez.

– Saine réaction, dit Preston. Aucune précaution ne

sera superflue... A propos, je veux l'avoir, et je veux l'avoir vivant.

– Allons sur les quais parler au commandant en chef », répondit Lyndhurst.

Pendant que Lyndhurst se trouvait allée des Cerisiers, deux autres hélicoptères étaient arrivés d'Hereford, un Puma et un Chinook. Le premier transportait le groupe d'assaut, le deuxième l'équipement, volumineux et mystérieux.

Le groupe se trouvait sous le commandement temporaire du « lieutenant » de Lyndhurst, un vieux sergent-major du nom de Steve Bilbow. Il était de petite taille, noiraud et sec comme un coup de trique, aussi dur que le cuir de ses bottes, avec des petits yeux noirs rusés et un sourire toujours prêt à s'offrir. Comme tous les sous-officiers de rang élevé dans le S.A.S., il était au régiment depuis longtemps – dans son cas, quinze ans.

A ce sujet également, le S.A.S. fait exception à la règle. Les officiers sont presque tous en détachement temporaire de leur unité d'origine, où ils retournent en général après un séjour de deux à trois ans dans le S.A.S. Seuls les sous-officiers restent au S.A.S., et d'ailleurs pas tous, uniquement les meilleurs. Même le commandant en chef ne reste que peu de temps au régiment (bien qu'il y ait sans doute déjà servi auparavant dans sa carrière). Très peu d'officiers sont affectés pour de longues durées, et ceux qui le sont occupent tous les postes aux services Logistique/Intendance/Technique, au Q.G.

Steve Bilbow était entré au S.A.S. comme simple soldat détaché d'un régiment de parachutistes. Il avait servi ses deux ans, avait été choisi « au mérite » pour un prolongement d'affectation, et il était monté peu à peu en grade. Il avait fait deux campagnes de combat au Dhofar, il s'était gelé au cours d'innombrables nuits d'embuscade au Sud-Armagh, et il s'était prélassé dans les Cameron Highlands de la péninsule malaise. Il avait participé à la formation des groupes GSG 9 d'Allemagne Fédérale et travaillé avec le Groupe Delta de Charlie Beckwith, en Amérique.

En son temps, il avait connu l'ennui mortel de l'entraînement répétitif qui permettait aux hommes du S.A.S. de demeurer au sommet de leur forme physique. Il avait connu aussi l'excitation suprême des opérations : courir sous le feu des rebelles pour se mettre à l'abri d'un *sangar* dans les collines d'Oman, commander un peloton clandestin contre les tireurs d'élite républicains à East-Belfast, sans parler de ses cinq cents sauts en parachute – la plupart de haute altitude avec ouverture au ras du sol.

A son plus grand regret, on n'avait pas fait appel à lui, bien qu'il fît partie d'une équipe de soutien, au moment de l'assaut de l'ambassade d'Iran à Londres en 1981.

Le reste du groupe comprenait ce jour-là un photographe, trois spécialistes du renseignement, huit tireurs d'élite et neuf spécialistes de l'assaut. Steve espérait bien prendre la tête du détachement au moment de l'attaque. Plusieurs fourgons de police banalisés les attendaient à l'aéroport pour les conduire au local de base. Quand Preston et Lyndhurst arrivèrent à l'entrepôt, le groupe venait de débarquer et étalait son matériel par terre, sous les regards médusés des agents de police d'Ipswich.

« Salut, Steve, dit le capitaine Lyndhurst. Tout va bien?

– Salut, chef. Oui, bien. On fait le tri.

– J'ai vu l'objectif. Une petite maison au milieu d'un jardin. Un seul occupant connu, peut-être deux. Et une bombe. Ce sera un petit assaut, il n'y aurait pas de place pour beaucoup de monde. J'aimerais que vous entriez le premier.

– Essayez de m'en empêcher, chef », dit Bilbow en souriant.

Au S.A.S., la discipline personnelle est plus importante que les formes extérieures de respect. Tout homme incapable d'exercer sur lui-même, et de lui-même, la discipline qu'imposent les opérations du S.A.S., ne survivrait pas longtemps de toute manière. Et ceux qui possèdent cette qualité n'ont pas besoin de la discipline extérieure rigide qui règle les relations personnelles dans les régiments « normaux ».

En général, les officiers s'adressent à leurs subordonnés par leur prénom. Les sous-officiers appellent volontiers leurs officiers « chef » bien que le commandant en chef soit toujours « mon général ». Entre eux, les simples soldats du S.A.S. appellent leurs officiers des « Rupert ».

Le sergent-major Bilbow aperçut Preston et son visage s'éclaira d'un sourire ravi.

« Commandant Preston... Bon Dieu, ça fait longtemps! »

Preston lui tendit la main et lui rendit son sourire.

La dernière fois qu'il avait vu Steve Bilbow, c'était dans la planque où il s'était réfugié après la fusillade du Bogside. En outre, les deux hommes étaient d'anciens paras, ce qui crée toujours des liens.

« Je suis au Cinq, à présent, expliqua Preston. Contrôleur de terrain de cette opération, en tout cas pour ce qui relève du Cinq.

– Qu'est-ce que vous nous avez déniché? demanda Steve.

– Un Russe. Agent du K.G.B. Un vrai pro. Sans doute suivi les cours des *spetsnaz*. Il doit être excellent, rapide, et sans doute armé.

– Charmant. Spetsnaz, hein? Nous allons donc voir s'ils sont aussi bons qu'on le dit. »

Les trois hommes connaissaient de réputation les

spetsnaz, saboteurs d'élite de la Russie, l'équivalent soviétique du S.A.S.

« Désolé d'interrompre vos retrouvailles, dit Lyndhurst, mais il est temps de procéder au briefing. »

Il monta avec Preston dans le bureau vitré où les attendaient le général Cripps, le commandant des opérations, le commissaire Low, et les spécialistes des renseignements du S.A.S. Preston leur expliqua pendant une heure tout ce qu'il savait de l'affaire. Quand il se tut, l'atmosphère était extrêmement tendue.

« Avez-vous la moindre preuve qu'il y a un engin nucléaire dans cette maison? demanda le commissaire Low après un long silence.

– Non. Nous avons intercepté un élément entrant dans la composition d'une bombe atomique. Cet élément devait être livré à un agent sous couverture installé dans notre pays. Les spécialistes affirment que cet élément ne peut pas avoir d'autre utilisation dans le monde. Nous savons que l'homme dans cette maison est un illégal soviétique – sa « gueule » a été identifiée à Damas par le Mossad. Et ses relations avec l'émetteur clandestin de Chesterfield le confirment. Le reste n'est que déductions.

« Si l'élément que nous avons trouvé sur le marin russe n'était pas destiné à la construction d'une petite bombe atomique en Angleterre, à quoi devait-il servir? Je n'ai trouvé à cette question aucune explication logique. Quant à Ross, sauf s'il y a en ce moment deux opérations soviétiques clandestines de première grandeur se déroulant dans notre pays, cet élément lui était destiné. C.Q.F.D.

– Oui, répondit le général Cripps. Je crois que l'hypothèse est valide. Nous devons supposer que la bombe se trouve dans cette maison. Et si elle n'y est pas, nous engagerons avec l'ami Ross une conversation sérieuse. »

Le commissaire Low, d'Ipswich, vivait un cauchemar. Il comprenait bien que prendre la maison d'assaut était la seule solution, mais il songeait à ce qu'il resterait d'Ipswich si l'engin explosait.

« Ne pourrions-nous pas évacuer? demanda-t-il sans grand espoir.

– Il le remarquerait, répondit Preston doucement. Et s'il se sent fini, il nous pulvérisera tous avec lui. »

Les hommes du S.A.S. acquiescèrent. Ils savaient que s'ils se trouvaient au cœur de la Russie soviétique dans la situation de l'illégal, ils prendraient la même décision.

L'heure du déjeuner passa sans qu'on s'en aperçoive. Personne n'avait d'appétit. L'après-midi s'écoula en reconnaissances et préparatifs.

Steve Bilbow retourna à l'aéroport avec le photographe et un agent de police. Ils utilisèrent le Scout pour effectuer un passage au-dessus de l'estuaire de l'Orwell, très à l'écart des Allées mais sur une trajectoire permettant de voir l'objectif. L'agent de police montra la maison. Le photographe prit une cinquantaine de clichés pendant que Steve enregistrait sur vidéocassette un long panoramique qu'il projetterait au local de base.

Tout le groupe d'assaut, encore en civil, se rendit avec la police dans la maison construite par les mêmes architectes sur les mêmes plans. Quand ils revinrent au local, ils purent voir l'objectif sur l'écran vidéo, et des photographies en plan rapproché.

Ils passèrent le reste de l'après-midi dans l'entrepôt à s'entraîner dans la réplique de la maison que la police avait construite sous la supervision du S.A.S. : des murs en toile de jute tendue entre des poteaux de bois; mais les dimensions étaient exactes, et cela avait permis d'analyser le facteur le plus inquiétant : l'espace intérieur était très restreint. Porte d'entrée étroite, vestibule étroit, escalier exigu et petites pièces.

Le capitaine Lyndhurst décida de n'utiliser pour l'assaut que six hommes – au désespoir éternel des quatre qui resteraient. Il y aurait aussi trois tireurs d'élite en place : deux dans la chambre de façade des Adrian, et un sur la colline dominant le jardin, vers l'arrière.

L'arrière du 12, allée des Cerisiers, serait couvert par deux des six attaquants de Lyndhurst. Ils seraient en tenue de combat avec leur équipement au complet, mais enfileraient par-dessus des imperméables civils. Une voiture de police banalisée les conduirait dans l'allée des Fougères. Ils descendraient, traverseraient sans demander d'autorisation le jardin de devant de la maison située à l'arrière de l'objectif, longeraient cette maison le long du garage et passeraient dans le jardin de derrière.

Là, ils ôteraient leurs imperméables, enjamberaient la clôture et prendraient position à l'arrière de l'objectif.

« Il y aura peut-être un fil de nylon tendu à travers le jardin pour donner l'alarme, les prévint Lyndhurst. Mais il sera probablement assez près de la maison. Restez donc en retrait. Au signal, une grenade fulgurante par la fenêtre de la chambre de derrière et une autre par la fenêtre de la cuisine. Ensuite prenez vos H.K. et mettez-vous en position. Ne tirez pas à l'intérieur de la maison : Steve et les autres entreront par la façade. »

Les hommes de « l'accès arrière » acquiescèrent. En principe, le capitaine Lyndhurst ne participerait pas à l'assaut. Ancien lieutenant des King's Dragoon Guards, c'était sa première affectation au S.A.S., et il avait rang de capitaine uniquement parce que le S.A.S. n'a aucun officier au-dessous de ce grade. Il redeviendrait lieutenant quand il réintégrerait son ancien régiment, dans un an – mais il espérait en secret revenir au S.A.S. par la suite, pour prendre le commandement d'un escadron.

Il savait aussi que selon la tradition du S.A.S., à l'inverse de ce qui se produit dans le reste de l'armée, les officiers prennent part au combat dans le désert ou la jungle mais jamais en milieu urbain. Seuls les sous-officiers et les hommes exécutent les assauts.

Lyndhurst, son commandant en chef et le commandant de l'opération avaient décidé que l'attaque principale se ferait par la façade. Une fourgonnette s'arrêterait sans bruit dans la rue et les quatre hommes en descendraient. Deux s'occuperaient de la porte d'entrée : l'un avec le Wingmaster, l'autre avec un marteau-piqueur de trois kilos cinq cents et/ou des cisailles de force, si nécessaire.

A l'instant où la porte céderait, la première vague d'assaut interviendrait : Steve Bilbow et un caporal. Les deux hommes de la porte laisseraient tomber le Wingmaster et le marteau-piqueur, prendraient leur H.K. fixés sur leur poitrine et fonceraient dans le couloir en soutien des deux premiers hommes.

A son entrée dans le vestibule, Steve s'élancerait vers la porte du salon, sur sa gauche, sans s'occuper de l'escalier. Le caporal se précipiterait dans l'escalier pour « prendre » la chambre de devant. Les deux autres (l'équipe de la porte) suivraient : le premier, le caporal dans l'escalier au cas où le Pote serait dans la salle de bain; le second, Steve dans le salon.

Les coups du Wingmaster sur la porte d'entrée serviraient de signal aux deux hommes du jardin pour lancer leurs grenades fulgurantes dans les deux pièces de l'arrière : la cuisine et la deuxième chambre. Donc, au moment de l'entrée, toute personne se trouvant dans l'une de ces pièces se tordrait de douleur en se demandant ce qu'il arrivait.

Preston, qui s'était porté volontaire pour retourner au poste d'observation, fut autorisé à assister à la préparation de l'assaut.

Il savait déjà que le S.A.S. est le seul régiment de l'armée britannique autorisé à choisir son armement dans l'arsenal mondial. Pour le combat rapproché, les hommes choisirent des pistolets-mitrailleurs de neuf millimètres à canon court, des Heckler et Koch à tir rapide, de fabrication allemande. Cette arme légère, facile à manier, est très sûre. Sa crosse se replie vers le haut pour coiffer le canon.

Ils portaient en général ces H.K. en travers de la poitrine, de biais, fixés par deux mousquetons à ressort. Les armes étaient toujours chargées et armées. Cela leur laissait les bras libres pour ouvrir les portes, entrer par les fenêtres ou lancer des grenades. Aussitôt après, une seule secousse libérait l'H.K., prête à tirer en moins d'une demi-seconde.

Pour les portes, l'expérience avait démontré qu'il était plus rapide de faire sauter les deux gonds que de s'attaquer à la serrure. Pour cela, ils utilisaient de préférence le Wingmaster de Remington, fusil de chasse à répétition – à la place des chevrotines, ils mettaient des têtes de cartouches massives.

En dehors de ces joujoux, l'un des hommes chargés de la porte utiliserait un marteau-piqueur et des cisailles, au cas où la porte, après avoir perdu ses supports, serait retenue par plusieurs verrous et des chaînes. Ils auraient également des grenades fulgurantes dont l'éclair aveuglait temporairement et dont la déflagration assommait l'adversaire, mais sans le tuer. Enfin, chaque homme garderait à la ceinture son automatique Browning 9 mm à treize coups.

Au moment de l'assaut, souligna Lyndhurst, la précision serait essentielle. Il avait décidé d'attaquer à 21 h 45, quand le crépuscule tomberait sur les Allées. La lumière faible rendrait les contours imprécis sans qu'il fasse encore nuit noire.

Il serait lui-même dans la maison des Adrian, de l'autre côté de la rue. Il surveillerait l'objectif et resterait en contact radio avec la fourgonnette transportant le groupe d'assaut. S'il y avait des piétons dans l'allée à 21 h 44, il dirait au chauffeur de ralentir jusqu'à ce que la façade de l'objectif soit dégagée pour l'attaque. Il pourrait donc surveiller l'assaut. La voiture de police qui conduirait à leur position les deux hommes de l'arrière serait sur la même longueur d'onde; elle les déposerait allée des Fougères quatre-vingt-dix secondes avant l'attaque de la porte.

Il avait prévu un dernier raffinement. Au moment où la fourgonnette entrerait dans l'allée, il téléphonerait à Ross depuis la maison d'Adrian, de l'autre côté de la route. Il savait que dans toutes ces maisons l'appareil se trouvait sur une petite console dans l'entrée. Le but de la manœuvre était d'éloigner l'agent soviétique de sa bombe, où qu'elle fût, et de donner aux hommes du groupe d'assaut une chance de tirer les premiers.

Comme d'habitude, ils tireraient deux rafales rapides de deux balles chacune. Quoique le H.K. soit capable de vider son chargeur de trente cartouches en deux secondes, les hommes du S.A.S. sont assez précis, même dans les conditions confuses d'une opération antiterroriste ou d'une prise d'otages, pour ne tirer que deux cartouches par rafale, deux rafales coup sur coup. Toute personne recevant ces quatre balles ne reste pas longtemps debout. Ce genre d'économie permet également de garder les otages en vie.

Aussitôt après l'assaut, la police entrerait en force dans l'allée pour calmer la foule qui, inévitablement, sortirait des maisons voisines. On établirait un cordon de police devant la façade de la maison, et les hommes du S.A.S. sortiraient par l'arrière, traverseraient les jardins et monteraient à bord de leur fourgonnette qui les attendrait dans l'allée des Fougères. L'autorité civile prendrait également le relais à l'intérieur de la maison : six hommes d'Aldermaston arriveraient à Ipswich dans l'après-midi, à l'heure du thé.

A six heures, Preston quitta le local de base pour retourner au poste d'observation, la maison des Adrian, dans laquelle il entra par l'arrière sans être vu.

« Les lumières viennent juste de s'allumer », dit

Harry Burkinshaw lorsque Preston le rejoignit dans la chambre de la façade.

Les rideaux de la maison d'en face étaient tirés mais l'on distinguait une lueur derrière eux, et le reflet d'une lampe sur les panneaux de verre de la porte d'entrée.

« Je crois avoir vu quelque chose bouger derrière les rideaux de la chambre d'en haut peu après votre départ, dit Barney. Mais il n'a pas allumé la lumière. C'était bien normal, à l'heure du déjeuner... Il n'est pas sorti. »

Preston appela Ginger sur la colline, la réponse fut identique. Aucun mouvement à l'arrière non plus.

« Il va commencer à faire sombre dans deux heures, lui signala Ginger. La visibilité diminuera vite... »

Valéri Petrofsky avait mal dormi, d'un sommeil agité. Il s'éveilla vers une heure de l'après-midi, s'accouda sur le lit et regarda la maison d'en face à travers les rideaux de tulle. Au bout de dix minutes, il se leva et prit une douche dans la salle de bain.

A deux heures, il se prépara un repas léger dans la cuisine et le mangea sur la table, en regardant de temps à autre le jardin de l'arrière où un fil de nylon fin, invisible, courait d'une clôture à l'autre, tournait sur une petite poulie puis passait sous la porte de derrière. Le bout du fil était fixé à une colonne de boîtes de conserve vides. Quand il quittait la maison il détendait le fil. En rentrant, il le retendait. Personne n'avait encore fait tomber les boîtes en équilibre.

L'après-midi traîna en longueur. Petrofsky était nerveux, tous ses sens en alerte – rien d'étonnant étant donné l'engin qui attendait, armé et prêt à exploser, dans un coin du salon. Il essaya de lire mais fut incapable de se concentrer. Moscou devait avoir reçu son message depuis douze heures. Il écouta un peu de musique à la radio, puis, à six heures, s'installa dans le salon. Il pouvait voir le soleil d'été sur les façades des maisons d'en face, mais comme sa propre maison était exposée à l'est, elle se trouvait déjà dans l'ombre. Il ferait de plus en plus sombre dans le salon. Il tira les doubles rideaux, comme toujours avant d'allumer les lampadaires, puis, faute de mieux, il mit la télévision. Comme d'habitude, la campagne électorale envahissait toutes les chaînes.

Dans l'entrepôt servant de local de base, la tension montait. On procéda aux derniers préparatifs de la fourgonnette, une Volkswagen grise ordinaire avec une porte coulissante latérale. Deux hommes qui ne participeraient pas à l'assaut seraient à l'avant, en civil; un au volant, l'autre à la radio, en contact avec le capitaine Lyndhurst. On vérifia le fonctionnement des radios vingt fois de suite, comme tous les autres éléments de l'équipement.

La fourgonnette serait précédée jusqu'à l'entrée des Allées par une voiture de police banalisée. Le chauffeur avait mémorisé le plan du lotissement et saurait trouver facilement l'allée des Cerisiers, puis l'allée des Fougères. A leur entrée dans les Allées, le groupe recevrait les ordres par radio du capitaine Lyndhurst, à son poste derrière la fenêtre. A l'intérieur, le fourgon avait été tapissé de polystyrène expansé pour empêcher le métal de cliqueter contre le métal.

Le groupe d'assaut était en tenue et équipé de ses « outils ». Chaque homme enfila par-dessus ses sous-vêtements la combinaison noire standard de tissu ignifugé. Au dernier moment, s'ajouterait un passe-montagne noir de tissu traité. Ensuite, l'« armure », gilet léger Kevlar pour absorber l'impact des balles en dispersant l'énergie vers l'extérieur et latéralement à partir du point de pénétration. Derrière le Kevlar, les hommes placèrent des « tampons antichocs » de céramique pour amortir davantage l'effet des projectiles.

Par-dessus tout cela, le baudrier servant à maintenir l'arme d'assaut, le H.K., ainsi que les grenades et le pistolet. Ils portaient aux pieds les traditionnelles « bottes du désert » montant à la cheville et pourvues de grosses semelles de caoutchouc couleur caca d'oie.

Le capitaine Lyndhurst échangea un dernier mot avec chacun de ses hommes, puis avec son « lieutenant », Steve Bilbow. Il n'était pas question de souhaiter « bonne chance » au groupe – n'importe quoi, mais pas ça! Puis le capitaine partit au poste d'observation.

Il entra dans la maison des Adrian peu après huit heures. Preston le sentit tendu à l'extrême. A vingt heures trente, le téléphone sonna. Barney, qui se trouvait dans le vestibule, décrocha aussitôt. Il y avait eu plusieurs appels dans la journée. Preston avait décidé qu'il valait mieux décrocher. Quelqu'un risquait de venir voir pourquoi personne ne répondait. Chaque fois, les guetteurs avaient expliqué que Mme Adrian était chez sa mère – en se faisant passer pour les peintres en train de redécorer le salon. Tout le monde avait accepté cette explication. Quand Barney décrocha, le capitaine Lyndhurst sortait de la cuisine avec une tasse de thé.

« C'est pour vous », lui dit Barney, qui remonta aussitôt.

A partir de vingt et une heures, la tension ne cessa d'augmenter. Lyndhurst passait beaucoup de temps à la radio, qui le reliait au local de base d'où, à vingt et une heures quinze, la fourgonnette grise partit pour les Allées, précédée de sa voiture-guide. A vingt et une heures trente-trois, les deux véhicules arrivèrent sur la route de Belstead, à l'entrée du lotissement, à deux cents mètres de l'objectif. Elles s'arrêtèrent et attendirent. A vingt et une heures quarante et une, M. Armitage sortit déposer quatre bouteilles vides pour le laitier. Il s'arrêta pour inspecter, dans la pénombre, le parterre de fleurs au milieu de sa pelouse. Puis il salua un voisin, de l'autre côté de la rue.

« Mais rentre donc, vieil imbécile! » lança Lyndhurst entre ses dents.

Debout au milieu du salon, il regardait de l'autre côté de la rue les lumières derrière les rideaux. A vingt et une heures quarante-deux, la voiture de police banalisée transportant les deux hommes du jardin de l'arrière prit position dans l'allée des Fougères et attendit. Dix secondes plus tard, M. Armitage souhaita bonne nuit à son voisin et rentra chez lui.

A vingt et une heures quarante-trois, la fourgonnette grise s'engagea dans l'allée des Genêts – la voie d'accès de l'ensemble du lotissement. Debout dans le vestibule, à côté du téléphone, Preston entendait la conversation entre le chauffeur de la fourgonnette et Lyndhurst. La fourgonnette avançait lentement, sans bruit, vers l'entrée de l'allée des Cerisiers.

Il n'y avait aucun piéton dans la rue. Lyndhurst ordonna aux deux hommes du jardin arrière de descendre de la voiture de police et d'avancer.

« Entrée dans allée des Cerisiers, dans quinze secondes, murmura l'homme du S.A.S. dans la cabine de la fourgonnette.

– Ralentissez, répliqua Lyndhurst. Trente secondes à courir. »

Vingt secondes plus tard, il dit :

« Allez-y. »

La fourgonnette tourna au coin de la rue, très lentement, les phares en veilleuse.

« Huit secondes », murmura Lyndhurst dans l'appareil.

Il se tourna vers Preston et chuchota, les dents serrées.

« Téléphonez! »

La fourgonnette remonta l'allée, passa devant la

porte du numéro 12 et s'arrêta devant le parterre de fleurs de M. Armitage. Comme prévu. Les hommes du S.A.S. avaient décidé d'attaquer l'objectif de biais. La porte latérale, soigneusement graissée, s'ouvrit aussitôt et quatre hommes en noir se glissèrent dans l'obscurité, sans faire le moindre bruit. Aucune course, aucun pas précipité, aucun cri. En bon ordre, comme à la répétition, ils traversèrent paisiblement la pelouse de M. Armitage, contournèrent la voiture de M. Ross garée dans l'allée et se trouvèrent devant l'entrée du numéro 12. L'homme au Wingmaster savait de quel côté seraient les paumelles de la porte. Pendant les derniers pas, il commença d'épauler. Il vérifia la position des paumelles et visa avec soin. Près de lui, une autre silhouette brandissait son marteau-piqueur. Derrière, Steve et le caporal retenaient leur souffle, leurs H.K. prêtes à tirer...

Dans son salon, le major Valéri Petrofsky était agité. Il ne parvenait pas à se concentrer sur l'écran de télévision. Ses sens percevaient trop de choses – le bruit d'un homme en train de poser des bouteilles de lait, le miaulement d'un chat, une pétarade de motocyclette dans le lointain, les coups de sirène d'un cargo entrant dans l'estuaire de l'Orwell.

A vingt et une heures trente, il avait subi une autre émission politique : des interviews de ministres en place et de candidats pleins d'espoir. Exaspéré, il passa sur la deuxième chaîne : un de ces interminables documentaires sur les oiseaux. Il soupira. Tout de même mieux que la politique.

Cela devait faire dix minutes qu'il avait entendu Armitage, à côté, sortir ses bouteilles de lait vides. Toujours le même nombre, toujours à la même heure de la soirée, se dit-il. Ensuite, le vieil imbécile s'était mis à parler à quelqu'un de l'autre côté de la rue. Quelque chose sur l'écran attira son regard et il se figea, stupéfait. La journaliste parlait à un grand bonhomme maigre coiffé d'une casquette plate. La passion de l'homme semblait être les pigeons. Il en présentait un à la caméra, un animal mince, dont le bec et la tête étaient très particuliers.

Petrofsky se redressa sur son fauteuil, concentra presque toute son attention sur l'oiseau et écouta l'interview. Il était certain d'avoir déjà vu un oiseau identique quelque part.

« N'est-ce pas un oiseau agréable à présenter à un concours? » demandait la journaliste.

Elle devait être nouvelle et un peu prétentieuse. Elle essayait de tirer parti de l'interview au maximum.

« Mon Dieu, non! répondit l'homme à la casquette. Ce n'est pas un oiseau de salon. C'est un Westcott. »

Petrofsky, en un éclair, revit soudain la chambre de l'appartement des invités, dans la datcha du secrétaire général à Ousovo. « Je l'ai trouvé dans la rue l'hiver dernier... », avait expliqué le vieil Anglais desséché, et l'oiseau avait regardé Petrofsky du fond de sa cage avec de beaux yeux intelligents.

« Ce n'est pas non plus le genre que nous voyons voler en ville... », suggéra la jeune femme à la télévision.

Elle cafouillait. Au même instant, le téléphone sonna dans le vestibule de Petrofsky...

Normalement, il serait allé répondre, au cas où il s'agirait d'un voisin. Faire comme s'il était sorti aurait provoqué des soupçons, avec les lumières allumées. Et il n'aurait pas emmené son revolver dans le couloir. Mais il resta regarder l'écran. Le téléphone sonna, sans s'arrêter. Autant que le son de la télévision, la sonnerie étouffa le bruit doux des semelles de caoutchouc sur le ciment, dehors.

« J'espère bien que non, répliqua en riant l'homme à la casquette plate. Un Westcott n'est pas non plus un pigeon de la rue. C'est probablement l'une des meilleures souches de voyageurs. Ce petit animal merveilleux revient toujours dans le pigeonnier où il a été élevé. »

Petrofsky se leva de son fauteuil, blême de rage. Le gros pistolet Sako, extrêmement précis, qui ne le quittait guère depuis son arrivée en Angleterre se trouvait à sa place sur le coussin du fauteuil. Il prononça un mot bref en russe. Personne ne l'entendit, mais ce mot était « traître ».

A cet instant, il se produisit une explosion, puis une autre, si rapprochées qu'elles se confondaient presque. Aussitôt après, le verre de la porte d'entrée vola en éclats, il y eut deux énormes explosions à l'arrière de la maison et un bruit de pas dans le vestibule. Petrofsky saisit son arme, pivota vers la porte du salon et tira trois balles. Son Sako « Triace », conçu pour recevoir trois canons interchangeables, était équipé du plus gros calibre des trois. Le chargeur contenait cinq balles, mais Petrofsky n'en tira que trois. Il aurait peut-être besoin des deux autres pour lui-même. Les trois balles traversèrent le contre-plaqué de la porte fermée et continuèrent leur trajectoire dans le vestibule...

Les habitants de l'allée des Cerisiers décriront sans doute cette soirée jusqu'à la fin de leurs jours, mais personne ne sut jamais exactement ce qui se passa.

Le tonnerre du Wingmaster les catapulta tous hors de leurs fauteuils, en même temps que sautaient les paumelles de la porte. Juste après avoir tiré, l'homme au fusil avait reculé d'un pas, sur le côté, pour laisser la place à son camarade. Un seul coup de marteau-piqueur fit voler en tous sens la serrure, le verrou et la chaîne de la porte. Le deuxième homme s'écarta à son tour. Ils laissèrent tomber leurs « outils » et décrochèrent leurs H.K.

Steve et le caporal avaient déjà foncé dans le vide. Le caporal gagna l'escalier en trois bonds et se mit à monter, avec l'homme au marteau-piqueur sur les talons. Steve dépassa la console où le téléphone continuait de sonner, arriva à la porte du salon, se tourna vers elle et fut soulevé du sol. Les trois balles le frappèrent de plein fouet avec un bruit sourd et le projetèrent contre l'escalier. L'homme au Wingmaster se pencha simplement vers la porte encore fermée et tira avec sa H.K. deux rafales de deux cartouches. Ensuite, il ouvrit la porte d'un coup de pied, plongea en avant, fit un roulé-boulé et se releva près du divan, au milieu de la pièce.

Au premier coup de feu, le capitaine Lyndhurst ouvrit la porte des Adrian et regarda. Preston le suivit. A la lueur de la lampe du vestibule, le capitaine vit le sergent-major Bilbow s'avancer vers la porte du salon, puis s'en écarter brusquement, et tomber à la renverse comme une poupée de chiffon. Lyndhurst traversa la rue, Preston sur ses talons.

Au moment où l'homme du S.A.S. qui avait tiré les deux rafales se relevait et braquait son arme vers la forme inerte sur le tapis, le capitaine Lyndhurst parut sur le seuil. Il évalua la scène au premier regard, malgré les fumées de cordite qui s'attardaient.

« Allez aider Steve dans le vestibule », dit-il d'un ton sec.

Le soldat ne discuta pas.

L'homme au sol se mit à bouger. Lyndhurst sortit son browning de sous sa veste.

Le soldat avait été efficace. Petrofsky avait reçu une balle dans le genou gauche, une balle dans le bas-ventre et une balle dans l'épaule droite. Son pistolet avait sauté à l'autre bout de la pièce. Malgré la porte de bois, trois balles sur quatre avaient touché. Petrofsky devait souffrir atrocement, mais il était en vie. Il se mit à ramper. A quatre mètres de lui, il pouvait voir le classeur métallique gris, la boîte plate sur le côté, les deux boutons, le jaune et le rouge. Le capitaine Lyndhurst visa avec soin et tira une fois.

John Preston s'élança si vite qu'il bouscula le capitaine au passage. Il s'agenouilla près du corps à terre. Il était sur le côté, la moitié de la nuque avait éclaté, la bouche s'ouvrait et se refermait encore comme les mâchoires d'un poisson sur un étal. Preston se pencha vers le visage du mourant. Lyndhurst continuait de viser, mais l'homme du MI-5 se trouvait entre lui et le Russe. Il fit un pas de côté pour avoir le champ libre, puis il abaissa le browning.

Preston se relevait. Il n'y avait pas besoin de tirer une deuxième balle.

« Nous ferons bien de demander aux grosses têtes d'Aldermaston de jeter un coup d'œil à ça, lança Lyndhurst en montrant le classeur métallique dans l'angle.

– Je le voulais vivant, dit Preston.

– Désolé, cher ami. Mais ce n'était pas possible », répliqua le capitaine.

Les deux hommes sursautèrent : après un déclic très fort, une voix se mit à leur parler, du côté de la desserte. Ils virent que le son venait d'un gros poste de radio qui s'était allumé automatiquement à l'heure prévue.

« Bonsoir, dit la voix. Ici Radio Moscou, vous allez entendre notre émission en langue anglaise, et tout d'abord le bulletin d'informations de vingt-deux heures...

« A Téra... Excusez-moi, je reprends. A Téhéran aujourd'hui, le gouvernement a déclaré... »

Le capitaine Lyndhurst traversa le salon et coupa l'appareil. L'homme étalé par terre fixait la moquette de ses yeux sans vie, indifférent au message codé destiné à lui seul.

23

L'INVITATION à déjeuner était prévue pour une heure de l'après-midi, le vendredi 19 juin, au Brooks' Club de St. James. Preston passa la porte à l'heure précise, mais avant même qu'il se présente au concierge dans la loge sur sa droite, Sir Nigel traversait le vestibule de marbre à sa rencontre.

« Mon cher John, merci d'être venu. »

Ils se dirigèrent vers le bar, où ils bavardèrent à bâtons rompus devant un apéritif avant le déjeuner. Preston apprit au chef qu'il revenait d'Hereford où il avait rendu visite à Steve Bilbow, encore à l'infirmerie. Le sergent-major avait eu une chance inouïe. Quand on avait enlevé de son gilet de protection les balles aplaties tirées par le Russe, l'un des médecins avait remarqué une tache gluante et l'avait fait analyser. Le cyanure n'était pas entré dans le corps : le sergent du S.A.S. avait été sauvé par les tampons antichocs. En dehors de cela, de graves ecchymoses et le moral très bas, mais en forme.

« Excellent, dit Sir Nigel en toute sincérité. On n'aime pas perdre un homme de qualité. »

Presque tout le monde, au bar, discutait des résultats des élections après avoir veillé la moitié de la nuit en attendant les derniers pointages en province. La lutte avait été serrée.

A une heure trente, ils entrèrent dans la salle à manger. Sir Nigel avait réservé une table d'angle où ils pourraient parler en toute liberté. En traversant la salle, ils croisèrent le chef de cabinet du Conseil des ministres, Sir Martin Flannery. Sir Nigel et Sir Martin se connaissaient très bien, mais Sir Martin vit aussitôt que son collègue était « en conférence ». Les mandarins se saluèrent d'une imperceptible inclinaison de la tête – bien suffisante pour deux anciens d'Oxford. Les claques dans le dos sont bonnes pour les étrangers.

« Je vous ai demandé de venir, John, commença « C » en étalant sa serviette damassée sur ses genoux, pour vous présenter mes remerciements et mes félicitations. Opération remarquable et résultat excellent. Je vous suggère la rognonnade d'agneau, tout à fait savoureuse à cette époque de l'année.

– Quant aux félicitations, monsieur, je crains de ne pouvoir les accepter », dit Preston d'une voix égale.

Sir Nigel fixa le menu à travers ses lunettes demi-lunes.

« Ah! bon? Etes-vous admirablement modeste ou moins admirablement discourtois?... Ah! ma chère, lança-t-il à la serveuse, des haricots, des carottes et peut-être une pomme au four.

– Simplement réaliste, je pense, répondit Preston après le départ de la jeune femme. Pouvons-nous discuter de l'homme que nous connaissons sous le nom de Franz Winkler?

– Celui que vous avez si brillamment filé jusqu'à Chesterfield?

– Permettez-moi d'être sincère, Sir Nigel. Winkler aurait été incapable d'éliminer une migraine avec un tube de cachets d'aspirine. C'était un imbécile incompétent.

– J'ai tout de même l'impression qu'il a failli vous éliminer tous à la gare de Chesterfield.

– Un coup de malchance, dit Preston. Nous aurions dû placer un homme à chaque arrêt de la ligne. Ce que je veux dire, c'est que toutes ses manœuvres étaient maladroites. Elles nous prouvaient qu'il s'agissait d'un professionnel – mais si mauvais qu'il ne pourrait pas nous échapper.

– Je vois. Quoi d'autre au sujet de ce Winkler?... Ah! voici l'agneau. Cuit à la perfection. »

Ils attendirent d'être servis. Preston, troublé, goûta le plat du bout des lèvres. Sir Nigel semblait prendre un plaisir extrême.

« Franz Winkler est arrivé à Heathrow avec un passeport autrichien authentique contenant un visa britannique valide.

– C'est exact.

– Et nous savons tous les deux, comme l'officier de l'immigration à Heathrow, que les citoyens autrichiens n'ont pas besoin de visa pour entrer en Grande-Bretagne. Les employés de notre consulat à Vienne l'auraient évidemment dit à Winkler. C'est ce visa qui a poussé le contrôleur de l'aéroport à faire passer le numéro du passeport par l'ordinateur. Et il a découvert qu'il s'agissait d'un faux.

– Personne n'est à l'abri d'une erreur, murmura Sir Nigel.

– Le K.G.B. ne fait pas ce genre d'erreur, monsieur. Leur documentation est précise et infaillible.

– Ne les surestimez pas, John. Toutes les organisations géantes font des bourdes de temps en temps. D'autres carottes? Non? Puis-je me permettre?...

– Peut-être, mais il y avait deux bourdes sur ce passeport. Si le numéro a fait clignoter la lumière rouge, c'est parce qu'il y a trois ans, un autre Autrichien, supposé détenteur d'un passeport portant le même numéro, a été arrêté par le F.B.I. en Californie. Il est actuellement en prison, à Soledad.

– Ah! bon? Mon Dieu, les Russes ne sont pas si malins que ça après tout.

– J'ai appelé l'homme du F.B.I. à Londres pour lui demander sous quelle inculpation. Il semble que l'autre agent essayait d'exercer un chantage sur un cadre supérieur d'Intel Corporation, à Silicon Valley, pour obtenir des secrets techniques.

– Une honte!

– De technique nucléaire.

– Ce qui vous a donné l'impression?...

– Que Franz Winkler est arrivé dans ce pays éclairé comme une enseigne au néon. Et l'enseigne était un message. Un message double. »

Le visage de Sir Nigel exprimait toujours la même bonne humeur mais ses yeux pétillaient beaucoup moins.

« Et que disait ce message remarquable, John?

– Je crois qu'il expliquait : « Je ne peux pas donner « l'agent d'exécution illégal, parce que je ne sais pas « où il se trouve. Mais suivez cet homme, il vous « conduira à l'émetteur. » Et il l'a fait. J'ai donc surveillé l'émetteur, et l'agent d'exécution est venu se faire prendre.

– Qu'esssayez-vous de me dire? »

Sir Nigel reposa son couteau et sa fourchette sur son assiette vide et s'essuya la bouche avec sa serviette.

« Je crois, monsieur, que leur opération a été sabotée. Il me semble inévitable de conclure qu'un homme, dans l'autre camp, est l'auteur de ce sabotage.

– Quelle suggestion extraordinaire!... Je vous recommande le flan aux framboises. J'en ai pris la semaine dernière. Ce ne sont pas les mêmes, bien sûr. Oui?... Deux, chère amie, s'il vous plaît. Oui, avec un peu de crème fraîche.

– Puis-je vous poser une question? dit Preston quand la serveuse eut enlevé les assiettes.

– Je suis sûr que vous la poserez de toute façon, lança Sir Nigel en souriant.

– Pourquoi fallait-il que le Russe meure?

– Si j'ai bien compris, il rampait vers une bombe atomique avec l'intention de la déclencher.

– J'étais dans la pièce », dit Preston.

Les flans aux framboises arrivaient. Ils attendirent que la crème soit versée.

« L'homme était blessé à la cuisse, au ventre et à l'épaule. Le capitaine Lyndhurst aurait pu l'arrêter d'une chiquenaude. Inutile de lui faire sauter la cervelle.

– Je suis certain que le brave capitaine préférait ne courir aucun risque, avança le maître.

– Avec le Russe vivant, Sir Nigel, nous aurions pris l'Union soviétique en flagrant délit. Sans lui, tout ce que nous avons peut être démenti de façon convaincante. En d'autres termes, toute l'affaire doit être classée à jamais.

– C'est bien vrai..., acquiesça le maître espion en mastiquant amoureusement une bouchée de pâte brisée et de framboises.

– Il se trouve que le capitaine Lyndhurst est le fils de Lord Frinton.

– Vraiment? Frinton? C'est un nom connu?

– De vous, semble-t-il. Vous étiez à l'école ensemble.

– Ah! bon? Nous étions si nombreux. Difficile de se souvenir de tout le monde.

– Et je crois que Julian Lyndhurst est votre filleul.

– Mon cher John, vous vérifiez vraiment tout à fond, n'est-ce pas? »

Sir Nigel avait terminé son dessert. Il joignit les mains, posa son menton sur le bout de ses doigts et regarda longuement l'enquêteur du MI-5. La courtoisie demeurait mais la bonne humeur avait disparu.

« Autre chose? »

Preston hocha la tête d'un air grave.

« Une heure avant le début de l'assaut, le capitaine Lyndhurst a reçu un appel téléphonique dans le vestibule de la maison d'en face. J'ai vérifié auprès de mon collègue qui avait décroché : la communication venait d'une cabine publique.

– Sans doute un de ses collègues.

– Non, monsieur. Ils utilisaient les radios. Et personne en dehors des membres de l'opération ne savait que nous étions dans cette maison. Personne en dehors d'une poignée d'hommes, à Londres.

– Puis-je vous demander ce que vous suggérez?

– Encore un détail, Sir Nigel. Avant de mourir, le

Russe a murmuré un mot. Il semblait très résolu à me transmettre ce mot tant qu'il était conscient. J'avais l'oreille près de ses lèvres. Il a dit : « Philby ».

– Philby? Grands dieux. Je me demande ce qu'il pouvait vouloir dire par là.

– Je crois le savoir. Je crois qu'il pensait qu'Harold Philby l'avait trahi. Et je crois qu'il avait raison.

– Je vois... Et m'accorderez-vous le privilège de vos déductions? »

La voix du chef était toujours douce mais avait perdu sa bonhomie du début du déjeuner. Preston respira à fond.

« J'ai déduit que Philby le traître participait à cette opération, peut-être dès le début. De toute façon, il n'avait rien à perdre. Comme tout le monde, j'ai entendu chuchoter qu'il a envie de rentrer en Angleterre, pour y finir ses jours.

« Si le plan avait fonctionné, il aurait sans doute pu obtenir que ses maîtres soviétiques le laissent partir et que le nouveau gouvernement de Gauche Dure, à Londres, lui permette de rentrer. Un an après les élections, par exemple... ou bien il pouvait indiquer à Londres les grandes lignes du plan, puis le saboter.

– Et lequel de ces deux choix remarquables le soupçonnez-vous d'avoir fait?

– Le second, Sir Nigel.

– Dans quel but, je vous prie?

– Pour acheter son billet de retour. Ici, à Londres. Un marché.

– Et vous me croyez partie prenante de ce marché?

– Je ne sais que penser, Sir Nigel. A vrai dire, je ne sais que penser *d'autre*. Des bruits ont couru... Parmi ses anciens collègues, le « cercle magique », la solidarité de la « bonne société » dont il faisait partie autrefois... Ce genre de chose. »

Preston baissa les yeux sur les framboises dans son assiette. Il en restait la moitié. Sir Nigel fixa le plafond pendant longtemps, puis poussa un profond soupir.

« Vous êtes un homme remarquable, John. Dites-moi, que faites-vous vendredi prochain?

– Rien, je pense.

– Dans ce cas, prenons rendez-vous. A huit heures du matin, à la porte de Sentinel House. Emportez votre passeport. Et maintenant, si vous voulez bien m'excuser, je propose que nous nous fassions servir le café dans la bibliothèque... »

L'homme derrière la fenêtre, au premier étage de la planque dans une petite rue de Genève, surveilla le départ de son invité. La tête et les épaules du visiteur apparurent au-dessous de lui. L'homme descendit la petite allée jusqu'à la grille et passa dans la rue où sa voiture attendait.

Le chauffeur descendit, contourna le véhicule et ouvrit la portière pour l'homme âgé. Puis il retourna à la place du conducteur.

Avant de se remettre au volant, Preston leva les yeux vers la silhouette derrière la vitre, au premier étage. Une fois installé il demanda :

« C'est lui? C'est vraiment lui? L'homme de Moscou?

– Oui, c'est lui, répondit Sir Nigel sur le siège arrière. Et maintenant, à l'aéroport, je vous prie. »

Ils démarrèrent.

« Je vous ai promis une explication, reprit Sir Nigel un instant plus tard. Posez vos questions. »

Preston pouvait voir le visage du chef dans le rétroviseur – il regardait défiler le paysage par la portière.

« L'opération?

– Vous ne vous trompiez pas. Elle a été montée par le secrétaire général en personne sur les conseils et avec la collaboration de Philby. Elle portait le nom de Plan Aurore. Et elle a réellement été trahie, mais non par Philby.

– Pourquoi l'a-t-on sabotée? »

Sir Nigel réfléchit un instant.

« Dès le début, j'ai cru que vous aviez raison. A la fois dans vos conclusions hypothétiques de ce que l'on appelle maintenant le « Rapport Preston », de décembre dernier, et dans vos déductions après l'interception de Glasgow, bien que Brian Harcourt-Smith ait refusé de croire les unes et les autres. Je n'étais pas sûr que les deux questions fussent liées, mais j'ai préféré ne pas en écarter l'éventualité. Plus j'ai étudié la situation et plus il m'a semblé évident que le plan Aurore n'était pas une véritable opération du K.G.B. Elle n'en portait pas la marque, le caractère méticuleux. On aurait dit une affaire montée à la hâte par un homme ou un groupe d'hommes ne faisant pas confiance au K.G.B. Et il y avait cependant peu d'espoir que vous puissiez trouver l'agent à temps.

– Je pataugeais dans le noir, Sir Nigel. Et je le savais. Nos contrôles d'immigration ne pouvaient rien m'apprendre. Sans Winkler, jamais je ne serais arrivé à Ipswich à temps. »

Ils roulèrent plusieurs minutes en silence. Preston attendit que le Maître reprenne, quand il le désirerait.

« Alors j'ai envoyé un message à Moscou, dit enfin Sir Nigel.

– Vous-même?

– Seigneur, non. Cela n'aurait jamais marché. Beaucoup trop évident. Par une autre source, une source que l'on prendrait au sérieux. Mon message n'était pas très véridique, j'en ai peur. Dans notre métier, on est amené parfois à dire des contrevérités. Mais le message arriverait par une voie que j'espérais crédible.

– Et on l'a cru?

– Dieu merci, oui. A l'arrivée de Winkler j'ai compris que mon message avait été reçu, compris, et surtout jugé vrai.

– Winkler était la réponse? demanda Preston.

– Oui. Le pauvre homme. Il se croyait en mission de routine pour vérifier l'émetteur des Grecs. A propos, on l'a trouvé noyé à Prague il y a quatorze jours. Il en savait trop, je suppose.

– Et le Russe d'Ipswich?

– Il se nommait Petrofsky – je viens de l'apprendre. Un professionnel de premier ordre et un patriote.

– Mais il fallait qu'il meure, lui aussi?

– John, ce fut une décision difficile. Mais il n'y avait pas d'autre solution. L'arrivée de Winkler était une offre, une proposition de marché. Aucun accord précis, bien entendu, mais une entente tacite. Petrofsky ne pouvait pas être pris vivant et interrogé. Il fallait que j'exécute ma part du marché non écrit et non formulé avec l'homme que vous avez entrevu ici, derrière la fenêtre.

– En prenant Petrofsky vivant, nous placions l'Union soviétique sur un baril de poudre.

– Oui, John, sans aucun doute. Nous leur aurions infligé une colossale humiliation internationale. Mais avec quel résultat? L'U.R.S.S. n'aurait pas aimé ployer le genou. Elle aurait été amenée à répliquer, ailleurs dans le monde. Vous croyez souhaitable que nous en revenions aux pires aspects de la guerre froide?

– Il semble toujours dommage de perdre une occasion de les coincer, monsieur.

– John, ils sont puissants, armés, dangereux. L'U.R.S.S. restera sur la carte du monde demain, la semaine prochaine et l'année qui vient. Nous devons de toute manière partager la planète avec elle. Mieux vaut qu'elle soit gouvernée par des hommes pragmatiques et réalistes et non des têtes brûlées et des fanatiques.

– Et cela mérite de traiter avec des hommes comme celui de derrière la vitre, Sir Nigel?

– C'est parfois nécessaire. Je suis un professionnel. Lui aussi. Certains journalistes et écrivains se figurent que les gens de notre métier vivent dans un monde imaginaire. En réalité, c'est l'inverse. Ce sont les hommes politiques qui vivent dans leurs rêves, parfois des rêves dangereux comme celui du secrétaire général, dont l'ambition était de modifier le visage de l'Europe pour sa gloire personnelle.

« Les responsables des services de renseignements doivent garder la tête sur les épaules, exactement comme les hommes d'affaires les plus coriaces. Nous sommes obligés de nous accrocher à la réalité, John. Quand les rêves l'emportent, on se retrouve à la baie des Cochons. La première lueur d'espoir dans l'affaire des missiles de Cuba est venue d'une proposition du *Rezident* du K.G.B. à New York. C'était Khrouchtchev, et non les professionnels, qui marchait dans les nuages.

– Que va-t-il se passer, maintenant? »

Le vieux maître espion soupira.

« A eux de jouer. Il y aura des changements. Ils les effectueront à leur manière, qui est inimitable. L'homme derrière la vitre va tout mettre en branle. Il recevra de l'avancement, d'autres verront leur carrière brisée.

– Et Philby? demanda Preston.

– Philby?

– N'essaie-t-il pas de retourner en Angleterre? »

Sir Nigel haussa les épaules, agacé.

« Depuis des années, dit-il. Oh! oui, il prend contact de temps en temps, clandestinement, avec mon homme à notre ambassade de Moscou. Nous élevons des pigeons.

– Des pigeons?...

– Très démodé, je le sais. Et simpliste. Mais d'une efficacité surprenante. C'est comme cela qu'il communique avec nous. Mais *pas* au sujet du plan Aurore. Et même s'il l'avait fait... En ce qui me concerne...

– En ce qui vous concerne?

– Il peut pourrir où il est », répondit Sir Nigel à mi-voix.

Ils roulèrent quelque temps en silence.

« Mais vous, John? Allez-vous rester au Cinq?

– Je ne crois pas, monsieur. J'en ai assez. Le D.G. prend sa retraite le 1er septembre, mais partira en congé le mois prochain pour ne plus revenir. Je crois que je n'aurai guère de chances d'avancement sous l'autorité de son successeur.

– Je ne peux pas vous prendre au Six, vous le savez. Nous n'engageons personne en milieu de carrière. Vous songez à la vie civile?

– Le moment n'est pas bien choisi pour trouver un emploi quand on a quarante-six ans et aucune compétence recherchée.

– J'ai des amis dans une société qui se spécialise dans la protection de biens. Ils auront peut-être besoin d'un homme comme vous. Je pourrais leur parler.

– La protection de biens?

– Puits de pétrole, mines, gisements, chevaux de course. Des biens que l'on veut protéger du vol ou de la destruction. C'est bien payé. Cela vous permettrait de prendre entièrement votre fils à votre charge.

– On dirait que je ne suis pas le seul à tout vérifier. »

Le vieil homme regardait par la portière, comme à travers le temps.

« J'avais un fils, moi aussi, dit-il doucement. Un fils unique. Un garçon très bien. Tué aux Malouines. Je sais ce que vous ressentez. »

Preston, surpris, regarda l'homme dans le rétroviseur. Il ne lui était jamais venu à l'esprit que ce maître espion courtois et retors avait pu prendre un jour à califourchon sur son dos un jeune garçon de l'âge de Tommy.

« Désolé... Mais votre proposition m'intéresse. »

Ils arrivèrent à l'aéroport, rendirent la voiture louée et repartirent à Londres aussi anonymes qu'ils étaient venus.

L'homme à la fenêtre de la planque regarda s'éloigner la voiture de l'Anglais. La sienne n'arriverait pas avant une heure. Il tourna le dos à la fenêtre et s'assit au bureau pour étudier de nouveau le classeur que l'Anglais lui avait apporté. Il était enchanté : une rencontre positive. Et les documents qu'il avait entre les mains assureraient son avenir.

En tant que professionnel, le lieutenant général Karpov regrettait le plan Aurore. C'était un bon projet : subtil, discret et efficace. Mais en tant que professionnel, il savait également qu'une fois l'opération bel et bien grillée la seule solution était de l'annuler et de répudier toute l'affaire avant qu'il ne soit trop tard. Tout retard se serait avéré catastrophique.

Il se souvenait nettement de la liasse de documents que lui avait apportée le voyageur de Copenhague – de la part de Jan Maartens à Londres, la récolte de son agent Hampstead. Six étaient de la veine habituelle, des renseignements de premier ordre comme seul un homme aussi haut placé que George Berenson pouvait en fournir. Le septième texte l'avait pétrifié dans son fauteuil.

Il s'agissait d'un mémorandum personnel de Berenson à Maartens, pour transmission à Pretoria. Le haut fonctionnaire du ministère de la Défense y expliquait qu'au titre de directeur adjoint des Marchés, responsable en particulier des engins nucléaires, il avait assisté à un comité très restreint présidé par le directeur général du MI-5, Sir Bernard Hemmings.

Le chef du service de contre-espionnage avait expliqué aux membres du petit comité que son agence avait découvert l'existence et la plupart des détails d'une conspiration soviétique pour importer en pièces détachées, assembler et faire exploser en Grande-Bretagne un petit engin nucléaire. Les agents du MI-5 s'étaient mis en chasse, ils se rapprochaient de l'illégal russe dirigeant l'opération en Angleterre, et ils étaient à peu près certains de pouvoir l'arrêter et de réunir toutes les preuves nécessaires.

Uniquement à cause de son origine, le général Karpov avait cru sans réserve le contenu de ce rapport. Il avait été tenté aussitôt de laisser les Anglais aller de l'avant; mais il avait compris à la réflexion que ce serait un désastre. Si les Anglais réussissaient seuls et sans aide, rien ne les obligerait à étouffer le scandale affreux. Pour créer une obligation de cet ordre, il fallait qu'il envoie un message, et à un homme capable de comprendre ce qu'il fallait faire, un homme avec qui il pouvait traiter par-delà le grand fossé...

Il y avait ensuite la question de son avancement personnel... C'était au cours d'une longue promenade solitaire dans les forêts de Peredelkino, reverdies par le soleil printanier, qu'il avait décidé d'exécuter le coup de poker le plus dangereux de sa vie. Il était allé rendre une visite discrète au bureau privé de Noubar Gevorkovitch Vartanyan.

Il avait choisi son homme avec soin. Le membre du Politburo pour l'Arménie était, disait-on, à la tête de la faction clandestine favorable à un changement au sommet dans un délai très bref.

Vartanyan avait écouté Karpov sans dire un mot, certain d'être beaucoup trop haut placé pour que son bureau fût sur table d'écoute. Il n'avait cessé de fixer le général du K.G.B. avec ses yeux noirs de lézard. Quand Karpov s'était tu, il avait demandé.

« Vous êtes sûr que vos renseignements sont exacts, camarade général?

– Je possède un enregistrement complet de l'exposé du professeur Krilov, répondit Karpov. J'avais un magnétophone dans mon attaché-case.

– Et le renseignement de Londres?

– La source est impeccable. J'ai contrôlé cet homme personnellement pendant trois ans. »

L'Arménien, arbitre de la majorité au sein du Politburo, le regarda longuement comme s'il réfléchissait à plusieurs choses – dont sans doute la façon d'utiliser ces éléments d'information à son propre avantage.

« Si ce que vous dites est exact, le niveau le plus élevé de notre Etat a fait preuve d'imprudence et d'aventurisme. Si cela peut être démontré, mais il faudrait en posséder la preuve, cela provoquerait sans doute des changements au sommet. Bonne journée, camarade général. »

Karpov avait compris. Quand le détenteur du pouvoir suprême tombait, tous les hommes qu'il avait mis en place tombaient en même temps que lui. Et en cas de changement au sommet, il y aurait une place vacante à la tête du K.G.B. – Karpov estimait que le poste lui conviendrait admirablement. Mais pour cimenter son alliance de forces au sein du Parti, Vartanyan aurait besoin de preuves – d'une preuve plus consistante. Solide et irréfutable. De la preuve matérielle que l'imprudence avait failli provoquer un désastre. Personne n'avait oublié que Mikhail Souslov avait renversé Khrouchtchev en 1964 en l'accusant d'aventurisme au cours de la crise des missiles de Cuba en 1962.

Peu après sa conversation avec Vartanyan, Karpov avait envoyé Winkler, l'agent le plus cafouilleur qu'il avait trouvé dans ses dossiers. Son message avait été « lu » et compris...

Il feuilleta de nouveau les documents. Il avait bien entre les mains la preuve indispensable à son protecteur arménien.

Le rapport sur l'interrogatoire mythique et les aveux du major Valéri Petrofsky aux autorités britanniques aurait besoin d'être légèrement corrigé, mais il y avait à Yasyenevo des hommes capables de s'en charger. Les imprimés sur lesquels était rédigé le rapport étaient absolument authentiques – c'était l'essentiel. Même les rapports de ce M. Preston sur son enquête, corrigés pour exclure toute allusion à Winkler, étaient des photocopies des originaux.

Le secrétaire général lui-même ne serait pas en mesure de sauver le traître Philby – même s'il en avait le désir. Et il ne pourrait pas non plus se sauver lui-même : Vartanyan s'en chargerait. Ensuite... L'Arménien saurait sans aucun doute se montrer reconnaissant.

La voiture de Karpov vint le chercher pour le conduire à Zurich, où il prendrait l'avion de Moscou. Comme toujours, négocier avec « Chelsea » s'était avéré fructueux.

ÉPILOGUE

Sir Bernard Hemmings prit officiellement sa retraite le 1er septembre 1987. Il était en congé depuis la mi-juillet. Il mourut en novembre de la même année. Son épouse et sa fille adoptive bénéficièrent de ses droits à la retraite.

Brian Harcourt-Smith ne lui succéda pas à la tête du MI-5. Les « Sages » du comité firent leurs sondages : on convint que les tentatives d'Harcourt-Smith pour étouffer le Rapport Preston et minimiser l'importance de l'interception de Glasgow ne dissimulaient aucun mauvais dessein; mais il s'agissait tout de même de deux erreurs de jugement très graves. Comme il n'existait aucun autre successeur éligible au sein du Cinq, on fit appel à un homme de l'extérieur. M. Harcourt-Smith démissionna quelques semaines plus tard pour entrer au conseil d'administration d'une banque d'affaires de la City.

John Preston démissionna au début de septembre. La société de protection l'engagea avec un salaire double, ce qui lui permit de demander le divorce en exigeant la garde de son fils Tommy, dont il pouvait désormais assurer l'éducation. Julia retira son objection à la dernière minute, et Preston obtint entière satisfaction.

Sir Nigel Irvine prit sa retraite comme prévu le dernier jour de l'année. Il quitta en fait son bureau la veille de Noël. Il alla s'installer dans sa fermette de Langton Matravers, où il s'intégra parfaitement à la vie du village. Lorsqu'on lui demandait ce qu'il faisait avant sa retraite, il répondait : « Quelque chose de très ennuyeux à Whitehall. »

Jan Maartens fut convoqué à Pretoria « pour consultation » au début de décembre. Au moment où le Boeing 747 des South African Airlines décollait d'Heathrow, deux agents du N.I.S. aux épaules larges sortirent de la cabine de l'équipage et lui passèrent les menottes. Il n'apprécia pas ses vacances, qu'il vécut plusieurs mètres sous terre à assister dans leurs enquêtes des équipes de messieurs peu aimables.

L'arrestation de Maartens avait eu lieu en public, et la nouvelle se répandit. Le général Karpov apprit donc que son « dormant » avait été grillé. Il savait que Maartens, alias Frikki Brandt, ne résisterait pas longtemps aux interrogatoires; il attendit donc l'arrestation de George Berenson et le désarroi qui s'ensuivrait dans l'Alliance occidentale.

Au milieu de décembre, Berenson prit sa retraite anticipée du ministère, mais il n'y eut aucune arrestation. Sur l'intervention personnelle de Sir Nigel Irvine, il fut autorisé à s'exiler aux îles Vierges, avec une pension modeste mais suffisante de son épouse Lady Fiona.

Cette nouvelle indiqua au général Karpov que son fameux agent n'avait pas seulement été « grillé » mais retourné. Ce qu'il ignorait, c'était à partir de quelle date exacte Berenson s'était mis à travailler pour les Anglais.

Puis l'agent du K.G.B. Andreïev, de la rezidentura de Londres, signala qu'il avait entendu courir des bruits laissant supposer que Berenson avait été retourné dès que Jan Maartens avait pris contact avec lui. Il avait toujours travaillé pour le MI-5.

Une semaine plus tard, les analystes d'Yasyenevo durent se résigner à jeter au panier, comme douteux, trois années de renseignements en réalité parfaitement authentiques.

C'était le chant du cygne du Maître.

Table

IMPRIMÉ EN FRANCE PAR BRODARD ET TAUPIN
58, rue Jean Bleuzen - Vanves - Usine de La Flèche.
LIBRAIRIE GÉNÉRALE FRANÇAISE - 14, rue de l'Ancienne-Comédie - Paris.

ISBN : 2 - 253 - 03832 - 6 30/6158/7